Une collection dirigée par Pascal Canfin et Laure Watrin.

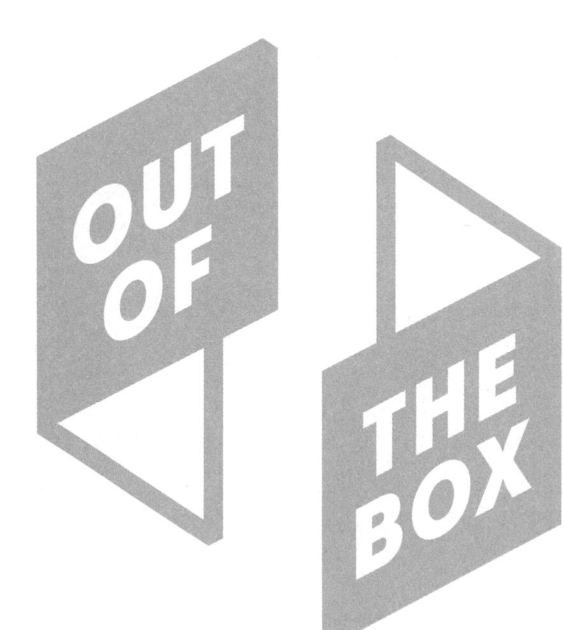

NEW JERSEY

MANHATTAN

NEWARK AIRPORT

BROOKLYN

STATEN ISLAND

WESTCHESTER
BRONX
QUEENS
LONG ISLAND
JFK
AIRPORT

NYC
OUT OF
THE BOX

QUEENS

THE BRONX

IN THE BOX

OUT OF THE CITY

New York comme vous
ne l'avez jamais vu.

NEW YORK

OUT OF THE BOX

New York Out of the Box

➡ NOUVELLES FRONTIÈRES

Si vous ne le savez pas encore, vous le découvrirez très vite : à New York, small is big. De la taille des gratte-ciel à celle des plats dans les restaurants, en passant par le nombre de langues qu'on y parle (plus de 800[1] !), c'est la capitale des superlatifs et de la démesure. Une métropole qui donne le vertige, avec ses 800 kilomètres carrés de superficie (8 fois plus que Paris), et ses 8,5 millions d'habitants[2].

Pour la grande majorité des touristes, New York se résume pourtant à Manhattan. Pas étonnant quand on sait que les New-Yorkais eux-mêmes ont longtemps considéré ceux qui vivaient dans les quatre autres boroughs (Brooklyn, Queens, Bronx et Staten Island) comme des banlieusards, n'hésitant pas à les mettre dans le même panier que les habitants du New Jersey et de Long Island, surnommés les « B&T » (Bridge & Tunnel). Un peu comme les Parisiens qui ne daigneraient pas passer le périphérique.

1. Selon l'association Endangered Language Alliance (elalliance.org) | **2.** Dernier recensement connu en 2015 (census.gov).

Mais ces vingt dernières années, la donne a changé. New York s'est métamorphosé, repoussant sans cesse ses propres limites symboliques. C'est désormais de l'autre côté des ponts et des tunnels que se dessinent les nouvelles frontières. Dans des quartiers « Out of the Box ».

TOLÉRANCE ZÉRO

Petit retour en arrière. Après avoir frôlé la banqueroute dans les années 1970, la ville est ravagée par la criminalité et le crack qui sévissent, dans les années 1980, dans de nombreux ghettos, au nord de Manhattan, à Brooklyn et dans le Bronx. Rudolph Giuliani, républicain élu maire en terre démocrate en 1993, est accueilli comme l'homme providentiel. En quelques années, la répression des trafiquants de drogue et des réseaux de prostitution, la théorie de « la vitre brisée »[3] et la politique de la « tolérance zéro » envers les délits mineurs, font de New York la ville la plus sûre des États-Unis. Le maire et son chef de la police font la une des médias.

Les méthodes musclées du NYPD[4] sont contestées par les associations de défense des libertés civiles (notamment le « stop & frisk », littéralement « interpellation et fouille », qui vise surtout les Noirs et les Hispaniques), mais plébiscitées par une grande partie de la population, y compris les minorités. Réélu, « Super Mayor » Giuliani lance aussi une campagne de civisme pour inciter les New-Yorkais, réputés rudes et pressés, à se montrer sous leur meilleur jour. À commencer par les chauffeurs de taxi et les vendeurs ambulants de hot-dogs, les premiers visages de la ville. Le métro - qui ne dort jamais non plus - est « nettoyé » de ses pickpockets, et Times Square de ses prostituées et de ses peep-shows.

UN ELDORADO URBAIN

La méthode Giuliani, sans oublier un contexte économique à nouveau favorable, redonne confiance aux New-Yorkais. La ville séduit les classes moyennes qui avaient fui, dans les années 1960 et 1970, vers les banlieues résidentielles de Long Island, du New Jersey et du Connecticut. Les voyageurs, eux, se pressent à Manhattan pour boire des Cosmopolitans et manger des cupcakes, comme dans la série *Sex & the City*.

Michael Bloomberg, l'homme d'affaires indépendant qui succède à Giuliani en 2002, juste après les attentats du 11-Septembre, continue de renflouer les caisses de la ville. Les rues sont toujours plus sûres (le taux de criminalité globale baisse de plus de 80 % de 1990 à 2013), et New York apparaît comme le nouvel eldorado urbain.

3. Cette théorie - élaborée en 1969 par le psychosociologue américain Philip Zimbardo, et popularisée dans un article publié en 1982 par James Wilson et George Kelling, part du principe que si une vitre brisée dans un immeuble n'est pas remplacée, alors d'autres vitres subiront rapidement le même sort, et le cadre de vie se dégradera. En d'autres termes, les incivilités du quotidien et l'absence de réaction de la société font le lit de la criminalité et du délitement du lien social. | **4.** New York Police Department.

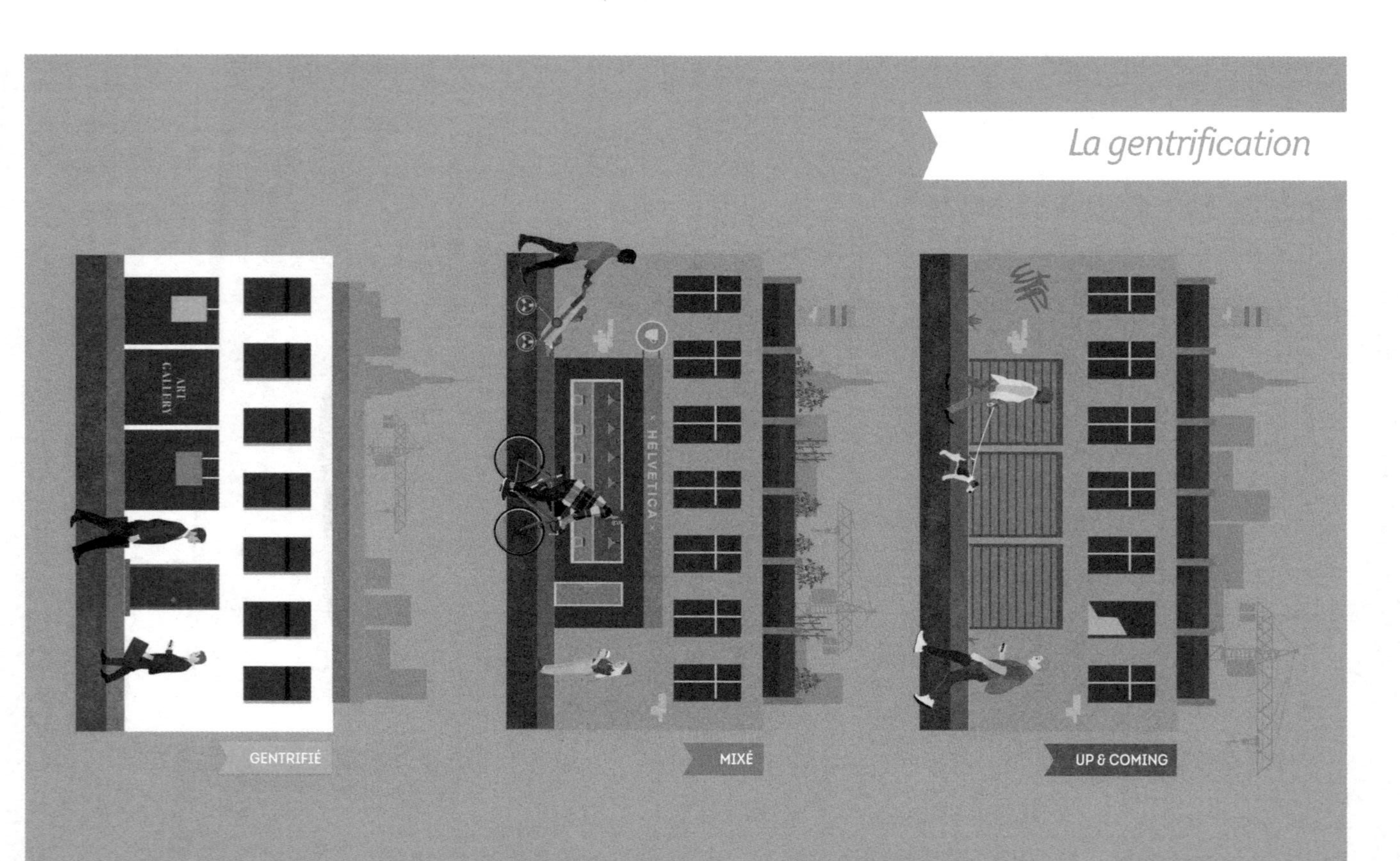
La gentrification
GENTRIFIÉ
ART
GALLERY
MIXÉ
HELVETICA
UP & COMING
WTF

UN LABORATOIRE À CIEL OUVERT

De désirable, New York devient durable. Avec l'aménagement des berges et des rivages, quatre-cent-cinquante nouvelles pistes cyclables et le lancement de Citi Bike (le Vélib new-yorkais) pour développer l'usage du vélo, c'est une révolution. C'est aussi la création de zones piétonnières, ou encore l'opération « Million Trees » NYC à l'occasion de laquelle le maire offre un million d'arbres aux habitants qui souhaitent en planter. Une belle vitrine qui permet aux New-Yorkais de se réapproprier l'espace public, et dont profitent bien sûr les visiteurs. Depuis les ravages de l'ouragan Sandy, les New-Yorkais ont pris conscience qu'il fallait protéger la ville. Des digues et des systèmes de drainage ont été construits, un milliard d'huîtres ont été réintroduites pour recréer un écosystème et consolider la baie de New York. L'East River n'a jamais été aussi propre: la preuve, de plus en plus d'espèces de poissons recolonisent ses eaux.

Sous l'effet de chantiers urbanistiques spectaculaires, la physionomie de la ville tout entière évolue. « The new New York » prend forme dans les années 2000 et change de centre de gravité. Si Manhattan reste la capitale des milliardaires, Brooklyn devient, sous la pression de la spéculation, la capitale mondiale de l'alternatif, cool et branchée.

« HYPERGENTRIFICATION »

Sur les berges en friches et dans les anciens espaces industriels, les territoires à conquérir sont immenses. De façon encore plus rapide que dans les autres métropoles, la gentrification[1] fait tache d'huile. Et le même scénario semble se répéter à l'infini. Les artistes et les étudiants, fauchés, s'installent dans un quartier populaire ou industriel, parce qu'il est abordable ou en friche, parce qu'il a une âme, et parce que la diversité sociale et culturelle ne leur fait pas peur. Ils retapent des entrepôts, valorisent l'habitat, créent une « community »*, c'est-à-dire une vie de quartier (voir glossaire). La criminalité baisse. Le coin devient alors « up & coming », avec l'ouverture d'un restaurant ou d'un coffee-shop précurseurs qui donne le signal à d'autres commerces.

Le premier stade de la gentrification, quand le quartier est mixé et qu'il y a encore un équilibre entre les nouveaux arrivants et les résidents de longue date, est souvent passionnant, riche de mélanges (même quand ils se limitent à de la coprésence dans les parcs), et d'expérimentations productifs. La « classe créative »[2], pour reprendre la notion inventée par Richard Florida, géographe spécialisé dans l'étude de l'aménagement urbain, contribue à revivifier des quartiers à l'abandon, à inventer de nouveaux modes de socialisation et de consommation, à créer les jobs du 21e siècle, et parfois aussi à insuffler de la mixité dans des ghettos. Les classes plus populaires, elles, sont partagées entre la satisfaction de voir leur cadre de

1. Terme inventé en 1964 par Ruth Glass, sociologue marxiste, pour dénoncer la reconquête des quartiers populaires de Londres par la gentry, la petite noblesse anglaise, et les ménages aisés. Concept élargi aux centres-villes des grandes métropoles réinvestis depuis la fin des années 1980 par la classe moyenne supérieure, tandis que les classes défavorisées sont chassées par la hausse des loyers. | **2.** Désigne les citadins diplômés, qui travaillent dans la communication, les médias, la recherche, l'enseignement, les arts, etc., et pour lesquels le capital culturel a plus de poids que le capital économique dans la définition de leurs valeurs positives. Terme que l'on traduirait par « bobos » en français.

vie s'apaiser, et la crainte de voir les prix exploser. « La gentrification a souvent des effets positifs au départ », souligne William Helmreich, un sociologue qui a arpenté, avec son chien ou sa femme selon les jours, 6 000 miles (soit 121 000 blocs de rue dans les cinq boroughs), pour écrire *The New Nobody Knows*[1]. « Elle permet notamment aux classes moyennes de bénéficier d'un cadre de vie plus sûr. » Puis l'immobilier s'envole, les locataires dont les loyers ne sont pas contrôlés (y compris les artistes gentrifieurs !) sont repoussés, chaque fois un peu plus loin. Et une nouvelle population, plus yuppie*, investit le quartier gentrifié, allant jusqu'à payer cash pour remporter la « bidding war », la guerre des enchères, afin d'acquérir le 2-bedrooms ou le penthouse de leurs rêves. En 2014, le prix moyen d'un appartement était de 1,7 million de dollars. Et le loyer moyen d'un deux pièces de 3 150$.

À New York, un quartier peut basculer en à peine 3 ou 4 ans. Il existe peu de contrepoids à cette « hypergentrification ». D'autant qu'elle est souvent encouragée par la mairie qui passe des accords avec les promoteurs pour modifier certains quartiers en profondeur et construire des logements haut de gamme afin d'attirer les cadres (ceux qui consomment et paient des taxes foncières). C'est ce qu'un géographe comme Neil Smith, professeur d'anthropologie et de géographie à l'université de New York, nomme « la gentrification institutionnelle ». Depuis le début des années 2000, la ville a ainsi régulièrement assoupli les règles d'occupation du sol (le fameux zoning, mis en place en 1916 afin de réglementer la construction des gratte-ciel) pour transformer des zones à usage industriel en quartiers résidentiels et commerciaux. Sous Bloomberg, 37 % du sol ont fait l'objet d'un rezonage, et 40 000 nouveaux buildings sont sortis de terre ! À peine ralenti par la crise financière de 2008, le marché de l'immobilier semble hors de contrôle, et les grues se déplacent au gré des quartiers en vogue. Vous pourrez le constater en vous baladant : des champs d'immeubles de verre qui se ressemblent tous ont poussé partout dans New York.

UN HÉRITAGE À DÉFENDRE

Au grand dam des New-Yorkais, certains quartiers s'uniformisent. Les banques, les chaînes de prêt-à-porter standardisées, les CVS, Duane Reade et autres drugstores, remplacent les delis* et les petits commerces ethniques ou familiaux qui font tant pour le lien social et l'identité de la ville. Depuis 2007, le blog Jeremiah's Vanishing New York[2] se fait régulièrement l'écho de ce New York qui disparaît, de commerces qui déménagent ou ferment, même quand ils se portent bien, parce que leurs propriétaires demandent des loyers astronomiques. « Qu'est-ce qui a un pouvoir de destruction supérieur au sida, au crack, au crime, et aux incendies volontaires réunis ? La gentrification ! », ironise le blogueur, un jeune romancier qui signe sous le pseudo de Jeremiah Moss. Avec d'autres, il se mobilise pour convaincre la mairie de réguler cette activité économique, pourtant du ressort privé, en créant l'équivalent d'un loyer modéré pour les petites entreprises, ou en accordant le statut de patrimoine historique aux commerces emblématiques du New York d'antan. Les New-Yorkais ne sortent pas souvent dans la rue pour manifester. Mais ils savent se mobiliser pour défendre un héritage dont ils sont fiers.

1. Princeton University Press octobre, 2013 | **2.** vanishingnewyork.blogspot.fr

- De 1990 à 2014, les quartiers populaires où les loyers ont le plus augmenté sont :

Williamsburg & Greenpoint
+ 78,7 %

Central Harlem
+ 53,2 %

Lower East Side
& Chinatown
+ 50,3 %

Bushwick
+ 44 %

- En 2016, le prix médian d'un appartement à vendre à New York est de 1 192 176$ contre 400 000$ en 2000.
- Le revenu médian par foyer est de 75 721$.

*Sources : NYU Furman Center | trulia.com

« Dynamique », « énergique » sont d'ailleurs des adjectifs qui reviennent souvent pour qualifier cette cité hyperactive qui fourmille d'initiatives individuelles. Du recyclage des déchets à la vie de quartier, de la défense des immigrés à la promotion des modes de transport alternatifs, les New-Yorkais sont plus nombreux que jamais à créer du lien social et à essayer de rendre leur ville, dont ils sont si fiers, plus juste. Ils s'investissent dans les community boards, ces organes de démocratie participative municipale qui leur permettent de faire entendre la voix des citoyens en matière d'urbanisme. Ainsi que dans des associations, comme The Historic District Council[1], qui aide à préserver les monuments historiques, ou le Municipal Arts Society[2], qui milite pour que New York se développe de façon harmonieuse et responsable.

Les politiques de Giuliani et de Bloomberg ont relancé la ville à coups de matraque et de milliards, mais ont aussi aggravé les inégalités spatiales et sociales. En 2013, signe des temps, les New-Yorkais ont donc choisi le démocrate Bill De Blasio pour maire. Ce géant de près de 2 mètres vit à Brooklyn avec sa femme, une poétesse afro-américaine et lesbienne (mais tombée amoureuse de lui), ainsi que leur fille et leur fils, scolarisés à l'école publique. Bref, une famille normale aux yeux des New-yorkais, à laquelle s'identifient ceux qui aspirent à plus de justice sociale et qui veulent remettre l'humain au cœur de la machine. De Blasio, progressiste (qu'on pourrait qualifier de socialiste au regard des critères américains), a fait campagne sur les inégalités sociales et la défense des minorités. Car New York est aussi la ville de la pauvreté et de l'exclusion : plus d'un habitant sur cinq vit sous le seuil de pauvreté et les inégalités de revenus augmentent aussi vite que les loyers. Le nouvel édile s'est notamment engagé à construire plus de 200 000 logements HLM (« affordable housing ») d'ici 2025, en passant à son tour des accords, qu'il veut plus contraignants, avec les investisseurs. Mais la situation n'a pas beaucoup progressé depuis son élection.

Le centre de gravité du New York qui innove s'est déplacé à Brooklyn. C'est dans ce borough, mais aussi à Queens, dans le Bronx et, dans une moindre mesure, à Staten Island, que l'on retrouve ce qui fait toujours la diversité et l'âme de la ville.

New York est aujourd'hui à un tournant, confrontée à des enjeux écologiques, sociologiques et urbanistiques passionnants. Des défis du 21e siècle qui la forcent à se réinventer en permanence, incitant ses habitants à repousser un peu plus chaque fois les limites des quartiers laboratoires de la ville-monde.

1. hdc.org | **2.** mas.org

Pour vous guider dans « l'exploration des quartiers Out of the Box », suivez notre boussole. Un instrument de mesure particulier puisque ses points cardinaux sont sociologiques et vous permettront de mieux comprendre l'ambiance du quartier que vous allez découvrir.

MIXÉ

Il existe un équilibre intéressant entre les nouveaux habitants et les résidents de longue date. Ils ne dînent pas forcément ensemble dans les restaurants veggie récemment apparus, mais ils partagent l'espace public, et des projets fédérateurs comme les jardins partagés.

GENTRIFIÉ

Les hipsters ont été rejoints par les yuppies*. Le prix du m² est devenu impraticable. Il reste agréable de se balader dans le quartier, même s'il s'aseptise, au rythme des restaurants de burgers et des coffee-shops.

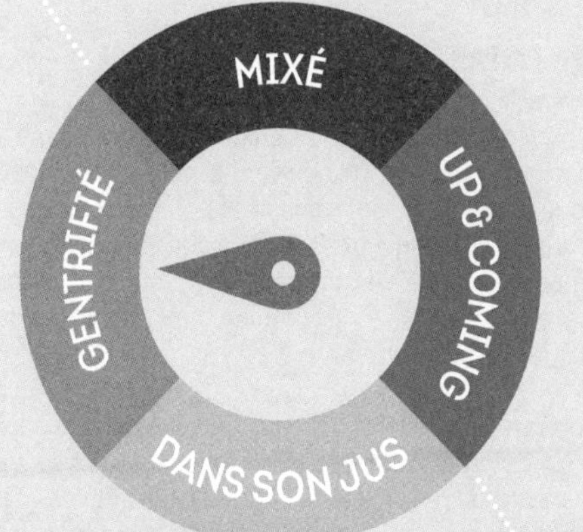

UP & COMING

Les premiers signes de la gentrification apparaissent. Il y a toutes les chances pour que vous puissiez boire un bon cocktail, ou écouter un concert dans un entrepôt reconverti. Mais le quartier garde son âme.

DANS SON JUS

Ici, on ne trouve (presque) pas de bières artisanales ni de café équitable. On y va pour s'immerger dans un New York vieille école ou ethnique, populaire.

Manhattan

« THE SKY IS THE LIMIT »

La devise de ce borough pourrait être « toujours plus grand, toujours plus bling ». Il suffit de regarder la ligne d'horizon de Midtown pour comprendre que le luxe, ici, se hisse de plus en plus haut. Ces dernières années, les megatowers sont devenues les nouveaux coffres-forts des investisseurs chinois, russes, ou arabes, et de quelques dizaines de milliardaires américains, capables de dépenser 100 millions de dollars pour un penthouse, (avec vue à 360 degrés), perché à 300 mètres de hauteur, dans lequel ils ne vivront qu'une semaine par an tout au plus.

C'est la course aux droits aériens[1]. One 57, le premier gratte-ciel (conçu par l'architecte français Christian de Portzamparc) à avoir poussé sur 57th St, semble déjà ridicule à côté de « 432 », le plus haut building résidentiel jamais construit aux États-Unis, situé 432 Park Ave, au coin de 57th St, et visible de très loin depuis l'autre côté de l'East River. Au total, plus d'une douzaine de tours sont déjà programmées dans cette rue, en bordure sud de Central Park, rebaptisée « the billionaires row », l'allée des milliardaires.

LA FOLIE DES HAUTEURS

« L'immobilier est à New York ce que l'industrie pétrolière est à Dallas », dénonce Layla Law Gisiko, New-Yorkaise d'origine française à la tête de la Sunshine Task Force, un collectif de citoyens qui milite pour une réelle concertation sur le sujet. « A-t-on besoin de tours aussi hautes, qui abritent quelques appartements hyper luxueux, la plupart du temps inoccupés ? Il faut prendre le temps, au minimum, de peser le pour et le contre, et il faut réviser les "zoning laws", les lois d'urbanisme locales, pour mieux réguler les "droits aériens". »

Si certains se réjouissent de voir New York à nouveau dans la course internationale à l'innovation architecturale, d'autres s'inquiètent de ses conséquences sur l'environnement. En 2013, une étude retentissante[2] a simulé les ombres géantes que ces nouveaux gratte-ciel immenses et très fins allaient projeter sur les rues alentour et sur le sud de Central Park, s'inquiétant qu'une partie du parc soit plongée dans l'obscurité à certaines heures de la journée, avec des effets possibles sur la végétation. Et les promesses du maire, qui négocie avec les investisseurs des abattements sur la taxe foncière en échange de la construction - ou de la préservation - de 20 % de logements sociaux sur les nouvelles constructions, ne rassurent pas vraiment.

1. À New York, le vent a un prix ! Grâce à un système légal hérité de la Rome antique, on peut en effet vendre l'air au-dessus d'un immeuble. Ses droits aériens sont transférables à un immeuble voisin, ce qui permet par exemple de construire une tour très haute à côté d'une maison de deux étages qui lui a cédé ses droits et lui a permis de doubler la hauteur maximale autorisée par le plan d'urbanisme. | **2.** Étude financée et publiée par l'association Municipal Arts Society of New York (MAS), intitulée "La skyline accidentelle".

L'ESPRIT DE NEW YORK RÉSISTE

« Les logements sociaux et les HLM tardent à venir. En revanche, les centres commerciaux qui n'ont rien à voir avec l'esprit de New York ouvrent les uns après les autres. Qui a les moyens de se payer un caffé macchiato* à 4$ ou un verre de vin à 16$ pour que les bars et les restaurants puissent payer leurs loyers astronomiques ? », s'insurge Layla Law-Gisiko.

Ne boudez pas votre plaisir. Vous serez certainement bouche bée en découvrant le cœur de la capitale du libéralisme, remplie d'icônes qui semblent si familières même quand on n'a jamais mis les pieds à New York. Mais ne vous contentez pas de rester dans ce Manhattan « In the Box »[3], qui est à la fois le plus riche[4] et le plus inégalitaire. Quelques quartiers font de la résistance et méritent d'être explorés. Sautez dans le métro, enfourchez un vélo, et filez tout au nord, au-delà de Central Park. À Harlem, ancien ghetto noir en pleine métamorphose, à Morningside Heights, terre estudiantine autour de l'université de Columbia. À Washington Heights et Inwood, quartiers populaires où vivent les Hispaniques, notamment les Portoricains et les Dominicains, et de plus en plus de jeunes citadins. Allez à l'est, dans le Lower East Side qui, même s'il n'est plus grunge, reste plein d'aspérités, et à Alphabet City, dernier bastion de la contre-culture manhattanite. Car il y a aussi un Manhattan « out of the box ».

3. Voir nos bonnes adresses dans les quartiers touristiques In the box, p.384. | 4. C'est même le plus riche comté des États-Unis, avec le plus fort revenu par habitant

Brooklyn

➡ LA « MANHATTANISATION » DE BROOKLYN

Demandez à des copains qui reviennent de New York où ils sont allés se balader. Il y a de fortes chances pour qu'ils vous répondent la bouche en cœur et d'un ton enthousiaste : « À Brooklyn » ! Demandez-leur où ils sont allés précisément. Il y a de fortes chances pour qu'ils ne sachent pas vous répondre, ou bien qu'ils vous parlent de Williamsburg ou de Dumbo, peut-être de Bushwick s'ils sont du genre « aventuriers ». Il faut dire que cet immense borough, régulièrement désigné comme « la ville la plus cool du monde », est aussi attirant qu'intimidant.
Car oui, Brooklyn est une ville. Enfin, disons qu'elle était une ville jusqu'en 1898, date à laquelle elle est passée sous la houlette de New York City. Pour vous donner une idée, si elle redevenait indépendante, elle serait la 4e métropole des États-Unis, avec 2,5 millions d'habitants (plus que Paris !).

Brooklyn a toujours eu une identité et une culture bien à part (et même son propre accent, le brooklynese* !). Sa population est aujourd'hui d'une extrême diversité, constituée de dizaines de quartiers qui, pour beaucoup, se sont construits autour de communautés, ethniques ou religieuses (c'est par exemple le fief de la plus grande communauté juive des États-Unis), mais qui partagent la même fierté d'être des Brooklynites. Les blancs représentent moins de 50 % des habitants, contre quasiment 100 % dans les années 1930.

Depuis la fin des années 1990, Brooklyn est en pleine renaissance. Au bord de l'eau et le long des lignes de métro les plus pratiques pour rejoindre Manhattan, les rues bordées de maisons victoriennes, de brownstones*, et d'incroyables volumes industriels à l'abandon, de Williamsburg, Dumbo, Park Slope, Caroll Gardens, Boerum Hill, Cobble Hill, ou encore Fort Greene, se sont métamorphosées. Les docks et les rives ont été transformés en parcs et en terrains de sport, permettant à la population de se réapproprier ces paysages urbains.
S'il est encore très agréable de humer l'air du temps dans les boutiques de designers locaux et les restaurants branchés de ces zones gentrifiées, on vous conseille de vous enfoncer plus loin, dans des quartiers mixés, up & coming, ou restés dans leur jus, pour trouver la diversité si chère à Brooklyn. Plus à l'est (Bushwick, Crown-Heights, Bed-Stuy), au nord (Greenpoint), et au sud (Gowanus, Red Hook, Kensington, Ditmas Park, Sunset Park, ou encore Bay Ridge).

➡ LA MARQUE « BROOKLYN »

Après avoir subi de plein fouet l'arrêt de son activité portuaire et la désindustrialisation des années 1960 et 1970, Brooklyn a récemment recommencé à créer des emplois. Ses toits se transforment en fermes urbaines et ses anciennes usines en incubateurs de start-up. C'est l'arrondissement des alternatifs et des « makers », des entrepreneurs du 21e siècle qui prennent soin de l'héritage tout en se projetant dans l'avenir, et remettent le do-it-yourself (DIY), le circuit court, et l'artisanat au goût du jour. Une économie qui se doit d'être responsable et engagée, à l'image de cette offre d'emploi affichée sur la vitrine d'un bar de Greenpoint, le quartier de *Girls*, la série qui a relégué *Sex and the City* au rang de conservatrice : « Now hiring fun people with great work ethic! » (Recherchons des serveurs sympas qui ont une super éthique de travail !). Une nouvelle économie qui ne profite pas toujours, ou en tout cas pas directement, aux classes populaires : un Brooklynite sur quatre reçoit des bons alimentaires de la ville.

« Believe the hype! », « Not just a borough, an experience », promettent les panneaux d'accueil sur les autoroutes qui traversent l'arrondissement. Brooklyn est désormais une marque branchée qui s'exporte aux quatre coins du monde. Comme ses hipsters, elle a parfois fini par se caricaturer. En attendant de se réinventer.

Queens

➨ QUEENS SE BROOKLYNISE ?

Ce n'est pas un hasard si deux des trois aéroports de la ville (La Guardia et JFK) se trouvent à Queens (ne dites jamais « le » Queens, sous peine de passer pour un touriste). Surnommé « The world's borough », cet arrondissement a toujours été une terre d'accueil pour la classe ouvrière du monde entier, venue bâtir une nouvelle vie. Ici, un habitant sur deux est né à l'étranger, ce qui en fait le borough le plus multiculturel de New York. Contrairement à d'autres villes américaines, à New York, aucun groupe ethnique ne domine l'histoire de l'immigration. C'est l'archétype de la ville-monde, et Queens en est la quintessence.

À LA DÉCOUVERTE DES NOUVEAUX QUARTIERS

En se promenant dans les rues d'Astoria, Corona, Sunnyside, Woodside, Jackson Heights, Elmhurst, ou encore Flushing (des quartiers encore dans leur jus même si on peut y voir les premiers signes de la gentrification), on saisit mieux comment la ville a su intégrer les différentes vagues de migrants.

Ville portuaire, New York a toujours été la porte d'entrée de l'immigration américaine. Elle s'est même construite grâce aux immigrés. Après les Européens, en particulier les Irlandais et les Italiens, à partir de la fin du 19e siècle, et les millions de Juifs qui ont fui l'antisémitisme, elle a ensuite accueilli les Asiatiques, les Hispaniques, les Africains, et les Européens de l'Est. Ces vagues successives lui ont permis, (notamment après le vote du Immigration and Nationality Act, en 1965, qui a aboli les quotas), de compenser l'exode des classes moyennes blanches dans les années 1970. Entre 1970 et 2010, la proportion de Blancs non hispaniques est ainsi passée de 63 % à 33 %.

➨ UN « COMMUNAUTARISME POSITIF »

Il vous arrivera peut-être de tomber sur une parade dans la rue. Tout au long de l'année, de la Saint Patrick à la Journée nationale dominicaine, de l'indépendance des Philippines à la parade afro-américaine, plusieurs dizaines de nationalités et de groupes ethniques ou religieux se succèdent dans les rues de New York pour célébrer leurs origines, avec la bénédiction de son maire, qui défile en tête, un sombrero mexicain ou une kippa sur la tête.

Le modèle d'intégration new-yorkais est unique au monde et difficilement transposable, fondé sur la « community* ». C'est ce que l'on pourrait appeler un communautarisme positif. Dans les agences municipales, les formulaires sont systématiquement traduits en espagnol, chinois, russe, arabe, ou encore en créole haïtien, et des interprètes sont à disposition pour les langues rares. Puisqu'à peine la moitié des New-Yorkais parlent anglais à la maison, et que le quart des immigrants ne maîtrisent pas la langue, il s'agit de leur donner toutes les informations dont ils ont besoin quand ils arrivent, pour pouvoir être acteur de la vie citoyenne et contribuer à la richesse économique de la ville.

À Queens, on comprend l'importance de la solidarité communautaire pour accueillir les nouveaux habitants. Une vague d'immigration chassant l'autre, New York est en perpétuelle mutation. Même si aujourd'hui, les enclaves ethniques ont tendance à s'estomper pour faire place à des quartiers de plus en plus mélangés.

LES LOIS DU REZONING

D'autant que la gentrification fait son œuvre. C'est dans la frange ouest de Queens qu'elle est la plus visible. Au début des années 2000, une modification du zoning a permis de transformer cette ancienne zone industrielle en terrain de jeux pour les promoteurs. Quand on voit Long Island City, le long de l'East River, dont les tours attirent de plus en plus de jeunes cadres, à une station de métro de Manhattan, avec vue imprenable sur l'ONU et l'Empire State Building, on comprend que la fièvre immobilière n'a pas de limite. Alors dépêchez-vous !

The Bronx

➤ LE BRONX NE BRÛLE PLUS

Qui aurait pu croire il y a encore dix ans, que le Bronx serait un jour une destination touristique ? On ne vous parle pas seulement d'aller au zoo (impressionnant pour qui aime le genre), ou d'assister à un match de baseball au Yankee Stadium. Mais de découvrir un borough en pleine métamorphose.

Qu'il semble loin le temps où le Bronx se vidait de sa population -20 % dans les années 1970 et 1980. Comme partout à New York, la criminalité a chuté ces vingt dernières années, et même s'il souffre encore d'une mauvaise réputation, ce borough attire de plus en plus les classes moyennes blanches. La presse se fait régulièrement l'écho des opportunités immobilières à Mott Haven, Port Morris, ou Melrose, ces quartiers up & coming du sud du Bronx, à une station de métro de Manhattan, où se pressent maintenant les hipsters.

Une révolution qui réjouit la population hispanique et noire, autant qu'elle ne l'inquiète. Car les promoteurs ont déjà mis la main sur les rives de Harlem River, entre 138th et 149th Streets. Grâce au rezoning, des champs de tours de standing pour cadres surmenés vont bientôt y pousser, avec vue sur un Manhattan devenu inabordable. Au point qu'on entend dire que cette zone industrielle est le nouveau Williamsburg ! La gentrification a clairement fait ses premiers pas dans le South Bronx, pompeusement rebaptisé SoBro par des promoteurs toujours prompts à essayer de rendre un quartier désirable. Ici, c'est l'ouverture d'un restaurant locavore, là, d'un boutique-hôtel, d'une galerie d'art, ou d'un marché de producteurs locaux, au pied des immeubles hier encore squattés par les rappeurs et par les gangs.

➤ DES HLM AU VILLAGE DE PÊCHEURS

En réalité, le Bronx est un borough contrasté, et c'est ce qui le rend d'autant plus intéressant à découvrir. Il abrite, à quelques kilomètres de distance seulement, Co-op City, l'une des plus grandes cités HLM du monde, où vivent plus de 50 000 personnes, et City Island, un village de pêcheurs qui n'a pas changé.

À l'est, les ghettos hispaniques et afro-américains se remettent lentement des ravages de la drogue, de l'énorme nœud autoroutier imposé par l'urbaniste maudit Robert Moses[1], et de l'abandon des pouvoirs publics pendant des décennies. Les habitants sont moins éduqués, le taux de chômage est toujours plus élevé que dans les autres boroughs, et les conditions de vie ne sont pas faciles. L'espérance de vie n'y est que de 75 ans, contre 85 pour les quartiers huppés de Manhattan.

1. Cet urbaniste controversé (imaginez Haussmann et Georges Pompidou réunis) a remodelé la ville de 1930 à 1970, préférant l'automobile aux transports en commun et faisant peu de cas des minorités et des quartiers défavorisés.

À l'ouest, des quartiers résidentiels sans histoire n'ont, eux, jamais cessé de prospérer, à l'image de Riverdale, dont les manoirs, tout au nord, le long de l'Hudson River, se vendent des millions de dollars.

Le Bronx est évidemment réputé pour sa street-culture, du rap au graf. Mais c'est aussi un arrondissement très vert, puisque le quart de sa superficie est recouvert de parcs et de jardins, comme le cimetière de Woodlawn (le père Lachaise de NY), le zoo et le Botanical Garden, Pelham Bay Park, et Van Cortlandt Park, où l'on joue au golf et au cricket. Aujourd'hui, le Bronx rêve de continuer de rebondir et de s'assagir, mais sans y perdre son âme.

Staten Island

LE BOROUGH OUBLIÉ

La plupart du temps, on se contente de prendre le ferry (gratuit) jusqu'à Staten Island pour admirer la vue sur la skyline de Manhattan et approcher la Statue de la Liberté. Et après une demi-heure de traversée, à peine arrivé, on saute dans le ferry qui repart vers la « City ». À moins d'y vivre, qu'irait-on faire dans ce « forgotten borough », cet arrondissement oublié, peuplé de ploucs qui votent Républicain, et qui abrite la plus grande décharge d'ordures du monde? Voilà pour les clichés (à part le vote Républicain) qui collent encore à la peau de Staten Island.

L'ambiance n'a rien à voir avec celle des autres boroughs. Moins citadine, plus insulaire évidemment puisque Staten Island n'a été reliée à la terre ferme qu'en 1964, année d'inauguration du Verrazzano-Narrows Bridge.
C'est d'ailleurs le seul arrondissement dont la population est majoritairement blanche : les trois-quarts des 500 000 habitants sont essentiellement d'origine italienne, irlandaise et russe. On vous laisse imaginer le nombre de policiers et de pompiers qui vivent là ! Un peu partout, d'énormes drapeaux américains peints sur les façades des maisons et des écoles rappellent le prix humain payé par les familles de l'île lors des attaques du 11-Septembre 2001.

Quand on traverse l'île, avec ses lotissements, ses usines, ses shopping malls* et ses centres de tir où s'entraînent les chasseurs et les policiers du NYPD, on se dit qu'on pourrait être dans la banlieue du New Jersey (l'État juste en face). Mais Staten Island, c'est aussi la nature et une vie sauvage impressionnante. Des centaines d'espèces d'oiseaux, des biches (en surpopulation !), des tortues, des renards. Quant à Freshkills, la décharge publique, elle a fermé en 2001, pour être transformée en un incroyable parc qui ouvre progressivement ses pistes cyclables, ses cours d'eau et son écosystème aux habitants (la transformation, titanesque, ne sera totalement terminée qu'en 2036).

Last but not least, Staten Island commence à bouger. En tout cas, le regard des New-Yorkais commence à changer. Mais Staten Island n'attire plus seulement les familles de la classe moyenne en quête d'espace. De plus en plus d'artistes vivent juste à côté du terminal du ferry, signe que la limite de la gentrification n'est même plus l'océan. On y trouve également un Little Sri Lanka, une importante communauté sri-lankaise qui a fui la guerre civile dans son pays.

Sautez dans le ferry pour profiter de cette atmosphère un brin désuète, qui va encore changer avec l'ouverture de New York Wheel, une grande roue façon London Eye, et d'un énorme centre commercial destiné à attirer les touristes. Un bon conseil : si vous voulez vraiment passer pour un(e) New-Yorkais(e), prononcez bien « STA-ten Island », et pas « STATE'N Island ».

Faites comme chez eux

➨ VIVEZ LA VILLE COMME LES NEW-YORKAIS

Puisqu'on vous emmène dans les quartiers où les gens vivent, on a évidemment envie de partager avec vous les adresses de leur vie quotidienne. On peut vite exploser son budget à New York, où un latte* à emporter peut coûter 4$, une bière 6$, et un verre de vin 12$ - même dans les endroits qui ne sont pas touristiques! Nous avons choisi des adresses qui offrent le meilleur rapport qualité-prix, et qui tendent à la meilleure responsabilité sociale possible, en respectant les trois P, la « Triple Bottom Line » (People, Planet, Profit). Pour le logement, nous partons du principe que les nouveaux voyageurs séjournent de plus en plus souvent chez l'habitant, en échange ou en sous-location. Vous ne trouverez qu'une petite sélection d'hôtels à la fin de ce guide, dans les pages pratiques.

LES COURSES › Des épiceries ethniques aux commerces bio en passant par les marchés de petits producteurs, les adresses des locaux n'auront pas de secrets pour vous.

PETIT-DÉJEUNER › Pour un bon café rapide en semaine ou un brunch plus paresseux le week-end.

MANGER › New York est une ville de foodies, c'est-à-dire de gourmets et de gourmands, qui n'hésitent pas à faire la queue ou une heure de métro pour tester un nouveau restaurant. Nous vous livrons nos/leurs bonnes adresses (qui parfois valent à elles seules le déplacement dans le quartier) pour manger sur le pouce, goûter de la street-food, ou faire une bonne bouffe. La fourchette de prix indiquée correspond au prix moyen d'un plat.

SORTIR › Vous y trouverez les bars et les clubs où prendre un verre, écouter de la musique, et aussi danser - New York ayant renoué avec les dance-floors! Dans les lieux que nous vous recommandons, on ne vous demandera pas si vous êtes « on the list ». Le ou les prix indiqués correspondent au prix moyen d'une bière, d'un verre de vin ou d'un cocktail.

AVEC VOTRE SERVIETTE › Faites comme les New-Yorkais, allez décompresser sur le sable. On vous indique leurs plages préférées, en famille ou avec des copains, selon votre humeur du moment.

LA VÉRIFICATION DE NOS ADRESSES

Toutes nos adresses ont été scrupuleusement vérifiées par l'équipe de Out of the Box, notamment par Kim Laidlaw, notre fact-checkeuse, jusqu'à l'impression du guide. Mais New York est l'une des villes qui bougent le plus au monde.

On ne peut donc pas exclure qu'un établissement ait fermé ou déménage. Pensez, quand vous lirez ce guide, à consulter les sites Internet ou à passer un coup de fil avant d'y aller.

SE CONNECTER› Comme leurs appartements sont petits, les New-Yorkais s'installent souvent pendant des heures dans un café en bas de chez eux, qui devient un peu comme leur salon ou leur bureau. Voilà notre sélection de lieux où vous poser, avec l'assurance de trouver du wifi gratuit, du calme, et même des bonnes choses à boire et à manger. Personne ne viendra vous déloger, sauf si c'est l'heure de la fermeture...

PAUSES URBAINES› À New York, on marche beaucoup. Pour faire une pause, rien de mieux qu'un parc, un jardin partagé et les nombreux endroits verts à découvrir au cœur de la ville, mais aussi des bâtiments dont la beauté laisse bouche bée, et qui sont des lieux urbains où il y a de la vie.

S'AÉRER LES NEURONES› La ville regorge évidemment de musées connus dans le monde entier. Nous avons envie de vous faire découvrir des endroitsplus confidentiels, où vont les locaux, comme une ancienne usine transformée en espace multiculturel, ou une galerie qui monte.

TAKE CARE› Vous connaissez sans doute, au moins de réputation, la passion des New-Yorkais pour les tapis de course et les vélos d'intérieur. Ce n'est pas leur seule façon de prendre soin d'eux. Dans cette rubrique, nous recommandons aussi bien une salle d'escalade qu'un salon de manucure. Bref, tous les moyens de penser à soi de temps en temps.

BUY LOCAL› « Everything is under control, keep shopping! » (« Nous contrôlons la situation, continuez à faire du shopping !) Voilà ce que Rudolph Giuliani, le maire de New York, n'a pas hésité à dire à ses administrés qui faisaient la queue pour donner leur sang au lendemain des attentats du 11-Septembre. C'est dire l'importance de la consommation dans l'économie locale. Inutile de vous donner les adresses des grandes chaînes standardisées (vous les trouverez tout seuls). En revanche, on vous indique celles des créateurs locaux, et aussi des brocantes, des puces et des boutiques de « second hand » (d'occasion), qui se sont multipliées depuis la crise financière de 2008.

Exit
Exit

IN THE BOX

Après avoir découvert le Bronx ou les nouveaux quartiers de Brooklyn, vous aurez peut-être une envie de Metropolitan Museum ou de One World Trade Center. On vient à New York aussi pour ça. Mais ce n'est pas une raison pour mal manger et passer à côté de LA boutique sympa dans le quartier. Nous vous livrons nos adresses dans dix-huit quartiers In the Box, pour ne pas avoir l'air d'un(e) touriste et profiter de la ville comme un vrai New-Yorkais.

OUT OF THE CITY

Les New-Yorkais adorent leur ville. Ils adorent aussi s'en échapper, notamment l'été quand la chaleur devient tropicale et étouffante. Comme ils ont peu de vacances (deux à trois semaines par an en moyenne, qu'ils hésitent à prendre), mais une bonne douzaine de lundis fériés, ils partent souvent pour trois ou quatre jours. La mer, la montagne, et la campagne sont à peine à une ou deux heures de train (et même de métro !). Faites comme eux, échappez-vous le temps d'un week-end ou plus. Out of the Box vous emmène « Out of the City » pour vous mettre au vert. Au bord de la mer, des plages de Rockaway à celles des Hamptons, ou à l'intérieur des terres, le long de l'Hudson River, en remontant vers le nord de l'État de New York. Pas besoin de louer une voiture, nous faisons tout pour vous y emmener en train, en métro et à vélo.

LES BALADES

Pour vraiment vivre la ville comme ses habitants, partez en balade ! New York n'est pas qu'une jungle de béton. Pour enrichir votre exploration, nous avons imaginé dixitinéraires, à faire à pied, à vélo, ou en transports en commun. Selon le temps dont vous disposez, allez passer une heure à Roosevelt Island ou la journée à pédaler le long du waterfront de Brooklyn ou de Manhattan. L'occasion d'une respiration, d'une pause verte, ou d'une grande virée pour mieux saisir la réalité de la métropole en traversant plusieurs quartiers.

PORTRAITS DE NEW-YORKAIS

Ce qui fait la richesse et la diversité de New York, ce sont bien sûr ses habitants. Ils sont venus du monde entier. Out of the Box est allé à leur rencontre. De Yuma, esthéticienne tibétaine qui se bat pour avoir un salaire décent, à Michel Cohen, un médecin pas comme les autres, en passant par Charlotte et Lorenzo, de jeunes danseurs qui tentent de se faire leur place au soleil. Retrouvez leurs portraits au fil des pages.

12 façons de découvrir le meilleur du New York Out of the Box.

NOS
BEST
OF

LES LIEUX QUI RÉSISTENT AU TEMPS

CO BIGELOW APOTHECARIES

414 6th Ave • entre 8th & 9th Sts • West Village • Manhattan • 212-533-2700 • cobigelow.com

Chez le plus vieil apothicaire de New York, ouvert en 1838, les sels à respirer et les onguents ont fait de la place aux marques de cosmétiques qui comptent.

EDDIE'S SWEET SHOP

105-29 Metropolitan Ave • angle 72nd Rd • Forest Hills • Queens • 718-520-8514

Un glacier centenaire que l'on aime pour ses mosaïques en nid d'abeille, son plafond en étain gaufré, ses vitraux et sa fontaine à soda.

FAICCO'S

260 Bleecker St • entre Leroy & Morton Sts • West Village • Manhattan • 212-243-1974

La famille Faicco est derrière le comptoir de cette boucherie italienne depuis le début du 20e siècle. C'est maintenant Eddie, l'arrière-petit-fils, qui sert les habitués.

JUNIOR'S CHEESECAKE

$10-20 • 386 Flatbush Ave • angle de Dekalb Ave • Downtown • Brooklyn • 718- 852-5257 • juniorscheesecake.com

La façade rétro beige et rouge de ce diner* des années 1950 est assortie aux camions des pompiers qui viennent prendre un pastrami, et surtout le cheesecake légendaire de la maison, servi depuis trois générations par la famille Rosen.

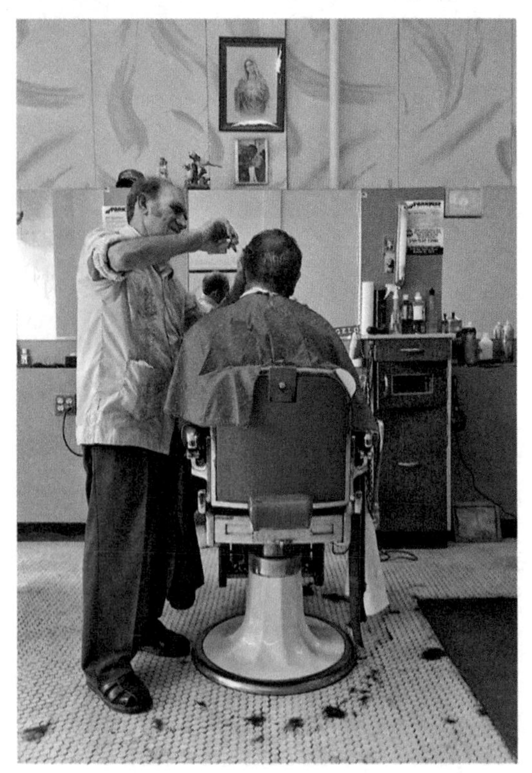

MANSOURA PASTRIES

515 Kings Hwy • entre E 2nd & E 3rd Sts • Gravesend • Brooklyn • 718-645-7977 • mansoura.com

Cette pâtisserie-chocolaterie ouverte dans les années 1960 ne paie pas de mine, mais c'est un petit bijou du quartier juif syrien de Brooklyn.

PETER LUGER STEAKOUSE

cash only • plus de $30 • 178 Broadway • angle de Driggs Ave • Williamsburg • Brooklyn • 718-387-7400 • peterluger.com

Manger un porterhouse steak, apporté par un serveur en gilet et cravate noirs, c'est plonger dans le New York bavarois et industriel de la fin du 19e siècle.

RAO'S

cash only • $20-30 • 455 E 114th St • entre Pleasant & 1st Aves • East Harlem • Manhattan • 212-722-6709 • raos.com

Les dix tables de ce restaurant italien sont réservées à l'année. Scorsese a choisi quelques habitués pour figurer dans *Les Affranchis*, c'est dire le niveau d'authenticité. Votre seule chance, c'est d'être accepté au bar.

ROLL-N-ROASTER

moins de $10 • 2901 Emmons Ave • entre 29th St & Nostrand Ave • Sheepshead Bay • Brooklyn • 718-769-6000 • rollnroaster.com

Commandez un sandwich au roast-beef, une orangeade, et regardez défiler les clients de ce fast-food des années 1970.

VINCENT'S BARBER

Photo • **cash only** • 1505 Cortelyou Rd • entre Malborough Rd & E 16th St • Ditmas Park • Brooklyn • 718-693-0619

Asseyez-vous sur l'un des fauteuils en skaï rouge de ce barber-shop centenaire, sous le regard de la Madone, et fermez les yeux, bercé par l'accent sicilo-américain de votre barbier.

LES VUES DONT VOUS VOUS SOUVIENDREZ

NOS BEST OF

ALMA RESTAURANT

$20-30 • 3187 Columbia St • entre Degraw & Sackett Sts • Brooklyn • 718-643-5400 • almarestaurant.com

Sur le toit-terrasse de ce restaurant mexicain, profitez du coucher du soleil sur les grues des docks de Brooklyn. En arrière-plan, les buildings du Financial District de Manhattan.

ANABLE BASIN SAILING BAR

moins de $10 • 4-40 44th Dr • Long Island City • Queens • 646-207-1333 • anablebasin.com

Ne vous arrêtez pas à l'aspect peu engageant de la rue qui mène à cette buvette du bord de l'East River. Une fois en terrasse, vos appréhensions ne seront plus qu'un lointain souvenir.

DEPUIS LE F TRAIN

aux abords de la Station Smith-9th St

Alors que le métro devient aérien pour traverser le Gowanus canal, laissez-vous gagner par la poésie un peu cradingue du Brooklyn industriel, le One World Trade Center en ligne de mire.

DEPUIS LE Q TRAIN

Quand le métro roule sur le Manhattan Bridge, les New-Yorkais ont le nez sur leurs portables tandis que les visiteurs ne perdent pas une miette du pont de Brooklyn et des gratte-ciel scintillants de Manhattan.

DOMINO SUGAR REFINERY SITE

Photo • 320 Kent Ave • angle S 4th St • Williamsburg • Brooklyn

Sur l'ancien site de la raffinerie de sucre Domino, les ados font du skate. Les plus grands bêchent la terre de la ferme urbaine (temporaire). Et vous, vous profitez de ce spectacle urbain, les gratte-ciel en toile de fond.

FAIRWAY MARKET

480-500 Van Brunt St • angle de Reed St • Red Hook • Brooklyn • fairwaymarket.com

On s'y attable en terrasse pour (petit-)déjeuner avec les habitants qui viennent faire leurs courses. Ou au soleil couchant. Il n'y a pas d'heure pour regarder la statue de la Liberté dans les yeux.

PIER A À HOBOKEN

100 Sinatra Dr • Hoboken • New Jersey • hobokennj.org

À Hoboken, juste à la sortie du Path, le train qui transporte les banlieusards du New Jersey, posez votre pique-nique sur la pelouse. Une perspective inhabituelle sur l'Hudson River et sur les buildings de West Side.

PULASKI BRIDGE

dans le prolongement de Mc Guinness Blvd • Greenpoint • Brooklyn

En traversant, à vélo ou à pied, le pont qui enjambe la Newtown Creek et qui sépare Brooklyn de Queens, on a l'impression de voir les coulisses de la ville.

NOS BEST OF

LES BROCANTES OÙ CHINER

ANNEX MARKETS
Photo • Hell's Kitchen Flea Market • W 39th St • entre 9th & 10th Aves • & Chelsea Flea Market • W 25th St • entre 6th Ave & Broadway • Manhattan • annexmarkets.com
Ces deux marchés aux puces font partie des plus vieux et plus authentiques de New York. Par beau temps, privilégiez celui en plein air de Hell's Kitchen.

BROOKLYN FLEA MARKET
de début avril à novembre, à Fort Greene le samedi, et à Dumbo le dimanche. L'hiver à Industry City. Mais les lieux peuvent changer, consultez le site brooklynflea.com
Ce ne sont pas les puces les plus abordables, mais les plus hip. On y fait de belles trouvailles, que ce soit des fringues vintage, des meubles ou des créations. Et en plus, on y mange de la bonne street-food.

GREENFLEA MARKET
100 W 7th entre Amsterdam & Columbus Aves • Upper West Side • Manhattan • greenfleamarkets.com
Ce marché aux puces, qui a lieu tous les dimanches dans la cour d'une école, gagne à être connu. D'autant que les recettes sont reversées à quatre écoles publiques du quartier.

HESTER STREET FAIR
angle de Essex & Hester Sts • Lower East Side • Manhattan • 917-267-9496 • hesterstreetfair.com • de mi-mai à fin octobre
Mêlez-vous aux locaux dans ce petit marché où l'on trouve street-food, créations artisanales et quelques fripes.

HOUSING WORKS
partout dans NYC • housingworks.org
Faites une bonne action en menant votre shopping dans l'une des douze boutiques de seconde main de cette association qui vient en aide aux malades du sida et aux SDF. On aime aussi beaucoup leur Bookstore Café de SoHo sur Crosby Street.

THE THING
1001 Manhattan Ave • entre Greene & Huron Sts• Greenpoint • Brooklyn • 718-349-8234
Dirigez-vous directement vers l'impressionnant sous-sol rempli de vinyles du sol au plafond.

MY UNIQUE
218 W 234th St • entre Broadway & Kingsbridge Ave • Kingsbridge • Bronx • 718-548-1190 • myunique.com
Un immense magasin géré par une association à but non lucratif, la version américaine de Emmaüs. Les rayons vêtements sont bien organisés et vous pourrez aussi trouver quelques pépites dans les objets.

YARD OU STOOP SALES
Le week-end, au gré de vos balades, vous tomberez forcément sur ces brocantes improvisées par les habitants, sur les marches de leur maison ou dans leur jardinet. C'est la façon new-yorkaise de faire du vide, souvent avant un déménagement. Et ce qui ne se vend pas est, en général, abandonné sur le trottoir, donc servez-vous !

STREET - FOOD

AMDO KITCHEN
cash only • moins de $10 • 37-59 74th St • angle de 37th Rd • Jackson Heights • Queens
Ce food-truck sert les meilleurs momos* au bœuf de Jackson Heights.

FRANKEL'S DELICATESSEN
Photo • **$10-20** • 631 Manhattan Ave • angle de Bedford Ave • Greenpoint • Brooklyn • 718-389-2302 • frankelsdelicatessen.com
Dans ce deli* de spécialités juives, commandez un bagel* garni de saumon fumé ou de pastrami, et dégustez-le dans McCarren Park, tout proche.

LECHONERA LA PIRAÑA
moins de $10 • 152nd St • angle de Wales Ave • Mott Haven • Bronx • 347-609-9714
Vous ne pourrez pas résister au cochon de lait rôti avec passion (le samedi et le dimanche) par le Portoricain Angel Jimenez.

LOS HERMANOS
BYOB* • cash only • moins de $10 • 271 Starr St • entre St. Nicholas St & Wyckoff Ave • Bushwick • Brooklyn • 718-456-3422 • facebook.com/Tortilleria Mexicana Los Hermanos
Au cœur du Bushwick des hipsters, cette cantine authentique mexicaine sert d'excellents quesadillas* et tacos* pour un prix dérisoire.

LUMPIA SHACK SNACKBAR
$10-20 • 50 Greenwich Ave • Greenwich Village • Manhattan • 917-475-1621 • lumpia-shack.com
Dans cette échoppe, vous découvrirez la cuisine de rue philippine. Les nems et les bols de riz agrémentés de porc grillé sont excellents.

RED HOOK BALLFIELDS TRUCKS
$5-15 • angle de Clinton & Bay Sts • Red Hook • Brooklyn • redhookfoodvendors
Le samedi et dimanche, d'avril à octobre, mêlez-vous aux familles sud-américaines qui se régalent de spécialités d'Amérique latine au bord des terrains de foot à Red Hook (voir coup de cœur p.156).

TACOS EL BRONCO
cash only • $10-20 • 4324 4th Ave • angle de 44th St • Sunset Park • Brooklyn • 718-788-2229 • tacoselbronco.net
Les tacos de ce camion font l'unanimité chez les Hispaniques et les jeunes cadres dynamiques récemment arrivés à Sunset Park.

THE AREPA LADY
cash only • moins de $10 • angle de Roosevelt Ave & 79th St • Jackson Heights • Queens • 347-730-6124
Maria Cano est la reine de l'arepa, la traditionnelle galette de maïs colombienne.
Ses fans guettent son chariot le vendredi et le samedi soir, au coin de 79th & Roosevelt, à deux blocs du petit restaurant qu'elle a récemment ouvert (voir adresse p.325).

THE HALAL GUYS
angle de 53rd & 6th Ave • Midtown • Manhattan • thehalalguys.com
Il y a souvent de l'attente devant ce camion installé à proximité du MoMA, mais vous y trouverez l'un des meilleurs gyros de la ville.

XI'AN FAMOUS FOODS
une dizaine d'adresses dans NYC • xianfoods.com
Tout est parti d'un boui-boui à Flushing. Aujourd'hui, Jason Wang sert, ses excellentes nouilles chinoises dans tout New York.

LES BONNES TABLES VÉGÉTARIENNES

ACAI BERRY
cash only • moins de $10 • 650 Manhattan Ave • Greenpoint • Brooklyn • 347-987-4198 • acaiberryny.com

Ce bar à jus et à smoothies sert également de très bons rolls vegan.

ADYAR ANANDA BHAVAN
Photo • **moins de $10** • 1071 1st Ave • Midtown East • Manhattan • 212-750-6666 • adyaranandabhavanny.com

Au pied du Queensboro Bridge, ce restaurant, fait honneur à la cuisine du Sud de l'Inde, et fréquenté essentiellement par des Indiens. Testez les dosas*.

CHAMPS DINER
$10-20 • 197 Meserole St • East Williamsburg • Brooklyn • 718-599-2743 • champsdiner.com

Pour ceux qui veulent l'ambiance d'un diner* traditionnel sans l'odeur du bacon !

DIRT CANDY
$10-20 • 186 Allen St • Lower East Side • Manhattan • 212-228-7732 • dirtcandynyc.com

Même les mangeurs de viande seront séduits par ce restaurant chic où chaque plat est une œuvre d'art. Goûtez les tacos* de choux de Bruxelles (croyez-nous).

HANGAWI
$10-30 • 12 E 32nd St • entre 5th et Madison Aves • Midtown • Manhattan • 212-213-0077 • hangawirestaurant.com

Même si, à Koreatown, le barbecue est roi, ici vous pourrez vous régaler d'une cuisine végétarienne typique. On est fan des bols de bibimbap (mélange de riz et légumes assaisonnés d'une multitude de condiments).

JIVAMUKTEA CAFÉ
$10-20 • 841 Broadway • Flatiron • Manhattan • 212-353-0214 • jivamukteacafe.com

À l'étage d'une école de yoga, ce café sert une nourriture bio et vegan pour se faire un corps aussi sain que l'esprit.

LITTLE CHOC APOTHECARY
$10-20 • 141 Havemeyer St • Williamsburg • Brooklyn • 718-963-0420 • chocny.com

Les becs sucrés se régalent dans ce café/crêperie. L'espace à l'étage est parfait pour se poser avec son ordinateur.

SHANGRI-LA
$10-20 • 7400 3rd Ave • Bay Ridge • Brooklyn • 718-836-0333

Une savoureuse cuisine asiatique revisitée pour les amateurs de pad thaï, bibimbap coréen et autres samosas.

TEMPLE CANTEEN
moins de $10 • 45-57 Bowne St • Flushing • Queens • 718-460-8484 • nyganeshtemplecanteen.com

Au sous-sol d'un impressionnant temple hindou au cœur de Queens, c'est l'un des meilleurs restaurants indiens de New York – et l'un des moins chers (voir p.333).

THE BUTCHER'S DAUGHTER
$10-20 • 19 Kenmare St • NoLita • Manhattan • 212-219-3434 • thebutchersdaughter.com

Cette fille-là doit être fâchée avec son père, car elle ne sert que des assiettes végétariennes et d'excellents smoothies.

TERRASSES, ROOFTOPS & BACKYARDS

NOS BEST OF

BOHEMIAN HALL & BEER GARDEN
$6 • 29-19 24th Ave • entre 29th & 31st Sts • Astoria • Queens • bohemianhall.com
Venez boire des pintes de bières dans le plus vieux beer gardens de New York et profitez-en pour déguster quelques spécialités culinaires tchèques.

BRICOLAGE
$20-30 • 162 5th Ave • Park Slope • Brooklyn • 718-230-1835 • bricolage.nyc
La cour de ce restaurant vietnamien ressemble à un salon cosy avec canapés en cuir et tables en bois. Parfait à l'heure du déjeuner, quand les rayons de soleil viennent caresser votre visage.

LIC LANDING BY COFFEED
moins de $10 • 52-10 Center Bld • Hunters Point South Park • Long Island City • Queens • liclanding.com
La meilleure façon de patienter jusqu'au prochain ferry, c'est de s'asseoir, face à Manhattan, sur l'impressionnante terrasse de Coffeed. Ça marche même si vous n'avez pas de ferry à prendre.

COVENHOVEN
$6-9 • 1730 Classon Ave • entre Park & Prospect Pls • Prospect Heights • Brooklyn • 718-483-9950 • covenhovennyc.com
Le jardin de ce bar est couvert d'une vraie pelouse où il est agréable de poser ses orteils.

LONESTAR BAR & GRILL
moins de $10 • 8703 5th Ave • entre 87th & 88th Sts • Bay Ridge • Brooklyn • lonestarsportsbarandgrill.com
Dans le patio de ce bar/restaurant populaire et relax, on peut suivre, au soleil, les matchs de football américain à la télé.

MADIBA
$20-30 • 195 Dekalb Ave • angle Carlton Ave • Fort Greene • Brooklyn • 718-855-9190 • madibaresturant.com
La terrasse vivante de ce restaurant sud-africain est le reflet de la mixité du quartier.

MILK AND ROSES
Photo • cash only • 1110 Manhattan Ave • entre Clay & Dupont Sts • Greenpoint • Brooklyn • 718-389-0160 • milkandrosesbk.com
Un peu à l'écart de l'animation du sud de Greenpoint, ce café/restaurant a l'un des jardins les plus romantiques de New York. Allez-y en soirée quand il est éclairé d'une multitude de bougies.

RARE VIEW MURRAY HILL
Hôtel Shelburne NYC • 303 Lexington Ave • angle E 37th St • Midtown • Manhattan • 212-481-1999 • rarebarandgrill.com
Ce rooftop peu connu permet de siroter un verre avec vue sur l'Empire State Building.

THE ANCHORED INN
$6-9 • 57 Waterbury St • entre Scholes & Meserole Sts • East Williamsburg • Brooklyn • 718-576-3297 • theanchoredinn.com
On peut admirer les nombreuses fresques murales du quartier depuis cette terrasse, située dans une rue déserte entourée d'entrepôts.

THE NIGHT OF JOY
moins de $10 • 5667 Lorimer St • angle Meeker Ave • Williamsburg • Brooklyn • 718-388-8693 • nightofjoybar.com
Le point fort de ce bar, c'est sa terrasse sur le toit. La décoration raffinée et l'ambiance décontractée en font un super endroit.

NOS BEST OF

LES PIZZAS (PRESQUE) COMME À NAPLES

DENINO'S PIZZERIA & TAVERN

$10-20 • 5524 Port Richmond Ave • angle de Hooker Pl • Staten Island • 718-442-9401 • deninossi.com

Une institution de Staten Island où se pressent les habitués depuis 1937. La pâte est un peu plus épaisse que dans les autres boroughs, c'est le côté insulaire.

DI FARA PIZZA

$10-30 • 51424 Avenue J • angle de E 15th St • Midwood • Brooklyn • 718-258-1367

Certes, il faut aller jusque Midwood. Et il vaut mieux y aller tôt : lorsque Dom DeMarco, au four depuis plus de cinquante ans, n'a plus de pâte, il baisse le rideau. Mais cette part d'histoire new-yorkaise le vaut bien.

GIUSEPPINA'S

cash only • **$10-30** • 691 6th Ave • South Park Slope • Brooklyn • 718-499-5052

La pâte est fine et croustillante. La salle se prête aussi bien aux soirées entre copains qu'aux tête-à-tête.

HOUDINI KITCHEN LABORATORY

cash only • **$10-20** • 1563 Decatur St • 718-456-3770 • Ridgewood • brooklyn • facebook.com/HoudiniKitchenLab

De délicieuses pizzas au feu de bois au milieu d'un quartier industriel, avec une terrasse ultra-cool où se pressent les tatoués.

LUZZO'S LA PIZZA NAPOLETANA

$10-20 • 211 1st Ave • entre E 12th & 13th Sts • East Village • Manhattan • 212-473-7447 • luzzospizzanyc.com

On vient pour la vraie pizza napolitaine (inventée à New York, c'est bien connu), cuite dans l'un des derniers fours à charbon de Manhattan.

PAULIE GEE'S

Photo • **$10-20** • 260 Greenpoint Ave • entre West & Franklin Sts • Greenpoint • Brooklyn • 347-987-3747 • pauliegee.com

Les pizzas au feu de bois de Paulie ne sont pas étrangères au charme de Greenpoint.

ROBERTA'S

$10-30 • 261 Moore St • proche angle Bogart St • East Williamsburg • Brooklyn • 718-417-1118 • robertaspizza.com

Ouf, la célébrité n'a pas nui à la qualité des pizzas, préparées avec des produits locaux bio. Allez-y déjeuner en semaine pour vous épargner l'attente interminable du week-end.

SARAGHINA

435 Halsey St • angle de Lewis Ave • Bed-Stuy • Brooklyn • 718-574-0010 • saraghinabrooklyn.com

Au cœur du Bed-Stuy gentrifié, les excellentes pizzas napolitaines font l'unanimité. Et sa cour intérieure aussi.

WHIT'S END

$10 -20 • 97-14 Rockaway Beach Bvd • Rockaway • Queens • 718-945-4871 • whitsendnyc.com

Les pizzas sont mémorables. Il y aurait beaucoup à dire sur le pizzaïolo, mais on vous laisse la surprise.

ZERO OTTO NOVE

$10-20 • 2357 Arthur Ave • Belmont • Bronx • 718-220-1027 • 089bx.roberto089.com

Les pizzas de cette trattoria plutôt chic valent l'expédition en métro. Profitez-en pour faire vos courses dans le Little Italy du Bronx.

LES BÂTIMENTS QUI VALENT LE DÉTOUR

CULVER VIADUCT

Gowanus • Brooklyn

Depuis le viaduc du canal de Gowanus, on regarde passer les bateaux pendant que les métros aériens se succèdent. Le grondement de la circulation rappelle que l'autoroute BQE n'est pas loin. Une ambiance très sergio-leonienne.

KINGS THEATER

1027 Flatbush Ave • entre Duryea Pl & Tilden Ave • Flatbush • Brooklyn • 718-856-2220 • kingstheater.com

L'un des cinq Wonder Theaters construits dans les années 1920 pour célébrer l'âge d'or du cinéma. Rénové, c'est aujourd'hui une salle de spectacles.

LA CENTRALE ÉLECTRIQUE DE VINEGAR HILL

John St • Vinegar Hill • Brooklyn

Une centrale électrique à 500 mètres à peine du Brooklyn Bridge. Le contraste avec les jolies rues pavées alentour est saisissant.

LES CITERNES D'EAU

Levez la tête, elles sont partout. Les water tanks, emblèmes de New York, sont obligatoires sur les toits des immeubles de plus de six étages pour fournir de l'eau avec une pression suffisante.

LES CITÉS-JARDINS DE JACKSON HEIGHTS

Queens • 718-565-5344 • jhbg.org

Le quartier historique de Jackson Heights regorge de cités-jardins à l'anglaise. En juin, participez aux visites annuelles des cours intérieures, habituellement fermées, organisées par le Jackson Heights Beautification Group.

NEWTOWN CREEK WASTE-WATER TREATMENT PLANT

329 Greenpoint Ave • Greenpoint • Brooklyn • 718-595-5140

Cette station d'épuration se repère de loin avec ses huit réservoirs rutilants. À Greenpoint, on découvre un New York industriel et surprenant.

PIONEER WORKS

59 Pioneer St • entre Imaly & Conover Sts • Red Hook • Brooklyn • 718-596-3001 • pioneerworks.org

Ce vieil entrepôt abrite un centre artistique qui sert d'incubateur de projets innovants, de galerie d'art et de salle de spectacles.

THE STARRETT-LEHIGH BUILDING

Photo • 1601 West 26th St • Chelsea • Manhattan • Starrett-lehigh.com

Construit en 1931, ce building servait de terminal de fret. Ce sont aujourd'hui les créatifs qui l'ont investi. À admirer depuis le 3e tronçon de la High Line.

THE HOUSE

$20-30 • 121 E 17th Street • Gramercy Park • Manhattan • 212-353-2121 • hospitalityholdings.com

Cette ancienne carriage-house (un garage à calèches) abrite un restaurant on ne peut plus romantique.

WTC TRANSPORTATION HUB

Financial District • Manhattan

Conçue par l'architecte Calatrava, la nouvelle gare qui relie le sud de Manhattan au New Jersey rappelle le plumage d'un énorme oiseau. Impressionnant.

PRENDRE UN CAFÉ (AVEC WIFI)

ASTOR BAKE SHOP
12-23 Astoria Bld • angle 14th St • Astoria • Queens • 718-606-8439 • astor-bakeshop.com
Un lieu spacieux et agréable pour faire une pause entre le Astoria résidentiel et celui, plus industriel, des fresques murales du Welling Court Project.

BEDFORD HILL
343 Franklin Ave • angle de Greene Ave • Bed-Stuy • Brooklyn • 718-636-7650 • bedfordhillbrooklyn.com
Agréable petit café dont les jeunes branchés du quartier ont fait leur bureau.

BROOKLYN ROASTING COMPANY
200 Flushing Ave • angle de Washington Ave • Fort Greene • Brooklyn • 718-858-5500 • brooklynroasting.com
Asseyez-vous près des grandes baies vitrées qui donnent sur le Brooklyn Navy Yard.

FREEHOLD
45 S 3rd St • angle de Wythe Ave • Williamsburg • Brooklyn • 718-338-7591 • freeholdbrooklyn.com
Dans la journée, cet espace sert de bureau aux hipsters du quartier. En fin de journée, ils remballent l'ordinateur, commandent un verre de vin ou se lancent dans une partie de ping-pong dans le jardin.

JOE
Columbia University • 550 W 120th St • angle de Broadway • Morningside Heights • Manhattan • 212-851-9101 • joenewyork.com
Commandez un latte*, sortez votre ordinateur et mêlez-vous à la foule studieuse d'étudiants de Columbia University.

OST CAFÉ
441 E 12th St • angle de Ave A • Alphabet City • Manhattan • ostcafenyc.com
Son atmosphère bohème et décontractée est à l'image de celle du quartier.

PUSHCART
401 W 25th St • angle de 9th Ave • Chelsea • Manhattan • 646-649-3079 • pushcartcoffee.com
Les cafés qui possèdent de grandes tables pour travailler ne sont pas légion à Manhattan. Celui-ci est notre préféré quand on a des dossiers à étaler.

SILVANA
300 W 116th St • proche angle Frederick Douglass Bvd • Harlem • Manhattan • 646-692-4935 • silvana-nyc.com
Profitez de la mixité de Harlem dans ce joli café aux accents du Moyen-Orient.

SWEETLEAF
Photo • 159 Freeman St • entre Manhattan Ave & Franklin St • Greenpoint • Brooklyn • 347-987-3732 • sweetleafcoffee.com
Prenez vos aises dans cet ancien garage reconverti en un café confortable.

URBAN VINTAGE
294 Grand Ave • angle de Clifton Pl • Clinton Hill • Brooklyn • 718-783-6045 • urbanvintageny.com
Jolie déco faite de bric et de broc. La vue à travers les grandes baies vitrées pourrait troubler votre concentration.

SE METTRE AU VERT

NOS BEST OF

BETTE'S ROSE GARDEN

1017 Teller Ave • entre E 164th & 165th Sts • Bronx

Ce jardin de roses est l'un des nombreux espaces verts qui ont vu le jour grâce au New York Restoration Project, l'association de l'actrice et chanteuse Bette Midler.

ELIZABETH STREET GARDEN

Elizabeth Street • entre Spring & Prince Sts • NoLita • Manhattan • elizabethstreetgarden.org

Un adorable jardin, rempli de sculptures, aujourd'hui menacé par le développement urbain. N'hésitez pas à le soutenir.

FORT TILDEN

169 State Rd • Breezy Point • Queens • 718-338-3799 • nyharborparks.org/visit/foti.html

C'est la partie sauvage des plages de Rockaway. Apportez de quoi pique-niquer dans les dunes.

FRESHKILLS PARK

Staten Island • freshkillspark.org

Projet pharaonique que la transformation de l'une des plus grandes décharges du monde en un espace vert trois fois plus grand que Central Park ! Les aménagements ouvrent progressivement au public avec des randonnées/visites (navettes gratuites depuis le terminal du ferry). Raison de plus pour tenter Staten Island.

GREENACRE PARK

217 E 51st St • entre 2nd & 3rd Aves • Turtle Bay • Manhattan

Une cascade cachée entre les gratte-ciel, en plein Midtown. C'est le secret bien gardé des employés de bureaux pour une pause bucolique à midi.

GREEN-WOOD CEMETERY

500 25th St • angle de 5th Ave • Sunset Park • Brooklyn • 718-768-7300 • green-wood.com

Les jolies allées vallonnées de ce cimetière avec vue sur le Financial District sont parfaites pour faire une pause.

JARDIN COMMUNAUTAIRE LA PLAZA CULTURAL

angle 9th St & Ave C • Alphabet City • Manhattan • laplazacultural.com

L'un des jardins communautaires les plus actifs. Appréciez le calme et discutez avec les bénévoles, souvent des activistes écologistes.

SOCRATES SCULPTURE PARK

32-01 Vernon Bld • Long Island City • Queens • socratessculpturepark.org

Ce petit parc géré par un collectif d'artistes est aussi un musée en plein air avec des installations qui changent chaque année.

TRANSMITTER PARK

West St • entre Kent St & Greenpoint Ave • Greenpoint • Brooklyn • nycgovparks.org/parks/transmitter-park

La longue jetée qui s'avance sur l'East River permet d'admirer l'une des plus belles vues sur la skyline de Manhattan.

WAVE HILL

Photo • angle de W 249th St & Independence Ave • Riverdale • Bronx • 718-549-3200 • wavehill.org

Sur les hauteurs de Riverdale, un quartier du Bronx chic et résidentiel, ce jardin botanique jouit d'une vue imprenable sur l'Hudson River et le parc des Palisades, dans le New Jersey voisin. Vous apprécierez aussi son agréable café.

NOS BEST OF — OÙ PRENDRE UN BRUNCH

BABA COOL CAFÉ
64B Lafayette Ave • angle de South Elliott Pl • Fort Greene • Brooklyn • 347-689-2344 • babacoolbrooklyn.com
Pour un petit-déjeuner de Brooklynite. Laissez-vous tenter par les toasts à l'avocat ou le pudding aux graines de chia.

BREAD LOVE
1933 Fulton St • entre Howard & Saratoga Aves • Bed-Stuy • Brooklyn • 347-405-9654 • breadlovebkny.com
Une adresse prisée des locaux pour un solide petit-déjeuner autour de produits fermiers. Profitez du backyard* l'été.

DINER
85 Broadway • proche angle de Berry St • Williamsburg • Brooklyn • 718-486-3077 • dinernyc.com
Pour un brunch simple et sophistiqué à la fois dans un wagon Pullman des années 1920, sous le pont de Williamsburg.

DIZZY'S
511 9th St • angle de 9th Ave • Park Slope • Brooklyn • 718-499-1966 • dizzys.com
Dans ce diner* rétro, on peut goûter les classiques de la comfort-food* sans sentir la friture.

GLADY'S
Photo • 788 Franklin Ave • angle de Lincoln Pl • Crown Heights • Brooklyn • 718-622-0249 • gladysnyc.com
Cuisine caribéenne moderne, à quelques blocs de Prospect Park.

GLASSERIE
95 Commercial St • entre Manhattan Ave & Box St • Greenpoint • Brooklyn • 718-389-0640 • glasserienyc.com
À l'extrême nord de Greenpoint, ce restaurant niché dans un entrepôt joliment rénové sert un délicieux brunch aux accents orientaux.

INDIAN ROAD CAFÉ
600 W 218th St • angle de Indian Rd • Inwood • Manhattan • 212-942-7451 • indianroadcafe.com
Face à Inwood Hill Park, ce restaurant fidèle à l'esprit farm-to-table* propose des produits de la vallée de l'Hudson.

MONTANA'S TRAIL HOUSE
445 Troutman St • entre Cypress & St.Nicholas Aves • Bushwick • Brooklyn • 917-966-1666 • montanastrailhouse.com
Savourez une cuisine familiale revisitée en admirant le street-art à travers les baies vitrées.

PEGASUS
8610 3rd Ave • entre 86 & 87th Sts • Bay Ridge • Brooklyn • 718-748-6977 • pegasusbrooklyn.com
Le diner* populaire comme on les aime, avec la touche de kitsch qu'il faut. À deux pas du Verrazano Bridge.

THE FARM ON ADDERLEY
1108 Cortelyou Rd • entre Stratford & Westminster Rds • Ditmas Park • Brooklyn • 718-287-3101 • thefarmonadderley.com
Après avoir mangé local et bio, on vous conseille une promenade au milieu des maisons victoriennes de Ditmas Park.

THE FAT RADISH
17 Orchard St • entre Hester & Canal Sts • Lower East Side • Manhattan • 212-300-4053 • thefatradishnyc.com
Attaquez la journée par une savoureuse new american cuisine.

OUT OF THE NIGHT

BACK ROOM

Photo • **$6-9** • 7102 Norfolk St • entre Rivington & Delancey Sts • Lower East Side • Manhattan • 212-228-5098 • backroomnyc.com

Il faut s'aventurer dans les bas-fonds pour trouver la porte de ce speakeasy*, ancien QG de la mafia des années 1920 (récupérez le mot de passe sur Facebook pour les soirées swing du lundi).

BOSSA NOVA CIVIC CLUB

$7-10 • 1271 Myrtle Ave • angle de Hart St • Bushwick • Brooklyn • 718-443-1271 • bossanovacivicclub.com

Vous êtes là pour danser. C'est gratuit, il n'y a aucun dress code et les DJ (électro) sont vraiment bons.

CLUB EVOLUTION

$4-10 • 76-19 Roosevelt Ave • entre 76th & 77th Sts • Jackson Heights • Queens • 718-457-3939 • eclubnyc.com

Gogo boys, drag queens, et strip-teasers mettent régulièrement le feu au dance-floor sur fond de pop latino et de techno.

FORT DEFIANCE / SUNNY'S

$5-15 • 365 Van Brunt St • angle de Dikeman St • Red Hook • Brooklyn • 347-453-6672 • fortdefiancebrooklyn.com

& cash only • $5-10 • 253 Conover St • entre Beard & Reed Sts • Red Hook • Brooklyn • 718-625-8211 • sunnysredhook.com

Commencez par un cocktail chez Fort Defiance avant d'aller écouter du bluegrass chez Sunny (le samedi soir à partir de 21 h), un bar de vieux potes comme on les aime.

LAVENDER LAKE

$8-12 • 383 Carroll St • proche angle de Bond St • Gowanus • Brooklyn • 347-799-2154 • lavenderlake.com

Un pub de briques et de bois où boire des bons cocktails. Nombreux événements dans le patio aux beaux jours.

MARIE'S CRISIS

$8 • 59 Grove St • entre Bleecker St & 7th Ave • West Village • Manhattan

Prenez-vous pour une star de Broadway dans ce bar gay où l'on se rassemble autour du piano.

MISTER SATURDAY NIGHT & MISTER SUNDAY

mistersaturdaynight.com

Deux copains DJ décident de mélanger les gens et de les faire danser ! L'hiver, c'est en intérieur (le samedi). L'été, ils investissent un jardin de Brooklyn, le temps d'un après-midi festif (le dimanche). Consultez leur site, les lieux changent chaque année.

NOWADAYS

$5-8 • 56-06 Cooper Ave • entre Wyckoff & Irving Aves • Glendale • Brooklyn • 718-386-0111 • nowadays.nyc • de mai à octobre

Un grand backyard* aux airs de guinguette collaborative, où l'on peut s'allonger sur l'herbe, jouer au ping-pong, boire un verre et danser.

THE WELL

$8 • 272 Meserole St • entre Bushwick Pl & Waterbury St • East Williamsburg • Brooklyn • thewellbrooklyn.com

Grosse ambiance, surtout l'été quand les tiki disco (les après-midi électro), sont organisés dans le jardin de ce grand bar.

Alors que ce borough est devenu un coffre-fort pour milliardaires, quelques quartiers tentent de préserver ce qui fait l'essence de New York.

MANHATTAN

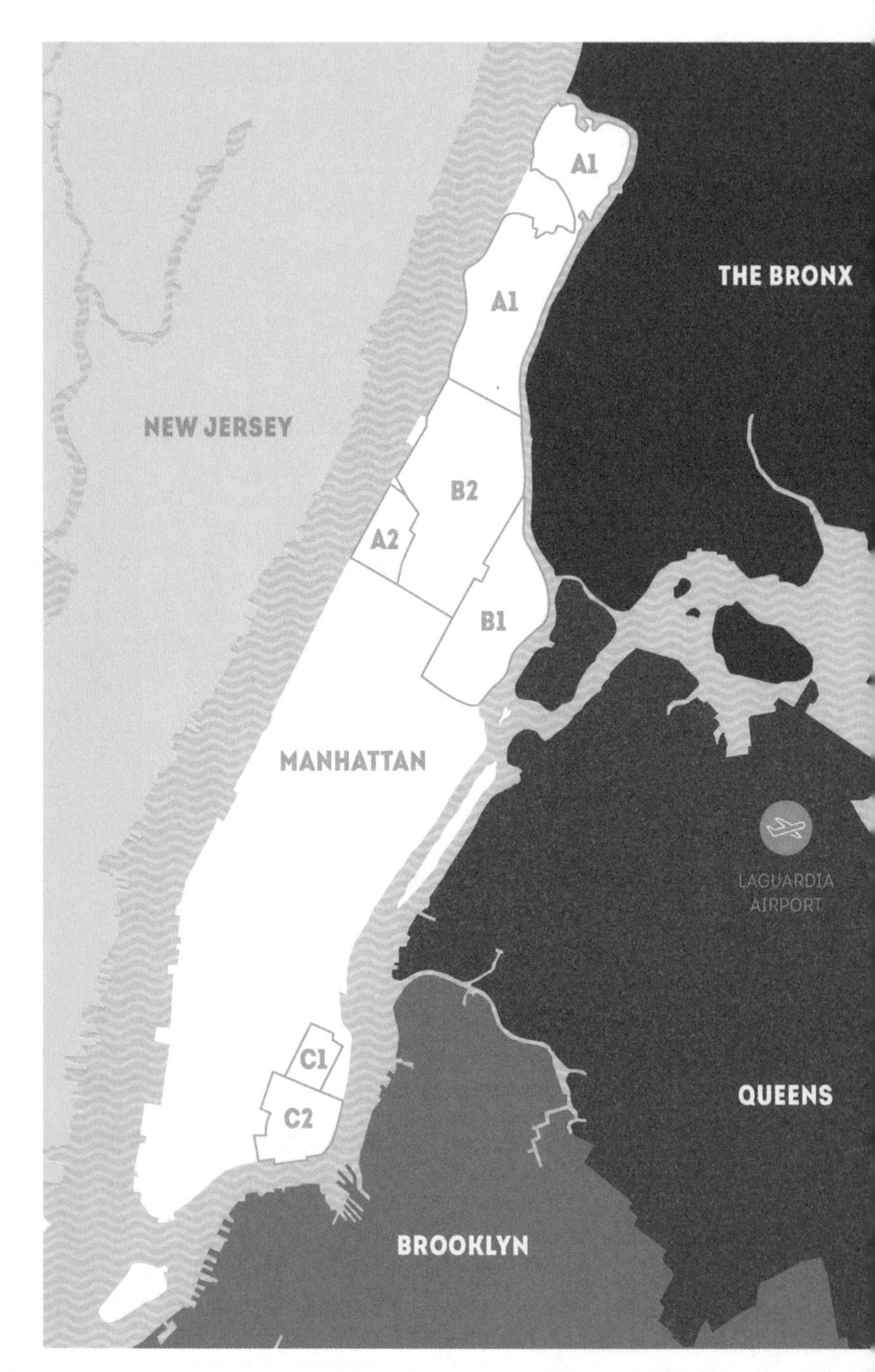
A1
A1
THE BRONX
NEW JERSEY
B2
A2
B1
MANHATTAN
LAGUARDIA
AIRPORT
C1
C2
QUEENS
BROOKLYN

SUSHI
TEL:(212)781-8833

WASHINGTON HEIGHTS + INWOOD

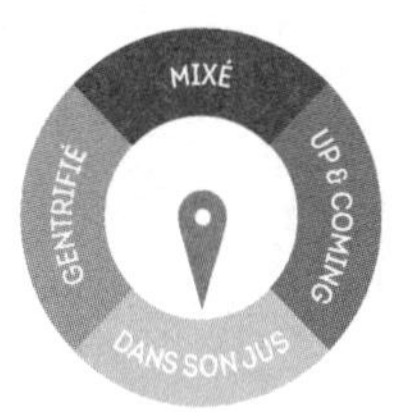

Perchées sur les hauteurs, des terres hispaniques où faire une pause verte.

Au-delà de Harlem, sur les hauteurs de la pointe nord de Manhattan, les accents hispaniques couvrent la rumeur américaine. Même sans les palmiers, Broadway, entre 215th et 170th Sts, est une plongée en République Dominicaine bien plus authentique que n'importe quel séjour dans un complexe hôtelier de Punta Cana. Des airs de merengue s'échappent des bodegas*, et des odeurs alléchantes émanent des nombreux restaurants aux influences espagnoles, africaines et indiennes. Ça n'a pas toujours été comme ça : avant les Dominicains, les Irlandais ont été les premiers, début 1900, à investir les rues escarpées de Inwood, suivis, après la Première Guerre mondiale, des Juifs européens que l'on retrouve désormais autour de Yeshiva University, à l'est de Washington Heights.

Aujourd'hui, les étudiants, les jeunes couples et les familles qui ne veulent pas renoncer à Manhattan viennent y chercher plus d'espace, à des prix encore abordables. Par le métro express A, Times Square n'est qu'à trentes minutes et le quartier n'est pas encore défiguré par de nouvelles constructions. Les immeubles de brique datant du siècle passé se succèdent dans ses rues paisibles. À l'ouest de Broadway, la partie la plus courue de Washington Heights offre des panoramas spectaculaires sur le George Washington Bridge reliant Manhattan au New Jersey voisin, et sur l'Hudson River en contrebas. Ça vaut vraiment le coup d'y aller pour observer le foliage, ce moment magique où les feuilles des arbres prennent leurs couleurs automnales.

Monter jusque là-haut permet aussi de faire une pause végétale dans une ville qui se met rarement sur "off". Fort Tryon, qui abrite The Cloisters, l'annexe médiévale du Metropolitan Museum, est la principale attraction touristique du coin. À l'est de Broadway, l'ambiance est plus populaire et les loyers plus bas, mais c'est très vert aussi grâce à Highbridge Park, le long de Harlem River, qui sépare le quartier du Bronx. Ceux qui recherchent davantage de tranquillité pousseront vers le nord, où Inwood Hill Park offre une bouffée d'oxygène dépaysante, également en bordure de Harlem River. Vous pourrez y voir les grottes qui abritaient les Indiens Lenapes avant l'arrivée des Européens.

Qui sait, Uptown finira peut-être un jour par avoir sa revanche sur Downtown.

A PLAN 1
NORD
Columbia Univ- Baker Field
W 220th St
W 218th St
W 216th St
W 215th St
215 St [1]
W 214th St
Indian Rd
Seaman Ave
Park Ter W
9th Ave
Broadway
Isham Park
Inwood Hill Park
10th Ave
Isham St
Cooper St
W 207th St
207 St [1]
University Heights Bridge
W 206th St
W 204th St
Payson Ave
Vermilyea Ave
Dyckman St
Academy St
Henry Hudson Pky
Sherman Ave
Post Ave
Nagle Ave
W 201st St
Thayer St
Park Dr
Arden St
Sickles St
Ellwood St
Margaret Corbin Dr
Dyckman St [1]
Fort Tryon Park
Hillside Ave
Fort George Ave
Amsterdam Ave
Robert Clemen State P
Riverside Dr
190 St [A]
Bennett Ave
Fairview Ave
191 Street Subaw Station [1]
W 191st St
Audubon Ave
W 189th St
Major Deeg
Ceda
250 m
INWOOD
FORT GEORGE
FORT LEE
WASHINGTON HEIGHTS
LES COURSES
01. Bizcocho De Colores
02. Gideon's Bakery
03. Inwood Greenmarket
04. Liberato Supermarket
05. M I Pais Supermarket
06. Moscow on the Hudson
07. Vines on Pine
PETIT DÉJEUNER
08. Darling Coffee
09. Esmeraldo Bakery
10. G'S Coffee Shop
11. Indian Road Cafe
12. Malecon
MANGER
13. Cachapas y Mas
14. El Lina
15. Elsa La Reina del Chicharron
16. Golan Heights
17. La Marina
18. New Leaf Restaurant
19. Saggio
20. Tacos El Paisa
SORTIR
21. Le Chéile
22. Locksmith Wine & Burger Bar
23. Monkey Room
24. Piper's Kilt

WASHINGTON HEIGHTS + INWOOD

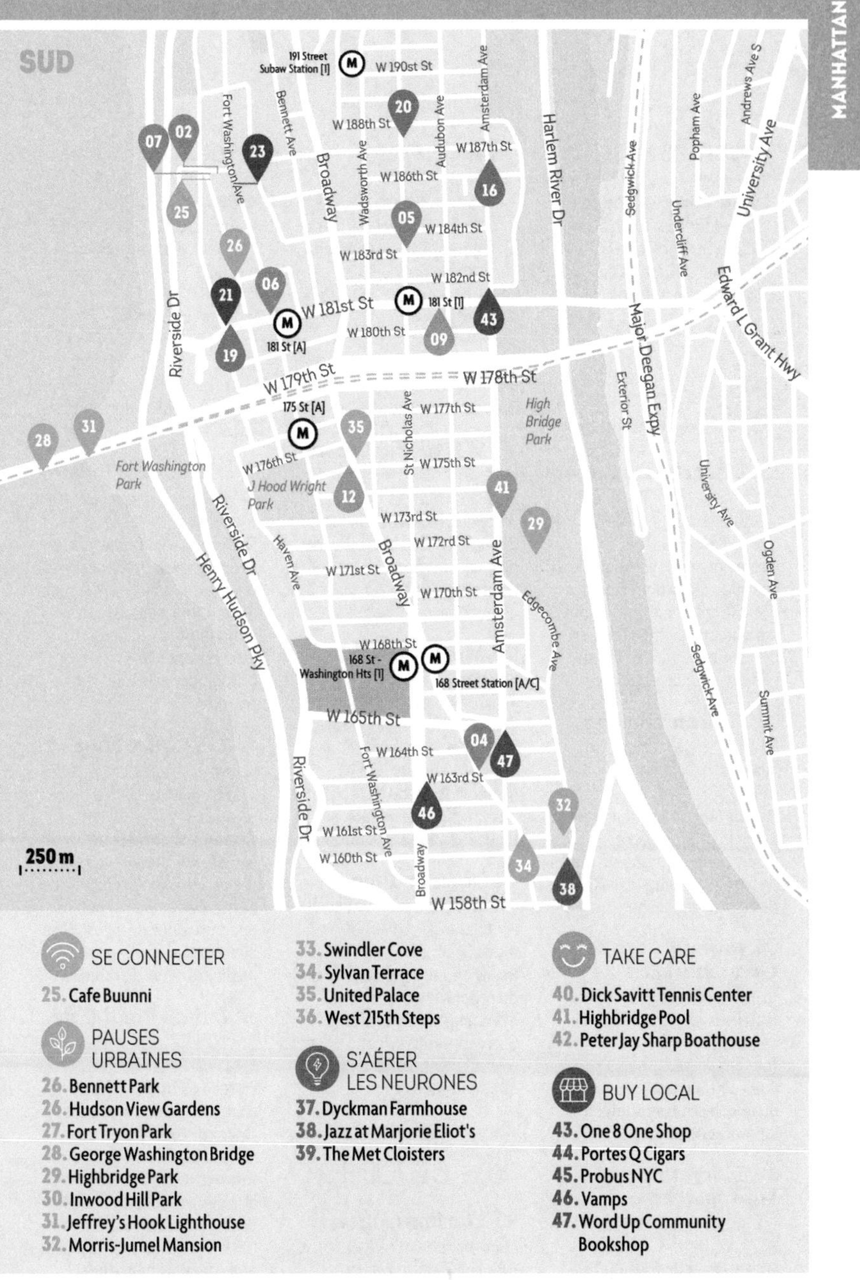

SE CONNECTER

25. Cafe Buunni

PAUSES URBAINES

26. Bennett Park
26. Hudson View Gardens
27. Fort Tryon Park
28. George Washington Bridge
29. Highbridge Park
30. Inwood Hill Park
31. Jeffrey's Hook Lighthouse
32. Morris-Jumel Mansion
33. Swindler Cove
34. Sylvan Terrace
35. United Palace
36. West 215th Steps

S'AÉRER LES NEURONES

37. Dyckman Farmhouse
38. Jazz at Marjorie Eliot's
39. The Met Cloisters

TAKE CARE

40. Dick Savitt Tennis Center
41. Highbridge Pool
42. Peter Jay Sharp Boathouse

BUY LOCAL

43. One 8 One Shop
44. Portes Q Cigars
45. Probus NYC
46. Vamps
47. Word Up Community Bookshop

On-the-Go

ACCÉDER

MÉTRO

163rd Street - Amsterdam Ave, 175th St, 181th St, 191th St, Dyckman St, Inwood - 207th St ou 215th St (lignes A, C et 1).

CIRCULER

À VÉLO

Pentu, mais les rives des Hudson et Harlem Rivers ont des pistes cyclables.

À PIED

Plutôt sportif.

LOUER

TREAD BIKE SHOP

250 Dyckman St • Inwood • 212-544-7055 • treadbikeshop-hub.com

CITI BIKE

Non disponible.

LES COURSES

01. *Bizcocho De Colores*

241 Sherman Ave • entre W 207th & Isham Sts • Inwood • 212-567-4747 • bizcochodecolores.com

Cette pâtisserie familiale vend des spécialités dominicaines comme le fameux Tres Leches (un gâteau aux trois laits, en poudre, condensé et crème), et des gâteaux muy colorés.

02. *Gideon's Bakery*

810 W 187th St • entre Pinehurst & Fort Washington Aves • Washington Heights • 212-927-9262

Depuis 60 ans, cette pâtisserie pétrit le pain de seigle traditionnel juif dans les règles de l'art et prépare le meilleur des douceurs casher.

03. *Inwood Greenmarket*

Isham St • entre Seaman Ave & Cooper St • Inwood • grownyc.org/greenmarket/manhattan/inwood

Tous les samedis, ce marché en plein air fournit aux habitants du quartier des produits frais, locaux et de saison.

04. *Liberato Supermarket*

3900 Broadway • à l'angle de 163rd St • Washington Heights • 212-927-8250

Grand choix de fruits et légumes frais. En prime, la livraison est gratuite.

05. *M I Pais Supermarket*

1460 St. Nicholas Ave • à l'angle de 183th St • Washington Heights • 212-568-0721

Situé au cœur du quartier dominicain, ce supermarché propose un assortiment coloré de produits typiques, du cactus au yucca.

06. *Moscow on the Hudson*

801 W 181st St • entre Pinehurst & Fort Washington Aves • Washington Heights • 212-740-7397 • moscowonhudson.com

Tous les produits russes d'importation, du hareng fumé aux produits de beauté, se trouvent dans cette boutique.

07. *Vines on Pine*

814 W 187th St • à l'angle de Pinehurst Ave • Washington Heights • 212-923-0584 • vinesonpine.com

Bénéficiez des conseils éclairés du propriétaire, passionné d'œnologie et très affable. Son excellente sélection de vins ne compte pas moins de 350 références.

PETIT DÉJEUNER

08. *Darling Coffee*

4961 Broadway • entre W 207th & Isham Sts • Inwood • darlingcoffeenyc.com

Vaste espace cosy et lumineux aux airs de Brooklyn. Salé ou sucré, tout est fait maison.

09. *Esmeraldo Bakery*

538 W 181st St • à l'angle de Audubon Ave • Washington Heights • 212-543-2250

Pour un petit-déjeuner sur le pouce, en pleine effervescence latine, commandez un bizcocho dominicano, gâteau fourré de confiture d'ananas, ou des beignets à la goyave, et accompagnez le tout d'un ristretto.

10. *G's Coffee Shop*

cash only • 634 W 207th St • à l'angle de Cooper St • Inwood • 212-942-0679 • gscoffeeshop.com

Cette luncheonette ne semble pas avoir bougé depuis les années 1960. Les petits-déjeuners mexicains, accompagnés de milkshakes bien denses, sont parmi les meilleurs deals du quartier.

11. *Indian Road Café*

600 W 218th St • à l'angle de Indian Rd • Inwood • 212-942-7451 • indianroadcafe.com

En face de Inwood Hill Park, tout près du boathouse de Columbia University, ce restaurant est fidèle à l'esprit farm-to-table*. On n'y sert que des produits de la vallée de l'Hudson. Le couvert est mis à toute heure de la journée mais on vous conseille le petit-déjeuner ou le brunch du week-end.

12. *Malecon*

4141 Broadway • à l'angle de W 175th St • Washington Heights • 212-927-3812 • maleconrestaurants.com

Ses desayunos (petits-déjeuners) traditionnels sont parfaits pour commencer une journée marathon. Essayez le mangu (banane plantain écrasée) accompagné de huevos (œufs), de salchichon (saucisson dominicain), de longaniza (saucisse) et de queso frito (fromage frit). Ce restaurant familial dominicain est également réputé pour son poulet rôti à l'ail.

MANGER

13. *Cachapas Y Mas*

moins de $10 • 107 Dyckman St entre Post & Nagle Aves • Washington Heights • 212-304-2224 • cachapasymasnyc.com

Goûtez aux spécialités vénézuéliennes de ce petit restaurant/fast-food qui propose de savoureux sandwichs à base de farine de maïs (arepas ou cachapas) ou de bananes plantain (patacon).

14. *El Lina*

cash only • 500 W 207th St • à l'angle de 10th Ave • Inwood • 212-567-5031

On ne vient pas ici pour la déco, un peu kitsch, mais pour les spécialités dominicaines, notamment les fruits de mer. Excellents camarones al horno (crevettes grillées à l'ail).

15. *Elsa La Reina del Chicharron*

moins de $10 • 4840 Broadway • à l'angle de Academy St • Inwood • 212-304-1070 • lareinadelchicharron.com

La spécialité de la maison est le chicharron, de la couenne de porc frite. Pour ceux que cela rebuterait, ils servent aussi d'excellents mofongo (banane plantain écrasée) avec différents accompagnements.

16. *Golan Heights*

$10-20 • 2553 Amsterdam Ave • entre W 186 & W 187th Sts • Washington Heights • 212-795-7842 • golanheightsny.blogspot.in

Les meilleurs falafels et shawarma du quartier. Une référence en la matière, juste à côté de la Yeshiva University.

17. *La Marina*

$20-30 • 348 Dyckman St • entre Fort Tryon Park & Inwood Hill Park • Inwood • 212-567-6300 • lamarinanyc.com • avril à octobre

La vue imprenable sur le George Washington Bridge et le New Jersey voisin vous fera oublier que l'assiette n'est pas toujours à la hauteur de la note. Ce restaurant en bord de l'Hudson River a même une plage artificielle l'été. Pensez à réserver.

18. *New Leaf Restaurant*

$20-30 • Fort Tryon Park • 1 Margaret Corbin Dr • Inwood • 212-568-5323 • newleafrestaurant.com

Au cœur du Fort Tryon Park, ce restaurant chic en pierres de taille est idéal pour déjeuner, avant ou après la visite du musée The Cloisters situé à deux pas.

19. *Saggio*

$10-20 • 829 W 181st St • entre Pinehurst Ave & Cabrini Blvd • Washington Heights • 212-795-3080 • saggiorestaurant-hub.com

Cette charmante trattoria, pur produit de la gentrification en cours à l'ouest de Washington Heights, réunit les nouveaux locaux autour d'une délicieuse cuisine familiale italienne.

20. *Tacos El Paisa*

$10-20 • 1548 St Nicholas Ave • entre W 187 & W 188th Sts • Washington Heights • 917-521-0972 • tacoelpaisa.com

Dans ce restaurant mexicain, les tacos* sont à l'honneur mais les quesadillas* valent également le coup.

SORTIR

21. *Le Chéile*

$3-6 • 839 W 181st St • à l'angle de Cabrini Blvd • Washington Heights • 212-740-3111 • lecheilenyc.com

Dans ce pub irlandais sur deux étages, on vient admirer la vue sur le George Washington Bridge. Les écrans de télé étant bannis, c'est l'occasion de faire connaissance avec vos voisins de bar.

22. *Locksmith Wine & Burger Bar*

$3-10 • 4463 Broadway • entre W 190th & W 192nd Sts • Inwood • 212-304-9463 • locksmithbar.com

Un classique du quartier où déguster un bon verre de vin à moins de 10$ (une rareté à New York). Sa carte généreuse propose aussi des assiettes à partager.

23. *Monkey Room*

$5-10 • 589 Fort Washington Ave • à l'angle de 187th St • Washington Heights • 212-543-9888

Au cœur des rues les plus cossues de Washington Heights, Monkey Room fait figure d'irréductible. Les communautés continuent à se mélanger lors de soirées quizz ou karaoké. Patio très agréable aux beaux jours.

24. *Piper's Kilt*

$4-7 • 4946 Broadway • entre W 207th & Isham Sts • Inwood • 212-569-7071 • piperskiltofinwood.com

Avec ses box et son bar en bois du siècle dernier, ce pub est un vestige du temps où le quartier était majoritairement irlandais.

25. *Café Buunni*

213 Pinehurst Ave • à l'angle de W 187th St • Washington Heights • 212-568-8700 • buunnicoffee.com

Ce café éthiopien dispose de quelques places assises près de la vitrine où déguster les meilleurs crus.

26. *Bennett Park & Hudson View Gardens*

Pinehurst Ave & W 183rd St • Washington Heights • 212-408-0100 • nycgovparks.org

Bennett Park est le point culminant de Manhattan. C'est là que George Washington a stoppé l'avancée des troupes anglaises pendant la guerre d'Indépendance. Notez l'architecture du bloc à l'ouest du parc. Poussez jusqu'au complexe immobilier privé Hudson View Gardens, construit en 1924, pour admirer de plus près les bâtiments en pierre de style médiéval.

27. *Fort Tryon Park*

W 192th & Dyckman Sts • entre Riverside Dr & Broadway, Washington Heights • nycgovparks.org

Lieu emblématique de l'Angleterre victorieuse pendant la guerre d'Indépendance, Fort Tryon fut la propriété du milliardaire John D. Rockefeller avant qu'il ne le cède à la ville en 1935. C'est aujourd'hui un site privilégié surplombant l'Hudson River, George Washington Bridge et le parc Palisades du New Jersey en face. Il abrite The Cloisters, musée dédié à la culture et à l'art médiéval.

28. *George Washington Bridge*

Ce pont suspendu est le seul qui relie Manhattan au New Jersey. Avec quatorze voies de circulation qui absorbent plus de 100 millions de véhicules par jour, l'ouvrage est vertigineux ! Profiter, à pied ou à vélo, de son impressionnante vue sur New York et sur le parc Palisades, vous évitera 15$ de péage.

29. *Highbridge Park*

entrée au niveau de 172th St & Amsterdam Ave • Washington Heights • nycgovparks.org

Ce parc qui surplombe Harlem River abrite le plus vieux pont de New York. Cet aqueduc, dominé par un château d'eau, est resté longtemps inaccessible au public. Rénové récemment, il permet désormais aux piétons (et cyclistes) de rejoindre le Bronx en quelques minutes (vérifiez les horaires).

30. *Inwood Hill Park*

entre Dyckman St, Hudson River & Harlem River S • Washington Heights • nycgovparks.org/parks/inwood-hill-park

Tout au nord de Manhattan, Inwood Hill est bien plus qu'un parc. C'est la dernière forêt naturelle de Manhattan. Venez vous perdre dans ses chemins sinueux et escarpés. Si vous croisez quelques énergumènes brandissant fléaux, javelots, épées ou boucliers, pas d'inquiétude : le parc sert de terrain de jeux aux amateurs de batailles médiévales.

31. *Jeffrey's Hook Lighthouse*

Fort Washington Park • Hudson River Greenway • Washington Heights • 212-304-2365 • hudsonlights.com/littlered.htm

Ce charmant phare, plus connu sous le nom de Little Red Lighthouse, est niché sous l'imposant George Washington Bridge, dans Fort Washington Park. Vous l'atteindrez aisément en suivant la Greenway, la piste cyclable qui longe l'Hudson River du nord au sud de Manhattan (voir balade p.62). L'aller-retour à pied depuis les hauteurs de Washington Heights demande du souffle et des mollets.

32. *Morris-Jumel Mansion*

Roger Morris Park • 65 Jumel Terrace • Washington Heights • 212-923-8008 • morrisjumel.org

L'une des plus anciennes demeures de Manhattan. Construite en 1765, cette splendide villa a servi de QG à George Washington en 1776 pendant la guerre d'Indépendance.

33. *Swindler Cove*

3703 Harlem River Dr • proche angle de 10th Ave • Inwood • 212-333-2552

À l'est de Inwood, le long de Harlem River, un joli parc récemment restauré où faire une halte si vous empruntez par exemple Harlem River Greenway en vélo.

34. *Sylvan Terrace*

entre W 160th & W 162nd Sts • Washington Heights

Depuis St. Nicholas Ave, cherchez les petits escaliers de pierre qui mènent à Sylvan Terrace, l'une des plus charmantes rues de New York. Sur une centaine de mètres, ce passage romantique, bordé de vingt maisons en bois du 19e siècle, débouche sur Morris-Jumel Mansion.

35. *United Palace*

4140 Broadway • à l'angle de 176th St • Washington Heights • 212-568-6700 • unitedpalacecathedral.org

Construite en 1930, cette superbe salle était à l'origine

un cinéma. Derrière sa façade néoclassique se cache un hall impressionnant aux murs et plafonds couverts d'ornements dorés. Aujourd'hui, United Palace sert à la fois d'église et de salle de spectacles. Profitez de l'office du dimanche pour vous y glisser !

36. *West 215th Steps*

entre Broadway & Park Terrace East

Depuis Broadway, pour rejoindre les hauteurs de Park Terrace East, vous pouvez emprunter les cent-onze marches de ce passage. Le nord de Manhattan a presque un air de Montmartre.

S'AÉRER LES NEURONES

37. *Dyckman Farmhouse*

4881 Broadway • entre 204th & 207th Sts • Inwood • 212-304-9422 • dyckmanfarmhouse.org

Cette ferme, construite en 1784, est l'une des rares survivances du passé agricole de New York. La famille Dyckman l'a transformée en musée.

38. *Jazz at Marjorie Eliot's*

555 Edgecombe Ave • The Triple Nickel Building, Studio 3F • à l'angle de 160th W St • Washington Heights • 212-781-6595

Marjorie Eliot n'aime rien tant que réunir les gens autour de la musique. Tous les dimanches de 15 h30 à 18 h, elle vous accueille dans son petit appartement pour des concerts improvisés de jazz.

39. *The Met Cloisters*

99 Margaret Corbin Dr • Fort Tryon Park • Inwood • 212-923-3700 • metmuseum.org

Consacré à l'art médiéval et notamment à l'architecture, ce musée est une extension du Metropolitan Museum. Le bâtiment, un cloître dont chaque pierre a été ramassée sur les vestiges de quatre cloîtres français, est en lui-même une œuvre d'art (le billet du Met vous donne un accès gratuit si vous groupez les deux visites le même jour).

TAKE CARE

40. *Dick Savitt Tennis Center*

575 W 218th St • à l'angle de Seaman Ave • Inwood • 212-942-7100 • gocolumbialions.com

À la pointe de Manhattan, ce complexe sportif, avec vue sur les Hudson et Harlem Rivers, possède six courts de tennis couverts. Propriété de l'Université de Columbia, seuls ses membres y ont accès, mais on peut se faire inviter par l'un d'entre eux... C'est le moment de vous faire de nouveaux amis.

41. *Highbridge Pool*

2301 Amsterdam Ave • entre W 173rd & W 174th Sts • Washington Heights • 212-927-2400 • nycgovparks.org (facilities) • de mai à septembre

Cette piscine olympique, ouverte en 1936, permet de se rafraîchir l'été au pied du High Bridge. Comme toujours, vérifiez les conditions d'accès avant d'y aller.

42. *Peter Jay Sharp Boathouse*

3579 Harlem River Dr • proche angle de Dyckman St • Inwood • 718-433-3075 • rownewyork.org

Cette jolie maison flottante abrite le club d'aviron de New York. Les lève-tôt pourront améliorer leur coup de rame sur Harlem River (les cours commencent à 7 h du matin le week-end). Une bonne façon d'explorer Manhattan.

BUY LOCAL

43. *One 8 One Shop*

2440 Amsterdam Ave • entre 181st & 182nd Sts • Inwood • 212-484-6218 • one8oneshop.com

Tout le nécessaire et le superflu pour les amateurs de skateboards et de BMX.

44. *Portes Q Cigars*

5009 Broadway • entre 213th & 214th Sts • Inwood • 212-544-9623 • portesqcigars.com

Rosa et Rafael Portes vendent des cigares roulés à la main en provenance directe de leur champ de tabac de Tamboril en République Dominicaine.

45. *Probus NYC*

4875 Broadway • entre Academy & 204th Sts • Inwood • 212-923-9153 • probusnyc.com

Chacun trouvera son bonheur dans la sélection sportswear pour hommes de cette boutique.

46. *Vamps*

3898 Broadway • à l'angle de W 163rd St • Washington Heights • 646-225-6641 • vampsnyc.com

Des boots aux talons aiguilles en passant par les tongs, de bonnes marques à des prix plus intéressants que Downtown.

47. *Word Up Community Bookshop*

2113 Amsterdam Ave • à l'angle de W 165th St • Washington Heights • 347-688-4456 • wordupbooks.com

" Books make life better ", les livres rendent la vie meilleure : c'est la devise des volontaires hyper-actifs et chaleureux de cette librairie, qui œuvrent chaque jour à rapprocher les communautés du quartier grâce au théâtre, au cinéma et aux cours de langue qu'ils dispensent.

MORNINGSIDE HEIGHTS

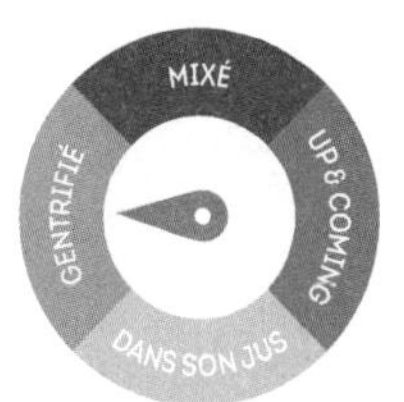

Terres des futures élites, où il fait bon déambuler.

À Morningside Heights, la moyenne d'âge ne semble pas dépasser vingt-cinq ans et l'on croise beaucoup plus de sweats à capuche-baskets que de costards-cravates et tailleurs-talons. Pas étonnant puisque les trois quarts du quartier sont occupés par la prestigieuse Columbia University !

Sur 116th St, entre Broadway et Amsterdam Aves, des grilles de fer forgé noir marquent l'entrée principale qui mène au campus. Comme toutes les universités américaines, Columbia est une ville dans la ville, qui abrite les résidences universitaires, les fraternités et les sororités – ces fameuses associations d'étudiants connues pour leurs frasques alcoolisées –, des équipements sportifs, des salles de spectacles et de concerts, des restaurants et même une boutique de souvenirs.

Au cœur du campus, l'impressionnante esplanade, entre deux majestueuses bibliothèques ouvertes 24 heures sur 24, grouille d'étudiants qui se pressent d'un bâtiment à l'autre, livres et ordinateur portable sous le bras. Aux beaux jours, les marches de granit, surnommées les « Steps », et les pelouses sont envahies par les étudiants.

Plus de 28 000 personnes étudient dans cette richissime institution qui appartient au cercle très fermé de l'Ivy League, nom donné aux huit meilleures universités de la côte Est des États-Unis. Barack Obama et quelques prix Nobel sont passés sur ses bancs. Vous êtes au cœur de l'élitisme américain, à 30 000 $ l'année (heureusement, les bourses sont nombreuses), avec ses rites et ses codes.

En juin, les rues se teintent de bleu. Les robes et les mortarboards (les fameuses toques carrées) sont de sortie pour la Graduation, la grande cérémonie à l'anglo-saxonne de remise des diplômes, pendant laquelle les étudiants fébriles déambulent aux bras de leurs parents.

Construite en 1895 au milieu des champs, sur les hauteurs, Columbia est aujourd'hui au cœur de New York et n'en finit pas de s'étendre vers Harlem. Le nouveau site de Manhattan Ville commence même à voir le jour au nord de la 125th St, dans un quartier post-industriel délabré.

Au-delà du campus, n'oubliez pas de visiter la cathédrale St. John the Divine et de profiter de la vue sur l'Hudson River, en flânant dans Riverside Park. Pour vous encanailler, vous pouvez tester les bars d'étudiants du quartier. Ou, plus relaxant, traversez le joli parc escarpé de Morningside, hier frontière infranchissable avec Harlem, pour des ambiances plus branchées.

A PLAN 2

Hudson River
Riverside Park
Henry Hudson Pky
12th Ave
W 133rd St
W 132nd St
W 131st St
W 125th St
125 St [1]
Tiemann Pl
W 129th St
W 128th St
W 126th St
Martin L. King Jr. Blvd
Amsterdam Ave
CUNY-City College Of New York
St Nicholas Park
Frederick Douglass Blvd
W 134th St
125 St [A/B/C/
St Nicholas Ave
W 124th St
W 123rd St
W 122nd St
W 121st St
W 120th St
Claremont Ave
Broadway
Morningside Dr
Morningside Ave
W 118th St
W 117th St
116 St - Colombia University [1]
W 116th St
W 115th St
W 114th St
W 113th St
W 111th St
W 110th St
Morningside Park
Manhattan Ave
Cathedral Pkwy - 110th Street [1]
Cathedral Pkwy (110 St) [B/C]
W 109th St
W 108th St
W 107th St
W 106th St
W 105th St
W 104th St
Riverside Dr
West End Ave
Columbus Ave
Central Park W
250 m

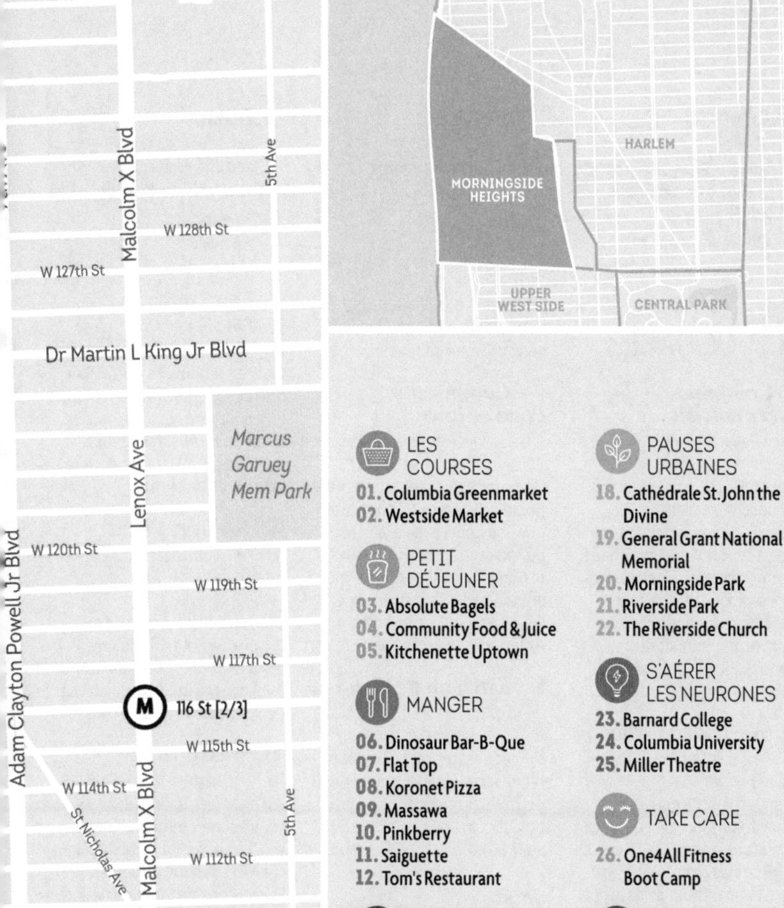

LES COURSES

01. Columbia Greenmarket
02. Westside Market

PETIT DÉJEUNER

03. Absolute Bagels
04. Community Food & Juice
05. Kitchenette Uptown

MANGER

06. Dinosaur Bar-B-Que
07. Flat Top
08. Koronet Pizza
09. Massawa
10. Pinkberry
11. Saiguette
12. Tom's Restaurant

SORTIR

13. 1020 Bar
14. Paddy's
15. Smoke Jazz & Supper Club

SE CONNECTER

16. Hungarian Pastry Shop
17. Joe

PAUSES URBAINES

18. Cathédrale St. John the Divine
19. General Grant National Memorial
20. Morningside Park
21. Riverside Park
22. The Riverside Church

S'AÉRER LES NEURONES

23. Barnard College
24. Columbia University
25. Miller Theatre

TAKE CARE

26. One4All Fitness Boot Camp

BUY LOCAL

27. Book Culture
28. Columbia University Bookstore

On-the-Go

ACCÉDER

MÉTRO

Cathedral Pkwy, 116th St - Columbia University, et 125th St (ligne 1).

CIRCULER

À VÉLO

Attention, ça grimpe.

À PIED

Agréable.

LOUER

LARRY'S FREEWHEELING

301 Cathedral Pkwy • larrysfreewheeling.com

CITI BIKE

Disponible.

LES COURSES

01. *Columbia Greenmarket*

Broadway • entre 114th & 116th Sts • 212-788-7476 • grownyc.org/greenmarket/ourmarkets/ • jeudi et dimanche jusque 16h

Un marché en plein air sponsorisé par l'université, ouvert tout au long de l'année, pour permettre aux étudiants, aux employés du campus et aux autres habitants du quartier, de manger des produits locaux cultivés de façon raisonnable.

02. *Westside Market*

2840 Broadway • entre 110th & 111th Sts • 212-222-3367 • wmarketnyc.com

Ce supermarché ouvert 24 h/24 h propose un vaste choix de fruits et légumes ainsi qu'une multitude de plats préparés à toute heure du jour et de la nuit.

PETIT DÉJEUNER

03. *Absolute Bagels*

cash only • 2788 Broadway • entre 107th & 108th Sts • 212-932-2052 • absolutebagels.com

Levez-vous de bonne heure pour éviter la queue. Ces bagels* sont considérés comme les meilleurs de New York. On n'y vient ni pour la déco, ni pour l'amabilité du personnel; en revanche les variations possibles autour des bagels et des cream cheeses sont presque infinies.

04. *Community Food & Juice*

2893 Broadway • entre 112th & 113th Sts • 212-665-2800 • communityrestaurant.com

Ce brunch du week-end est très populaire. Laissez-vous tenter par une généreuse assiette de pancakes ou d'œufs benedict, arrosée du traditionnel mimosa (mélange de vin mousseux et de jus d'orange dont raffolent les Américains à cette heure-là).

05. *Kitchenette Uptown*

1272 Amsterdam Ave • entre 122nd & 123rd Sts • 212-531-7600 • kitchenetterestaurant.com

Un petit restaurant à la déco rétro-kitsch qui sert de copieux petits-déjeuners aux accents du Sud. On vous conseille les savoureux buttermilk biscuits.

MANGER

06. *Dinosaur Bar-B-Que*

$10-20 • 700 W 125th St • à l'angle de 12th Ave • 212-694-1777 • dinosaurbarbque.com

Dans une ambiance très bikers, étudiants et habitants de Harlem se retrouvent autour d'une bonne viande grillée dans la pure tradition du BBQ américain. N'oubliez pas d'arroser vos ribs de la terrible sauce piquante maison.

07. *Flat Top*

$10-20 • 1241 Amsterdam Ave • à l'angle de 121st St • 646-820-7735 • flattopnyc.com

Café et sandwichs en journée, carte plus sophistiquée le soir pour une nouvelle cuisine américaine aussi goûteuse que copieuse. À tester pour le brunch du week-end.

08. *Koronet Pizza*

cash only • moins de $10 • 2848 Broadway • entre 110th & 111th Sts • 212-222-1566 • koronetpizzany.com

Une part de pizza géante et généreuse pour 3$ seulement. Le meilleur rapport qualité/prix du quartier. Les étudiants fauchés du coin ne s'y trompent pas.

09. *Massawa*

$10-20 • 1239 Amsterdam Ave • à l'angle de 121st St • 212-663-0505 • massawanyc.com

Ici, il est recommandé de manger avec les doigts puisque c'est la tradition éthiopienne ! Des crêpes géantes servent à la fois d'assiette et de couverts. C'est délicieux, convivial et réservé à ceux qui tolèrent le feu du piment.

10. *Pinkberry*

moins de $10 • 2873 Broadway • entre 111th & 112th Sts • 212-222-0191 • pinkberry.com

Les yaourts glacés font fureur aux États-Unis et Pinkberry sert l'un des meilleurs. Même si une ribambelle de parfums vous tend les bras, préférez l'original. Et lâchez-vous sur les toppings et les accompagnements (fruits frais ou secs, pépites de chocolat...).

11. *Saiguette*

moins de $10 • 935 Columbus Ave • à l'angle de 106th St • 212-866-8886 • saiguette.com

De généreux banh mi, sandwichs traditionnels vietnamiens très parfumés, à base de crudités, viande marinée et coriandre, servis dans une baguette tiède et croustillante.

12. *Tom's Restaurant*

cash only • moins de $10 • 2880 Broadway • à l'angle de 112th St • 212-864-6137 • tomsrestaurant.net

Le diner* emblématique de la série *Seinfeld* où vous attabler autour d'un des classiques du genre pour une séquence nostalgie.

SORTIR

13. *1020 Bar*

$4 • 1020 Amsterdam Ave • à l'angle de 110th St • 212-531-3468

L'un des nombreux bars fréquentés par les étudiants du quartier, parfait pour se mêler à la jeunesse de Columbia hors cadre, dont les frat' boys, ces étudiants réunis en différentes fraternités au sein de l'Université.

14. *Paddy's*

$2-5 • 3155 Broadway • entre Tiemann Pl & La Salle St • 212-706-2330 • paddysnyc.net

Un autre bar étudiant qui diffuse une ambiance divey* et propose de bons concerts de jazz.

15. *Smoke Jazz & Supper Club*

2751 Broadway • entre 105th et 106th Sts • 212-864-6662 • smokejazz.com

Ce club de jazz intimiste accueille régulièrement des artistes de stature internationale. Les places assises sont réservées aux clients qui dînent (menu à 38$). Quelques tabourets sont disponibles au bar (2 consommations minimum). Pensez à réserver à l'avance.

SE CONNECTER

16. *Hungarian Pastry Shop*

cash only • 1030 Amsterdam Ave • à l'angle de 111th St • 212-866-4230 • facebook.com/Hungarian-Pastry-Shop-NYC

Cette pâtisserie traditionnelle d'Europe de l'Est est une succursale de la bibliothèque de Columbia. Les étudiants travaillent sans jamais lever le nez de leurs ordinateurs. En revanche, leur petite cuillère, si !

17. *Joe*

550 W 120th St • à l'angle de Broadway • premier étage du bâtiment Northwest • 212-924-7400 • joenewyork.com

Vous rêvez d'intégrer Columbia, au moins quelques heures ? Pénétrez dans le bâtiment Northwest, montez au café et glissez-vous, avec votre ordinateur portable, parmi les élèves studieux qui bossent en buvant un délicieux café.

PAUSES URBAINES

18. *Cathédrale St. John the Divine*

1047 Amsterdam Ave • entre 110th & 113th Sts • 212-316-7540 • stjohndivine.org

C'est un peu la Sagrada Familia de New York. D'abord romane et byzantine en 1892, cette cathédrale, l'une des plus grandes du monde, est devenue gothique en 1909. Elle n'est toujours pas achevée à ce jour et mérite son surnom : St. John the Unfinished. De nombreux détails témoignent de sa modernité, comme les statues de Martin Luther King et d'Albert Einstein, ou les vitraux relatant l'évolution des moyens de communication moderne. Pour la Saint-Francis, le 4 octobre, on peut y faire baptiser son animal (quelle que soit son espèce !). Et les cyclistes se font bénir, en avril, dans un concert de klaxons et de sonnettes.

24

24

20

19. *General Grant National Memorial*

à l'angle de W 122nd St & Riverside Dr • 212-666-1640 • nps.gov/gegr

Ce mausolée, dans Riverside Park, abrite le corps du général Grant, 18e président des États-Unis et acteur essentiel de la guerre de Sécession.

20. *Morningside Park*

sur Morningside Dr • entre W 110th & W 123rd Sts • 212-937-3883 • morningsidepark.org

Ce parc très pentu a longtemps été une dangereuse frontière entre le campus de Columbia et Harlem, en contrebas. Il était formellement interdit aux étudiants de s'y aventurer ou de le traverser. Aujourd'hui, les Afro-Américains d'Harlem partagent pelouses et terrain de jeux avec la faune internationale du campus. L'été, les familles y organisent des barbecues géants avec sono assortie.

21. *Riverside Park*

sur Riverside Dr • entre W 72nd & W 129th Sts • 212-870-3070 • nycgovparks.org/park-features/riverside-park

À l'extrême ouest du quartier, ce parc en hauteur offre une belle vue sur le New Jersey. Cette étroite bande de verdure sert aussi de terrains d'entrainement aux nombreux runners du campus. En contrebas, une piste cyclable permet de traverser Manhattan du nord au sud le long de l'Hudson River (voir balade p.62).

22. *The Riverside Church*

490 Riverside Dr • entre 120th & 122nd Sts • 212-870-6700 • theriversidechurchny.org

L'architecture néogothique de cette vaste église œcuménique est inspirée de la cathédrale de Chartres. D'illustres personnalités comme Martin Luther King, Nelson Mandela ou Fidel Castro y ont prononcé des discours. Visite guidée gratuite après l'office du dimanche.

23. *Barnard College*

3009 Broadway • entre 116th & 120th Sts • 212-854-5262 • barnard.edu

C'est l'une des cinquante-trois facs réservées aux femmes aux États-Unis, et sans doute la plus prestigieuse. Créée en 1889, elle avait pour vocation de dispenser aux jeunes filles, qui n'avaient pas encore accès à Columbia, un enseignement supérieur de qualité. Bien que la plupart des universités soient mixtes depuis les années 1960, Barnard a choisi de rester féminine. Elle a formé un grand nombre de femmes politiques et de dirigeantes.

24. *Columbia University*

entrée principale sur 116th St • entre Amsterdam Ave & Broadway • 212-854-1754 • columbia.edu

Si l'on monte à Morningside Heights, c'est surtout pour Columbia University et son campus qui, depuis 1897, ne cesse de déborder de son cadre d'origine. Dans les espaces extérieurs qui sont accessibles au public, vous pouvez déambuler à votre guise parmi les étudiants pressés qui vont et viennent des dortoirs aux salles de cours. Un « self-guided tour » est disponible à la Low Library, l'imposant bâtiment qui domine l'esplanade principale, le seul accessible à qui ne détient pas une carte d'étudiant. Ne manquez pas la jolie chapelle St. Paul ainsi que les sculptures modernes qui sont installées sur le passage aérien au-dessus d'Amsterdam Ave.

25. *Miller Theater*

2960 Broadway • à l'angle de 116th St • 212-854-7799 • millertheatre.com

Le théâtre du campus de Columbia propose notamment des opéras et des concerts de jazz.

26. *One4All Fitness Boot Camp*

Morningside Park à 114th St • 646-342-7768 • one4allfitness.com/life-at-camp.html

Un fitness de l'extrême fondé sur des techniques d'entraînement militaire. Préparez-vous à transpirer dans les nombreux escaliers de Morningside Park.

27. *Book Culture*

536 W 112th St • entre Amsterdam Ave & Broadway • 212-865-1588
& 2915 Broadway • au coin de 114th St • 646-403-3000 • bookculture.com

Évidemment, on s'attend à trouver de nombreuses librairies aux abords de l'université. On aime particulièrement celle-ci pour son choix de livres neufs ou d'occasion, et surtout pour sa sélection pointue de journaux, de magazines internationaux (112th St), et de jeux éducatifs (Broadway).

28. *Columbia University Bookstore*

Lerner Hall • 2922 Broadway • à l'angle de W 114th St • 212-854-4131 • columbiabookstore.com

La boutique où acheter le fameux sweat à capuche affublé du logo « Columbia University ».

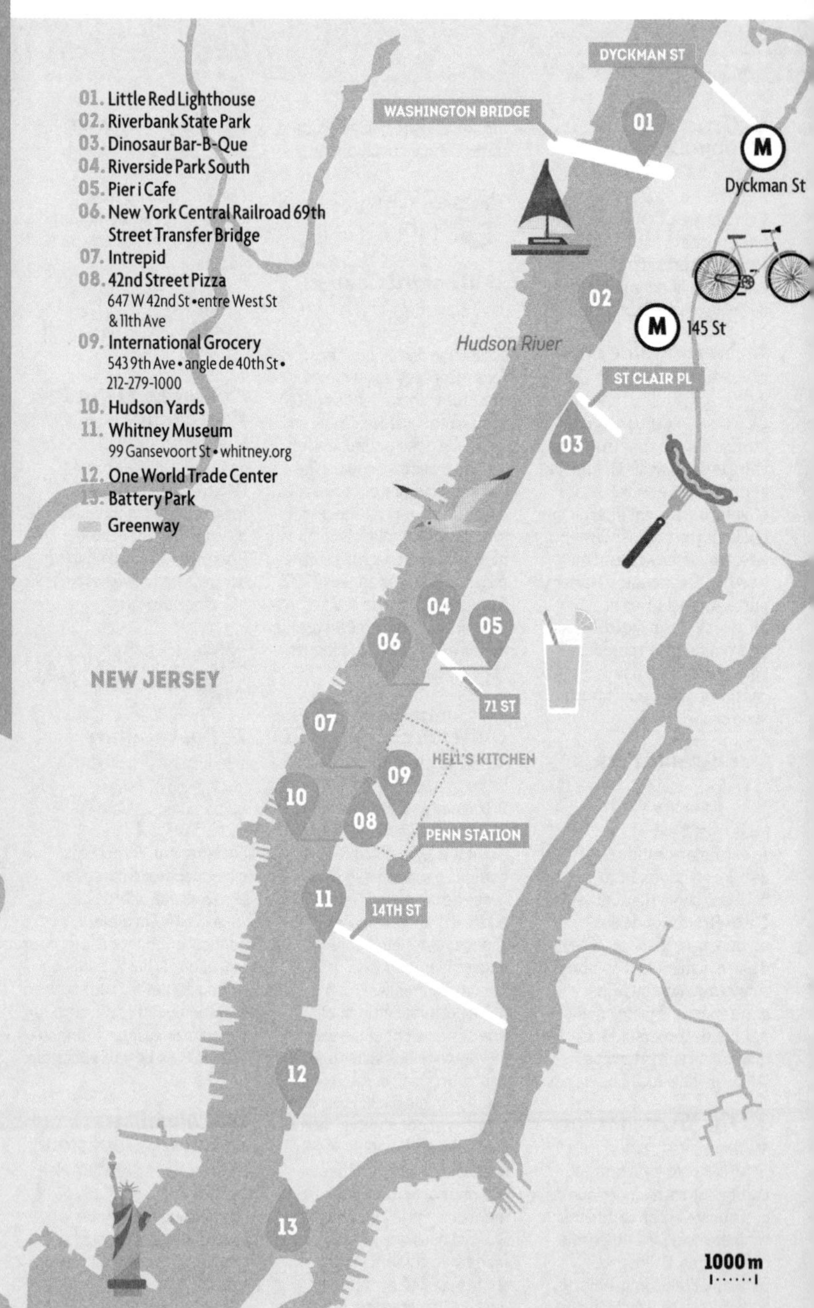
01. Little Red Lighthouse
02. Riverbank State Park
03. Dinosaur Bar-B-Que
04. Riverside Park South
05. Pier i Cafe
06. New York Central Railroad 69th Street Transfer Bridge
07. Intrepid
08. 42nd Street Pizza
647 W 42nd St • entre West St & 11th Ave
09. International Grocery
543 9th Ave • angle de 40th St • 212-279-1000
10. Hudson Yards
11. Whitney Museum
99 Gansevoort St • whitney.org
12. One World Trade Center
13. Battery Park
Greenway
DYCKMAN ST
WASHINGTON BRIDGE
Dyckman St
145 St
Hudson River
ST CLAIR PL
NEW JERSEY
71 ST
HELL'S KITCHEN
PENN STATION
14TH ST
1000 m

L'Hudson River à vélo

La Waterfront Greenway qui longe Hudson River est la voie verte la plus longue de Manhattan. 20 km de piste cyclable et de promenade piétonne avec des vues spectaculaires. À faire en semaine, car il y a beaucoup de monde le week-end.

En sortant de la station de métro Dyckman St, au nord de Manhattan, empruntez Dyckman St et filez sur la Greenway. À droite, Hudson River, les voiliers, et bien sûr le Washington Bridge, qui mène au New Jersey. À gauche, le Henry Hudson Parkway. En quelques coups de pédale, vous voilà à l'ombre du pont. Admirez **LITTLE RED LIGHTHOUSE**, l'un des derniers phares de New York, et bien sûr la vue.

Au niveau de 145th St, là où la Greenway passe sous l'autoroute, coincée entre la voie ferrée et une usine de retraitement des eaux usées, l'atmosphère industrielle laisse place à **RIVERBANK STATE PARK**, un grand parc aménagé qui surplombe la rivière. Un peu plus loin, tournez à gauche, sur St Clair Place, repassez sous le Henry Hudson Parkway, et arrêtez-vous à **DINOSAUR BAR-B-QUE** (voir p.58), sur 125th St, pour un barbecue gargantuesque que vous pouvez emporter au bord de l'eau.
Vous pouvez aussi continuer de pédaler dans **RIVERSIDE PARK SOUTH**, un parc joliment aménagé. L'ambiance se fait plus citadine. Arrêtez-vous à **PIER I CAFE**, au niveau de 71st St, très agréable (et moins touristique que le Boat Basin, un peu plus au nord).
Deux blocs plus au sud, on aperçoit sur l'eau les ruines du **NEW YORK CENTRAL RAILROAD 69TH STREET TRANSFER BRIDGE**, qui servait à transporter les wagons sur des barges pour rejoindre la ligne du New Jersey.
Vous voilà Midtown. Traversez **HELL'S KITCHEN**, le nouveau quartier gay. Passez l'**INTREPID**, un porte-avions/musée consacré à l'histoire maritime, aérospatiale et militaire. Allez vous asseoir au comptoir de **42ND STREET PIZZA**. Si le patron est de bonne humeur, il vous racontera peut-être comment il a refusé les millions de dollars des promoteurs, pour garder son diner* grec de quatres étages. Achetez de quoi pique-niquer chez **INTERNATIONAL GROCERY**. Un peu plus au sud, vous longez les **HUDSON YARDS**, un projet urbain impressionnant, avec plusieurs gratte-ciel dont la Central Park Tower qui, en 2018, dépassera le One World Trade Center (sans son antenne). Passez les rails qui mènent à Penn Station, et à la nouvelle station de la ligne 7. Vous voici Downtown. Les New-Yorkais viennent y faire leur jogging, promener leur bébé ou leur chien.
Juste après 14th St, le nouveau **WHITNEY MUSEUM** fait passer de Chelsea à Greenwich Village. La vue sur **ONE WORLD TRADE CENTER** est émouvante. Vous avez bien mérité de vous reposer sur une pelouse de **BATTERY PARK**, la statue de la Liberté en ligne de mire.

KISS
APOLLO
Portabella

HARLEM

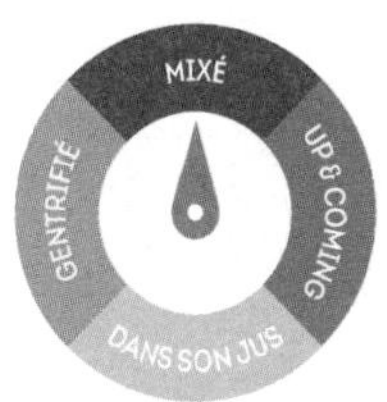

L'ancien ghetto noir a toujours autant de style.

Il suffit de se poser dans l'un des restaurants sur Frederick Douglass Boulevard, juste au nord de Central Park, un dimanche à l'heure du brunch, pour prendre le pouls du nouvel Harlem. Les rires fusent, les conversations s'animent autour de cocktails et d'assiettes appétissantes, couvertes par la musique d'ambiance. Les clients ont la trentaine festive. Ils sont Blancs, Noirs, asiatiques et partagent les mêmes tables. Une révolution. « Quand je me suis installé ici en 1998, j'étais un des seuls Blancs », explique Brian, un professeur à la Columbia University, qui vit dans le quartier.

Dans les années 1920, quand les Noirs arrivent du Sud des États-Unis pendant la Grande Migration, le quartier, alors blanc, devient le repaire des intellectuels et des artistes afro-américains. C'est la Harlem Renaissance et l'éclosion des clubs de jazz légendaires, Small's, Cotton Club, le Savoy, où se produisent Duke Ellington, Louis Armstrong et Joséphine Baker. Malgré ce bouillonnement culturel, les Noirs sont confrontés au racisme quotidien. Dans les clubs, les musiciens sont noirs, mais les clients blancs. Aujourd'hui, les rues principales et les lieux publics portent le nom des activistes qui ont milité pour l'égalité, parfois au prix de leur vie. Adam Clayton Powell Jr., Malcom X, Frederick Douglass, Martin Luther King ou Marcus Garvey, dont on voit les visages peints sur les façades des immeubles.
Dans les années 1980, quand le ghetto est dévasté par l'épidémie de crack, la culture hip-hop se nourrit de la rue. Dans sa boutique de 125th St, le couturier Dan Happer détourne les logos des grandes marques de luxe pour saper le boxeur Myke Tyson et les stars du rap, de Run DMC à Salt-N-Peppa, qui défilent 7 jours sur 7, 24 heures sur 24.

Aujourd'hui, Harlem est redevenu ce qu'il était au début des années 1930 : un quartier mixte. Les magnifiques brownstones* rouges et les immeubles pre-war à la *West Side Story* ont été rénovés par la classe moyenne, noire, blanche ou asiatique, à partir des années 1990. « Ma fille, qui est lesbienne, a épousé une Blanche, et c'est très bien ! », se félicite Katie, une Afro-Américaine qui a grandi ici. « On était heureux aussi dans le ghetto, mais le mélange, c'est mieux. »

On se promène en toute sécurité à peu près partout (au prix de méthodes musclées et de dérapages des policiers du NYPD[1]). Les coffee-shops et les bars branchés se

1. La méthode « stop-and-frisk » (littéralement « interpeler et palper »), utilisée depuis les années 1990 à New York, permet aux policiers de fouiller n'importe qui sur simple présomption. Une pratique jugée anticonstitutionnelle en 2013 par une juge fédérale.

succèdent sur Frederick Douglass Boulevard et, plus au nord, sur Broadway. Les grandes chaînes de prêt-à-porter (et bientôt un Whole Foods !) ont ouvert à côté du mythique Apollo Theater sur 125th St. Malheureusement, comme toujours, le prix à payer, c'est la hausse de l'immobilier. Mais comme le souligne Brian, « Harlem a su garder son âme. On croise toutes sortes de gens intéressants et cool. Des gens qui ne travaillent pas dans la finance, ce qui devient rare à Manhattan. »

En déambulant, vous admirerez l'architecture, notamment sur Covent et Saint Nicholas Avenue, entre 140th et 150th Sts,

Ils sont blancs, noirs, asiatiques, et partagent les mêmes tables.

et sur Riverside Drive, près de la rivière, jusqu'à 165th St. Mais Harlem est aussi un festival de looks, qui changent des hipsters. Des boubous seyants, des Fedora élégamment vissés sur la tête, des voilettes à la sortie de l'église méthodiste, des têtes nattées d'écolières en uniforme qui rentrent de leur charter school[2], des pantalons au bas des fesses, des coupes afro, étendards d'une identité.

2. Les charter schools, qui se sont beaucoup développées ces 15 dernières années dans les quartiers pauvres de New York, sont des écoles publiques, laïques et gratuites qui fonctionnent de façon autonome et libre et reçoivent des fonds publics en fonction de leurs résultats.

FAITES COMME CHEZ EUX

ACCÉDER

MÉTRO

Cathedral Pkwy (110 St), 116 St, 125 St, 135 St, 145 St ou 137 St - City College (lignes A, B, C, D, 1, 2, 3).

CIRCULER

À PIED

Agréable.

À VÉLO

Peu de pistes cyclables. Attention à la circulation.

LOUER

TALENT CYCLES

502 W 139th St • proche angle d'Amsterdam Ave • 212-368-5609 • talentcyclesny.com

CITI BIKE

D'ici fin 2017.

LES COURSES

01. *125th Street Farmers' Market*

KIDS • 163 W 125th St • à l'angle de Adam Clayton Powell Jr Blvd • 125thstreetfarmersmarket.com • tous les mardis de début juin à fin novembre

On achète plein de produits de saison sur ce marché de producteurs locaux. Les enfants participent à des cours de cuisine tandis que leurs parents font les courses.

02. *Adja Khady Food*

243 West 116th St • entre Frederick Douglass Blvd & St. Nicholas Ave • 646-645-7505

Dans cette épicerie située au cœur du Petit Sénégal, Mary et sa famille vendent tous les produits de base d'Afrique de l'Ouest. De la cacahuète évidemment, sous toutes ses formes, du millet, des piments, des tisanes, ou encore du poisson surgelé en provenance directe de Dakar.

03. *Fairway Market*

2328 12th Ave • entre 133rd & 132nd Sts • 212-234-3883 • fairwaymarket.com/harlem

Cette mini-chaîne locale de supermarchés a des rayons très bien achalandés et toutes sortes de produits européens importés. Avant d'entrer dans la chambre froide, enfilez une des vestes à disposition des clients.

04. *Harlem Shambles*

2141 Frederick Douglass Blvd • entre W 115th & W 116th Sts • 646-476-4650 • harlemshambles.com

Dans cette boucherie ouverte en 2011, vous trouverez de la bonne viande bien sûr, locale et garantie sans antibiotiques ni hormones, mais aussi des œufs, du lait, de la charcuterie, du pain et des céréales.

05. *Lee Lee's Baked Goods*

283 W 118th St • entre St. Nicholas Ave & Frederick Douglass Blvd • 917-493-6633 • leeleesrugelach.com

Arrêt obligatoire chez ce vieux boulanger black dont les rugelagh (petits croissants de pâte feuilletée ashkénazes) à l'abricot et à la cannelle, ou au chocolat, valent de traverser la ville.

06. *Levain Bakery*

2167 Frederick Douglass Blvd • entre W 116th & W 117th Sts • 646-455-0952 • levainbakery.com

Tout est bon : les scones, les sticky buns (sorte de brioches au caramel) et évidemment les cookies, notamment le walnut chocolate chips, autre bonne raison de traverser la ville.

07. *Whole Foods Market*

à l'angle de 125th St & Lenox Ave • wholefoodsmarket.com

L'ouverture, du prochain supermarché de la chaîne new-yorkaise de supermarchés bio, courant 2016, est aussi attendue que crainte tant elle pourrait modifier la physionomie sociale du quartier.

PETIT DÉJEUNER

08. *La Patisserie des Ambassades*

2200 Frederick Douglass Blvd • entre 118th & 119th Sts • 212-666-0078 • patisseriedesambassades.com

Quand l'Afrique rencontre la France, ça donne cette institution locale où prendre un café avec une bonne viennoiserie.

B PLAN 1

W 142nd St
W 141st St
W 140th St
W 139th St
W 138th St
W 137th St
W 136th St
W 135th St
W 134th St
W 133rd St
W 132nd St
W 131st St
W 130th St
W 129th St
E 129th St
W 127th St
W 126th St
W 125th St
W 124th St
W 123rd St
W 122nd St
W 122rd St
W 121st St
W 120th St
W 119th St
W 117th St
W 116th St
W 115th St
W 114th St
W 113th St
W 110th St
W 109th St
W 108th St
W 107th St
W 106th St
W 105th St
Henry Hudson Pky
Hamilton Pl
Convent Ave
St Nicholas Ave
Edgecombe Ave
Adam Clayton Powell Jr Blvd
Odell Clark Pl
137 St - City College [1]
135 St [A/B/C]
Broadway
Amsterdam Ave
CUNY-City College Of New York
Frederick Douglass Blvd
7th Ave
Malcolm X Blvd
12th Ave
St Nicholas Park
125 St [1]
Tiemann Pl
Martin L King Jr. Blvd
125 St [A/B/C/D]
125 St [2/3]
Claremont Ave
Riverside Dr
Morningside Ave
Morningside Dr
Columbia University
Riverside Park
116 St [B/C]
116 St [2/3]
Morningside Park
Manhattan Ave
Central Park North [2/3]
Cathedral Pkwy [B/C]
Central Park W
West Dr
Harlem Meer
West End Ave
Columbus Ave
250 m

HARLEM

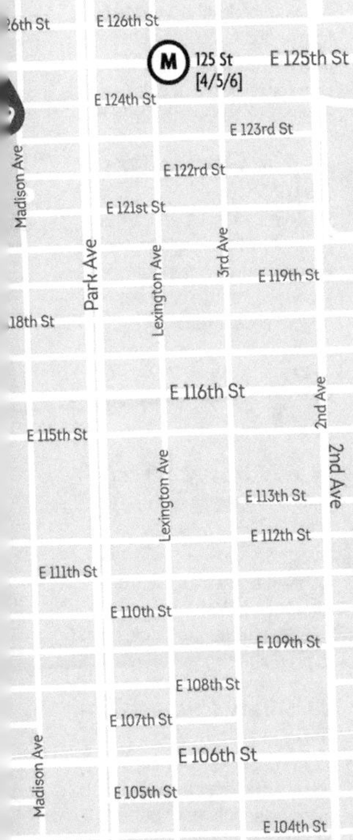

LES COURSES

01. 125th Street Farmers' Market
02. Adja Khady Food
03. Fairway Market
04. Harlem Shambles
05. Lee Lee's Baked Goods
06. Levain Bakery
07. Whole Foods Market

PETIT DÉJEUNER

08. La Patisserie des Ambassades
09. Yatenga Bistro

MANGER

10. Africa Kine
11. Harlem Shake
12. La Savane
13. Miss Mamie's Spoonbread Too
14. Red Rooster
15. Silvana
16. Streetbird Rotisserie
17. The Cecil
18. The Grange Bar & Eatery

SORTIR

19. 67 Orange Street
20. Ginny's Supper Club
21. Harlem Public - Hors carte
22. Shrine

SE CONNECTER

23. Double Dutch Espresso
24. Filtered Coffee
25. The Chipped Cup - Hors carte
26. The Edge

PAUSES URBAINES

27. Abyssinian Baptist Church
28. Harlem Grown
29. Harlem Meer
30. Little Senegal
31. Rucker Park - Hors carte
32. Speaker's Corner
33. Sugar Hill - Hors carte

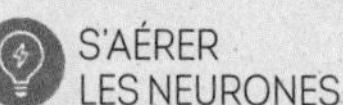

S'AÉRER LES NEURONES

34. Minton's
35. Showman's
36. Harlem American Legion Post 398
37. The National Jazz Museum in Harlem
38. Apollo Theater
39. Gavin Brown's Enterprise
40. Schomburg Center for Research in Black Culture
41. Studio Museum

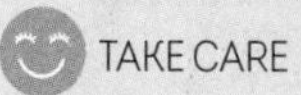

TAKE CARE

42. Carol's Daughter
43. The Harlem Swing Dance Society
44. The Lasker Rink & Pool

BUY LOCAL

45. Atmos
46. Flamekeepers Hat Club
47. Grandma's Place
48. Harlem Haberdashery
49. Harlem Underground
50. Hats by Bunn
51. Sneaker Pawn
52. Trunk Show Designer Consignment
53. Yara African Fabrics

09. *Yatenga Bistro*

2269 Adam Clayton Powell Jr Blvd • entre W 133rd & W 134th Sts • 212-690-0699 • yatengabistro.com

Une valeur sûre avec sa salle lumineuse et décontractée et son solide menu qui allie brunch américain et bistrot français.

MANGER

10. *Africa Kine*

$10-20 • 2267 7th Ave • entre 133rd & 134th Sts • 212-666-9500 • africakine.com

Après avoir été victime de la hausse des loyers, ce restaurant sénégalais réputé a trouvé à se reloger dans un ancien salon de coiffure. Ses habitués peuvent à nouveau se régaler du poulet yassa et du mafé d'agneau de Kine Mar et de son fils, en buvant de rafraîchissantes boissons à l'hibiscus et au gingembre.

11. *Harlem Shake*

moins de $10 • 100 W 124th St • à l'angle de Lenox Ave • 212-222-8300 • harlemshakenyc.com

Un diner* rigolo au look rétro. Rendez-vous des locaux quand ils ont envie d'un soda, d'un burger ou d'un milkshake.

12. *La Savane*

$10-20 • 239 W 116th St • entre Frederick Douglass Blvd & St Nicholas Ave • 646-490-4644

Malgré la gentrification ambiante, ce restaurant africain tient bon. On y mange surtout des spécialités ivoiriennes et sénégalaises. Laissez-vous tenter par un bon mafé (ragoût d'agneau dans une sauce à la cacahuète) ou un poisson grillé servi avec de l'attiéké (semoule).

13. *Miss Mamie's Spoonbread Too*

$10-20 • 366 W 110th St • à l'angle de Colombus Ave • 212-865-6744 • spoonbreadinc.com

Pour une expérience authentique du poulet frit et une tourte à la pêche.

14. *Red Rooster*

$20-30 • 310 Lenox Ave • entre 126th & 125th Sts • 212-792-9001 • redroosterharlem.com

Marcus Samuelsson est une icône culinaire du nouvel Harlem. Chez Red Rooster, on croise aussi bien des vieilles dames sur leur trente-et-un que des jeunes lookés qui viennent déguster la comfort-food* du Sud revisitée par ce chef éthiopien. Très bien aussi pour le brunch du dimanche pendant lequel, avec un peu de chance, vous pourrez écouter Boncella Lewis, chanteuse de jazz septuagénaire aussi facétieuse que talentueuse.

15. *Silvana*

$10-20 • 300 W 116th St • proche angle Frederick Douglass Blvd • 646-692-4935 • silvana-nyc.com

Sivan est juive et israélienne, Abdel est burkinabé et musulman. Ils se sont rencontrés et mariés à New York. Ensemble, ils ont ouvert ce restaurant. Un lieu à leur image, où l'on peut prendre un café, déjeuner sainement d'une cuisine moyenne-orientale parfumée, mais aussi acheter un petit cadeau éthique ou local et écouter de la musique live.

16. *Streetbird Rotisserie*

$10-20 • 2149 Frederick Douglass Blvd • à l'angle de W 116th St • 212-206-2557 • streetbirdnyc.com

Cette rôtisserie est la petite dernière de Marcus Samuelsson. Sa déco extravagante, hommage à la street culture, est géniale.

17. *The Cecil*

$20-30 • 210 W 118th St • entre Adam Clayton Powell Jr Blvd & St. Nicholas Ave • thececilharlem.com

15

Une cuisine aux confluents de l'Afrique, de l'Asie et l'Amérique, qui sublime les aromates, les légumes et des céréales méconnues, revisitant les traditions culinaires de la diaspora noire. Alexander Smalls a passé les fourneaux à un autre chef, mais le restaurant reste sous sa supervision. L'une des meilleures tables de Harlem.

18. *The Grange Bar & Eatery*

$10-20 • 1635 Amsterdam Ave • à l'angle de 141st St • 212-491-1635 • thegrangebarnyc.com

Un néobistrot américain locavore, réputé pour ses délicieux cocktails.

SORTIR

19. *67 Orange Street*

$10-15 • 2082 Frederick Douglass Blvd • entre 112th & 113th Sts • 212-662-2030 • 67orangestreet.com

On peut boire d'excellents cocktails à Harlem et ce speakeasy* du 21e siècle en est la preuve.

20. *Ginny's Supper Club*

$7-14 • 310 Lenox Ave • entre W 126th & W 125th Sts • 212-421-3821 • ginnyssupperclub.com

Déco raffinée et tamisée dans ce speakeasy* ouvert par Marcus Samuelsson au sous-sol de son restaurant Red Rooster, en hommage aux clubs de jazz des années 1920. Clientèle chic et décontractée, belle carte de cocktails, bonne musique.

21. Harlem Public

(Hors carte) • $6.50-10 • 3612 Broadway • entre W 148th & W 149th Sts • 212-939-9404 • harlempublic.com

Un des premiers pubs à avoir ouvert dans ce coin de Broadway. Très sympa, mais il faut aimer le monde et supporter des niveaux de décibels relativement élevés.

22. Shrine

$12 • 2271 Adam Clayton Powell Jr Blvd • entre W 133rd & W 134th Sts • 212-690-7807 • shrinenyc.com

Ce club est décoré du sol au plafond de pochettes de vinyles. Pour écouter de la bonne musique funk, jazz, reggae, soul.

SE CONNECTER

23. Double Dutch Espresso

2194 Frederick Douglass Blvd • entre W 119th & W 118th Sts • 646-429-8834 • doubledutchespresso.com

Le temps d'un café/sandwich, dans le patio si le temps le permet.

24. Filtered Coffee

1616 Amsterdam Ave • entre W 139th & W 140th Sts • 917-475-1120 • facebook.com/FilteredNewYork

Le café (Stumptown) et les viennoiseries locales sont excellents.

25. The Chipped Cup

(Hors carte) • 3610 Broadway • entre W 148th & W 149th Sts • 212-368-8881 • chippedcupcoffee.com

Un agréable coffee-shop décoré de broc, où se poser pour boire un café ou un thé. Si le canapé est pris, profitez du patio.

26. The Edge

101 Edgecombe Ave • entre 139th & 140th Sts • 212-939-9688 • edgecafeharlem.com

Confortable pour se poser dans la journée. On y revient volontiers pour le brunch aux saveurs jamaïcaines et anglaises le week-end.

PAUSES URBAINES

27. Abyssinian Baptist Church

132 Odell Clark Pl • entre Adam Clayton Powell & Malcolm X Blvds • 212-862-7474 • abyssinian.org

C'est la plus ancienne église baptiste de New York. Fondée en 1808 par des Afro-Américains qui refusaient la ségrégation, elle est devenue la plus grande congrégation protestante des États-Unis et a joué un rôle majeur dans la lutte pour l'égalité des droits civils des Noirs. Comme partout à Harlem, c'est devenu l'enfer d'assister à une messe gospel. Si jamais vous réussissez à y entrer, ne partez pas au moment du prêche, par respect pour les gens qui vous accueillent. Mais nous vous conseillons plutôt d'aller à Brooklyn (voir p.188).

28. Harlem Grown

118 W 134th St • entre Adam Clayton Powell Jr & Lenox Aves • harlemgrown.org

C'est ici que Tony Hillery a fait pousser son premier potager communautaire. En 2011, cet ex-patron d'une société de limousines spécialisée dans le transport de stars a créé l'association Harlem Grown. Son but : apprendre aux enfants (et à leurs mères) à mieux se nourrir en faisant pousser des fruits et légumes. Depuis, plusieurs jardins ont été créés, qui livrent également les restaurants de Harlem en produits locaux.

29. Harlem Meer

Central Park • entre 106th & 110th Sts • centralparknyc.org

Le coin nord-est de Central Park a toujours accueilli les familles afro-américaines en quête de verdure. Les rives du lac ont été réaménagées et, à l'image du quartier, la population y est désormais beaucoup plus mixte. Super pour pêcher, observer les oiseaux ou pique-niquer.

30. Little Senegal

W 116th St • entre 5th & 9th Aves

« Petit Sénégal », c'est le surnom donné à deux ou trois blocs de 116th St, où ont ouvert des commerces d'Afrique de l'Ouest dans les années 1980. Des bouchers halal, des boutiques de boubous et de voiles, des épiceries, des magasins de cosmétiques, évidemment des coiffeurs. Mais aussi des mosquées. Environ 20 000 Sénégalais vivent à New York, ainsi que des Nigériens, des Guinéens, des Maliens et des Ivoiriens (souvent chauffeurs de taxi). Les relations avec les Afro-Américains ne sont pas toujours évidentes, ces derniers les accusant souvent de profiter du système.

31. Rucker Park

(Hors carte) • 2930 Frederick Douglass Blvd • à l'angle de W 155th St • 212-408-0100 • ebcruckerpark.com

Ce terrain mythique de basket de rue porte le nom de Holcombe Rucker, un prof qui a eu l'idée dans les années 1950 d'organiser des tournois pour sauver les gamins de Harlem de la drogue et des gangs. Vous y verrez les étoiles montantes du dunk. Et peut-être des stars de la NBA (la ligue nationale de basket).

32. *Speakers' Corner*

à l'angle de 135th St & Lenox Ave

C'est ici que les activistes noirs charismatiques comme Marcus Garvey ou Malcom X venaient apostropher la foule.

33. *Sugar Hill*

(Hors carte) • de 145th à 157th Sts • entre Amsterdam & Edgecomble Aves

En argot, Sugar Hill signifie « la colline du fric ». C'est ainsi que, dans les années 1930, on a commencé à surnommer ce quartier dans lequel de nombreux artistes, écrivains et penseurs noirs de la Harlem Renaissance ont vécu, comme W.E.B. Du Bois, le premier Noir à obtenir un doctorat à Harvard, et Duke Ellington. Admirez les immeubles de pierre pre-war et les incroyables détails des maisons de ville.

S'AÉRER LES NEURONES

JAZZ

Berceau du jazz quand les Noirs sont arrivés de La Nouvelle-Orléans dans les années 1920, Harlem comptait alors une bonne vingtaine de clubs sur 7th et Lenox Aves, dont les illustres « Big Three », le Cotton Club, le Small's Paradise et le Connie's Inn. Dans les années 1960, la musique a migré à Greenwich Village. Mais il reste quelques institutions Uptown, dont :

34. *Minton's*

206 W 118th St • entre 7th & St. Nicholas Aves • 212-243-2222 • mintonsharlem.com

Pour une grande occasion, découvrez ce club mythique où est né le bebop. Après être resté fermé pendant plus de trente ans, il a été racheté par les propriétaires du restaurant Cecil. Chic et cher.

35. *Showman's*

375 W 125th St • entre Morningside & St. Nicholas Aves • 212-864-8941

Un repaire émouvant du blues.

36. *Harlem American Legion Post 398*

248 W 132nd St • entre Frederick Douglass & Adam Clayton Powell Jr Blvds • 212-283-9701 • colchasyoungharlempost398.com

Ce local de l'American Legion est le rendez-vous des amateurs de jazz. Chaque dimanche soir, on entend des standards s'échapper du sous-sol du brownstone* qui l'abrite. Descendez les marches, poussez la porte, signez le registre (obligatoire si vous n'êtes pas membre) et laissez-vous porter par l'ambiance. Toute la soirée, de 19 h à minuit, des musiciens du monde entier se relaient pour taper le bœuf autour de l'orgue antédiluvien de Seleno Clarke (voir portrait p.83). L'entrée n'est pas payante, mais n'oubliez pas de renouveler les consommations et de glisser un billet dans la love jar quand elle passe, au milieu des « yeah baby ! » enthousiastes.

37. *National Jazz Museum in Harlem*

58 W 129th St • entre 5th & Lenox Aves • 212-348-8300 • jazzmuseuminharlem.org

Ce musée propose des conférences et des expositions pour se plonger dans l'histoire du jazz, ainsi que des concerts.

38. *Apollo Theater*

253 W 125th St • entre Frederick Douglass & Adam Clayton Powell Jr Blvds • 212-531-5305 • apollotheater.org

Ce théâtre mythique a vu passer les plus grands noms de la musique noire américaine. Ella Fitzgerald et James Brown y ont été révélés. Chaque mercredi soir, le public continue de huer ou plébisciter ceux qui osent faire leurs débuts pendant l'Amateur Night Show. Le spectacle est autant sur scène que dans la salle.

39. *Gavin Brown's Enterprise*

439 W 127th St • à l'angle de W 126th St • 212-627-5258 • gavinbrown.biz

Quand ce galeriste réputé de Greenwich Village a décidé de s'installer dans une ancienne brasserie de Harlem, ce fut une petite révolution pour le monde de l'art contemporain, peu habitué à venir Uptown. Une révolution qui s'annonce réussie.

40. *Schomburg Center for Research in Black Culture*

515 Malcolm X Blvd • entre W 135th & W 136th Sts • 917-275-6975 • nypl.org/locations/schomburg

Un passionnant centre de recherches et d'études sur la culture afro-américaine.

41. Studio Museum
144 W 125th St • entre Adam Clayton Powell Jr Blvd & Lenox Ave • 212-864-4500 • studiomuseum.org
Ce centre d'art contemporain, qui organise régulièrement des expos et des conférences, est un pilier de la culture noire de Harlem.

42. Carol's Daughter
24 W 125th St • entre Malcolm X Blvd & 5th Ave • 212-828-6757 • carolsdaughter.com
Il est loin le temps où Lisa Price concoctait ses crèmes dans sa cuisine de Brooklyn. Sa ligne de cosmétiques naturels est désormais vendue partout aux États-Unis. Mais c'est à Harlem que se trouve la boutique amirale de cette marque new-yorkaise. Dans le petit spa à l'arrière, vous pouvez vous offrir un diagnostic capillaire.

43. The Harlem Swing Dance Society
Lt Joseph P Kennedy Jr Center • 34 W 134th St • entre Lenox & 5th Aves • harlemswingdance.org
Pour renouer avec le Harlem des Années folles, prenez des cours de lindy hop et de swing dance (en couple), mélange de jazz, de charleston et de claquettes. Tous les mardis soirs, de 19 h à 20 h. Gratuit pour les moins de 18 ans.

44. The Lasker Rink & Pool
cash only • dans Central Park sur East Dr • 830 5th Ave • entre 106th & 108th Sts • 917-492-3856
Cette piscine découverte l'été se transforme en patinoire l'hiver !

45. Atmos
203 W 125th St • entre 7th & 8th Aves • 212-666-2242 • atmosnyc.blogspot.com
Dans cette boutique japonaise bien connue des New-Yorkais dingues de sneakers, vous trouverez les dernières Nike ou les Adidas qu'on s'arrache.

46. Flamekeepers Hat Club
273 W 121st St • entre St. Nicholas & 7th Aves • 212-531-3542 • flamekeepershatclub.com
Voir coup de cœur p.82

47. Grandma's Place
84 W 120th St • entre W Mount Morris Park & Lenox Ave • 212-360-6776 • grandmasplaceinharlem.com
Ce super magasin de jouets, ouvert en 2006 par Dawn Harris-Martine, une maîtresse d'école à la retraite, met l'accent sur l'imagination.

48. Harlem Haberdashery
245 Lenox Ave • entre W 122nd & W 123rd Sts • 646-707-0070 • harlemhaberdashery.com
Après avoir habillé les stars, de Jay Z à David Beckham, pendant plus de vingt ans, Louis Johnson a ouvert sa boutique de prêt-à-porter. Quand le streetwear rencontre la Harlem Renaissance. Qui sait, peut-être craquerez-vous pour un jogging-smoking ou une robe-bustier.

49. Harlem Underground
20 E 125th St • entre 5th & Madison Aves • 212-987-9385 • facebook.com/HarlemUnderground
Dans cette boutique dédiée à la culture black, vous trouverez des t-shirts et des accessoires dessinés par des stylistes locaux, à l'effigie d'Angela Davis, de Malcom X, et de bien d'autres activistes afro-américains. Mais aussi des CDs de tous les artistes afro-américains.

50. Hats by Bunn
2283 Adam Clayton Powell Jr Blvd • entre 134th & 135th Sts • 212-694-3590 • hatsbybunn.com
Bunn est un modiste hors pair, un artiste qui vous confectionnera le chapeau sur mesure parfait pour rivaliser d'élégance avec les habitants de Harlem.

51. Sneaker Pawn
cash only • 292 Lenox Ave • à l'angle de 125th St • 917-403-0990 • sneakerpawnusa.com
Dans ce dépôt-vente ouvert par un adolescent de Harlem et son père, on trouve les sneakers les plus collectors. Pas données donc, même si d'occasion. Certains viennent vendre leur collection entière.

52. Trunk Show Designer Consignment
275-277 W 113th St • proche angle de Frederick Douglass Blvd • 212-662-0009 • trunkshowconsignment.com
On a l'impression d'assister à un défilé de haute-couture dans cette boutique de vintage de luxe dont les portants proposent du Chanel, du Saint Laurent, du Alexander Wang et bien d'autres marques. Ça a beau être d'occasion, ça reste forcément un investissement.

53. Yara African Fabrics
2 W 125th St • à l'angle de 5th Ave • 212-289-3842 • yaraafricanfabrics.com
Moktar Yara, arrivé il y a vingt ans du Mali, a commencé par vendre des étoffes dans la rue avant de s'installer dans cette boutique où il sélectionne de magnifiques tissus africains, vendus au mètre.

BUY LOCAL

46. *Flamekeepers Hat Club*

273 W 121st St • entre St. Nicholas & 7th Aves • Harlem • 212-531-3542 • flamekeepershatclub.com

Si vous pensez encore que porter un chapeau est démodé, allez donc faire un tour dans la boutique de Marc Williamson. Située au cœur de Harlem cet Afro-Américain de 45 ans a une classe inouïe. Il a d'ailleurs été désigné comme l'un des New-Yorkais les plus stylés par le magazine *Time Out NY*. Après vingt années de service chez JJ Hat Center, le chapelier légendaire de 5th Avenue, Marc a décidé en 2014 d'ouvrir sa propre affaire, à Harlem. Dans sa belle boutique aux murs de briques, des étagères entières de canotiers, de Fedoras et de casquettes colorées. Des formes classiques, assez rétro qui, grâce à lui, deviennent un accessoire moderne et branché. N'hésitez pas à lui demander conseil, Marc adore aider ses clients à trouver leur style, des hipsters aux banquiers en passant par les vieux Blacks du quartier. Qui sait, grâce à lui, peut-être oserez-vous enfin porter ce Fedora en feutrine vert vif.

Le dimanche soir, sur 132th St, entre Frederick Douglass et Adam Clayton Powell Boulevards, on peut voir des vieux Blacks élégants se presser vers le sous-sol d'un brownstone* d'où s'échappent des notes de *Everyday I Have the Blues*. Sur la façade, un drapeau de l'American Legion, l'association de vétérans de l'armée américaine. À l'intérieur, des hommes en costard-cravate et des femmes en tailleur et voilette tapent du pied et bougent la tête au rythme de standards du jazz. En maître de cérémonie, **Seleno Clarke**. C'est dans ce local qu'il a installé son orgue Hammond il y a près de vingt ans. « J'ai commencé à jouer un soir de 1998, devant quelques membres. J'étais juste venu répéter avec mon batteur et, de fil en aiguille, c'est devenu un rendez-vous hebdomadaire. Un rituel. » Tous les dimanches soirs, assis derrière son orgue, Seleno accueille les habitués comme les nouvelles têtes d'un sourire chaleureux. « Mon rêve s'est réalisé. Je voulais réunir des musiciens du monde entier à Harlem ! Promouvoir la diversité, être un trait d'union entre les anciens et les jeunes. » Chaque semaine, le gratin du jazz s'y retrouve pour faire le bœuf. Le genre de soirées où Russell Malone, Grady Tate, Dr. Lonnie Smith, Jimmy McGriff et George Benson ont débarqué à l'improviste. Mais aussi des Européens, des Japonais, des Sud-Américains.

Quelle que soit sa renommée, chacun attend le signal de Seleno pour entrer dans le cercle. De sa carcasse imposante émane une autorité naturelle aussi bienveillante qu'intimidante. « On n'est pas là pour se la raconter mais pour se faire plaisir, explique-t-il. Je dis toujours aux musiciens : "Laissez votre ego à la porte. Vous êtes là pour le public. Et ça, ça ne s'apprend pas dans les écoles de musique, mais ici, à Harlem." »

« Je voulais réunir des musiciens du monde entier à Harlem. »

Né à Washington DC, Seleno est arrivé à New York dans les années 1960. Assistant de recherches à New York University la semaine, il jouait du saxophone dans des clubs le week-end. Jusqu'au jour où il rencontre, dans le club de Count Basie, George Benson et son organiste Jack McDuff, qui lui fait redécouvrir le son de l'orgue des gospels de son enfance et devient son mentor. La plupart sont depuis longtemps passés au synthétiseur, mais Seleno est resté fidèle à son Hammond B3, « le grand-père des instruments électroniques ». Seleno a atteint son but. Quand on pousse la porte de cet antre du bebop, on s'y sent chez soi.

EAST HARLEM

Un bad boy sud-américain en voie de rédemption.

Surnommé El Barrio, ou Spanish Harlem, en raison de sa forte population hispanique, East Harlem fait toujours figure de bad boy. Sa mauvaise réputation lui colle à la peau depuis les années 1970-1980, avec ses rues minées par la drogue, le chômage et la violence, qui comptent parmi les taux les plus élevés de logement sociaux aux États-Unis. Aux alentours de la station 125th-Lexington, le crack fait encore des ravages et même si les patrouilles du NYPD veillent, ça reste un secteur où il ne vaut mieux pas s'attarder, surtout à la nuit tombée. Pourtant, les temps changent et le *New York Times* vient de classer El Barrio parmi les quatre futurs quartiers branchés de New York. Filez entre 1st et 3rd Aves où, dans une ambiance très populaire, les boutiques à 99 cents alternent avec les taquerias et autres bodegas*. Sur la bouillonnante 116th St, au milieu des vendeurs ambulants de tacos* et de jus d'orange frais, les foodies ne sauront pas où donner de la tête.

East Harlem est aussi une destination de choix pour les amateurs de street-art. Des terrains de jeux aux nombreux jardins communautaires, les murs sont couverts d'immenses fresques colorées, pochoirs et autres graffitis. Un musée à ciel ouvert où découvrir l'histoire culturelle du quartier. L'été, les habitants vivent dans les rues, sono à fond et chaises dépliées sur le trottoir pour refaire le monde. Le point d'orgue c'est le 25 juillet, jour de la fête nationale portoricaine (la population majoritaire à East Harlem). Une immense parade agite alors les rues, à quelques blocs au nord du très chic Upper East Side.

Il reste peu de traces de l'époque où Harlem vibrait au son de l'Italie du Sud. Mais vous pouvez toujours vous attabler chez le mythique Patsy's, dont la légende raconte qu'il a inventé la pizza new-yorkaise, ou tenter de prendre un verre au bar de chez Rao's, illustre restaurant dont chaque table est réservée à l'année. Même si les coffee-shops et les restaurants branchés ne sont pas encore légion, le quartier est en pleine métamorphose, comme le montrent les nombreuses grues alentour et l'apparition de nouveaux immeubles de standing.

Au sud, la population se gentrifie peu à peu. Étudiants, chercheurs et médecins de l'hôpital Mount Sinaï, tout proche, n'hésitent plus à s'y installer, notamment autour de la station 103rd St. Comme Lili, étudiante en médecine : « Ici, on connaît ses voisins, on se salue, on s'invite le soir à la maison. » À East Harlem, on peut encore avoir une vie de quartier.

B PLAN 2

Bruckner Blvd
3rd Ave Brg
Willis Ave
Bronx K
E 132rd St
W 131st St
E 130st St
5th Ave
W 129th St
Malcolm X Blvd
W 128th St
E 128th St
Lexington Ave
Harlem River Dr
E 127th St
W 127th St
E 126th St
E 126th St
125 St [2/3]
Robert F. Kennedy Br
M
Dr Martin L King Jr Blvd
M
125 St [4/5/6]
E 124th St
2nd Ave
W 124th St
E 123rd St
Marcus Garvey Mem Park
Madison Ave
E 122nd St
1st Ave
W 122rd St
E 121st St
Park Ave
FDR Dr
E 120th St
W 120th St
3rd Ave
Pleasant Ave
E 119th St
W 119th St
E 118th St
W 118th St
E 117th St
W 117th St
W 116th St
116 Street Station [6]
M
E 116th St
W 115th St
E 115th St
2nd Ave
E 114th St
W 114th St
Lexington Ave
Thomas Jefferson Park
5th Ave
E 113th St
W 112th St
Malcolm X Blvd
E 111th St
Tito Puente Way
W 110th St
M
Central Park North (110 St) [2/3]
M
110 St [6]
E 109th St
Harlem Meer
Park Ave
E 108th St
E 107th St
E 106th St
1st Ave
E 105th St
Madison Ave
E 104th St
M
103 St [6]
E 103rd St
E 102nd St
Central Park
E 101st St
2nd Ave
E 100th St
5th Ave
3rd Ave
E 99th St
FDR Dr
E 98th St
E 97th St
01
02
03
04
05
06
07
08
09
10
11
12
13
14
15
16
17
18
19
20
22 a
22 b
22 c
23
24
25
26
27
28
29
30
31
32
33
34
35
36

EAST HARLEM

E 132nd St

Randalls Island Park

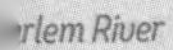

Robert F. Kennedy Brg

NY State Police

Wards Island Park

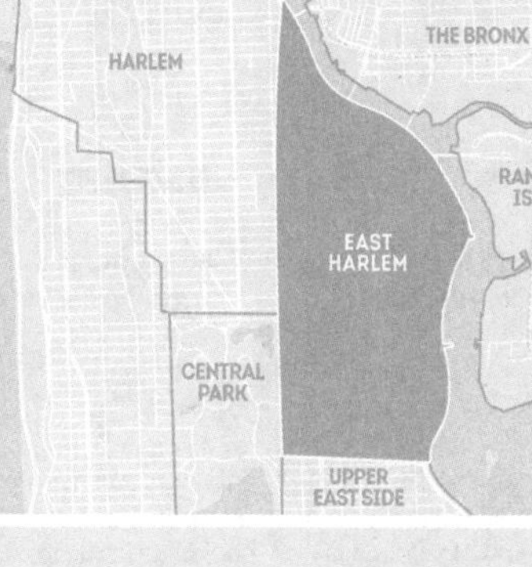

LES COURSES

01. Casablanca Meat Market
02. El Tepeyac Grocery
03. La Marqueta
04. Vallecito Bakery

PETIT DÉJEUNER

05. Effy's Kitchen
06. Yura's Blue Plate

MANGER

07. Amor Cubano
08. Camaradas El Barrio
09. Cuchifritos
10. La Shuk
11. Moustache Pitza
12. Patsy's Pizzeria
13. Ricardo Steak House
14. Taco Mix

SORTIR

15. Earl's Beer and Cheese
16. Rao's
17. The Duck
18. The Lexington Social

SE CONNECTER

19. Crepe Café

PAUSES URBAINES

20. Chenchita's Garden
21. National Puerto Rican Day Parade - Hors carte
22a. Spirit of East Harlem
22b. Crack is Wack Fresque
22c. The Graffiti Hall of Fame
23. Thomas Jefferson Park
24. Three Kings Day Parade

S'AÉRER LES NEURONES

25. 449 L.A.
26. El Museo del Barrio
27. Museum of the City of New York
28. The Poet's Den Theater

TAKE CARE

29. Bikram Yoga East Harlem
30. Fierce Spa
31. Lorenz Latin Dance Studio

BUY LOCAL

32. Casa Latina Music Store
33. Coco Le Vu Candy Shop & Party Room
34. Demolition Depot and Irreplaceable Artifacts
35. Exotic Fragrances
36. Urban Garden Center

On-the-Go

ACCÉDER

MÉTRO

96th, 103rd, 110th, 116th ou 125th St (lignes 4, 5, 6).

CIRCULER

À VÉLO

Assez pratique.
Attention à la circulation.

À PIED

Agréable.

LOUER

LARRY'S FREEWHEELING

301 Cathedral Pkwy • larrysfreewheeling.com

CITI BIKE

D'ici fin 2017.

LES COURSES

01. *Casablanca Meat Market*

127 E 110th St • entre Lexington & Park Aves • 212-534-7350

Ça se bouscule dans l'une des meilleures boucheries de New York où l'on vient, entre autres, pour les saucisses maison.

02. *El Tepeyac Grocery*

1621 Lexington Ave • entre E 102nd & 103rd Sts • 212-987-8364

Juste à la sortie du métro 103rd St, c'est l'épicerie mexicaine où trouver tout qu'il faut pour préparer des quesadillas* maison : tortillas, fromage mexicain, chorizo, légumes et herbes en tous genres et bien sûr, l'indispensable sauce piquante.

03. *La Marqueta*

1607 Park Ave • entre 111th & 116th Sts • 212-534-4900 • lamarquetaretona.com

On trouve encore des produits alimentaires et artisanaux sud-américains dans ce marché, ouvert en 1936 sous les rails du train aérien. Mais on vient surtout découvrir l'incroyable boulangerie de l'association Hot Bread Kitchen (hotbreadkitchen.org) qui s'est installée ici en 2010. Derrière les grandes vitres, on peut admirer ses boulangers à l'œuvre : des immigrés du monde entier qui sont formés pour travailler dans les meilleures boulangeries de la ville ou pour monter leur propre business. Leurs pains (des recettes traditionnelles familiales) sont aussi vendus aux meilleurs restaurants et commerces de bouche de la ville.

04. *Vallecito Bakery*

129 E 110th St • entre Park & Lexington Aves • 212-534-8220

Impossible de résister aux effluves de cette pâtisserie mexicaine. L'occasion de pratiquer votre espagnol pour choisir parmi les variétés de pan dulce. À ne pas manquer en janvier, le fameux rosca de reyes, la spécialité de l'Épiphanie.

PETIT DÉJEUNER

05. *Effy's Kitchen*

1567 Lexington Ave • à l'angle de E 100th St • 212-427-8900 • effyskitchen.com

Une déco moderne et quelques tables en terrasse pour une bonne omelette et tous les classiques du breakfast américain.

06. *Yura's Blue Plate*

2248 1st Ave • entre E 115th & E 116th Sts • 347-703-0046

Pour un petit-déjeuner simple, frais et copieux.

MANGER

07. *Amor Cubano*

moins de $10 • 2018 3rd Ave • à l'angle de E 111th St • 212-996-1220 • amorcubanonyc.com

Vous aurez du mal à résister aux rythmes entraînants de ce bon restaurant cubain, notamment les soirs de concert, du jeudi au dimanche.

08. *Camaradas El Barrio*

$10-20 • 2241 1st Ave • entre 115th & 116th Sts • 212-348-2703 • camaradaselbarrio.com

Ce pub portoricain est réputé pour son ambiance et ses pichets de sangria servis à l'happy hour.

09. *Cuchifritos*

moins de $10 • 168 E 116th St • entre Lexington & 3rd Aves • 212-876-4846

Cette destination portoricaine populaire, dont le nom signifie littéralement « porc frit », ne fait pas dans la cuisine légère. Goûtez les chicharrones croustillants, le mofongo al pilon (banane plaintain écrasée et frite), ou le bacalaitos (cabillaud frit).

10. *La Shuk*

$10-20 • 1569 Lexington Ave • entre 100th & 101st Sts • 212-289-0089 • lashuknyc.com

Ce restaurant marocain propose aussi une appétissante assiette brunch/petit-déjeuner avec œufs brouillés, feta, taboulé, aubergine grillée, saumon fumé et pain pita.

11. *Moustache Pitza*

$10-20 • 1621 Lexington Ave • à l'angle de 102nd St • 212-828-0030 • moustachepitzamenu.com
Une salle lumineuse et une terrasse tranquille où savourer des pitas maison garnies.

12. *Patsy's Pizzeria*

cash only • $10-20 • 2287 1st Ave • entre 117th & 118th Sts • 212-534-9783 • thepatsyspizza.com
Une institution de la pizza new-yorkaise sur nappe à carreaux rouges et blancs. Depuis plus de 80 ans, on s'extasie sur la finesse incomparable de sa pâte. Frank Sinatra et Francis Ford Coppola y avaient leurs habitudes.

13. *Ricardo Steak House*

$20-30 • 2145 2nd Ave • entre 110th & 111th Sts • 212-289-5895 • ricardosteakhouse.com
On vient aussi pour l'ambiance dans ce restaurant pour carnivores où les riverains aiment organiser leurs fêtes d'anniversaire.

14. *Taco Mix*

moins de $10 • 234 E 116th • entre 2nd & 3rd Aves • 212-289-2963 • tacomixusa.com
À peine quelques tabourets dans cette cantine qui sert d'authentiques tacos* al pastor (porc mariné aux dix épices et morceaux d'ananas) ou a la tripa. Lancez-vous !

SORTIR

15. *Earl's Beer & Cheese*

$6-8 • 1259 Park Ave • angle de 97th St • 212-289-1581 • earlsny.com
Le QG des étudiants en médecine de Mount Sinaï, l'hôpital voisin, qui aiment décompresser autour d'une bière en fin de journée.

16. *Rao's*

cash only • $20-30 • 455 E 114th St • angle de Pleasant Ave • 212-722-6709 • raosrestaurants.com
Y manger ? Forget about it ! Chacune des dix tables est réservée à l'année aux clients de longue date de ce petit restaurant italien, survivance de l'époque transalpine de Harlem. Scorcese a choisi quelques habitués pour figurer dans *Les Affranchis*, c'est dire le niveau d'authenticité du lieu. Votre seule chance, c'est d'être accepté au bar... Qui sait, peut-être le patron, surnommé « Frankie No », finira-t-il par vous mettre à la « table de la maison ». De toute façon, ce n'est pas pour manger que vous venez, mais pour vivre une scène de cinéma.

17. *The Duck*

cash only • $3 • 2171 2nd Ave • entre 111th & 112th Sts • 212-831-0000
Dans ce dive bar* à la déco surréaliste un peu déglingue, on s'accoude au bar devant une bière américaine bon marché en picorant des cacahuètes, sur fond de Johnny Cash. L'esprit du rock n'a pas complètement disparu.

18. *The Lexington Social*

1634 Lexington Ave • entre 103rd & 104th Sts • 646-820-7030 • thelexingtonsocialnyc.com
Toutes les populations se mélangent autour d'un verre de vin ou d'une bière dans ce sympathique bar de quartier.

SE CONNECTER

19. *Crepe Café*

1642 Lexington Ave • entre 103rd & 104th Sts • 646-861-1138 • crepecafeny.com
Les crêpes salées ou sucrées de ce petit café attirent les étudiants en médecine du quartier.

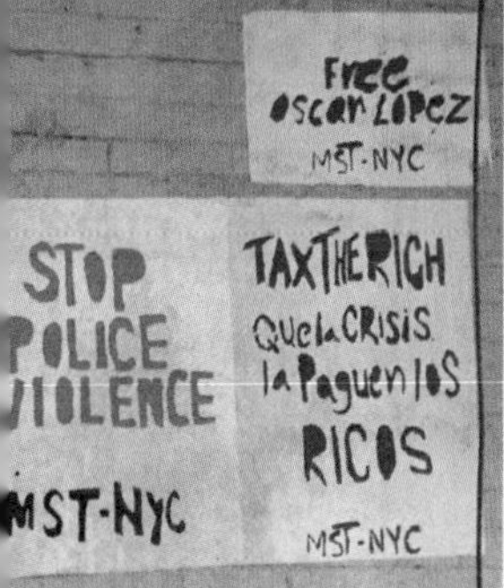

36

PAUSES URBAINES

20. *Chenchita's Garden*

1691-93 Madison Ave • entre 111th & 112th Sts

Un jardin communautaire dont profitent les enfants et les personnes âgées. L'immeuble qui se dresse au milieu semble être le dernier à résister aux promoteurs immobiliers.

21. *National Puerto Rican Day Parade*

(Hors carte) • 5th Ave • entre 44th et 79th Sts • nprdpinc.org

Chaque année, le deuxième dimanche de juin, près de 1.5 million de spectateurs (le maire de New York en tête) viennent applaudir la gigantesque parade pour la fête nationale portoricaine, qui défile dans une explosion de couleurs et de bruits le long de 5th Ave.

22. *Street-art*

KIDS • East Harlem a toujours été un laboratoire créatif du street-art, et les projets récents tels que *Los Muros hablan* le prouvent. Comme c'est un art éphémère, toujours en mouvement, les fresques changent souvent d'adresse. Voici quelques classiques mais gardez l'œil bien ouvert. Manuel Vega, artiste natif du quartier, est particulièrement actif autour de la station 103rd St. Ne manquez pas son *Spirit of East Harlem*, au coin de Lexington Ave et E 104th St. *The Graffiti Hall of Fame*, à deux pas de là, se trouve dans la cour de l'école Jackie Robinson (au coin de 106th St et de Park Ave) et sert de terrain de jeux aux artistes du quartier depuis 1980. L'artiste Keith Haring a dénoncé l'enfer du crack avec sa fresque *Crack is Wack*, peinte en 1986 et toujours visible au coin de 128th St et de 2nd Ave.

23. *Thomas Jefferson Park*

2158-2180 1st Ave • entre E 111th & E 114th Sts • 212-860-1383 • nycgovparks.org/parks/thomas-jefferson-park

En bord de l'East River, vous pourrez taper dans le ballon avec les jeunes et moins jeunes du quartier. L'été, le parc s'anime pendant les barbecues du week-end.

24. *Three Kings Day Parade*

KIDS • départ au 106th St • à l'angle de Lexington Ave • 212-831-7272 • elmuseo.org/three-kings-day

Organisée chaque année par le musée Del Barrio pour l'Épiphanie, cette parade à taille humaine est particulièrement adaptée aux enfants : musique, marionnettes géantes, chars et même dromadaires défilent entre 106th St et le musée.

S'AÉRER LES NEURONES

25. *449 L.A.*

449 Lenox Ave • entre W 132nd & 133th Sts • 212-234-3298 • 449la.weebly.com

Les concerts de jazz intimistes de ce bar, également connu sous le nom de SCAT, renouent avec les racines de Harlem. Il n'est pas rare de voir un client taper le bœuf avec le groupe qui se produit ce soir-là.

26. *El Museo del Barrio*

1230 5th Ave • entre 104th & 105th Sts • 212-831-7272 • elmuseo.org

Fondé en 1969 par un groupe d'artistes et de militants portoricains, ce musée est entièrement consacré à la diversité des cultures latino-américaines.

27. *Museum of the City of New York*

1220 5th Ave • entre 103rd & 104th Sts • 212-534-1672 • mcny.org

Pour tout savoir sur l'histoire de la ville de New York, de sa création à nos jours. Ce musée d'art et d'histoire monte des expositions temporaires aux thèmes originaux et actuels, de la naissance du hip-hop à l'évolution des logements sociaux dans la ville.

28. *The Poet's Den Theater*

309 E 108th • entre 1st & 2nd Aves • 212-427-1445 • eastharlempresents.org

Porte d'entrée sur la culture pour les habitants du quartier, ce théâtre célèbre aussi les artistes locaux.

EAST HARLEM

TAKE CARE

29. Bikram Yoga East Harlem

4 E 116th St • entre 5th & Madison Aves • 212-369-1830 • bikramyogaeastharlem.com

Enchaînez vos postures dans une salle surchauffée à 35 degrés pour éliminer les toxines.

30. Fierce Spa

2246 1st Ave • entre 115th & 116th Sts • 212-933-1012 • fiercespa.com

Mêlez-vous aux Sud-Américaines pour peaufiner votre espagnol le temps d'une manucure. Avec l'offre Mommy and Me, les petites filles ont elles aussi droit à des ongles colorés et agrémentés de motifs rigolos autocollants.

31. Lorenz Latin Dance Studio

2153 2nd Ave • entre 110th & 111th Sts • 646-590-3642 • lorenzdancestudio.com

C'est le moment ou jamais d'apprendre à danser la salsa.

BUY LOCAL

32. Casa Latina Music Store

151 E 116th • entre Lexington & 3rd Aves • 212-427-6062 • casalatinamusic.com

Les amateurs de musique latine adoreront fouiller dans les bacs de disques et de films. Ils y trouveront aussi des instruments traditionnels.

33. Coco Le Vu Candy Shop & Party Room

KIDS • 202 E 110th St • entre 3rd & 2nd Aves • 212-860-3380 • cocolevu.com

Ce coquet magasin de bonbons possède une grande salle au fond pour organiser des fêtes d'anniversaire gourmandes.

34. Demolition Depot & Irreplaceable Artifacts

216 E 125th St • entre 3rd & 2nd Aves • 212-860-1138 • demolitiondepot.com • irreplaceableartifacts.com

Ici, les antiquaires récupèrent des éléments d'immeubles anciens voués à la destruction. Vous n'aurez sans doute pas envie de vous encombrer d'une cheminée ancienne ou d'une baignoire sur pieds, mais jetez au moins un œil à cet impressionnant capharnaüm.

35. Exotic Fragrances

1645 Lexington Ave • au coin de 104th St • 877-787-3645 • exoticfragrances.com

Cette boutique aux allures de bazar oriental est installée au rez-de-chaussée de l'immeuble dont la façade est recouverte par la grande fresque *The Spirit of East Harlem*. On y trouve toutes sortes d'huiles essentielles et autres produits de beauté.

36. Urban Garden Center

1640 Park Ave • entre 117th & 116th Sts • 646-872-3991 • urbangardennyc.com

Caché sous les rails du Metro North, qui passe au-dessus de Park Avenue, ce grand magasin de jardinage ravira ceux qui ont la main verte.

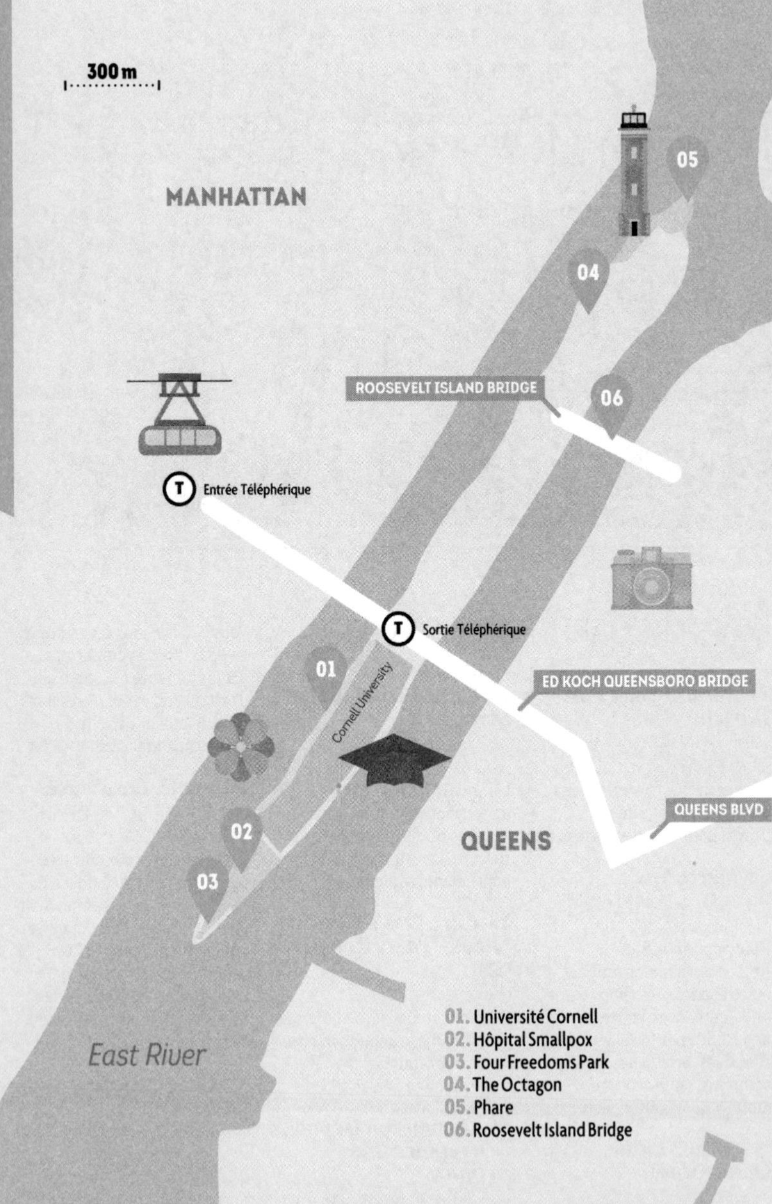
300 m
MANHATTAN
05
04
ROOSEVELT ISLAND BRIDGE
06
Entrée Téléphérique
Sortie Téléphérique
01
Cornell University
ED KOCH QUEENSBORO BRIDGE
QUEENS BLVD
02
QUEENS
03
East River
01. Université Cornell
02. Hôpital Smallpox
03. Four Freedoms Park
04. The Octagon
05. Phare
06. Roosevelt Island Bridge

Roosevelt Island

Il y a deux façons d'arriver à Roosevelt Island ; souterraine ou aérienne. On vous recommande évidemment la deuxième option, si possible au lever ou au coucher du soleil.

Prenez le téléphérique (à Manhattan, à l'angle de 59th St et de 2nd Ave) qui survole l'East River, le long du Queensboro Bridge. Oui, comme Spider-Man. Ça a l'air du plan touriste, en réalité vous serez entouré surtout de New-Yorkais qui vivent ou qui travaillent sur cette toute petite île de 3 km de long et 240 m de large, située entre Manhattan et les quartiers d'Astoria et de Long Island City à Queens.

Après trois minutes de traversée, une fois sorti dans la rue principale de l'île, ce qui frappe, c'est le silence. Ou plutôt le brouhaha qu'on entend au loin, celui des sirènes qui hurlent et des voitures qui longent la rivière sur le FDR (l'équivalent du périph' parisien).

Quittez les immeubles modernes un peu tristes et dirigez-vous vers le sud ; dépassez l'énorme chantier du futur éco-campus de l'**UNIVERSITÉ CORNELL** (qui accueillera 2 500 étudiants et enseignants, et même un hôtel !). Le mois de mai est la meilleure période de l'année pour emprunter la promenade qui longe l'eau, **AU MILIEU DES CERISIERS DU JAPON EN FLEURS**. Juste après, on aperçoit les ruines de l'**HÔPITAL SMALLPOX**, aux airs de château médiéval, où les malades de la petite vérole étaient mis en quarantaine au 19e siècle, et sur lesquelles poussent aujourd'hui les herbes folles. Vestige de l'époque où la ville entassait malades, fous, et autres indésirables sur l'île.

À la pointe sud, à dix minutes à pied de la sortie du téléphérique, l'esplanade de granit blanc et la pelouse de **FOUR FREEDOMS PARK** permettent de profiter d'un magnifique point de vue avec à droite les gratte-ciel de Manhattan et à gauche le panneau publicitaire rouge Pepsi-Cola, icône de Queens.

L'île est habitée depuis 1975, notamment par des familles de la classe moyenne et par des employés des Nations Unies, dont l'étroit bâtiment scintille sur la rive d'en face. En repartant vers le nord, il ne reste que la rotonde de l'ancien asile psychiatrique. Mais on est loin de l'ambiance décrite par Charles Dickens dans *Notes américaines* en 1842, puisque **THE OCTAGON** a été reconverti… en résidence de luxe ! À la pointe nord de l'île, à vingt minutes à pied de la sortie du tram, vous verrez le **PHARE**, l'un des derniers de New York.

Après cette balade d'environ une heure, en retrait de l'agitation de la ville, repartez à pied en traversant le **ROOSEVELT ISLAND BRIDGE**, petit pont levant ultra photogénique qui mène à 36th Ave… Queens est à vous !

21

ALPHABET CITY

Un quartier de Manhattan où souffle encore un petit vent de folie.

Alphabet City, c'est le nom donné à la partie la plus à l'est de l'East Village, là où les avenues ne se distinguent plus par des numéros, mais par des lettres. Longtemps, ce quartier n'a pas eu bonne réputation. Les New-Yorkais avaient leur façon à eux de vous annoncer ce qui vous attendait : Avenue A, you are All right, Avenue B you are Brave, Avenue C you are Crazy and Avenue D... you are Dead[1] ! Les choses ont bien changé ces dix dernières années et il n'y a plus besoin d'être fou pour s'y aventurer. Les bars et restaurants se succèdent aujourd'hui jusque sur l'Avenue C, attirant une population jeune et branchée. Bill, activiste écolo installé dans le quartier depuis les années 1970, aime voir son quartier, longtemps à l'abandon, se redynamiser (voir portrait p.95). Il souligne que la mixité sociale du quartier reste assurée par la présence de nombreux logements sociaux, notamment sur l'Avenue D.

Pour capter l'ambiance d'Alphabet City et en comprendre ses particularités, il faut remonter à la fin des années 1960.
À l'époque, cette partie de New York, tout comme l'East Village, est encore rattachée au Lower East Side. L' Avenue C est d'ailleurs surnommée « Loisada », clin d'œil à la façon dont les Sud-Américains prononcent « Lower East Side ». Les États-Unis sont alors frappés d'une crise économique importante. De nombreux propriétaires d'immeubles modestes dans le quartier ne peuvent plus payer leurs impôts. Certains finissent par y mettre le feu pour toucher les primes d'assurance, alors que d'autres voient leurs biens saisis par la ville. La municipalité se retrouve à la tête d'un important parc immobilier vieillissant et de parcelles à l'abandon qui ne font clairement pas partie de ses priorités. Les habitants du quartier s'organisent pour se les approprier et en faire des lieux de vie pour leur communauté. C'est la naissance de la plus grande concentration de jardins communautaires de la ville. Alphabet City en compte encore trente-neuf, gérés par des bénévoles.

De nombreux immeubles se retrouvent également squattés par une population variée de musiciens, artistes et marginaux qui vont faire de ce quartier un berceau de l'activisme new-yorkais, toujours bouillonnant aujourd'hui, avec des mouvements comme Occupy Wall Street. Dans les années 1980, le nombre de sans-abris, drogués ou dealers explose, notamment autour de Tompkins Square Park.

1. « Avenue A, tout va bien, Avenue B, vous êtes courageux, Avenue C, vous êtes fou, et Avenue D, vous êtes... mort ! »

Le quartier devient infréquentable. Mais, avec la reprise économique de la fin de la décennie, l'East Village commence sa gentrification. La municipalité décide alors de faire le ménage et ordonne la destruction de nombreux immeubles squattés. Les mouvements de protestation grondent et atteignent leur apogée lors d'une nuit d'émeute en août 1988, quand la police tente de déloger les sans-abris et toxicomanes de Tompkins Park.

Si l'ambiance s'est aujourd'hui bien apaisée, la traversée de Tompkins Square Park permet encore d'apercevoir ce que devait être le New York un peu chaud des années 1980. Les excentriques de tout bord en font toujours leur lieu de rassemblement

On ne sait jamais sur quelle curiosité on va tomber.

et on ne sait jamais sur quelle curiosité on va tomber, entre une parade de Halloween pour chiens, une bande d'hurluberlus qui organisent un thé à la *Alice aux pays des Merveilles*, ou la diffusion de *Taxi Driver* en plein air avec les punks imbibés du parc qui ne cessent de passer devant l'écran, rivalisant avec Robert de Niro façon Iroquois. C'est bon de voir que Manhattan a toujours un grain de folie et de rébellion, tant ces dernières années, c'est devenu un eldorado un peu fade et sage pour privilégiés.

19

On-the-Go

ACCÉDER

MÉTRO

1st Ave et 2nd Ave (lignes F et L).

CIRCULER

À VÉLO

Très facile, il y a des pistes cyclables dans la plupart des rues.

À PIED

Agréable.

LOUER

LANDMARK BICYCLES

43rd Ave A • à l'angle de E 3rd St • 212-674-2343 landmarkbicycles.com

CITI BIKE

Nombreuses stations.

LES COURSES

01. *Alphabet City Beer Co. & Wine Co.*
96 Ave C • entre E 6th & 7th Sts • 646-422-7103 • abcbeer.co • & 100 Ave C • 212-505-9463 • abcwinecompany.com
Des vins à prix doux et près de 350 bières en bouteilles disponibles dans ces deux boutiques sœurs.

02. *Barnyard Cheese Shop*
149 Ave C • entre E 9th & 10th Sts • 212-674-2276 • barnyardcheese.com
Belle sélection de fromages et de charcuteries. À emporter ou à déguster sur place dans de copieux sandwichs.

03. *Harry & Ida's Meat & Supply Co.*
189 Ave A • à l'angle de E 12th St • 646-864-0967 • meatandsupplyco.com
Les propriétaires de cette épicerie rendent hommage à leurs grands-parents en recréant un delicatessen* juif du début du 20e siècle. Poissons fumés, pickles* et spécialités maison. Il y a même un aquarium à anguilles au fond de la boutique. Quasiment impossible de sortir de là sans succomber à leur fameux sandwich au pastrami.

04. *Tompkins Square Greenmarket*
au coin sud-ouest du parc • à l'angle de Ave A & E 7th St • grownyc.org/greenmarket/manhattan/tompkins-square
Ce marché ouvert tous les dimanches permet de faire le plein de fruits et légumes de saison ainsi que de pain bio, de viande et d'œufs provenant des fermes des environs. Une rareté à Alphabet City.

PETIT DÉJEUNER

05. *Cornerstone Café*
cash only • 17 Ave B • à l'angle de E 2nd St • 212-228-1260 • cornerstonecafenyc.com
Ce restaurant est particulièrement populaire pour ses classiques du brunch américain le week-end. Arrivez très tôt si le soleil brille pour avoir une chance d'avoir une place en terrasse.

06. *Tompkins Square Bagels*
cash only • 165 Ave A • à l'angle de E 10th St • 646-351-6520 • tompkinssquarebagels.com
Pour de bons bagels* faits maison.

MANGER

07. *Babu Ji*
$10-20 • 175 Ave B • à l'angle de E 11th St • 212-951-1082 • babujinyc.com
Dans ce restaurant un peu bruyant, vous trouverez une excellente cuisine indienne moderne servie par un staff très souriant. Une expérience gustative et sociale !

08. *Esperanto*
$10-20 • 145 Ave C • à l'angle de E 9th St • 212-505-6559 • esperantony.com
Cuisine latine aux accents brésiliens. La terrasse est très agréable aux beaux jours.

09. *Miss Lily's 7A Café*
$10-20 • 109 Ave A • à l'angle de E 7th St • 212-812-1482 • 7a.misslilys.com
Ambiance garantie dans ce restaurant jamaïcain. La déco est colorée, la cuisine épicée et, le rhum aidant, vous pourriez bien finir en dansant sur la table !

10. *Root & Bone*
$30-40 • 200 E 3rd St • à l'angle de Ave B • 646-682-7076 / 646-682-7080 • rootnbone.com
Une cuisine raffinée aux accents sudistes. Le fried chicken de ces deux chefs révélés par l'émission américaine Top Chef est l'un des meilleurs de New York.

PLAN 1

M 1 Ave [L]

2nd Ave
1st Avenue
Avenue A
Avenue B
Avenue C
Avenue D
20th St Loop
14th St Loop
Avenue C Loop
E 15th St
E 14th St
E 13th St
E 12th St
E 11th St
E 10th St
E 9th St
E 8th St
St Marks Pl
E 7th St
E 6th St
E 5th St
E 4th St
E 3rd St
E 2nd St
E Houston St
Tompkins Square Park
Essex St
Norfolk St
Suffolk St
Clinton St
Attorney St
Ridge St
Pitt St
Stanton St
Rivington St
Columbia St
Baruch Dr
Baruch Pl
Mangin St
Fdr Dr

01 a
01 b
02
03
04
05
06
07
08
09
10
11
12
13
14
15
16
17
18
19
20
21
22
23
25
26
27
28
29
30
31
32
33
34

ALPHABET CITY

FDR Dr S

250 m

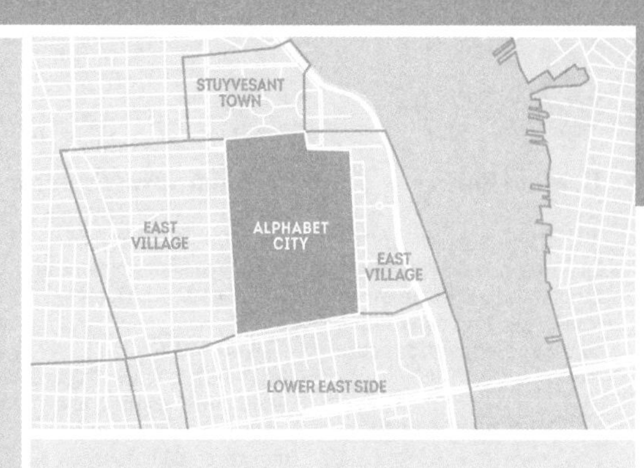

LES COURSES

01a. Alphabet City Beer
01b. Alphabet City Wine
02. Barnyard Cheese Shop
03. Harry & Ida's Meat & Supply Co.
04. Tompkins Square Greenmarket

PETIT DÉJEUNER

05. Cornerstone Cafe
06. Tompkins Square Bagels

MANGER

07. Babu Ji
08. Esperanto
09. Miss Lily's 7A Cafe
10. Root & Bone

SORTIR

11. Blind Barber
12. Pouring Ribbons
13. Sophie's
14. Studio 151
15. The Wayland

SE CONNECTER

16. Ninth Street Espresso
17. Ost Cafe

PAUSES URBAINES

18. 6BC Botanical Garden
19. 9th Street Community Garden Park
20. El Jardin del Paraiso
21. La Plaza Cultural
22. Le Petit Versailles
23. Parque de Tranquilidad
24. East River Park & Promenade
25. Tompkins Square Park

S'AÉRER LES NEURONES

26. Museum of Reclaimed Urban Space (MoRUS)
27. Nuyorican Poets Cafe
28. The Stone
29. Upright Citizens Brigade Theatre East

BUY LOCAL

30. Alphabets
31. Lancelotti Houseware
32. Mast Books
33. Pink Olive
34. Recycle-A-Bicycle

FAITES COMME CHEZ EUX

SORTIR

11. *Blind Barber*

$4-7 • 339 E 10th St • à l'angle de Ave B • 212-228-2123 • blindbarber.com

En fin d'après-midi, poussez la porte au fond de ce barber shop et pénétrez dans un bar/club qui ne ferme qu'au petit matin.

12. *Pouring Ribbons*

$15 • 225 Ave B • entre E 13th & 14th Sts • 917-656-6788 • pouringribbons.com

Voir coup de cœur p.94.

13. *Sophie's*

$6-7 • 507 E 5th St • entre Aves A & B • 212-228-5680 • facebook.com/Sophie's Bar N.Y.C.

Alphabet City compte encore pas mal de dive bars*. Et Sophie's est l'un de nos préférés : on y sert de la Bud en canette pour 4$, la musique sort d'un vieux jukebox et la lumière de néons publicitaires.

14. *Studio 151*

$10-14 • 151 Ave C • entre 9th & 10th Sts • studioonefiftyone.com

Avec tous ces nouveaux bars et restos de l'Avenue C qui attirent la jeunesse branchée, on en oublierait presque que le quartier est à forte dominante portoricaine. Au Studio 151, les habitués se feront un plaisir de vous enseigner quelques pas de salsa.

15. *The Wayland*

$5-12 • 700 E 9th St • à l'angle de Ave C • 212-777-7022 • thewaylandnyc.com

Excellents cocktails, en-cas de qualité et musique live jazzy du mercredi au dimanche.
Seul problème : vous ne serez pas les seuls à vouloir en profiter... Privilégiez le début de semaine.

SE CONNECTER

16. *Ninth Street Espresso*

cash only • 700 E 9th St • à l'angle de Ave C • 212-358-9225 • ninthstreetespresso.com

Joli coffee-shop donnant sur un jardin communautaire.

17. *Ost Cafe*

441 E 12th St • à l'angle de Ave A • ostcafenyc.com

Atmosphère cosy pour une pause café et pâtisserie ou un verre de vin, en fonction de l'heure de la journée. Des journaux sont laissés à votre disposition.

PAUSES URBAINES

JARDINS PARTAGÉS

N'hésitez pas à pousser les grilles des jardins partagés et à rencontrer les volontaires qui s'en occupent. À New York, l'espace est devenu denrée rare et la moindre parcelle qui pourrait sembler abandonnée risque d'être vendue au plus offrant. Jusqu'à maintenant, la ville respecte plutôt bien la promesse faite aux riverains de leur en laisser la gestion, mais pour combien de temps encore ? C'est sans doute pour cela qu'ils mettent tant de cœur à entretenir leurs petits bouts de verdure. Des associations comme Green Guerillas les soutiennent dans leurs efforts. Voici une sélection de nos jardins favoris :

18. *6BC Botanical Garden*

622 E 6th St • entre Aves B & C • 6bc.org

Les bénévoles de ce très joli jardin ont un sens esthétique développé et soignent le détail.

19. *9th Street Community Garden Park*

coin nord-est • Ave C • entre E 9th & 10th Sts

Ce jardin compte plein d'espaces ombragés où il fait bon se relaxer l'été. Il est géré par une communauté portoricaine accueillante qui y installe sa cuisine les week-ends de beau temps.

20. *El Jardin del Paraiso*

entre E 4th & 5th Sts • evpcnyc.org/eljardin

C'est l'un des plus grands jardins du quartier. Il a récemment été réhabilité et les bénévoles utilisent toutes sortes de techniques écologiques : composts, système de récupération des eaux de pluie, etc. Ne manquez pas la cabane installée dans le grand arbre qui trône en son centre.

21. *La Plaza Cultural*

coin sud-ouest • à l'angle de Ave C & E 9th St • laplazacultural.com

Ce jardin, géré par des activistes écologistes, est plus qu'un simple espace vert. L'amphithéâtre, en son centre, accueille des événements culturels.

22. *Le Petit Versailles*

346 East Houston St • à l'angle d'Ave C • alliedproductions.org

Ne vous attendez pas à trouver là un jardin à la française classique. Cet espace, géré par une organisation artistique à but non lucratif, sert de lieux d'expositions ou d'événements culturels variés.

23. *Parque de Tranquilidad*

E 4th St • ente Aves C & D • parquedetranquilidad.org

En face du Paraiso, ce petit jardin, plus intime, compte de nombreuses espèces de fleurs. Magnifique au printemps !

24. *East River Park & Promenade*

KIDS • 748 East River Dr • nycgovparks.org/parks/east-river-park

Situé sous le Williamsburg Bridge, ce parc offre une belle vue sur Brooklyn et jouit de nombreuses installations sportives. La promenade est particulièrement adaptée aux vélos ou rollers.

25. *Tompkins Square Park*

KIDS • 500 E 10th St • entre Aves A & B • 212-387-7685 • nycgovparks.org/parks/tompkins-square-park

Ce parc est le cœur d'Alphabet City, son symbole identitaire. Il a été le théâtre de nombreuses manifestations qui ont secoué le quartier des années 1970 à 1990. Aujourd'hui plus calme, il reste quand même le point de ralliement d'activistes en tout genre, mais aussi de tout ce que New York compte d'excentriques. À la nuit tombée, ce parc est le refuge de nombreux sans-abris.

S'AÉRER LES NEURONES

26. *Museum of Reclaimed Urban Space (MoRUS)*

155 Ave C • à l'angle de E 10th St • 973-818-8495 • morusnyc.org

Dans ce musée, géré par des bénévoles, vous découvrirez tous les efforts menés depuis une quarantaine d'années pour sauvegarder les jardins partagés. Leurs visites guidées du week-end permettent de pénétrer dans les squats du quartier et de rencontrer activistes, musiciens, hippies en tout genre. Rendez-vous le samedi et le dimanche à 15 h devant le musée.

27. *Nuyorican Poets Cafe*

236 E 3rd St • entre Aves B & C • 212-505-8183 • nuyorican.org

QG des poètes, écrivains et artistes portoricains dans les années 1970, ce café fait aujourd'hui le lien entre toutes les communautés grâce à sa programmation de concerts, films, lectures de poésies et slams.

28. *The Stone*

cash only • à l'angle de Ave C et E 2nd St • 212-473-0043 • thestonenyc.com

Les amateurs de musique expérimentale se retrouvent dans cette salle minuscule (une trentaine de chaises à peine) sans enseigne ni bar.

29. *Upright Citizens Brigade Theatre East*

153 E 3rd St • à l'angle de Ave A • 212-366-9231 • east.ucbtheatre.com

Si votre niveau d'anglais est suffisamment bon, c'est le moment d'assister à un comedy show à l'américaine.

BUY LOCAL

30. *Alphabets*

KIDS • 64 Ave A • entre E 4th & 5th Sts • 212-475-7250 • facebook.com/alphabetseastvillage

Pour offrir cadeaux et jouets. Vous y trouverez des t-shirts originaux à l'effigie du quartier ou de New York en général.

31. *Lancelotti Houseware*

66 Ave A • entre E 4th & 5th Sts • 212-475-6851 • lancelotti.com

Difficile de ressortir les mains vides de cette boutique de déco.

32. *Mast Books*

66 Ave A • entre E 4th & 5th Sts • 646-370-1114 • mastbooks.com

Librairie indépendante spécialisée dans les ouvrages d'art, neufs ou d'occasion.

33. *Pink Olive*

439 E 9th St • entre 1st Ave & Ave A • 212-780-0036 • pinkolive.com

Vous trouverez de charmants souvenirs de New York, notamment des gadgets et des vêtements pour les bébés.

34. *Recycle-A-Bike*

75 Ave C • à l'angle de E 5th St • 212-475-1655 • recycleabicycle.org

Ça n'est pas seulement un magasin de vélos d'occasion, c'est aussi une association à but non lucratif qui promeut l'utilisation du vélo en ville grâce à de nombreux programmes éducatifs.

SORTIR

12. *Pouring Ribbons*

225 Ave B • entre 13th et 14th Sts • 917-656-6788 • pouringribbons.com

Il vous faudra d'abord trouver la porte de ce bar. Pouring Ribbons est en effet niché au dessus d'une épicerie. Ensuite, vous devrez montrer patte blanche au portier avant de pouvoir monter les quelques marches qui vous séparent de l'un des meilleurs bars à cocktails de New York. Vous pénétrerez alors dans une grande salle chaleureuse avec murs en bois, banquettes en cuir et luminaires Art déco. Nous vous recommandons cependant de vous asseoir au bar pour admirer les virtuoses à l'œuvre. Ici, le cocktail a été élevé au rang d'art par une équipe de mixologistes pointus qui créent des recettes originales, dont la carte change à chaque saison. Gin, bourbon ou tequila sont mariés avec des liqueurs venant du monde entier et des sirops aromatisés faits maison. Une partie de la carte est consacrée à une liqueur française, la Chartreuse (certaines de leurs bouteilles datent des années 1940).

PORTRAIT | L'ACTIVISTE À DEUX ROUES

Vous serez peut-être surpris de voir à quel point il est facile de pédaler à New York. Le nombre de pistes cyclables a explosé ces dernières années (1 600 kilomètres !) et il y a même de belles randonnées à faire sans jamais avoir à se frotter aux voitures[1]. Ces beaux projets n'auraient peut-être pas vu le jour sans **Bill Di Paola**.

Bill est un pur produit new-yorkais. Il grandit dans le Bronx puis à Queens, où il devient plombier, un métier qui l'amène à s'intéresser au traitement des eaux et à la défense de l'environnement. Dans les années 1980, il rejoint l'East Village et plus précisément sa partie Est, Alphabet City, alors foyer des activistes de tout poil. Le quartier est laissé à l'abandon par une municipalité fauchée et les différentes communautés – des punks, des Portoricains, des intellos contestataires – s'organisent pour s'approprier les espaces laissés vacants. Les squats et les jardins communautaires commencent à fleurir. Bill souligne que si l'idée avait déjà fait son chemin sur la côte Ouest, elle est à cette époque nouvelle à New York.

C'est alors qu'il crée son association Time's Up ! pour promouvoir des actions de développement durable. Ses nombreux bénévoles aident les communautés du quartier à développer le recyclage, le compostage, etc. Mais l'une de ses plus grandes batailles, c'est la place du vélo à New York. Bill se souvient des années de bras de fer avec la municipalité avant de pouvoir rendre New York bike-friendly*.
Si aujourd'hui, on ne risque plus la mort à chaque carrefour, le combat de Bill ne s'arrête pas là. En 2012, il a co-fondé le musée Reclaimed Urban Space[2] pour faire découvrir, à travers des visites guidées, les particularités du quartier, et mieux comprendre comment l'esprit communautaire* y a pris racine.

Quand on l'interroge sur la gentrification de son quartier, il répond qu'il n'a rien contre les hipsters et les familles bobos qui aiment circuler à vélo, faire leur compost et fréquenter les marchés bio. Heureusement, beaucoup d'immeubles ont des loyers plafonnés. Lui-même vit dans un squat, The Umbreall House, autogéré par ses habitants. Ça maintient une certaine diversité. Il espère surtout que les nouveaux venus ne vont pas amener avec eux les grandes chaînes de magasins qui pourraient nuire aux petits commerces de proximité. Ce qui l'inquiète avant tout, ce sont les promoteurs immobiliers. Son nouveau cheval de bataille ? Se battre pour que les citoyens continuent de détenir l'espace public plutôt que de le voir partir aux mains d'entreprises privées (comme Citi Bike, le Vélib new-yorkais, financé par la banque Citibank). Et ne pas voir disparaître cette contre-culture si chère au quartier.

1.. Voir balades Brooklyn Waterfront p.250 et Hudson River p.62 | **2.** Voir p.93

125
EXTRA
BUTTER
LEA'S
DRESS
SHOP
BECKENSTEIN
Dolce
& Dolce
CLOTHING
& SHOES

LOWER EAST SIDE

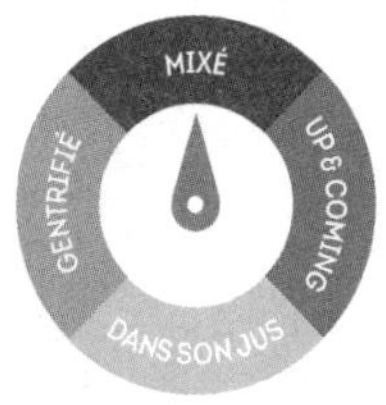

C'est dans cet ancien creuset de l'immigration que tente de survivre l'âme de New York.

L'histoire de la ville, voire des États-Unis, est intimement liée à celle de ces quelques rues. Le Lower East Side est probablement le quartier de New York qui a vu défiler, en à peine deux siècles, les habitants les plus disparates. On a du mal à imaginer que le quartier, aujourd'hui repaire nocturne de la jeunesse new-yorkaise, fut un jour la porte d'entrée sur le sol américain de centaines de milliers d'immigrants européens. Après le passage obligé par Ellis Island à la descente du bateau, les familles allemandes, suivies par les Juifs d'Europe de l'Est et les Italiens, ont posé tour à tour leurs valises dans les petits appartements très modestes des tenements* d'Orchard et de Ludlow Sts. La lutte pour la survie commençait alors. On devenait vendeur ambulant ou commerçant. Beaucoup ont même transformé leur appartement en atelier de confection. Le Lower East Side en 1900 était d'ailleurs le premier fournisseur américain de vêtements. Il était bien compliqué, à l'époque, de se frayer un chemin dans ces étroites rues grouillantes. La plupart de ces immigrants ont quitté le quartier au milieu du 20e siècle pendant la révolution industrielle, mais ils y ont laissé des traces. Les spécialités juives new-yorkaises sont toujours là, dans quelques institutions indémodables comme l'épicerie fine Russ & Daughters ou le delicatessen* Katz's, où l'on se presse pour avaler une montagne de pastrami entre deux tranches de pain au cumin. Orchard St, elle, compte encore de nombreux magasins de confection ou de vêtements en cuir qui tentent de survivre. Le quartier, laissé à l'abandon, est devenu par la suite le repaire des plus défavorisés et l'un des hauts lieux du crime et du trafic de drogue, en même temps qu'une scène artistique underground bouillonnante. De nombreux artistes, musiciens et marginaux à la recherche de loyers bon marché ont investi. Le mouvement punk est né dans le Lower East Side quand Patti Smith, Blondie et The Ramones enflammaient la scène du mythique CBGB's sur Bowery, aujourd'hui disparu. Mais jusqu'à la fin des années 1990, il ne faisait pas bon se promener dans ces rues où de nombreux sans-abris de New York avaient élu domicile.

Et puis, inévitablement, le "LES" a suivi le mouvement de gentrification opéré dans tout le sud de Manhattan. Les loyers peu élevés ont attiré une jeunesse dynamique, les restaurants, bars et boutiques ont commencé à apparaître dans le nord et l'ouest du quartier, principalement sur Ludlow et Rivington Sts. Bowery, autrefois sinistrée et occupée par les gangs, est devenue une zone très vivante, notamment depuis l'ouverture du New Museum en 2007, grand centre dédié à l'art contemporain.

Cependant, la Bowery Mission, fondée en 1879 pour venir en aide aux sans-logis, est toujours en activité et laisse entrevoir à quoi le quartier ressemblait il y a peu.

C'est la nouvelle destination de tous les beautiful people.

Ces dernières années, Brooklyn et en particulier Williamsburg ont volé la vedette à leur voisin de Manhattan, considéré comme trop mainstream. Mais le Lower East Side n'a pas dit son dernier mot. Le coin qui fait désormais le buzz, vous le trouverez au sud de Delancey St jusque sur East Broadway. Cette partie que l'on commence à appeler le Lower Lower East Side était, depuis quelques années, grignoté par un Chinatown limitrophe gourmand. Les enseignes en chinois où l'on engouffre des dumplings* pour quelques dollars doivent désormais partager le trottoir avec un nombre grandissant de galeries d'art et de restaurants branchés. C'est la nouvelle destination de tous les beautiful people, mannequins et créatifs... Au point que certains se demandent : "Is Manhattan the next Brooklyn ?"

FAITES COMME CHEZ EUX

On-the-Go

ACCÉDER
MÉTRO
2nd Ave, Delancey St, East Broadway, Bowery, Grand St, Essex St. (lignes B, D, F, J, M et Z).

CIRCULER
À VÉLO
Pratique (nombreuses pistes cyclables), mais les rues sont étroites.

À PIED
Agréable.

LOUER
FRANK'S BIKE SHOP
553 Grand St • 212-533-6332 • franksbikes.com

CITI BIKE
Disponible.

LES COURSES

01. *Essex St Market*
120 Essex St • entre Rivington & Delancey Sts • 212-312-3603 • essexstreetmarket.com
Créé en 1940, ce marché couvert ne cesse de pourvoir les habitants du quartier en produits frais de qualité. Mention spéciale au fromager Saxelby Cheesemongers qui vous convaincra que les Américains savent aussi faire du fromage de très bonne qualité !

02. *Russ & Daughters*
179 E Houston St • à l'angle d'Orchard St • 212-475-4880 • russanddaughters.com
Cette institution centenaire continue d'approvisionner les New-Yorkais en poissons fumés, bagels*, œufs de poissons, latkes (râpés de pommes de terre) et autres spécialités juives avec autant de passion (et de succès).

03. *Whole Foods Market*
95 E Houston St • à l'angle de Bowery • 212-420-1320 • wholefoodsmarket.com
On trouve de tout dans ce grand supermarché. Belle sélection de produits bio. Si vous ne voulez pas cuisiner, le rayon de plats préparés ainsi que le bar à salades sont très fournis.

PETIT DÉJEUNER

04. *Clinton Street Baking Company*
4 Clinton St • à l'angle de E Houston St • 646-602-6263 • clintonstreetbaking.com
Leurs blueberry pancakes sont stellaires et leurs buttermilk biscuits aussi bons que dans le Sud. Si la queue à l'heure du brunch vous rebute, sachez que ces icônes du brunch sont également servies le soir, avec d'autres bonnes choses comme du poulet frit !

05. *Dimes*
49 Canal St • à l'angle d'Orchard St • 212-925-1300 • dimesnyc.com
On peut venir chez Dimes à n'importe quelle heure de la journée pour déguster une cuisine saine, mais on vous conseille particulièrement le petit-déjeuner avec toasts et bol d'açaï.

06. *Doughnut Plant*
379 Grand St • à l'angle d'Essex St • 212-505-3700 ext. 379 • doughnutplant.com
Oubliez Dunkin Donuts et foncez chez Doughnut Plant. Coup de cœur pour leurs donuts fourrés à la crème ou à la confiture...

07. *Kossar's Bagels & Bialys*
367 Grand St • à l'angle de Essex St • 212-473-4810 • kossars.com
Le bialy, cousin du bagel, de même consistance mais sans le trou au centre, est cuit dans un four à pain et garni d'oignons émincés. Idéal pour bien commencer la journée.

MANGER

08. *Cheeky Sandwiches*
moins de $10 • 35 Orchard St • entre Hester & Canal Sts • 646-504-8132 • cheeky-sandwiches.com
Très bons sandwichs à prix doux pour un repas sur le pouce.

09. *El Rey Coffee Bar & Luncheonette*
$10-20 • 100 Stanton St • entre Orchard & Ludlow Sts • 212-260-3950 • elreynyc.com
C'est tout petit, branché et surtout extrêmement bon. Le chef mexicain Gerardo Gonzalez s'éclate avec les végétaux.

10. *Freemans*
$20-30 • au bout de Freeman Alley sur Rivington St • entre Bowery & Chrystie St • 212-420-0012 • freemansrestaurant.com
Au fond de cette ruelle se cache un restaurant pas comme les autres. On a l'impression de pénétrer dans une taverne du siècle dernier :

PLAN 2

E 3rd St
E 6th St
Mulberry St
Bleecker St
Mott St
Bowery
E 2nd St
2nd Ave
E 4th St
1st Avenue
E 5th St
03
31
Elizabeth St
2nd Ave
[F]
44
E 1st St
E 2nd St
E 3rd St
Avenue A
02
Prince St
40
10
Sara D. Roosevelt Park
Eldridge St
41
39
47
Stanton St
E Houston St
38
09
36
56
Essex St
04
Rivington St
Rivington St
46
Suffolk St
50
23
43
Bowery
[J/Z]
Norfolk St
Clinton St
17
18
27
Stanton St
Delancey St
20
35
Chrystie St
51
58
25
30
49
42
52
Forsyth St
01
Rivington St
37
Broome St
16
Bowery
57
Delancey St
[F]
22
Grand St
[B/D]
Essex St
[J/M/Z]
Hester St
29
Allen St
Ludlow St
Essex St
Orchard St
Suffolk St
Eldridge St
07
Broome St
Grand St
55
08
24
53
06
19
45
Pitt St
Canal St
26
05
15
34
Seward Park
12
54
28
21
E Broadway
Division St
11
Henry St
13
14
Pike St
East Brodway
[F]
Jefferson St
Clinton St
Madison St

LOWER EAST SIDE

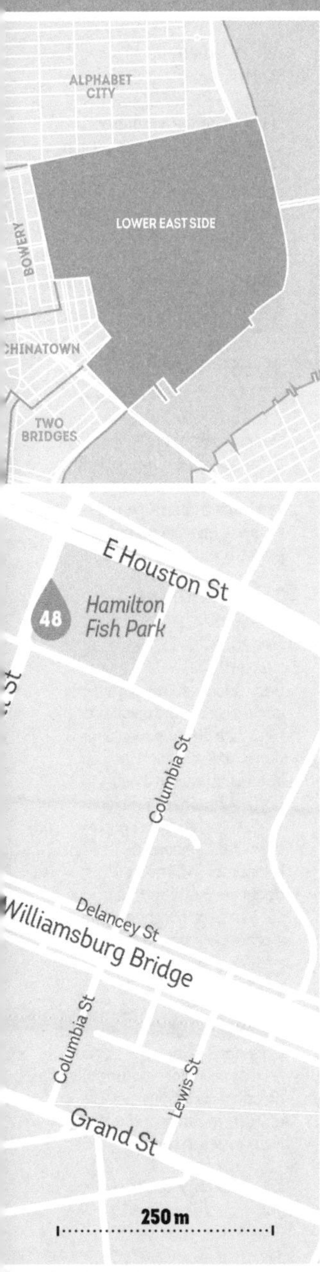

LES COURSES

01. Essex Street Market
02. Russ & Daughters
03. Whole Foods Market

PETIT DÉJEUNER

04. Clinton Street Baking Company
05. Dimes
06. Doughnut Plant
07. Kossar's Bagels & Bialys

MANGER

08. Cheeky Sandwiches
09. El Rey Coffee Bar & Luncheonette
10. Freemans
11. Kiki's
12. Kopitiam
13. Lam Zhou Handmade Noodles
14. Mission Chinese Food
15. Pies 'n' Thighs
16. Pig & Khao
17. Russ & Daughters Cafe
18. The Black Tree
19. The Fat Radish
20. Wildair

SORTIR

21. 169 Bar
22. Back Room
23. Cake Shop
24. Meow Parlour
25. Nurse Bettie
26. The Leadbelly
27. Welcome to the Johnsons

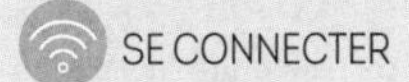

SE CONNECTER

28. 12 Corners
29. Irving Farm Coffee Roasters
30. Spreadhouse Cafe

PAUSES URBAINES

31. Liz Christy Community Garden
32. Lower East Side Food Tour - Hors carte
33. Manhattan Bridge - Hors carte
34. Seward Park

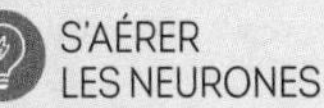

S'AÉRER LES NEURONES

35. Canada
36. Richard Taittinger Gallery
37. WhiteBox
38. Bluestockings
39. Mercury Lounge
40. New Museum
41. Rockwood Music Hall
42. Tenement Museum
43. The Bowery Ballroom
44. Sunshine Cinema

TAKE CARE

45. Frank's Chop Shop
46. Mama Spa
47. Obsessive Compulsive Cosmetics
48. Piscine de Hamilton Fish Park

BUY LOCAL

49. Alife Rivington Club
50. Babeland
51. Economy Candy
52. Extra Butter
53. Hester Street Fair
54. Labor Skateboard Shop
55. La Petite Mort
56. Ludlow Guitars
57. Moscot
58. Tani

trophées de chasse, fleurs séchées, fauteuils clubs cosy et vieux livres. La cuisine est américaine moderne, simple et savoureuse.

11. *Kiki's*

$10-20 • 130 Division St • à l'angle d'Orchard St • 646-882-7052

Ne vous laissez pas déstabiliser par l'enseigne écrite en chinois, c'est bien de la cuisine grecque traditionnelle qui est servie chez Kiki's. L' adresse est populaire dans ce coin devenu très hip, à la limite entre Chinatown et le Lower East Side, et les beautiful people se pressent à la porte. Venez tôt !

12. *Kopitiam*

moins de $10 • 51B Canal St • à l'angle d'Orchard St • 646-894-7081 • facebook.com/penangnyonyakopitiam

Dans ce minuscule café malaisien, on mange sur le pouce quelques spécialités sucrées ou salées en sirotant un café au lait concentré sucré.

13. *Lam Zhou Handmade Noodle*

cash only • moins de $10 • 144 E Broadway • entre Allen & Essex Sts • 212-566-6933

Si vous n'avez pas la patience d'attendre une table chez Mission Chinese Food, vous pouvez toujours opter pour du fast-food chinois plus traditionnel. Quelques tables et un service expéditif. Les stars sont les nouilles faites main servies en soupe. Jetez un œil en cuisine, leur préparation est impressionnante !

14. *Mission Chinese Food*

$20-30 • 171 E Broadway • entre Rutgers & Jefferson Sts • 212-432-0300 • mcfny.com

Cette enseigne de San Francisco connaît un succès retentissant. Il faut être patient pour goûter la cuisine chinoise moderne du chef Danny Bowien mais vous ne devriez pas regretter.

15. *Pies 'n' Thighs*

moins de $10 • 43 Canal St • entre Orchard & Ludlow Sts • 212-431-7437 • piesnthighs.com

Comfort-food* au programme : donuts, gaufres, biscuits et fried chicken. Ni raffiné ni diététique, mais qu'est-ce que ça fait du bien !

16. *Pig & Khao*

$20-30 • 68 Clinton St • entre Stanton & Rivington Sts • 212-920-4485 • pigandkhao.com

Dans cette cuisine d'inspiration sud-asiatique, le porc est à l'honneur. Essayez le sizzling sisig, petits morceaux grillés de tête de porc marinés au vinaigre, servis surmontés d'un œuf. Joli patio à l'arrière.

17. *Russ & Daughters Cafe*

$10-20 • 127 Orchard St • entre Rivington & Delancey Sts • 212-475-4881 • russanddaughterscafe.com

Pour déguster les délices de la cuisine juive new-yorkaise, attablez-vous dans ce joli café ouvert récemment par la petite-fille de Russ.

18. *The Black Tree*

$10-20 • 131 Orchard St • entre Rivington & Delancey Sts • 212-533-4684 • blacktreenyc.com

Tout a commencé par une (excellente) sandwicherie. Aujourd'hui, The Black Tree est un restaurant farm-to-table* qui attire les gourmets.

19. *The Fat Radish*

$20-$30 • 17 Orchard St • entre Hester & Canal Sts • 212-300-4053 • thefatradishnyc.com

Ce restaurant fut l'un des premiers à venir s'installer dans cette partie sud du Lower East Side et reste une référence. On y déguste une new american cuisine qui fait la part belle aux légumes.

20. *Wildair*

$20-30 • 142 Orchard St • à l'angle de Rivington St • 646-964-5624 • wildair.nyc

Dans leur cave à manger, Jeremiah Stone et Fabian von Hauske livrent une cuisine épatante, concise et inventive, capable de sublimer une laitue. Vins nature en vedette.

SORTIR

21. *169 Bar*

$4-9 • 169 East Broadway • entre Rutgers & Jefferson Sts • 212-641-0357 • 169barnyc.com

Quand les dive bars* deviennent à la mode, ça donne le 169 Bar. L'enseigne est autant décrépie que la déco intérieure, mais tout ce que le quartier compte de jeunes branchés s'y retrouve.

22. *Back Room*

$6-9 • 102 Norfolk St • entre Rivington & Delancey Sts • 212-228-5098 • backroomnyc.com

Back Room est l'un des bars à cocktails les plus typiques de New York. Il faut s'aventurer dans l'arrière-cour d'un immeuble pour en trouver la porte. À l'intérieur, ambiance tamisée, cheminée et porte dérobée... Concerts de jazz swing le lundi soir. Attention, il faut donner le mot de passe trouvé sur leur page Facebook dans la journée pour pouvoir entrer !

23. *Cake Shop*

$6-8 • 152 Ludlow St • entre Stanton & Rivington Sts • 212-253-0036 • cake-shop.com

Café dans la journée, bar en fin d'après-midi et enfin salle de concert au sous-sol. Un lieu culturel multifonctions dont New York a le secret.

24. *Meow Parlour*

$5 pour 30 mn pour les plus de 11 ans • 46 Hester St • entre Ludlow & Essex Sts • meowparlour.com

Meow Parlour est le premier bar à chats de New York. On peut boire un café en caressant un félin... Et éventuellement repartir avec, puisque tous les pensionnaires peuvent être adoptés. Attention, les enfants de moins de 11 ans ne sont admis qu'à certaines heures de la journée, sur réservation.

25. *Nurse Bettie*

$6-11 • 106 Norfolk St • entre Rivington & Delancey Sts • 212-477-7515 • nursebettie.com

Ambiance garantie les mercredis et jeudis soirs pendant les spectacles d'effeuillage burlesque de ce micro-bar.

26. *The Leadbelly*

$8-14 • 14B Orchard St • à l'angle de Canal St • 646-596-9142 • theleadbelly.com

Joli bar qui sert des cocktails et des huîtres. Parfait pour patienter pendant que votre table se prépare en face, chez The Fat Radish (voir p.102)

27. *Welcome to the Johnson's*

$3 • 123 Rivington St • entre Essex & Norfolk Sts

À 2$ la canette de bière, ne venez pas vous plaindre que les canapés sont défoncés ! Enchaînez plutôt les parties de billard et faites connaissance avec les habitués.

SE CONNECTER

28. *12 Corners*

155 East Broadway • entre Pike & Rutgers Sts • 646-717-2849 • 12cornerscoffee.com

Chaleureux café pour une pause studieuse.

29. *Irving Farm Coffee Roasters*

88 Orchard St • à l'angle de Broome St • 212-228-8880 • irvingfarm.com/pages/lower-east-side

Il est parfois difficile de se concentrer sur son ordinateur tant le spectacle de la rue à travers les larges fenêtres de ce café est captivant.

30. *Spreadhouse Cafe*

116 Suffolk St • entre Rivington & Delancey Sts • 703-863-6691 • spreadhouse.com

Bel espace aéré pour déguster un latte* et des pâtisseries.

PAUSES URBAINES

31. *Liz Christy Community Garden*

à l'angle de Bowery & de Houston St • lizchristygarden.us

Au début des années 1970, Liz Christy, une artiste du Lower East Side, et ses Green Guerillas, ont eu l'idée de balancer des « seed bombs », des bombes de graines, par-dessus les grilles des terrains vagues de leur quartier. C'est ainsi qu'est né le premier jardin partagé, à l'intersection de Bowery et de Houston Sts. New York en compte aujourd'hui six-cent et les militants de Green Guerillas (greenguerillas.org) continuent d'aider, de façon plus policée, les jardiniers urbains à faire verdir la Grosse Pomme.

32. *Lower East Side Food Tour*

(Hors carte) • newyorkoffroad.com/visite-en-groupe/

New York Off Road propose un tour culturel et culinaire du Lower East Side, pour découvrir la cuisine de chaque communauté passée par le quartier. Si la langue de Shakespeare n'est pas votre fort, rassurez-vous, la visite est en français.

33. *Manhattan Bridge*

(Hors carte)

C'est à l'extrémité sud du quartier que l'on emprunte ce pont un peu dans l'ombre de son célèbre voisin, le Brooklyn Bridge. La balade y est plus rude, les métros qui passent le long de la voie réservée aux piétons font un bruit assourdissant, mais les points de vue sur Downtown Manhattan avec les toits de Chinatown en premier plan raviront les photographes.

34. *Seward Park*

KIDS • à l'angle de Essex & Canal Sts

Dans ce parc à la limite du Lower East Side et de Chinatown, on croise des familles de toutes origines ethniques.

S'AÉRER LES NEURONES

GALERIES D'ART

Chelsea abrite toujours autant de galeries d'art, mais c'est désormais dans le Lower East Side que ça se passe pour l'art contemporain. Quelques galeries coup de cœur :

35. *Canada*

333 Broome St • entre Chrystie St & Bowery • 212-925-4631 • canadanewyork.com

36. *Richard Taittinger Gallery*

154 Ludlow St • entre Stanton & Rivington Sts • 212-634-7154 • richardtaittinger.com

37. *WhiteBox*

329 Broome St • entre Chrystie St & Bowery • 212-714-2347 • whiteboxny.org

38. *Bluestockings*

172 Allen St • à l'angle de Stanton St • 212-777-6028 • bluestockings.com

Cette librairie indépendante et militante, gérée par des bénévoles, est aussi un lieu de rencontre des activistes féministes de New York. Ateliers, lectures, débats ou projections de films quasiment tous les soirs.

39. *Mercury Lounge*

217 E Houston St • entre Essex & Norfolk Sts • 212-260-4700 • mercuryloungenyc.com

Une salle de concert rock mythique où se sont succédés Lou Reed, Jeff Buckley ou The Strokes.

40. *New Museum*

235 Bowery • entre Stanton & Rivington Sts • 212-219-1222 • newmuseum.org

Musée dédié à l'art contemporain. Son architecture originale est signée par la firme japonaise SANAA. Beau point de vue sur

le quartier et la ville depuis la terrasse du dernier étage.

41. *Rockwood Music Hall*

196 Allen St • entre E Houston & Stanton Sts • 212-477-4155 • rockwoodmusichall.com

Le Lower East Side est certainement le quartier de New York où il est le plus facile de trouver de la musique live. Rockwood compte trois scènes sur lesquelles se succèdent près d'une quinzaine de groupes chaque soir. La plupart des shows sont gratuits.

42. *Tenement Museum*

103 Orchard St • entre Delancey & Broome Sts • 877-975-3786 • tenement.org

Un tenement* est un immeuble d'habitation typique du quartier, dans lequel vivaient, il y a plus d'un siècle, les immigrés pauvres originaires d'Europe de l'Est. L'un d'entre eux, au 97 Orchard St., a été restauré par le musée, témoin de l'époque où le Lower East Side était la porte d'entrée sur le sol américain. Visitez les appartements et découvrez l'histoire fascinante de leurs habitants, qui vivaient dans le dénuement le plus total, sans eau, ni électricité, ni gaz. Les visites guidées se faisant en tout petit groupe, il est fortement conseillé de réserver à l'avance.

43. *The Bowery Ballroom*

6 Delancey St • entre Chrystie St & Bowery • 212-533-2111 • boweryballroom.com

Bâtie en 1929, cette institution du rock indépendant reste l'une de nos salles préférées. Le bar au sous-sol est légendaire.

44. *Sunshine Cinema*

143 E Houston St • entre Forsyth & Eldridge Sts • 212-260-7289 • landmarktheatres.com

L'un des rares cinémas diffusant des films indépendants ou d'art et d'essai.

TAKE CARE

45. *Frank's Chop Shop*

19 Essex St • entre Hester & Canal Sts • 212-228-7442 • frankschopshop.com

Chez ce coiffeur/barbier, les amateurs de hip-hop viennent peaufiner leur style et repartent avec des casquettes originales.

46. *Mama Spa*

141 Allen St • à l'angle de Rivington St • 212-780-1913 • organicmamaspa.com

Ce spa utilise des produits bio et

suit les principes de la médecine traditionnelle chinoise.

47. *Obsessive Compulsive Cosmetics*

174 Ludlow St • entre E Houston & Stanton Sts • 212-675-2404 • occmakeup.com

Une ligne de produits de maquillage 100 % vegan et non testée sur les animaux.

48. *Piscine de Hamilton Fish Park*

KIDS • 128 Pitt St • entre Delancey & Grand Sts • 212-387-7688 • nycgovparks.org/parks/hamilton-fish-park • fin juin à octobre

Très grande piscine en plein air pour se rafraîchir de la fournaise que New York peut devenir en été. Vérifiez les conditions d'accès sur leur site.

BUY LOCAL

49. *Alife Rivington Club*

158 Rivington St • entre Suffolk & Clinton Sts • 212-432-7200 • alifenewyork.com

Cette marque new-yorkaise ultra-pointue de sneakers attire les amateurs du monde entier. Vous y trouverez aussi des éditions limitées de Nike et Adidas.

50. *Babeland*

94 Rivington St • entre Orchard & Ludlow Sts • 212-375-1701 • babeland.com

Dans ce sex-shop pour les filles (même si les hommes sont les bienvenus !), mieux vaut laisser votre pudeur à l'entrée. Les vendeuses sont pragmatiques et prennent le plaisir féminin très au sérieux. Elles sont surtout très accueillantes et on a le droit de leur poser toutes les questions qui nous passent par la tête.

51. *Economy Candy*

KIDS • 108 Rivington St • entre Ludlow & Essex Sts • 212-254-1531 • economycandy.com

On attraperait presque des caries dès le pas de la porte. Paradis des gourmands, les étagères qui montent jusqu'au plafond débordent de bonbons en tout genre.

52. *Extra Butter*

125 Orchard St • entre Delancey & Rivington Sts • 917-965-2500 • shop.extrabutterny.com

Pour ceux qui affectionnent le style skateur/hip-hop, le Lower East Side est le paradis. Ici, grande sélection d'éditions limitées de sneakers de toutes marques.

53. *Hester Street Fair*

Hester & Essex Sts • hesterstreetfair.com

D'avril à octobre, ce marché accueille des stands de mobilier vintage et de bijoux artisanaux, et bien sûr de quoi manger.

54. *Labor Skateboard Shop*

46 Canal St • entre Orchard & Ludlow Sts • 646-351-6792 • laborskateshop.com

Des planches de skateboard pour tous les goûts.

55. *La Petite Mort*

37 Orchard St • à l'angle de Hester St • 646-370-6227 • shoplapetitemort.com

Ce couple du quartier sélectionne des vêtements vintage des années 1980 et 1990 et les créations de jeunes designers qui ont le vent en poupe.

56. *Ludlow Guitars*

172 Ludlow St • entre E Houston & Stanton Sts • 212-353-1775 • ludlowguitars.com

Si tous les concerts de rock auxquels vous avez assisté vous ont donné envie de vous mettre à la guitare, vous devriez y trouver votre bonheur.

57. *Moscot*

108 Orchard St • à l'angle de Delancey St • 212-477-3796 • moscot.com

À peine débarqué de Ellis Island, Hyman Moscot a commencé à vendre des lunettes sur son chariot dans le Lower East Side. Un siècle plus tard, la boutique familiale d'optique est une institution du quartier.

58. *Tani*

100 Rivington St • à l'angle de Ludlow St • 212-533-0191 • taninyc.com

Enfin une boutique de chaussures à New York où trouver de jolies modèles féminins sans les 12 cm de talons qu'affectionnent les New-Yorkaises !

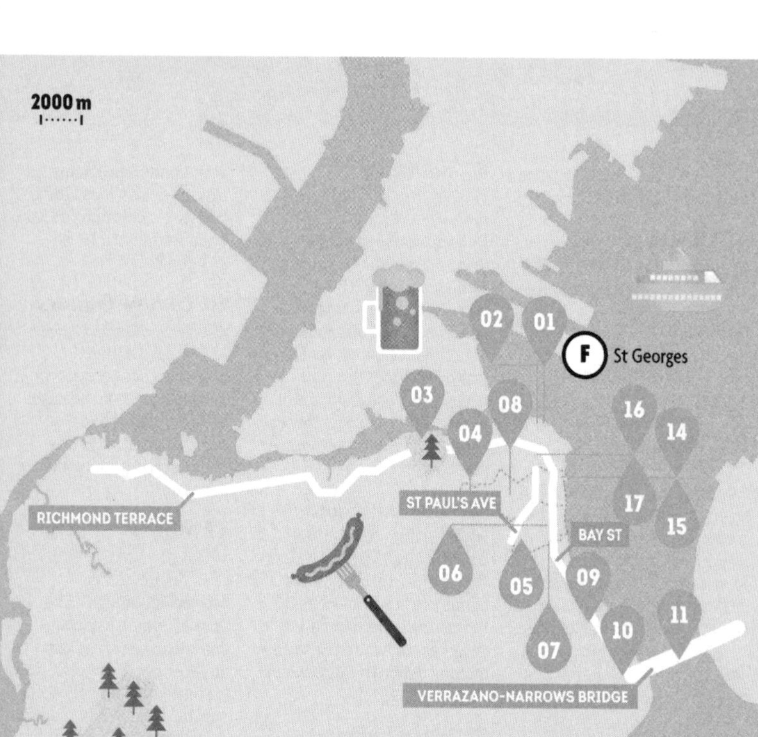

01. 9/11 Memorial
02. New York Wheel
03. Snug Harbor Cultural Center and Botanical Garden
1000 Richmond Terrace • snug-harbor.org
04. Tompkinsville
05. Stapleton
Paramount Theater
560 Bay St • Stapleton
Lakruwana
668 Bay St • lakruwana.com
08. New Asha
322 Victory Blvd • 718-420-0649
NYC Bicycle Shop
Fort Wadsworth
210 New York Ave • nps.gov
Verrazano-Narrowsbridge
Le boardwalk et les plages
Freshkills Park
freshkillspark.org
Flagship Brewing Company
40 Minthorne St
DaddyO's
181 Bay St • daddyosbbqbar.com
St. George Theater
35 Hyatt St
Enoteca Maria
27 Hyatt St • enotecamaria.com

Staten Island

Bravo ! Contrairement à tous ceux qui se sont précipités dans le premier ferry qui les ramenait à Manhattan, vous êtes resté(e) pour explorer le « borough oublié ». Pensez à venir avec un vélo (mieux mais pas obligatoire).

À la sortie du ferry, prenez Richmond Terrace, jusqu'au **9/11 MEMORIAL**, qui rend hommage aux habitants de Staten Island morts dans les attaques terroristes (dont de nombreux pompiers et policiers d'origine italienne ou irlandaise). Pour l'instant, vous êtes seul (avec les oies sauvages !), face à la skyline de Manhattan qui se détache au loin. Pourtant, c'est ici qu'ouvriront, courant 2017, la **NEW YORK WHEEL**, une gigantesque roue façon London Eye, et the Empire Outlets (un immense centre commercial).

À vélo, il est facile de pousser jusqu'au **SNUG HARBOR CULTURAL CENTER AND BOTANICAL GARDEN**, un lieu apaisant.

Sinon, prenez le bus S51, qui emprunte Bay St. Traversez les quartiers de **TOMPKINSVILLE** et de **STAPLETON**, où se côtoient des saloons décatis et des bâtiments incroyables comme le **PARAMOUNT THEATER**, un cinéma Art Déco fermé depuis plus de vingt-cinq ans. Ne manquez pas les maisons classées sur Saint Paul's Ave entre Clinton et Stone Sts, ainsi que les délicieux restaurants sri-lankais (notamment **LAKRUWANA** et **NEW ASHA**). Plusieurs milliers de Sri-Lankais y ont élu domicile après avoir fui la guerre civile dans leur pays.

En route, vous pouvez louer un vélo chez **NYC BICYCLE SHOP** ou continuer en bus.

Depuis **FORT WADSWORTH**, la vue panoramique sur le **VERRAZANO-NARROWS BRIDGE** et la baie est impressionnante.

Reprenez votre vélo ou le bus S51 pour rejoindre **LE BOARDWALK ET LES PLAGES**. (voir Out of the City p.427).

Autre suggestion : explorer **FRESHKILLS PARK**, cette ancienne décharge publique en train d'être transformée en un gigantesque parc. Sans voiture, c'est une expédition – à moins d'y consacrer une grande partie de la journée.

Au retour, plusieurs options : prendre une bière locale à la brasserie **FLAGSHIP BREWING COMPANY** et un barbecue chez **DADDYO'S**, ou bien sûr manger sri-lankais. Assister à une représentation dans le superbe **ST. GEORGE THEATER** à St. George, le quartier historique qui surplombe le terminal du ferry, ou goûter à la cuisine familiale des nonnas, les grands-mères italiennes qui se relaient aux fourneaux du bar à vin **ENOTECA MARIA**, du mercredi au dimanche soir.

Il est temps de reprendre le ferry, la statue de la Liberté vous souhaitera bonne nuit au passage.

Si elle était indépendante, Brooklyn serait la 4e ville des États-Unis. Bien plus qu'une marque branchée, c'est un immense borough plein de diversité.

BROOKLYN

MANHATTAN
E1
A1
E3
E2
A2
C3
C1
C2
B1
B2
F1
A3
D1
Prospect
Park
D3
BROOKLYN
F2
D2
G1
G2
G2

A LA "MANHATTANISATION" DE BROOKLYN

B DES BEAUX QUARTIERS AU POST-INDUSTRIEL

C LA CULTURE AFRO-AMÉRICAINE TIENT BON

D AUTOUR DE PROSPECT PARK, LA DIVERSITÉ

E TOUJOURS PLUS À L'EST

F BOBOS, CHINOIS ET SUD-AMÉRICAINS

G AU SUD, LA LIMITE EST L'OCÉAN

coffee
coffee

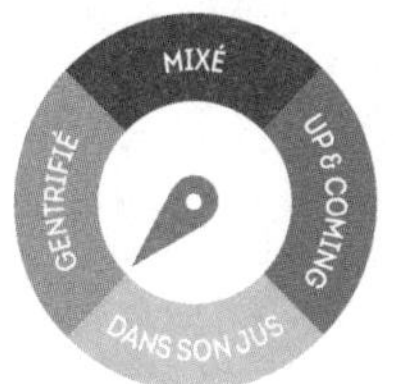

Le premier hipster est sans doute né ici.

Bedford Ave, premier arrêt après Manhattan sur la ligne de métro L. Vous êtes au cœur de Williamsburg. Plus qu'un look, un mode de vie, avec ses espaces de co-working, ses coffee-shops, ses magasins de vélos fixies, de surf et de skates. Il n'est pourtant pas si loin le temps où « The Burg » était encore un quartier ouvrier, mélange d'immigrés polonais, italiens et latinos. À ceux-ci s'ajoutait une grosse poignée de jeunes urbains, chassés de Manhattan par les loyers prohibitifs, qui militait pour ne pas voir les bords de l'East River (laissés en friches après le départ des entreprises de fret et des raffineries) défigurés par les promoteurs.

Depuis, les tours de 35 étages ont poussé au bord de l'eau. Et Clovis Press, le bouquiniste alternatif de Bedford Ave, a cédé la place à un fromager huppé. Le soir, les salles de concert, les toits-terrasses des bars et les restaurants font le plein d'une jeunesse plus tout à fait branchée (les vrais branchés ont migré plus à l'est). La musique électro et la bière (brassée dans les entrepôts voisins) coulent à torrents. Bref, un quartier où l'on peut s'entendre dire, en sous-louant sur Airbnb un appartement (avec salle de fitness et terrasse aménagée sur le toit pour les apéros) : « J'espère que vous venez sans enfants, ça ne se fait pas beaucoup dans l'immeuble. » On ne va pas vous mentir, ce quartier a perdu ses couleurs d'origine. Mais quand on s'éloigne de la station de métro Bedford et de l'épicentre, il reste de chouettes endroits à découvrir. Et des décors de films. N'hésitez pas à aller plus à l'est, de l'autre côté du BQE[1] où l'on trouve une ambiance plus bohème et populaire. Vous pourrez d'ailleurs vous régaler de cannoli et autres douceurs dans les nombreuses pâtisseries italiennes encore présentes autour de Lorimer et de Graham Ave.

Si vous vous perdez au sud du quartier, vous aurez même l'impression de basculer dans un autre espace-temps. Une incursion, à défaut d'une immersion, dans la communauté juive hassidique, originaire de Satu Mare (Roumanie). Ici, au cœur du capitalisme, les deux tiers des habitants vivent en dessous du seuil de pauvreté, de façon très traditionnelle. Posez-vous à un coin de rue et observez le ballet incessant ; les hommes en costume sombre, papillotes et chapeau noir. Les femmes, souvent entourées d'une ribambelle d'enfants, portent des jupes longues, des collants et un turban ou une perruque (elles ne peuvent pas montrer leurs cheveux à un autre homme que leur mari). Mesdames, ne vous étonnez pas du regard fuyant des hommes : ils ne sont pas autorisés à regarder les femmes qu'ils ne connaissent pas. Ils se sont d'ailleurs opposés au passage d'une piste cyclable (trop tentant de voir sous les jupes des filles ?)...

1. Brooklyn Queens Expressway.

A PLAN 1
250 m
Bushwick Inlet Park
N 13th St
Bedford Ave
N 12th St
N 11th St
Berry St
N 9th St
N 10th St
N 8th St
Kent Ave
Wythe Ave
N 6th St
N 5th St
N 4th St
N 3rd St
Bedford Ave Station
N 7th St
Roebling St
River St
N 1st St
Grand St
Metropolitan Ave
Driggs Ave
Havemeyer St
Wythe Ave
Berry St
Bedford Ave
S 1st St
S 2nd St
S 3rd St
S 4th St
S 5th St
Williamsburg Bridge
Rodney St
Broadway
S 8th St
S 9th St
La Guardia Playground
Broadway
S 4th St
19
28
31
48
14
22
44
49
47
43
25
32
39
41
24
43
15
26
30
46
17
11
37
35
09
20
10
29
18
07
03
13
12
45
LES COURSES
01. Greenmarket McCarren Park
02. Hatzlacha Supermarket - Hors carte
03. Marlow & Daughters
04. Pecoraro Dairy
05. The Brooklyn Kitchen
06. The Meat Hook
PETIT DÉJEUNER
07. Diner
08. Park Luncheonette
09. Rabbithole
MANGER
10. Bozu
11. Fette Sau
12. Marlow & Sons
13. Peter Luger Steakhouse
14. Smorgasburg
15. St. Anselm
16. The Brooklyn Star
17. The Four Horsemen
18. Traif
SORTIR
19. The Ides
20. Miss Favela
21. Noorman's Kil
22. Teddy's Bar & Grill
23. The Drink
SE CONNECTER
24. Black Brick
25. Blue Bottle
26. Freehold
27. The West Coffeehouse & Bar

WILLIAMSBURG

FAITES COMME CHEZ EUX

On-the-Go

ACCÉDER

MÉTRO
Bedford Ave, Lorimer St / Metropolitan Ave, Marcy Ave ou Graham Ave (lignes L, G, J, M et Z).

FERRY
East River Ferry eastriverferry.com

CIRCULER

À VÉLO
Très pratique. Accès par le pont de Williamsburg ou par l'intérieur de Brooklyn. Belle piste cyclable sur Kent avenue.

À PIED
Très agréable, notamment le long de la rivière.

LOUER

GET UP & RIDE
330 S 3rd St # 2 • entre Hooper & Keap Sts • 646-801-2453 • getupandride.com

CITI BIKE
Disponible.

LES COURSES

01. *Greenmarket McCarren Park*
Union Ave • entre Driggs Ave & N 12th St • 212-788-7476 • grownyc.org
On vient faire le plein de produits locaux et de saison dans ce petit marché ouvert chaque samedi toute l'année.

02. *Hatzlacha Supermarket*
(Hors carte) • 414 Flushing Ave • à l'angle de Skillman St • 718-522-5154
Grand supermarché casher bon marché, bien achalandé, en plein cœur du quartier hassidique, où pousser votre caddie au rythme de la musique klezmer. Bon choix de pickles* et de houmous.

03. *Marlow & Daughters*
95 Broadway • à l'angle de Berry St • 718-388-5700 • marlowanddaughters.com
Une boucherie « durable », qui vend de la viande élevée dans des petites fermes des environs.

04. *Pecoraro Dairy*
287 Leonard St • à l'angle de Metropolitan Ave • 718-388-2379
Venez chercher votre mozzarella et votre ricotta fraîches, faites sur place.

05. *The Brooklyn Kitchen*
100 Frost St • entre Meeker & Manhattan Aves • 718-389-2982 • thebrooklynkitchen.com
Les passionnés de bonne bouffe trouveront ici leur bonheur : des ustensiles de cuisine, du poisson, du fromage, des fruits et légumes, bio ou locaux. Vous pourrez aussi y prendre des cours pour apprendre à faire les pizzas comme chez Roberta's ou les raviolis comme à Chinatown.

06. *The Meat Hook*
397 Graham Avenue • entre Jackson & Withers Sts • 718-609-9300 • the-meathook.com
Un boucher aussi bon qu'éthique. Avec un petit coin produits laitiers et légumes.

PETIT DÉJEUNER

07. *Diner*
85 Broadway • proche angle de Berry St • 718-486-3077 • dinernyc.com
Un bistrot américain installé dans un wagon Kullman des années 1920, sous le pont de Williamsburg. Pour un brunch simple et sophistiqué à la fois. Parfait aussi pour déjeuner et dîner.

08. *Park Luncheonette*
332 Driggs Ave • entre Lorimer St & Manhattan Ave • 347 844-9530 • parkluncheonette.com
Dans un décor rétro, vous trouverez toute la semaine les classiques du breakfast américain. Aux beaux jours, profitez de la terrasse face au McCarren Park.

09. *Rabbithole*
352 Bedford Ave • entre S 3rd & S 4th Sts • 718-782-0910 • rabbitholerestaurant.com
Le café et les pancakes maison sont à tomber. Il y a même un jardin. Laptops interdit !

MANGER

10. *Bozu*
$20-30 • 296 Grand St • entre Havemeyer & Roebling Sts • 718-384-7770
Ce restaurant japonais est célèbre pour ses sushi bombs, des sushis ronds de petite taille. A déguster avec un cocktail à base de shiso. L'adresse est très populaire dans le quartier donc n'oubliez pas de réserver pour le week-end.

WILLIAMSBURG

11. *Fette Sau*
$20-30 • 354 Metropolitan Ave • entre Havemeyer & Roeblings Sts • 718-963-3403 • fettesaubbq.com
Pour un barbecue pantagruélique dans un entrepôt. Venez tôt (avant 18 h) pour éviter de faire la queue.

12. *Marlow & Sons*
$20-30 • 81 Broadway • proche angle de Berry St • 718-384-1441 • marlowandsons.com
Les habitués se retrouvent autour des tables communes de ce café/restaurant branché juste ce qu'il faut pour rester sympa.

13. *Peter Luger Steakhouse*
cash only • plus de $30 • 178 Broadway • à l'angle de Driggs Ave • 718-387-7400 • peterluger.com
On casse sa tirelire (le Porterhouse steak, LA raison pour laquelle on y va, coûte 100$ pour deux). Mais c'est un voyage dans le temps, qui dure depuis plus d'un siècle.

14. *Smorgasburg*
moins de $10 • 90 Kent Ave • entre N 7th & N 10th Sts • smorgasburg.com • tous les samedis de 11h 18h • « rain or shine » • avril à novembre
Aux beaux jours, grignotez de la bonne street-food en chinant.

15. *St. Anselm*
$20-30 • 355 Metropolitan Ave • à Havemeyer St • 718-384-5054 • stanselm.net
Même propriétaire que Fette Sau, mais ici, le poisson et les légumes ont aussi droit à leur place sur le grill. Tous les produits sont locaux et la carte des vins est impressionnante.

16. *The Brooklyn Star*
$20-30 • 593 Lorimer St • entre Metropolitan Ave & Conselyea St • 718-599-9899 • thebrooklynstar.com
La cuisine du Sud des États-Unis est à l'honneur, avec poulet frit et corn bread. Queue de cochon et chili con tripes pour ceux qui osent !

17. *The Four Horsemen*
plus de $30 • 295 Grand St • entre Roebling & Havemeyer Sts • 718-599-4900 • fourhorsemenbk.com
Cette cave à manger qui appartient à James Murphy, l'ancien leader du groupe LCD Soundsystem, et à trois autres « cavaliers », propose des plats inventifs et de saison qui renouvellent heureusement le genre du wine bar à New York.

18. *Traif*
plus de $30 • 229 S 4th St • entre Havemeyer & Roebling Sts • 347-844-9578 • traifny.com
En hébreu, traif désigne les aliments qui ne sont pas casher. Quand on sait que les propriétaires juifs de ce restaurant ont fait du porc leur spécialité, ça donne une idée de leur culot. La carte comporte une grande variété de petites assiettes à partager. Convivial et délicieux !

SORTIR

19. *The Ides*
$7-12 • Wythe Hotel • 80 Wythe Ave • à l'angle de N 11th St • 718-460-8006 • wythehotel.com
Ici, le 7e ciel est au 6e – et dernier – étage. Vue imprenable sur les toits de Williamsburg et la skyline de Manhattan en sirotant un cocktail. Si vous avez réservé au restaurant de l'hôtel, vous n'aurez pas à faire la queue pour prendre l'ascenseur.

20. *Miss Favela*
$7-10 • 57 S 5th St • à l'angle de Wythe Ave • 718-230-4040 • missfavela.com
Ce bar/restaurant brésilien de South Williamsburg va réchauffer vos soirées d'hiver !

21. *Noorman's Kil*
$6-10 • 609 Grand St • entre Lorimer & Leonard Sts • 347-384-2526 • noormanskil.com
Spécialisé dans les whiskeys, ce bar sert aussi de croustillants grilled cheese.

22. *Teddy's Bar & Grill*
$7-10 • 96 Berry St • à l'angle de N 8th St • 718-384-9787 • teddys.nyc
Ce bar, l'une des rares tavernes de l'ère victorienne à avoir survécu à la Prohibition (et jusqu'à présent à l'hipstérisation), a toujours été un repère pour les habitants. Un lieu magnifique avec sa devanture de vitraux, ses carreaux de ciment au sol et son plafond gaufré. Il y a même une cheminée.

23. *The Drink*
$7-10 • 228 Manhattan Ave • entre Maujer & Grand Sts • 718-782-8463 • thedrinkbrooklyn.com
Les punchs sont à l'honneur dans ce bar au décor de vieux bateau. Calme en semaine, le bar s'anime vite le week-end.

SE CONNECTER

24. *Black Brick*
cash only • 300 Bedford Ave • entre Grand & S 1st Sts • 718-384-0075 • blackbrickcoffee.com
Un coffee-shop décontracté, où boire un bon chai latte* ou un excellent cappuccino*.

25. *Blue Bottle*
160 Berry St • entre N 4th & N 5th Sts • bluebottlecoffee.com/cafes/berry-st
La bouteille bleue de cette mini-chaîne californienne de coffee-shops est de plus en plus présente à New York. Joli espace avec ses torréfacteurs vintage et ses grandes tables d'hôtes.

FAITES COMME CHEZ EUX

26. *Freehold*

45 S 3rd St • entre Kent & Wythe Aves • 718-388-7591 • freeholdbrooklyn.com

On vient dans la journée s'installer dans les gros fauteuils en cuir pour travailler et, le soir, on troque son mug de café pour une bière ou un cocktail. On peut même se lancer dans une partie de ping-pong dans le grand patio.

27. *The West Coffeehouse & Bar*

379 Union Ave • à l'angle de Hope St • 718-599-1704 • thewestbrooklyn.com

Coffee-shop dans la journée, ce charmant endroit se transforme en bar en fin de journée. Belle terrasse à l'arrière.

PAUSES URBAINES

28. *Brooklyn Brewery*

79 N 11th St • entre Berry & Wythe Sts • 718-486-7422 • brooklynbrewery.com

Dans les années 1980, à une époque où les Américains buvaient essentiellement de la mauvaise bière, deux New-Yorkais se sont lancés dans la bière artisanale au fond de leur jardin, renouant avec une tradition vieille de plus d'un siècle. Avant la Prohibition, une cinquantaine de micro-brasseries tenues par des immigrés belges, allemands et irlandais produisaient 10 % du marché américain.Aujourd'hui, Brooklyn Brewery exporte dans le monde entier. La brasserie, d'une superficie de 6 000 mètres carrés, se visite.

29. *Continental Army Plaza*

à l'entrée du pont de Williamsburg • Roebling St • entre S 5th & S 4th Sts • nycgovparks.org/parks/continental-army-plaza

Pour les fous de skate, qui pratiquent ou qui aiment simplement regarder.

30. *Domino Sugar Refinery Site*

KIDS • 320 Kent Ave • à l'angle de S 4th St

Il ne reste plus grand-chose de la grande raffinerie de sucre qui va bientôt laisser place à des buildings d'habitation flambant neufs. Heureusement, le bâtiment historique a été sauvé et on trouve maintenant sur le site une ferme bio, North Brooklyn Farm (northbrooklynfarms.com) et un skatepark.

31. *East River State Park*

KIDS • 90 Kent Ave • entre N 7th & N 10th Sts

Parfait pour s'exfiltrer de la foule. On peut jouer au frisbee ou au foot sur les pelouses, bronzer, pique-niquer, après avoir chiné et acheté de quoi manger au Flea Market (les puces), en admirant la vue.

32. *Grand Ferry Park*

1 Grand St • à l'angle de River St • nycgovparks.org/parks/grand-ferry-park

Un minuscule parc au bord de l'eau. Très romantique.

33. *McCarren Park*

KIDS • 776 Lorimer St • entre Nassau Ave & Bayard St • nycgovparks.org/parks/mccarren-park

Un parc au cœur de Williamsburg où se retrouvent les hipsters et les familles immigrées pour jouer au softball, au basket, ou au foot. Beaucoup d'enfants, beaucoup de chiens (mais dans des aires de jeu séparées, comme il se doit à NY).

34. *Street - art*

Difficile de vous donner des adresses pour admirer du street-art à Williamsburg car il y en a un peu partout et cela change tout le temps. Un seul

conseil : perdez-vous de rue en rue et n'oubliez pas de lever le nez !

35. *Williamsburg Bridge*

C'est le 3e pont qui relie Manhattan (du Lower East Side) à Brooklyn (près de la station de métro Marcy Ave). Moins connu que le Brooklyn Bridge et le Manhattan Bridge, et du coup moins bondé quand on le traverse à pied (en 30 mn environ) ou à vélo, avec vue sur les deux autres.

S'AÉRER LES NEURONES

36. *Brooklyn Art Library – The Sketchbook Project*

28 Frost St • entre Union Ave & Lorimer St • 718-388-7941 • sketchbookproject.com

Des dizaines de milliers de carnets de croquis d'artistes du monde entier sont réunis au cœur de la Brooklyn Art Library. On peut facilement y passer l'après-midi !

37. City Reliquary

370 Metropolitan Ave • proche angle Havemeyer St • 718-782-4842 • cityreliquary.org

Un tout petit musée bric-à-brac de ce qui fait le New York d'hier et d'aujourd'hui.

38. Desert Island

540 Metropolitan Ave • entre Lorimer St & Union Ave • 718-388-5087 • desertislandcomics.tumblr.com

Une sélection très pointue de comic books et graphic novels.

39. Nitehawk Cinema

136 Metropolitan Ave • entre Berry & Wythe Sts • 718-384-3980 • nitehawkcinema.com

Un cinéma indépendant avec une programmation exigeante. Vous aurez le droit d'emporter votre bière ou votre cocktail dans la salle.

40. The Brick

579 Metropolitan Ave • entre Union Ave & Lorimer St • bricktheater.com

Ce super théâtre expérimental a planté sa scène dans un ancien garage aux murs de briques. Les amateurs de bizarre s'y pressent : c'est souvent drôle, pas élitiste et pas cher.

30

41. Vice Magazine

289 Kent Ave • entre S 1st & S 2nd Sts

C'est dans un ancien hangar de 7000 mètres carrés que le web-magazine urbain, créé en 1994 à Montréal, a installé ses 100 salariés. Le punk fanzine gratuit est devenu une icône de la hype. Pas sûr que vous puissiez visiter les locaux, mais comme ça fait partie de l'histoire de la gentrification du quartier, on vous en parle.

TAKE CARE

42. McCarren Pool

KIDS • 776 Lorimer St • entre Driggs Ave & Bayard St • 718-965-6580 • mccarrenpark.com

De juin à septembre, cette piscine géante est un haut lieu de socialisation du quartier. Récemment rénovée, elle est très fréquentée.

43. Primp & Polish

189 Grand St • entre Bedford & Driggs Aves • 718-599-19491
& 72 Bedford Ave • entre N 7th & N 8th Sts • 718-384-3555 • primpandpolish.com

Un peu plus cher que le nail salon de base (une partie du matériel est à usage unique).

BUY LOCAL

44. Artists and Fleas

70 N 7th St • entre Kent & Wythe Aves • 917-488-4203 • artistsandfleas.com

Artistes locaux et chineurs se partagent ce grand garage de Williamsburg pour vendre leurs créations ou découvertes. Impossible de ne pas repartir avec un joli bijou ou un tee-shirt original. C'est plutôt bon marché. L'endroit pour (se) faire des cadeaux originaux.

45. Bencraft Hatters

236 Broadway • entre Havemeyer & 8th Sts • 718-384-8956 • bencrafthats.com

En franchissant la porte de ce minuscule magasin, rempli de Borsalinos du sol au plafond, on a l'impression d'avoir glissé dans un film de gangsters des années 1930. En réalité, c'est le rendez-vous des Juifs orthodoxes quand il s'agit de choisir un nouveau couvre-chef.

46. Brooklyn Reclamation

676 Driggs Ave • entre Fillmore Pl & 1st St • 718-218-8012 • brooklynreclamation.com

De beaux meubles et objets de déco, années 1950 et industriels.

47. Buffalo Exchange

504 Driggs Ave • entre N 9th & N 10th Sts • 718-384-6901 • buffaloexchange.com

Envie de renouveler votre garde-robe sans vous ruiner ? Déposez ce que vous ne portez plus et repartez soit avec du cash, soit avec d'autres vêtements d'occasion.

48. Rough Trade

64 N 9th St • entre Wythe & Kent Aves • 718-388-4111 • roughtradenyc.com

Grand magasin de disques, notamment de vinyles. On y vient aussi pour le Photomaton ou pour assister à un concert.

49. Space Ninety 8

98 N 6th St • entre Berry & Wythe Sts • 718-599-0209 • spaceninety8.com

Ce bâtiment sur 5 étages récemment rénové accueille un magasin Urban Outfitters qu'on vous signale car il vend également des vêtements et accessoires de créateurs locaux. On peut manger à l'étage ou prendre un verre sur le rooftop.

Au pied des ponts, le Brooklyn d'Oscar Wilde en arrière-plan.

La vue mythique sur les pylônes en acier bleu du Manhattan Bridge, c'est ici, à l'angle de Water St et de Washington St. Juste après avoir traversé le pont de Brooklyn, on tombe sur le quartier de Dumbo ; pas étonnant qu'il ait été l'un des premiers à se métamorphoser. Les règlements de compte entre mafieux ont depuis longtemps cessé d'animer ce décor de cinéma ; les usines de savon, les papeteries et les ateliers de mécanique ont fermé. Même les Témoins de Jéhovah ont vendu la WatchTower, dans laquelle leur siège mondial était installé depuis plus d'un siècle et dont le logo (une tour de garde stylisée) a fini par devenir une icône de New York. À moins d'avoir moins de 35 ans et de travailler dans le numérique (25 % des entreprises new-yorkaises spécialisées dans les nouvelles technologies sont installés dans le coin), vous viendrez avant tout pour la vue. Et pour l'ambiance : en se promenant dans les rues, sortes de canyons urbains, on en vient à penser que l'esprit de Sergio Leone souffle toujours... les effluves de la chocolaterie de Jacques Torres en plus !

Passez sous le pont de Manhattan, déambulez dans les rues pavées classées de Vinegar Hill, une enclave d'à peine quelques blocs. Sur Hudson Ave, Plymouth et Front Sts, c'est un mélange pittoresque de maisons champêtres datant de la première moitié du 19e siècle, de bâtiments industriels et de petits immeubles modernes récents. Le fait qu'il soit coincé entre une énorme centrale électrique Con Edison, l'ancien chantier naval de Brooklyn Navy Yard[1] et une autoroute rajoute à son charme délicieusement anachronique.

De l'autre côté, au sud de Old Fulton St, changement d'atmosphère : vous voilà dans Brooklyn Heights, le quartier résidentiel le plus cher de Brooklyn (ici, le salaire médian est de 160 000$ par an). Des centaines de manoirs, de maisons de ville, d'anciens relais de poste, classés monuments historiques, se succèdent sur quelques blocs. À travers les bow-windows, on imagine les fantômes de personnages d'Oscar Wilde ou de *Jane Eyre*. Au bout de Montague Street (rue commerçante un brin désuète), la vue sur la skyline de Manhattan est tellement spectaculaire qu'on en oublie l'autoroute congestionnée qui passe juste en dessous, le Brooklyn Queens Expressway. Une promenade très appréciée, dès son ouverture en 1950, par les ouvriers et les employés qui venaient profiter le dimanche de la vue jusque là réservée aux maisons bourgeoises. Littéralement, Brooklyn Heights signifie « les Hauteurs de Brooklyn ». Ce ne sont pas les prix de l'immobilier qui le démentiront.

1. Voir p.168

PLAN 2

Brooklyn Bridge
Manhattan Bridge
Main Street Park
Water St
Main St
Washington St
Pearl St
Jay St
Pier 1
Pier 2
Pier 3
Pier 5
Pier 6
BQE
Poplar St
Middagh St
Cranberry St
Orange St
Pineapple St
Clark St
Henry St
High Street
Cadman Plaza Park
Cadman Plz W
Cadman Plz E
Adams St
Clark St [2/3]
Furman St
Columbia Hts
Willow St
Hicks St
Mc Laugh
Tillary St
Tech Pl
Pierrepont St
Montague St
Court St [R]
Remsen St
Grace Ct
Hunts Ln
Borough Hall [2/3]
Joralemon St
Columbia Pl
Willow Pl
Hicks St
Garden Pl
Henry St
Sidney Pl
State St
Atlantic Ave
Clinton St
Court St
Brooklyn Bridge Blvd
Livingston St
Schermerhorn St
250 m
01
02
03
04
05
06
07
08
09
10
13
14
15
16
17
18
19
20
21
22
23
24

DUMBO + VINEGAR HILL + BROOKLYN HEIGHTS

FAITES COMME CHEZ EUX

On-the-Go

ACCÉDER
MÉTRO
High St, York St, et Clark St (lignes C, F, 2, et 3).

CIRCULER
À PIED
Agréable.

À VÉLO
Attention aux pavés et à la pente, ça grimpe !

LOUER
BROOKLYN BRIDGE BIKE RENT
145 Nassau St • 212-767-1773

CITI BIKE
Disponible.

01. *Dellapietras*
193 Atlantic Ave • entre Court & Clinton Sts • Brooklyn Heights • 718-618-9575 • dellapietras.com
Un boucher haut de gamme réputé pour son bœuf savamment rassis. Essayez le full-bone rib steak ou le New York strip.

02. *Heights Chateau*
123 Atlantic Ave • entre Clinton & Henry Sts • Brooklyn Heights • 718-330-0963 • heightschateau.com
Plus de 2 000 références dans cet immense liquor store. En plus, la livraison est gratuite.

03. *Almondine Bakery*
85 Water St • entre Main & Old Dock Sts • Dumbo • 718-797-5026 • almondinebakery.com
Les fans des baguettes et des croissants de Hervé Poussot n'ont pas hésité à collecter 28 000$ pour l'aider à reconstruire sa boulangerie après le passage de l'ouragan Sandy en 2012. C'est dire si c'est bon.

04. *River Café*
1 Water St • entre Brooklyn Bridge & W Cadman Plz • Dumbo • 718-522-5200 • therivercafe.com
Pour un brunch classy le week-end. Leurs golden pancakes sont aussi mythiques que la vue. Vous pourrez admirer les bateaux qui passent sous le pont de Brooklyn.

05. *Teresa's Restaurant*
80 Montague St • entre Pierrepont & Hicks Sts • Brooklyn Heights • 718-797-3996
Un diner* de quartier, qui sert des petits déjeuners toute la journée (waffles, french toasts, pancakes, omelettes) et aussi des spécialités polonaises comme les pierogi*.

06. *Brooklyn Ice Cream Factory*
cash only • moins de $10 • 1 Water St • à l'angle de Old Fulton St • Dumbo • 718-246-3963 • brooklynicecreamfactory.com
Ce marchand de glace, installé dans un ancien garage à bateaux de pompiers, est souvent pris d'assaut par les touristes. Commandez votre glace au petit stand juste devant la boutique, il y a moins de choix de parfums, mais aussi beaucoup moins d'attente !

07. *Fornino*
$20-30 • Brooklyn Bridge Park Pier 6 • à l'angle de Joralemon St & Atlantic Ave • Brooklyn Heights • 718-422-1107 • fornino.com
Bonne pizza au feu de bois à savourer, uniquement aux beaux jours, avec une vue imprenable sur Manhattan.

08. *Gran Electrica*
$10-20 • 5 Front St • entre Dock & Old Fulton Sts • Dumbo • 718-852-2700 • granelectrica.com
Un restaurant mexicain agréable et savoureux, avec un joli patio.

09. *Juliana's*
$10-20 • 19 Old Fulton St • à l'angle de Front St • Dumbo • 718-596-6700 • julianaspizza.com
Juliana était la mamma de Patsy. Il y a plus de 10 ans, Patsy et sa femme Carol ont revendu la célèbre pizzeria Grimaldi's qu'ils avaient créée sous le pont de Brooklyn. Mais à la grande joie des riverains, ils ont ensuite ouvert Juliana's, au même endroit.

10. *Tutt Café*
cash only • $10-20 • 47 Hicks St • entre Cranberry & Middagh Sts • Brooklyn Heights • 718-722-7777
Une petite cantine qui ne paie pas de mine où manger de très bons mezzés.

DUMBO + VINEGAR HILL + BROOKLYN HEIGHTS

11. *Vinegar Hill House*

$20-30 • 72 Hudson Ave • entre Water & Front Sts • Vinegar Hill • 718-522-1018 • vinegarhillhouse.com

Charmant restaurant niché dans le petit quartier étonnant du même nom. La nouvelle (et créative) cuisine américaine y est à l'honneur et l'ambiance est parfaite pour un dîner en tête-à-tête. Aux beaux jours, essayez de trouver une table dans le jardin à l'arrière.

SE CONNECTER

12. *Brooklyn Roasting Company*

25 Jay St • entre John & Plymouth Sts • Dumbo • 718-522-2664 • brooklynroasting.com

C'est ici que sont torréfiés les grains éco-responsables de cette chaîne locale de cafés. Un lieu confortable, avec une belle vue à travers les grandes baies vitrées.

13. *One Girl Cookies*

33 Main St • entre Water & Plymouth Sts • Dumbo • 212-675-4996 • onegirlcookies.com

Pour les amateurs de cup-cakes et de whoopie pies, la version américaine du macaron.

PAUSES URBAINES

14. *24 Middagh St*

à l'angle de Willow St • Brooklyn Heights

Construite en 1824, c'est la plus vieille bâtisse de Brooklyn Heights, reconnaissable à sa façade en bois de style fédéral.

15. *70 Willow Street*

entre Orange & Pineapple Sts • Brooklyn Heights

C'est au sous-sol de ce manoir que Truman Capote a terminé *Petit-déjeuner chez Tiffany's* et écrit *De sang-froid*. « Je vis à Brooklyn. Par choix », a-t-il écrit dans ses mémoires à la fin des années 1950. Construite en 1839, la maison a été vendue 12,5 millions de dollars en 2012 à Dan Houser, le créateur du jeu vidéo *Grand Theft Auto*.

16. *Brooklyn Bridge Park*

KIDS • sur Furman St • Brooklyn Heights • brooklynbridgepark.org

Voir balade p 138.

17. *Brooklyn Heights Promenade*

Pierrepont Pl • entre Orange & Remsen Sts • Brooklyn Heights

On s'attend à voir surgir Woody Allen et Diane Keaton au détour de cette promenade romantique, théâtre de nombreux premiers rendez-vous et demandes en mariage.

18. *Jane's Carousel*

45 Dock St • entrée par Dock St ou par Main St • Dumbo • janescarousel.com

Pour le coup d'œil, ou pour vous laisser tenter par un tour de chevaux de bois sur ce manège datant de 1922, protégé par un kiosque de verre dessiné par Jean Nouvel.

S'AÉRER LES NEURONES

19. *Bookstore Powerhouse Arena*

KIDS • 37 Main St • entre Front & Water Sts • Dumbo • 718-666-3049 • powerhousearena.com

Cette grande librairie propose une belle sélection de romans et de livres l'art. La section New York est également bien fournie. L'espace organise souvent des rencontres avec des auteurs et des expositions.

20. *Etsy*

Suite 712 • 55 Washington St • entre Water & Front Sts • Dumbo • 718-855-7955 • etsy.com

Le site de vente en ligne de vintage et de créations faites main organise régulièrement des ateliers gratuits dans son lab. 2 millions de clients à travers le monde... Vive la nouvelle économie !

21. *St. Ann's Warehouse*

45 Water St • à l'angle de Dock St • Dumbo • 718-254-8779 • stannswarehouse.org

Longtemps hébergé dans une église nommée St. Ann, ce théâtre, aujourd'hui installé dans un ancien entrepôt de tabac du 19e siècle, est un laboratoire avant-gardiste qui accueille aussi des icônes, de Marianne Faithfull à feu Lou Reed en passant par les frères Coen, et de nombreuses compagnies britanniques réputées.

22. *SoulCycle*

56 Court St • entre Livingston & Joralemon Sts • Brooklyn Heights • 718- 858-7685 • soul-cycle.com

« Change your body, find your soul » promet cette chaîne de fitness spécialisée dans le vélo en salle. On vous la signale ici, mais elle a des studios un peu partout tant les New-Yorkais sont devenus accros. 800 calories brûlées en une heure, sous les encouragements d'un coach survolté.

23. *City Chemist*

129 Montague St • à l'angle de Henry St • Brooklyn Heights • 718-237-2489

Pour faire le plein de marques américaines de cosmétique et de parapharmacie à rapporter dans votre valise.

24. *West Elm*

75 Front St • à l'angle de Washington St • Dumbo • 718-875-7757 • westelm.com

Une chaîne de déco née à Brooklyn sous le pont de Manhattan qui mise sur l'artisanat made in USA et le développement durable. Et en plus, c'est beau !

DUMBO + VINEGAR HILL + BROOKLYN HEIGHTS

16

À deux pas du parc, le fief des brownstones et de l'éducation positive.

À peine sorti de la station de métro, au coin de 7th Ave et de 9th St, ça saute aux yeux. Partout des enfants. En (double) poussette, calés dans un Babybjörn ou slalomant sur leur trottinette. Les rues de Park Slope donnent l'impression d'être un terrain de jeu géant. Même chose dans les restaurants. Et aussi dans les bars ! En une quinzaine d'années, le quartier est devenu l'épicentre de la parentalité hyperactive new-yorkaise. Pas un hasard si c'est ici qu'a été inventée l'expression « helicopter parenting » pour désigner ces parents de la classe moyenne supérieure qui ont fait de l'éducation un job à plein temps, avec cette tendance à micro-manager le moindre (non) événement du playground. Dans la file d'attente pour les balançoires, jamais une parole plus haute, que du « positive reinforcement » : les « good job! » fusent pour le moindre obstacle franchi. Et évidemment, jamais de fessée : « I know it hurts your feelings but you have to share sweetie[1] ».

Dans les années 1990, les familles de Manhattan, attirées par le potentiel architectural et les loyers raisonnables-post-trafic-de-drogue d'un quartier en plein renouveau ont traversé la rivière pour s'installer à l'ouest de Prospect Park[2], le cousin de Central Park. Un peu comme quand les Parisiens ont consenti à passer le périphérique pour la naissance du deuxième. Park Slope est l'un des quartiers qui concentre le plus de brownstones*, avec leurs façades de grès rouge, leurs fenêtres à guillotine et leurs grilles ouvragées. Aux beaux jours, les petits barbotent dans des piscines en plastique, au pied des perrons fleuris, ou dans les jardins des backyards*. Les plus grands vendent de la citronnade maison aux passants lors de vide-greniers improvisés, appelés « garage sales ». D'ailleurs, si vous voyez un carton rempli de jouets ou de livres abandonnés sur le trottoir, servez-vous ! Ils ont été laissés là pour ça. Rassurez-vous, il reste des bars stroller-free[3] le soir.

Il est loin le temps où les habitants de Manhattan qui venaient s'encanailler de ce côté de l'East River se demandaient s'ils trouveraient un taxi jaune pour le retour. Restaurants, bars à vin et boutiques de créateurs locaux ont envahi 7th Ave, et se sont mêlés aux bodegas* et aux 99-cent stores de 5th Ave. Même si ce n'est pas le quartier le plus mixte et si les loyers se sont envolés, l'esprit de la contre-culture des années 1970 n'a pas totalement disparu.

1. « Je sais que c'est dur, mais tu dois partager, mon chéri. » | **2.** Voir balade p.216
3. Sans poussettes.

A PLAN 3

250 m
Degraw St
St Johns Pl
Union St
Sackett St
Carroll St
3rd Ave
Union St [R]
4th Ave
3rd St
6th St
J.J Byrne Playground
7th St
9 St [R]
4 Ave [F/G]
5th Ave
8th St
9th St
10th St
11th St
13th St
12th St
6th Ave
15th St
14th St
7th Ave
17th St
18th St
Prospect Expy
19th St
20th St
16th St
Prospect Ave
Windsor Pl
8th Ave
13th St
11th St
9th St
7 Ave [F/G]
7th St
5th St
6th St
4th St
2nd St
1st St
Garfield Pl
President St
6th Ave
3rd St
Carroll St
Union St
Berkeley Pl
Lincoln Pl
Sterling Pl
St Johns Pl
Park Pl
Prospect Pl
5th Ave
Flatbush Ave
Carlton Ave
7 Ave [B/Q]
Prospect Park W
Prospect Park Dr
Prospect Park Dr

PARK SLOPE

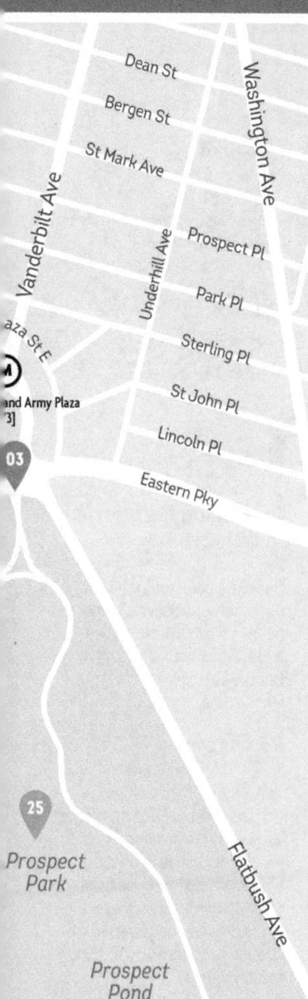

BOERUM HILL
PROSPECT HILL
GOWANUS
PARK SLOPE
PROSPECT PARK
GREENWOOD

LES COURSES

01. Big Nose Full Body
02. Fleishers Craft Butchery
03. Grand Army Plaza Greenmarket
04. Park Slope Food Coop
05. Union Market

PETIT DÉJEUNER

06. Colson Patisserie
07. Dizzy's
08. La Bagel Delight
09. Naidre's Cafe & Bakery

MANGER

10. Albero dei Gelati
11. Al Di La Trattoria
12. Bareburger
13. Franny's
14. Giuseppina's
15. Hanco's
16. Hugo & Sons
17. JPan Sushi

SORTIR

18. Barbès
19. Blueprint
20. The Gate

SE CONNECTER

21. Gather
22. Muse Cafe & Tea
23. Postmark Market

PAUSES URBAINES

24. Brownstones
24 a. Lilian Ward House
24 b. 64 8th Ave
24 c. 66 8th Ave
24 d. 70 8th Ave
24 e. Montauk Club
25. Prospect Park

S'AÉRER LES NEURONES

26. Community Bookstore

TAKE CARE

27. Armory YMCA
28. Dashing Diva
29. d'mai Urban Spa
30. Venelle Salon & Spa

BUY LOCAL

31. 4 Play Brooklyn
32. Beacon's Closet
33. Brooklyn Superhero Supply Company
34. Diana Kane
35. DNA Footwear
36. Eric Shoes
37. Gift Man: Brooklyn Gifts and Souvenirs
38. Housing Works Thrift Shops
39. Little Things Toy Store
40. m.a.e.
41. Pink Olive
42. Sport Prospect

FAITES COMME CHEZ EUX

On-the-Go

ACCÉDER
MÉTRO
7th Ave, 15th St - Prospect Park, Grand Army Plaza, Atlantic Ave-Barclays Center, Bergen St (lignes F, G, B, Q, D, N, R, 2, 3, 4).

CIRCULER
À VÉLO
Très agréable, d'autant que le parc n'est pas loin. On croise même quelques Vespa dans les rues.

À PIED
Très agréable.

LOUER
ON THE MOVE
259 13th St • proche de l'angle de 5th Ave • 718-768-4998 • onthemovenyc.com

CITI BIKE
Disponible.

LES COURSES

01. *Big Nose Full Body*
389 7th Ave • entre 11th & 12th Sts • 718-369-4030 • bignosefullbody.com
Un caviste pédagogue bien fourni en vins biodynamiques et à des prix abordables.

02. *Fleishers Craft Butchery*
192 5th Ave • entre Union & Sackett Sts • 718-398-6666 • fleishers.com
Ce boucher vend de la délicieuse viande bio, sans hormones ni antibiotiques et élevée dans les environs. Un coin jeux et un garage à poussettes vous rappellent que, même chez le boucher, vous êtes à Park Slope !

03. *Grand Army Plaza Greenmarket*
Prospect Park West & Flatbush Ave • grownyc.org/greenmarket • tous les samedis de 8h à 16h
Ce marché en plein air est le rendez-vous de tous les foodies des quartiers alentours pour faire le plein de fruits et légumes de saison mais aussi de poisson ou de volaille, vendus en direct par des producteurs locaux. La saveur a un prix, comme souvent à New York.

04. *Park Slope Food Coop*
782 Union St • entre 6th & 7th Aves • 718-622-0560 • foodcoop.com
Les fondateurs de ce supermarché coopératif alimentaire n'étaient qu'une poignée d'utopistes dans les années 1970. Ils sont près de 17 000 sociétaires aujourd'hui ! Un modèle unique au monde. La raison de son succès ? Travail contre nourriture. Vous ne pourrez pas y faire vos courses si vous n'êtes pas membre, et si vous ne donnez pas 2 h 45 de votre temps chaque mois pour remplir les rayons ou tenir la caisse (les petits malins qui ont essayé d'envoyer la nounou à leur place se sont fait prendre). Les produits, le plus souvent organic et locaux, sont 20 à 40 % moins chers que dans les magasins traditionnels. Le modèle a même fait des petits jusqu'à Paris (avec la coopérative de La Louve).

05. *Union Market*
754-756 Union St • angle de 6th Ave • 718-230-5152 • unionmarket.com
Bonne sélection de produits frais et d'épicerie fine dans cette superette haut de gamme où tout fait envie, même si ce n'est pas toujours donné.

PETIT DÉJEUNER

06. *Colson Patisserie*
374 9th St • angle de 6th Ave • 718-965-6400 • colsonpastries.com
Sucré ou salé, tout est bon dans cette pâtisserie franco-belge qui réussit aussi bien le BLT (le fameux sandwich Bacon-Lettuce-Tomato) que les muffins.

07. *Dizzy's*
511 9th St • à l'angle de 9th Ave • 718-499-1966 • dizzys.com
Un diner* rétro dont on ressort sans sentir le graillon. Tous les classiques du brunch comfort food* pour se faire plaisir à défaut de faire du bien à nos artères : eggs benedict, huevos rancheros ou encore french toasts.

08. *La Bagel Delight*
284 7th Ave • entre 6th & 7th Sts • 718-768-6107 • labageldelight.com
Pour un café (américain) à emporter et un bagel* cream cheese & saumon fumé.

09. *Naidre's Cafe & Bakery*
384 7th Ave • entre 11th & 12th Sts • 718-965-7585 • naidrescafebakery.com
Un pionnier du bon café dans

le quartier. Snacks vegan et sans gluten.

MANGER

10. *Albero dei Gelati*

moins de $10 • 341 5th Ave • à l'angle de 4th St • 718-788 -288 • alberodeigelati.com

Une cantine italienne adepte de slow-food, idéale pour une salade bio ou un (vrai) plateau de fromages. Goûtez évidemment leurs glaces, dont les parfums respectent les saisons : les subtiles pétale de rose, safran ou basilic, vous changeront du vanille-chocolat.

11. *Al Di La Trattoria*

$20-30 • 248 5th Ave • à l'angle de Carroll St • 718-783-4565 • aldilatrattoria.com

Ça fait près de 20 ans (autant dire une éternité à l'échelle de New York !) que ce restaurant italien régale les amateurs de risotto, de lapin braisé aux olives et d'autres spécialités du Nord de l'Italie.

12. *Bareburger*

$10-20 • 170 7th Ave • à l'angle de 1st St • 18-768-2273 • 170-7th-avenue.bareburger.com

Mini-chaîne sympathique de burgers bio. Si vous ne mangez pas de ce pain-là, leurs salades sont copieuses.

13. *Franny's*

$10-20 • 348 Flatbush Ave • entre 8th Ave & Sterling Pl • 718-230-0221 • frannysbrooklyn.com

Le pizzaiolo se préoccupe de l'avenir de la planète et, en plus, fait des pizzas aussi bonnes qu'à Naples !

14. *Giuseppina's*

cash only • $20-30 • 691 6th Ave • à l'angle de 20th St • 646-741-4606 • facebook.com/Giuseppinas

La pâte, fine et croustillante, est à tomber et la salle se prête aussi bien aux réservations entre potes qu'aux soirées en tête-à-tête.

15. *Hanco's*

moins de $10 • 350 7th Ave • à l'angle de 10th St • 718-499-8081 • hancosparkslope.com

Une cantine vietnamienne sans prétention, pratique pour déjeuner d'un croustillant banh mi – de la baguette garnie de crudités et de porc mariné.

16. *Hugo & Sons*

$10-20 • 367 7th Ave • à l'angle de 11th St • 718-499-0020 • hugoandsons.com

Ce restau italien, ouvert par un couple du quartier dans une ancienne boucherie des années 1940, est un repaire d'habitués qui viennent entre autres pour les bonnes pâtes fraîches. Le four à pizza est juste derrière, dans l'ancien garage.

17. *JPan Sushi*

$10-20 • 287 5th Ave • entre 1st & 2nd Sts • 718-788-2880 • jpansushibrooklyn.com

Un très bon japonais de quartier.

SORTIR

18. *Barbès*

moins de $10 • 376 9th St • à l'angle de 6th Ave • 347-422-0248 • barbesbrooklyn.com

Ce bar français ne s'appelle pas Barbès pour rien. C'est la Mecque du coin en matière de world music. On peut y écouter de la bonne musique live tous les soirs, boire une bière en compagnie de gens sympathiques qui se mélangent.

19. *Blueprint*

$10-20 • 196 5th Ave • entre Sackett & Union Sts • 718-622-6644 • blueprintbrooklyn.com

Pour les cocktails et la terrasse.

20. *The Gate*

moins de $10 • 321 5th Ave • à l'angle de 3rd St • 718-768-4329 • thegatebrooklyn.com

Un classique du quartier. Pour les bières et la terrasse.

11

FAITES COMME CHEZ EUX

SE CONNECTER

21. *Gather*

341 7th Ave • à l'angle de 10th St • 718-768-2439 • gatherny.com
Leur thé glacé à l'hibiscus et tout ce qu'on y mange donne l'impression de se faire du bien, même greffé à son laptop.

22. *Muse Cafe & Tea*

497 6th Ave • entre 11th & 12th Sts • 718-788-5800 • facebook.com/MuseCafeTea
Smoothies et snacks ultra-frais.

23. *Postmark Market*

326 6th St • entre 5th & 4th Aves • 718-768-2613 • postmarkcafe.tumblr.com
Canapés cossus et scones moelleux.

PAUSES URBAINES

24. *Brownstones*

Vous verrez quelques-uns des plus beaux brownstones* new-yorkais en vous promenant sur 7th, 8th Aves, et Prospect Park West, entre Sterling Pl et 2nd St. Construits fin 19e début 20e, c'est un étonnant mélange des styles néoroman, néoclassique et néorenaissance. Mention spéciale pour la Lillian Ward House (à l'angle sud-est de 7th Ave et de Sterling Pl), pour les maisons situées au 64 et au 66 8th Ave, et au 70 8th Ave, et pour le Montauk Club (à l'angle de 8th Ave et de Lincoln Pl), un palais vénitien gothique reconverti en club privé fréquenté par des trentenaires qui aiment le cigare et les cocktails. Carroll St et Montgomery Pl, entre Prospect Park West et 8th Ave, abritent également deux blocs d'une incroyable richesse architecturale.

25. *Prospect Park*

KIDS • Voir balade p.216

S'AÉRER LES NEURONES

26. *Community Bookstore*

143 7th Ave • entre Garfield Pl & Carroll St • 718-783-3075 • communitybookstore.net
Cette librairie indépendante, la plus ancienne de Brooklyn, a survécu à l'ère d'Amazon. Vous comprendrez pourquoi en poussant la porte.

TAKE CARE

27. *Armory YMCA*

KIDS • 361 15th St • entre 7th & 8th Aves • 212-912-2580 • ymcanyc.org/parkslopearmory
Cette ancienne armurerie de la garde nationale, construite au 19e siècle, est devenue l'un des plus grands complexes sportifs de la ville. C'est l'endroit idéal à New York pour faire du sport (basket et foot en salle, piscine couverte, cours de pilates, etc.) Tarifs très compétitifs (56$ le mois). On doit être membre pour y avoir accès mais on peut imprimer un guest pass en ligne pour venir pour la journée.

28. *Dashing Diva*

183 7th Ave • entre 1st et 2nd Sts • 718-832-2011 • dashingdiva.com
Dans ce cadre girly qui joue la carte du rose, la manucure et la pédicure sont plus chères que dans les autres salons du quartier. Pas seulement parce que les limes sont à usage unique, mais aussi parce que les esthéticiennes sont correctement payées. N'oubliez pas de laisser un bon tip, ça fait partie de leur salaire.

29. *d'mai Urban Spa*

157 5th Ave • proche angle de Lincoln Pl • 718-398-2100 • dmaiurbanspa.com
Faites comme les New-Yorkais, offrez-vous une pause dans ce spa d'inspiration balinaise le temps d'un massage, d'un gommage ou d'un soin du visage.

30. *Venelle Salon & Spa*

62 7th Ave • à l'angle de Lincoln Pl • 718-989-9855 • venellesalonandspa.com
La patronne, lituanienne d'origine, a grandi en même temps que le quartier. Cela fait plus de 25 ans que Ella Auerbakh prend soin de ses clients. Preuve qu'elle a bien compris les attentes de ses habitués, son spa est certifié green.

BUY LOCAL

5th et 7th Ave, entre Flatbush & Prospect Aves, sont les deux principales artères commerçantes du quartier. Voici notre sélection.

31. *4 Play Brooklyn*

360 7th Ave • entre 10th & 11th Sts • 718-369-4086 • facebook.com/4playbk
Un joli bijou fantaisie ou une trousse made in Brooklyn pour (vous) faire plaisir sans vous ruiner.

32. *Beacon's Closet*

92 5th Ave • à l'angle de Warren St • 718-230-1630 • beaconscloset.com
Des kilomètres de rayons de fripes pas chères, de la robe à fleurs seventies à la chemise homme J. Crew. Les invendus sont donnés à des associations.

33. *Brooklyn Superhero Supply Company*

KIDS • 372 5th Ave • entre 5th and 6th Sts • 718-499-9884 • superherosupplies.com

24

25

Parce qu'on s'est tous pris un jour pour un super-héros. Tous les déguisements possibles, enfants et adultes. Derrière la porte secrète, il y a même des ateliers d'écriture gratuits (en anglais, on dit « creative writing », ça fait tout de suite plus ludique) pour aider les enfants à avoir confiance en eux, le meilleur des super-pouvoirs.

34. *Diana Kane*

229 5th Ave • entre President & Carroll Sts • 718 638 6520 • dianakane.com

Une sélection pointue de vêtements féminins, de bijoux et d'accessoires.

35. *DNA Footwear*

220 5th Ave • entre Union & President Sts • 718-398-2692 • dnafootwear.com

Vous êtes certain d'y trouver les sneakers ou les sandales du moment. S'ils n'ont pas votre pointure, demandez-leur de vérifier dans leurs autres magasins.

36. *Eric Shoes*

202 7th Ave • entre 2nd & 3rd Sts • 718-369-4189

Le repaire de celles qui aiment les chaussures : des boots Frye aux sabots Hasbeen en passant par des petites marques italiennes moins connues et de qualité.

37. *Gift Man: Brooklyn Gifts and Souvenirs*

176 5th Ave • entre Degraw & Sackett Sts • 718-499-0721 • giftmangifts.com

Vous trouverez le gadget ou le souvenir de Brooklyn pas idiot à offrir dans cette boutique de souvenirs à la gloire du borough.

38. *Housing Works Thrift Shop*

266 5th Ave • à l'angle de Garfield Pl • 718-636-2271 • housingworks.org

Des vinyles, de la vaisselle, des meubles et des vêtements d'occasion, donnés par les habitants du coin, au profit d'œuvres de charité. Le quartier étant prospère, on peut y faire des trouvailles intéressantes.

39. *Little Things Toy Store*

KIDS • 145 7th Ave • entre Garfield Pl & Carroll St • 718-783-4733 • facebook Little Things Toy Store

Les parents des environs viennent y acheter des jouets éducatifs pour parfaire leur éducation positive.

40. *m.a.e.*

461 7th Ave • entre Windsor Pl & 16th St • 718-788-7070 • maebrooklyn.com

Une super boutique de vintage où dénicher une robe Diane von Furstenberg quasiment neuve au tiers de son prix.

41. *Pink Olive*

167 5th Ave • entre Lincoln & Berkeley Pls • 718-398-2016 • pinkolive.com

Tote bags en tissu, papeterie ou mugs : on y trouve toujours une idée de cadeau.

42. *Sport Prospect*

362 7th Ave • entre 10th & 11th Sts • 718-768-1328

Ce magasin d'articles de sport vend aussi des t-shirts humoristiques sur Brooklyn d'un excellent rapport qualité-prix.

Ellen Lippmann est rabbin. Aux États-Unis, cela n'a rien d'exceptionnel... On en compte plusieurs centaines dans ce pays où le judaïsme libéral (majoritaire) permet aux hommes et aux femmes d'étudier côte à côte dans les écoles talmudiques. La première femme rabbin a été ordonnée en 1972, vingt ans avant la France (qui n'en compte que deux). « Les hommes continuent d'être mieux payés que nous mais globalement, ça progresse », souligne cette femme de 64 ans, le regard bienveillant encadré par des mèches de cheveux poivre et sel.

Ellen est lesbienne et ne s'en cache pas. « Il y a une demi-douzaine de femmes rabbins lesbiennes à Brooklyn. Il y a aussi des rabbins homosexuels et transgenres. À New York, c'est bien plus facile qu'ailleurs aux États-Unis. » Ellen est mariée à une femme qui n'est pas juive, avec laquelle elle a eu une fille.
Si on vous dit qu'elle est également très engagée dans la défense des droits sociaux et qu'elle célèbre shabbat dans une église presbytérienne créée par quatre anciens détenus, vous nous croyez ?

Ellen a beau tout avoir d'un personnage de film, elle est profondément ancrée dans le réel. « Il y a vingt ans, en me promenant dans Prospect Park, j'ai aperçu une pancarte sur la façade de cette église, qui disait "Justice works[1]". Vingt ans plus tard, nous continuons de nous battre pour plus de justice dans le monde. » Après avoir créé une soupe populaire, Ellen Lippmann s'est engagée dans une association de lutte contre la faim. Aujourd'hui, elle agit aux côtés des membres de sa congrégation, pour le moins progressiste.

1. « La justice donne des résultats. »

« Notre première mobilisation était pour les nounous et les employés domestiques, qui sont la plupart du temps des femmes. New York ne peut pas fonctionner sans elles. Elles doivent être déclarées et rémunérées de façon plus juste... » « Y a-t-il une prière pour la désobéissance civile ? », se demande avec malice Ellen. En octobre 2011, mégaphone à la main, elle priait au milieu des manifestants d'Occupy Wall Street. Aujourd'hui, elle fait partie de Fight for 15, qui revendique un salaire horaire minimum de 15$, et le droit de se constituer en syndicat pour les salariés de la restauration rapide. « Au départ, nous n'étions qu'une centaine. Aujourd'hui, nous sommes des milliers ! Le mouvement a touché des dizaines de villes », se réjouit-elle, toujours prête à soutenir les grévistes de McDonald's, mais aussi de la station de lavage de voitures du coin ou de B&H, le grand magasin de matériel électronique de Manhattan. « On se lève à 5 h du matin pour aller manifester. On fait beaucoup de bruit avec des instruments et des casseroles, on arrête la circulation... Notre mouvement fait désormais partie de la vie des New-Yorkais. Ils ont réalisé que certes, leur ville est très riche, mais qu'il y a par ailleurs beaucoup de pauvreté, notamment à Brooklyn. » Ils sont également très engagés dans la défense des droits civiques, en particulier des Afro-Américains. Kolot Chayein (Voices for Our Lives), la congrégation qu'elle a créée en 1993, rassemble aujourd'hui 400 adultes et 300 enfants. « Au début, je n'avais pas envie d'avoir une synagogue. Je trouvais la plupart des célébrations du shabbat ternes et déprimantes. J'ai commencé par organiser des dîners. Ce que je voulais avant tout, c'était construire une communauté ouverte sur le monde. De fil en aiguille, nos rangs ont grossi et c'est devenu une synagogue. Mais nous continuons de prendre le petit-déjeuner ensemble le samedi matin avant l'office et de dîner le vendredi. » Ça ne vous surprendra pas, les membres de sa communauté ne croient pas forcément en Dieu. Mais ils croient en elle.

Si on vous dit qu'elle est également très engagée dans la défense des droits sociaux et qu'elle célèbre shabbat dans une église presbytérienne créée par quatre anciens détenus, vous nous croyez ?

BROOKLYN BRIDGE
MANHATTAN BRIDGE
York St [F]
M
BQE
ATLANTIC AVENUE
01
02
03
04
05
06
07
08
09
10
11
12
13
14
15
300 m
01. John Street Park
02. Empire Fulton Ferry Park
03. Jane's Carrousel
04. Luke's Lobster
11 Water St • 917-882-7516 • lukeslobster.com
05. Brooklyn Ice Cream Factory
Pier 11 • 718-246-3963 • brooklynicecreamfactory.com
06. Brooklyn Bridge Garden Bar
Pier 1 • brooklynbridgegardenbar.com
07. Pier 1
08. Pier 2
09. Pier 5
10. Pier 6
11. Fornino
Pier 6 • 718-422-1107 • forninopizza.com
12. Pier 4
13. Pier 3
14. Citerne d'eau
15. Fresque
→ Informations pratiques :
brooklynbridgepark.org

Brooklyn Bridge Park

Il y a encore quelques années, on se contentait de traverser le Brooklyn Bridge et de repartir directement pour Manhattan. Mais ça, c'était avant la réhabilitation des berges. Maintenant, on y passerait facilement la journée, comme les New-Yorkais.

À quelques blocs de la station de métro High St ou York St (lignes A, C, F), à l'extrémité nord, **JOHN STREET PARK** offre un point de vue unique sur le Manhattan Bridge, le Brooklyn Bridge et la skyline.

Entre les deux ponts, n'espérez pas faire la sieste sur les pelouses de **L'EMPIRE FULTON FERRY PARK.** Le bruit du métro traversant le Manhattan Bridge est bien trop assourdissant. Mais offrez-vous un tour de cheval de bois sur le beau **JANE'S CARROUSEL** enfermé dans son cube de verre.

Sous le Brooklyn Bridge, vous pourrez vous régaler d'un sandwich au homard chez **LUKE'S LOBSTER** ou d'une glace au **BROOKLYN ICE CREAM FACTORY.** Comme tout ça donne soif, la terrasse du **BROOKLYN BRIDGE GARDEN BAR** vous tend les bras s'il fait beau.

Les pelouses du **PIER 1** appellent à la détente. On peut même y voir des films en été, à la tombée de la nuit.

En passant, vous verrez pousser les nouveaux condos* de luxe, triste illustration de la fièvre immobilière new-yorkaise d'aujourd'hui. La suite de la balade s'annonce sportive : sur le **PIER 2,** vous trouverez des terrains de basket-ball, de handball, une piste pour faire du skate et du roller et même des terrains de bocce, la variante italienne de la pétanque ; sur le **PIER 5,** un grand terrain de football où s'entraînent les gamins du coin et des terrains de beach-volley sur le **PIER 6.** Après l'effort, goûtez les excellentes pizzas de **FORNINO** aux beaux jours.

Les moins sportifs préfèreront la minuscule plage de galets du **PIER 4,** les chaises longues du **PIER 3,** ou simplement déambuler au milieu des tables de pique-nique et barbecues pris d'assaut par les familles venues des quartiers populaires.

En face du Pier 5, ne manquez pas **LA CITERNE D'EAU,** si typique des toits new-yorkais, relookée par l'artiste Tom Fruin.

En quittant le parc par son extrémité sud pour rejoindre Atlantic Ave, admirez, sous le BQE (Brooklyn Queens Expressway), **LA FRESQUE** illustrant le passé et le présent de cette avenue.

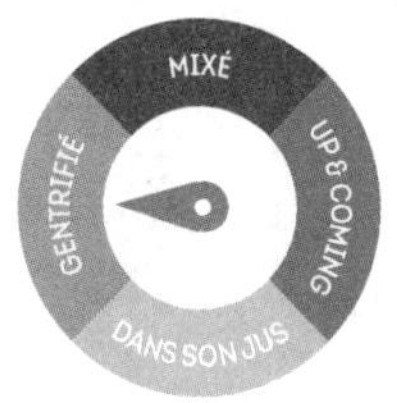

Notting Hill à New York, avec quelques touches de cosmopolitisme.

Vous passerez de Caroll Gardens à Cobble Hill et Boerum Hill sans vous en apercevoir, au fil des boutiques de créateurs et des terrasses de café qui émaillent les rues pimpantes bordées d'arbres, d'immeubles de deux à trois étages et de maisons de brique et de grès du 19e siècle. Une ambiance au cachet londonien. Ici, les commerces ne jurent que par le local, l'organic et le vintage. Et même Atlantic Ave, à l'ambiance longtemps Far West avec son centre de rétention et ses stations-services, a fini par se mettre au design et aux bars à vin.

Ce n'est pas dans ces quartiers résidentiels où la moitié des maisons se vendent plus de 3 millions de dollars que vous viendrez chercher la diversité. Ça n'en reste pas moins un coin où il fait bon se balader. Et comme on est à New York, il y a toujours un petit morceau du monde au barber shop ou au deli* du coin. À Carroll Gardens, ce sont surtout des mammas napolitaines que l'on trouve dans les commerces de proximité, réminiscences de la forte immigration italienne jusque dans les années 1950. Et puis des petits bouts de Moyen-Orient à Cobble Hill, sur Atlantic Ave entre Court et Hicks Sts, dans les restaurants et les échoppes tenus par les descendants des premiers immigrés syriens et libanais, arrivés à la fin du 19e siècle, et plus récemment par des Palestiniens ou Yéménites. Pas mal de Français aussi, dont les enfants fréquentent l'International School of Brooklyn, l'une des écoles bilingues prisées du quartier.

Smith St, autour des stations de métro Bergen St et Carroll St, a été la première artère à se boboïser à partir des années 1990. Henry St et Court St ont suivi, puis les rues adjacentes, devenues des repaires de bohemian pioneers. Aujourd'hui, c'est le royaume des poussettes. « Le quartier est passé de la gentrification à la babyfication ! », ironise un habitant de longue date. C'est aussi le règne des laisses ! Devant les devantures, des écuelles d'eau attendent les chiens chalands. Et à écouter les parents et les maîtres croisés sur les trottoirs, il n'est pas toujours évident, quand ils s'écrient d'une voix déchirante « He's so cute[1] ! », de savoir s'ils sont en train de parler du nouveau-né endormi dans sa poussette UPPAbaby (qui est en passe de ringardiser la Bugaboo au palmarès new-yorkais des poussettes) ou du chien qui porte des chaussons pour ne pas se brûler sur le bitume. Finalement, dans son genre, le coin est assez exotique.

1. « Il est tellement mignon ! »

B PLAN 1

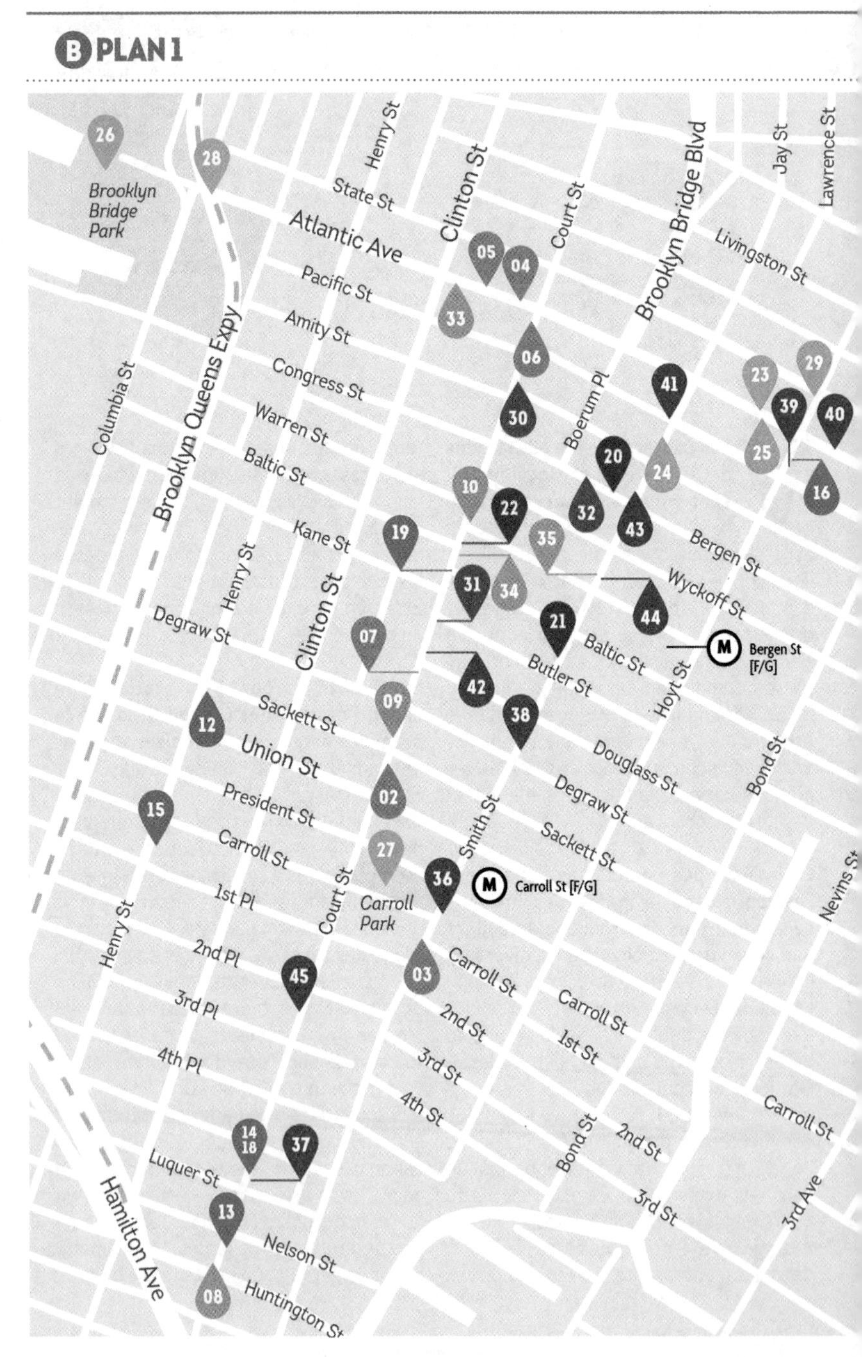

Brooklyn Bridge Park
Brooklyn Queens Expy
Henry St
State St
Atlantic Ave
Clinton St
Court St
Brooklyn Bridge Blvd
Jay St
Lawrence St
Livingston St
Pacific St
Amity St
Congress St
Warren St
Baltic St
Columbia St
Boerum Pl
Kane St
Bergen St
Wyckoff St
Baltic St
Butler St
Hoyt St
Bergen St [F/G]
Degraw St
Sackett St
Union St
Douglass St
Degraw St
Sackett St
Bond St
President St
Carroll St
Smith St
Carroll St [F/G]
1st Pl
Court St
Carroll Park
Nevins St
Henry St
2nd Pl
Carroll St
Carroll St
3rd Pl
2nd St
1st St
4th Pl
3rd St
4th St
Carroll St
Bond St
2nd St
Luquer St
3rd St
3rd Ave
Hamilton Ave
Nelson St
Huntington St

BOERUM HILL + COBBLE HILL + CARROLL GARDENS

On-the-Go

ACCÉDER

MÉTRO

Bergen St, Carroll St Atlantic Ave - Barclays Center (lignes A, B, C, D, F, G, N, R, Q).

CIRCULER

À PIED

Agréable.

À VÉLO

Plat et bon état du bitume.

LOUER

COURT CYCLES

514 Court St • Brooklyn • 718-797-0326

CITI BIKE

Disponible.

LES COURSES

01. *Betty Bakery*

448 Atlantic Ave • entre Bond & Nevins Sts • Boerum Hill • 718-246-2402 • bettybakery.com

Si l'envie vous prend d'un bon cupcake.

02. *Caputo's Bake Shop*

329 Court St • entre Sackett & Union Sts • Carroll Gardens • 718-875-6871

Une boulangerie familiale italienne qui, depuis 1904, fournit les habitants du quartier en ciabattas et autres miches croustillantes. Le lard bread est à goûter absolument.

03. *Carroll Gardens Greenmarket*

Carroll St • entre Smith & Court Sts • Caroll Gardens • grownyc.org

Marché de producteurs locaux tous les dimanches.

04. *Damascus Bread & Pastry Shop*

195 Atlantic Ave • entre Clinton & Court Sts • Cobble Hill • 718-625-7070 • damascusbakery.com

On y vient pour leur pita, on en ressort avec des baklavas et toutes sortes de pâtisseries orientales dégoulinantes de miel en se disant que ça ne peut pas faire de mal puisqu'il n'y a que des bonnes choses dedans !

05. *Sahadi's*

187 Atlantic Ave • entre Clinton & Court Sts • Cobble Hill • 718-624-4550 • sahadis.com

Cette épicerie orientale, à la frontière de Cobble Hill et de Brooklyn Heights, est une caverne dans laquelle on s'enfonce, depuis des décennies, pour faire provision de café, d'olives, d'épices, de toutes sortes de spécialités du Moyen-Orient et de produits importés d'Europe, moins chers qu'ailleurs. Bon endroit pour acheter les mezzés du pique-nique.

06. *Trader Joe's*

130 Court St • entre Atlantic Ave & Pacific St • Cobble Hill • 718-246-8460 • traderjoes.com

Sans doute le meilleur rapport qualité/prix du coin. Et en plus, cette chaîne de supermarchés californienne paie ses salariés au-dessus du minimum syndical.

07. *Union Market*

288 Court St • entre Douglass & Degraw Sts • Caroll Gardens • 718-709-5100 • unionmarket.com

Une épicerie fine appétissante où vous trouverez tout ce qu'il faut pour un petit-déjeuner ou un pique-nique sans OGM ni hormones ni gluten, bref, responsable.

PETIT DÉJEUNER

08. *Buttermilk Channel*

524 Court St • entre Nelson & Huntington Sts • Carroll Gardens • 718-852-8490 • buttermilkchannelnyc.com

Les classiques de l'american bistro pour le brunch du week-end : french toasts, pancakes, bacon, gaufres au cheddar... On se sent malgré tout (presque) léger en sortant !

09. *Cobble Hill Coffee Shop*

KIDS • 314 Court St • entre Degraw & Sackett Sts • Carroll Gardens • 718-852-1162

Ce diner* à l'ancienne, avec free refill* d'un bon vieux café américain est réconfortant. Avant tout pour l'ambiance.

10. *Marquet Patisserie*

221 Court St • à l'angle de Warren St • Cobble Hill • 718-855-1289

Les croissants et autres madeleines françaises vous manquent ? Filez chez Lynn et Jean-Pierre Marquet, qui ont été parmi les premiers, à la fin des années 1980, à parier sur la renaissance du quartier, alors squatté par les sans-abris et les dealers.

MANGER

11. *Bedouin Tent*

$5-10 • 405 Atlantic Ave • proche angle de Bond St • Boerum Hill • 718-852-5555

Cette petite cantine du Moyen-Orient est aussi accueillante que son nom le laisse penser. Essayez la Veggie Pitza.

12. *Brooklyn Farmacy & Soda Fountain*

KIDS • **$5-10** • 513 Henry St • à l'angle de Henry & Sackett Sts • Cobble Hill • 718-522-6260 • brooklynfarmacyandsodafountain.com

Un ancien apothicaire reconverti en glacier rétro régressif où vous pouvez commander un sundae ou un milkshake onctueux.

13. *Court Street Grocers*

$10-20 • 485 Court St • entre Nelson & Huntington Sts • Carroll Gardens • 718-722-7229 • courtstreetgrocers.com

Snobez les produits branchés à l'entrée et allez vous prendre un bon sandwich au fond de la boutique.

14. *Frankies Spuntino*

$10-20 • 457 Court St • entre 4th Pl & Luquer St • Carroll Gardens • 718-403-0033 • frankiesspuntino.com

Dans leur cuisine ouverte, les deux Frank mitonnent une cuisine simple et savoureuse. Ah, leurs pâtes fraîches et leurs sandwichs aux meatballs !

15. *Lucali*

BYOB* • cash only • $20-30 • 575 Henry St • entre Carroll St & 1st Pl • Carroll Gardens • 718-858-4086 • lucali.com

Oui, Jay-Z et Beyoncé ont dîné là, David Beckham aussi, mais ce n'est évidemment pas pour ça qu'on vous recommande cette pizzeria. Mark Iacono, le propriétaire, a grandi dans le quartier, élevé dans une famille italienne catholique dont New York a le secret. C'est pour sauver de la destruction le magasin où il allait acheter ses bonbons gamin, qu'il a décidé de devenir pizzaiolo. Sa recette secrète ? Retrouver le goût et la texture de la pizza qu'il mangeait enfant. Et en plus, son restaurant a tout du décor d'une comédie romantique.

16. *Mile End*

$20-30 • 97A Hoyt St • entre Atlantic Ave & Pacific St • Boerum Hill • 718-852-7510 • mileendbrooklyn.com

Salami, viande fumée, pastrami... les classiques du delicatessen* revisités par le Québec, dans un ancien garage ! Très bien pour un déjeuner sur le pouce, même si les prix ne sont pas mini.

17. *M.O.B.*

$10-20 • 525 Atlantic Ave • entre 4th & 3rd Aves • Boerum Hill • 718-797-2555 • mob-usa.com

Le repaire des foodies végétariens.

18. *Prime Meats*

$20-30 • 465 Court St • entre 4th Pl & Luquer St • Carroll Gardens • 718-254-0327 • frankspm.com

Si vous voulez vous faire plaisir avec une excellente viande rouge, ça vaut le coup de faire la queue et de casser – un peu – votre tirelire.

19. *Sam's Restaurant*

$10-20 • 238 Court St • à l'angle de Baltic St • Cobble Hill • 718-596-3458

Cette cantine italienne, restée dans son jus des années 1930, est une institution où l'on vient autant pour l'ambiance old-school que pour les bonnes plâtrées mitonnées en famille depuis plus de 80 ans.

SORTIR

20. *61 Local*

$7 • 61 Bergen St • entre Boerum Pl & Smith St • Cobble Hill • 718-875-1150 • 61local.com

Un bel espace pour déguster des bières locales.

16

45

FAITES COMME CHEZ EUX

21. *Clover Club*

$7-15 • 210 Smith St • entre Butler & Baltic Sts • Cobble Hill • 718-855-7939 • cloverclubny.com

Les cocktails de Julie Reiner sont exquis et le cadre est cosy. Quand l'hiver vient, on les sirote le soir au coin du feu. Bien aussi pour le brunch.

22. *June*

$5-15 • 231 Court St • entre Baltic & Warren Sts • Cobble Hill • 917-909-0434 • junebk.com

Ce bar, spécialisé dans les vins naturels français, ne se la raconte pas. Le patio est charmant.

SE CONNECTER

23. *Absolute Coffee*

327 Atlantic Ave • entre Hoyt & Smith Sts • Boerum Hill • 718-522-0969 • facebook.com/absolutecoffee

On y vient pour les usual suspects - café glacé, cappuccino* au lait d'amande ou latte* - en étant connecté avec le reste du monde.

24. *Bien Cuit*

120 Smith St • entre Dean & Pacific Sts • Boerum Hill, Cobble Hill • 718-852-0200 • biencuit.com

Pour les amateurs de bonnes miches.

25. *Clover's Fine Art Gallery*

338 Atlantic Ave • entre Hoyt & Smith Sts • Boerum Hill • 718-625-2121 • cloversfineart.com

Dans le coffee-shop de cette galerie d'art, vous pouvez répondre à vos emails en écoutant de la musique classique et en découvrant une expo.

PAUSES URBAINES

26. *Brooklyn Bridge Park*

KIDS • au bout d'Atlantic Ave • brooklynbridgepark.org

L'un de nos parcs préférés. Vue incroyable sur la skyline de Manhattan. On y croise aussi bien des bobos, Crocs aux pieds et dernier t-shirt à la mode, que des familles juives hassidiques dont les petites filles ne quittent jamais leurs collants épais et dont les parents parlent dix langues dont le français, le russe et le roumain. (Voir balade p.138)

27. *Carroll Park*

KIDS • Carroll Gardens • carrollparkbrooklyn.org

Un square fréquenté par les grands qui aiment dunker et dont les jeux sont pris d'assaut par les gamins du quartier.

28. *Fresque murale*

au bout de Atlantic Ave, sous le BQE.

Grâce à cette fresque murale colorée, même le passage sous le BQE - l'autoroute qui relie Brooklyn à Queens - n'est plus glauque !

29. *Hoyt Street Garden*

100 Hoyt St • à l'angle d' Atlantic Ave • Boerum Hill

Ravissant jardin partagé de poche.

S'AÉRER LES NEURONES

30. *Book Court*

163 Court St • entre Pacific & Dean Sts • Cobble Hill • 718-875-3677 • bookcourt.com

L'une des meilleures librairies indépendantes de New York.

31. *Cobble Hill Cinemas*

265 Court St • à l'angle de Butler St • Cobble Hill • 718-596-9113 • cobblehilltheatre.com

Cinéma d'art et essai des années 1960 avec tout le confort moderne.

32. *The Invisible Dog*

KIDS • 51 Bergen St • entre Boerum Pl & Smith St • Cobble Hill • 347-560-3641 • theinvisibledog.org

Une ancienne usine de colliers et de laisses rigides pour chiens imaginaires (sic) reconvertie en lieu culturel de 3 000 mètres carrés. Rien de SM donc ! On vient pour un spectacle, une expo, ou simplement pour se (re)poser. Chouettes ateliers récréatifs pour les enfants.

TAKE CARE

33. *L L Nail and Spa*

160 Atlantic Ave • entre Clinton & Court Sts • Cobble Hill • 718-246-1988

C'est propre et d'un bon rapport qualité-prix. 32$ la mani-pedi, alors lâchez-vous sur le tip !

34. *Pau Hana*

235 Court St • entre Warren & Baltic Sts • Cobble Hill • 347-223-4224

Avec son décor hawaïen, ce nail salon indépendant est une bonne alternative aux chaînes impersonnelles.

35. *Smith Street Barber Shop*

178 Smith St • entre Wyckoff & Warren Sts • Cobble Hill • 718-858-5470

Authentique barbier de la vieille école. On n'est pas là pour frimer.

BUY LOCAL

36. *Area Kids*

KIDS • 331 Smith St • entre Carroll & President Sts • Carroll Gardens • 718-624-2411 • areakids.com

Une mini-chaîne locale de vêtements et de jouets pour les mômes où vous êtes certain de trouver la gourde écolo rigolote ou le t-shirt graphique sympa.

37. *Black Gold Records*

461 Court St • proche angle Luquer St • 347-227-8227 • blackgoldbrooklyn.com

Difficile de décrire cette boutique aux airs de cabinet de curiosités où l'on peut aussi bien acheter des vinyles que des papillons épinglés, et se prendre un café.

38. *By Brooklyn*

261 Smith St • à l'angle de Degraw St • Carroll Gardens • 718-643-0606 • bybrooklyn.com

Du t-shirt graphique au pendentif Water Tower, des idées de cadeaux made in Brooklyn.

39. *GRDN Brooklyn*

103 Hoyt St • proche angle Pacific St • Boerum Hill • 718-797-3628 • grdnbklyn.com

Ce fleuriste compose des bouquets champêtres et raffinés comme on les aime. Pas forcément bon marché, mais, à New York, les fleurs qui ne ressemblent pas à des marguerites teintes sont rarement données.

40. *Horseman Antiques*

351 Atlantic Ave • à l'angle de Hoyt St • Boerum Hill • 718-596-1048 • horsemanantiques.net

Au siècle dernier, une trentaine d'antiquaires avaient pignon sur Atlantic Ave. Ils ne sont qu'une poignée à avoir survécu, essentiellement entre Hoyt et Bond Sts, dont Horseman Antiques. Du broc et du vintage sur cinq étages. Belle collection de miroirs anciens.

41. *Paper Source*

102 Smith St • entre Atlantic Ave & Pacific St • Cobble Hill • 718-858-4524 • papersource.com

Vous risquez d'avoir envie de beaucoup de choses dans cette papeterie.

42. *Pizzazzz Toyz*

KIDS • 281 Court St • à l'angle de Douglass St • Cobble Hill • 718-596-4744 • pizzazzz.com

Un petit magasin rempli du sol au plafond des derniers gadgets à la mode dans la cour de récré comme de jouets en bois qui plaisent aux parents.

43. *Something Else*

144 Smith St • entre Dean & Bergen Sts • Boerum Hill • 718-643-3204

Une bonne sélection de jeans et de t-shirts humoristiques sur New York. Le tout à des prix compétitifs.

44. *Soula Shoes*

185 Smith St • à l'angle de Warren St • Boerum Hill • 718-834-8423 • soulashoes.com

Des chaussures branchées pour toute la famille.

45. *Yesterday's News*

428 Court St • à l'angle de 2nd Pl • Carroll Gardens • 718-875-0546 • yesterdaysnews.biz

Une brocante tenue par un passionné, où l'on fait toujours de bonnes affaires vintage, du casier à bouteilles au globe en passant par des meubles des années 1950-1960.

79
79

RED HOOK

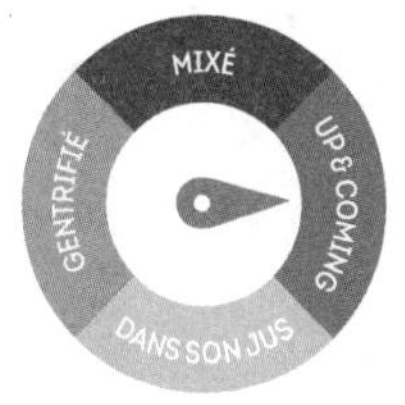

Des pavés défoncés où poussent les tournesols, un paysage industriel qui se réinvente.

BROOKLYN

L'absence de métro a longtemps préservé des foules cet ancien port industriel coincé entre l'eau et une autoroute suspendue. Un peu compliqué d'accès, mais c'est ce qui fait son charme. Et puis, Red Hook vaut bien une expédition. Si vous arrivez par la mer, en water taxi, vous en prendrez tout de suite plein la vue, saisi par le charme rugueux du vieux Brooklyn avec ses anciens docks, ses incroyables entrepôts de briques rouges datant de la guerre de Sécession, ses herbes folles et ses pavés défoncés. Si vous arrivez par la terre, il vous faudra passer sous l'autoroute congestionnée qui relie Brooklyn à Queens en vous faufilant entre les pylônes et les énormes camions Mack que l'on imagine échappés de *Duel* de Spielberg. De l'autre côté, c'est un mélange détonnant de déglingue industrielle et de bohème, d'immenses espaces vides et de lieux pointus. Un quartier où la brise de l'océan souffle sur les poteaux déracinés. Sur Van Brunt St, l'artère principale qui mène à la rivière, quelques boutiques de designers et une poignée de bars et de restaurants branchés côtoient, à quelques blocs de là, des parkings à ciel ouvert de school buses jaunes, une immense ferme urbaine où les enfants viennent ramasser leurs citrouilles de bitume pour Halloween, et un magasin Ikea, ouvert - non sans polémique - en 2008. Un décor urbain de cinéma avec, depuis la jetée du Valentino Pier Park, l'une des plus belles vues sur la statue de la Liberté.

Dépêchez-vous d'en profiter avant que le quartier ne se dilue, sinon dans les ouragans (le coin, en zone inondable, a eu du mal à se remettre du passage de Sandy en 2012), en tout cas dans les appétits voraces des promoteurs. Ex-terrain de jeux d'Al Capone, Red Hook est passé du statut de « quartier le plus mal famé des États-Unis » dans les années 1980 à celui de « quartier cool où poussent les appartements de luxe avec jardin et écran de cinéma sur le toit ». Du moins la partie ouest, proche de l'eau. Car une bonne partie du quartier, plus au centre, vers Columbia St, reste très populaire avec des milliers de logements sociaux, les projects*, où il n'est pas forcément utile de traîner tard le soir.

En 2005, les habitants de l'époque (des anciens dockers d'origine irlandaise ou italienne, des employés, des familles défavorisées, quelques artistes) apprenaient avec stupeur qu'une maison s'était vendue plus d'un million de dollars. Un an plus tard, Fairway, le supermarché des gourmets de

Manhattan, ouvrait ses portes, alimentant les conversations des habitués chez Sunny's, où il faut absolument aller boire un verre pour comprendre ce qui fait encore l'esprit de Red Hook.

Red Hook n'est pas seulement un quartier où déambuler hors cadre. C'est avant tout une communauté : les restaurants et les bars s'approvisionnent auprès des potagers et des distilleries locales et les habitants se serrent les coudes quand les coups durs surgissent (et, comme vous l'avez compris, ils ne sont pas rares). Les projets immobiliers comme le New York Dock Building, un immense entrepôt de tabac et de coton du début du 20e siècle reconverti en appartements de standing, et la construction de maisons sur les friches industrielles de King et Sullivan Sts auront-ils raison de cet équilibre si précieux ? Aujourd'hui, on peut encore profiter du vent de liberté qui souffle sur ce village un peu raboteux et alternatif. Et on croise les doigts pour que ça dure.

C'est un mélange détonnant de déglingue industrielle et de bohème.

On-the-Go

ACCÉDER

BUS

B61 (arrêt Van Dyke St - Van Brunt)
B57 (arrêt Dwight St/ Dykeman St & Beard St/ Otsego St)

MÉTRO

1re station (Smith-9th St) à 20 mn de marche.

WATER TAXI

Départ depuis Manhattan Pier 79 ou Pier 11. Descendre à Red Hook Dock Van Brunt St ou Ikea Dock. Infos pratiques et horaires sur nywatertaxi.com

CIRCULER

À PIED

Agréable.

À VÉLO

Attention aux pavés. Citi bike disponible.

LOUER

THE BIKE SHOP

Carroll Gardens
514 Court St • entre Nelson & Huntington Sts • 718-797-0326

LES COURSES

01. *Dry Dock Wine & Spirits*

424 Van Brunt St • entre Beard & Van Dyke Sts • 718-852-3625 • drydockny.com

Longtemps, Red Hook n'a eu qu'un seul liquor store, dont la vitrine était blindée ! Les temps changent... Belle sélection, de vins locaux. Dégustations gratuites le week-end.

02. *Fairway Market*

480-500 Van Brunt St • à l'angle de Reed St • 718-254-0923 • fairwaymarket.com

Le vrai secret de ce supermarché très bien achalandé, notamment en bio, c'est la terrasse de sa cafétéria, au bord de l'eau, avec vue sur la statue de la Liberté, où viennent (petit)-déjeuner les habitants et les employés du coin, à commencer par les pompiers.

03. *Red Hook Community Farm*

580 Columbia St • entre Sigourney & Halleck Sts • added-value.org/farmers-market • marché tous les samedis de juin à novembre • 10h-15h

Au départ, l'idée d'acheter des légumes qui ont poussé sur du bitume en face d'un magasin Ikea, ça surprend, mais très vite, on se dit que ça fait partie du charme local. C'est bon pour la planète et pour les gamins défavorisés du quartier qui viennent, dans cette ferme urbaine, apprendre les mains dans la terre que les tomates ne poussent pas dans les boîtes de conserve.

04. *Steve's Authentic Key Lime Pie*

Pier 40, 185 Van Dyke St • proche angle Barnell St • 888-450-5463 • stevesauthentic.com

Steve est parfois bourru mais ses légendaires tartes au citron vert, best in the world évidemment, méritent qu'on essaie de le dérider. Sa lemonade maison est à se damner en été.

PETIT DÉJEUNER

05. *Baked*

359 Van Brunt St • proche angle Dikeman St • 718-222-0345 • bakednyc.com

On en connaît qui traversent New York pour les brownies ou les salted caramel bars de cette pâtisserie american style.

MANGER

06. *Defonte's Sandwich Shop*

$10-20 • 379 Columbia St • entre Luquer & Nelson Sts • 718-625-8052 • defontesofbrooklyn.com

Cette sandwicherie, la plus vieille cantine du quartier, est d'abord une histoire de famille. Depuis que Nick, le grand-père italien qui travaillait sur les docks, l'a achetée en 1922, trois générations de Defonte se sont succédées derrière le comptoir. La sirène des usines qui annonçait la pause-déjeuner des ouvriers ne résonne plus depuis longtemps, mais le lieu est toujours aussi fréquenté par les familles et les travailleurs

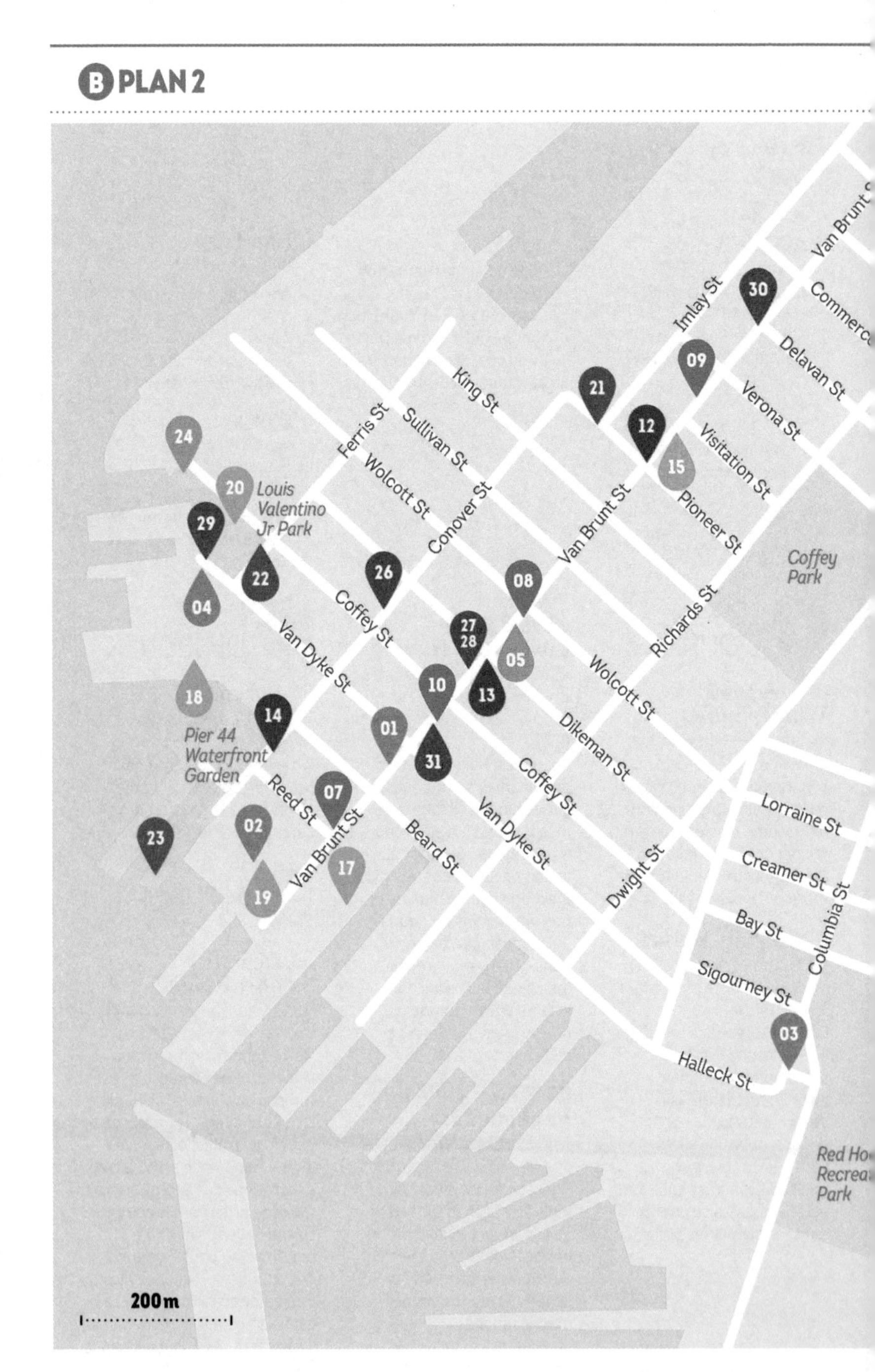
B PLAN 2
Louis Valentino Jr Park
Pier 44 Waterfront Garden
Coffey Park
Red Ho
Recrea
Park
Van Brunt St
Imlay St
Commerce
Delavan St
Verona St
Visitation St
Pioneer St
Richards St
King St
Sullivan St
Ferris St
Wolcott St
Conover St
Coffey St
Van Dyke St
Dikeman St
Reed St
Beard St
Dwight St
Lorraine St
Creamer St
Bay St
Columbia St
Sigourney St
Halleck St
200 m
01
02
03
04
05
07
08
09
10
12
13
14
15
17
18
19
20
21
22
23
24
26
27
28
29
30
31

RED HOOK

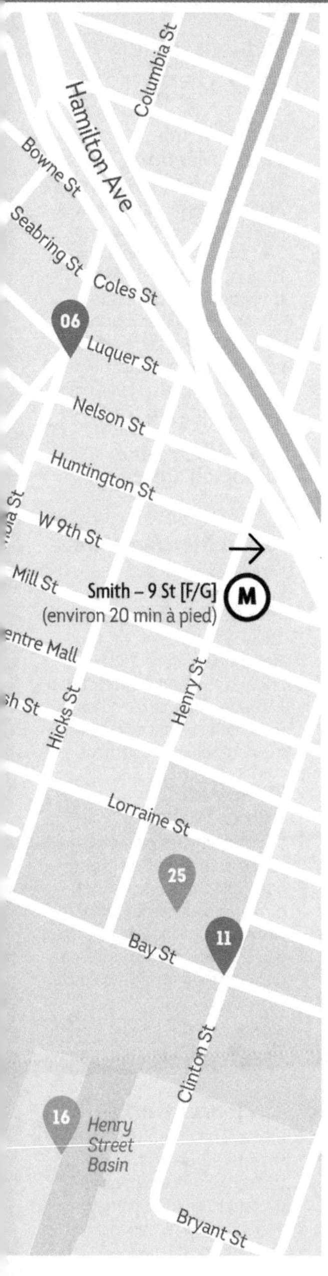

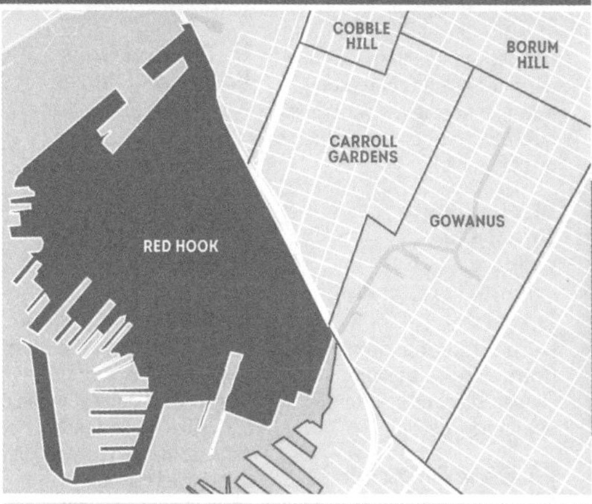

LES COURSES

01. Dry Dock Wine & Spirits
02. Fairway Market
03. Red Hook Community Farm
04. Steve's Authentic Key Lime Pie

PETIT DÉJEUNER

05. Baked

MANGER

06. Defonte's Sandwich Shop
07. Hometown Bar-B-Que
08. Hope & Anchor
09. Red Hook Lobster Pound
10. The Good Fork
11. The Red Hook Ballfields Trucks

SORTIR

12. Bait & Tackle
13. Fort Defiance
14. Sunny's

SE CONNECTER

15. The Black Flamingo

PAUSES URBAINES

16. Red Hook Grain Terminal
17. The Beard and Robinson Stores
18. The Merchant Stores
19. The Red Hook Stores
20. Valentino St. Pier Park

S'AÉRER LES NEURONES

21. Pioneer Works
22. Red Hook Flicks
23. Waterfront Museum Barge

TAKE CARE

24. Red Hook Boaters
25. Red Hook Swimming Pool

BUY LOCAL

26. Cacao Prieto/ Widow Jane/Botanica
27. Foxy & Winston
28. Kempton & Co.
29. She Weld
30. Tribe Bicycle Co.
31. Wooden Sleepers

du coin. Les sandwichs, servis dans un hero, un pain oblong italien, sont tellement énormes qu'on peut les acheter par tiers ou par moitié !

07. *Hometown Bar-B-Que*

$10-20 • 454 Van Brunt St (entrée sur Reed St) • 347-294-4644 • hometownbarbque.com

Des travers de bœuf fondants (entre autres) à savourer sur des tables en bois dans une immense salle.

08. *Hope & Anchor*

$10-20 • 347 Van Brunt St • entre Sullivan & Wolcott Sts • 718-237-0276 • hopeandanchorredhook.com

On vous le recommande, pas tant pour ce qu'il y a dans votre assiette (burgers et classiques d'un diner* légèrement revisités) que pour l'ambiance queer du vendredi et du samedi soirs, quand les clients se lâchent au micro d'un karaoke animé par une drag-queen.

09. *Red Hook Lobster Pound*

$10-20 • 284 Van Brunt St • entre Verona & Visitation Sts • 718-858-7650 • redhooklobster.com

Vous êtes plutôt Maine style ou Connecticut style ? Mayo ou sauce beurre citronné ? Pour le lobster roll (la version homard grillé du hot-dog), comme pour le reste, dans la vie, il y a deux écoles.

10. *The Good Fork*

$20-30 • 391 Van Brunt St • entre Dikeman & Van Dyke Sts • 718-643-6636 • goodfork.com

LE gastro du coin. Tendance américain inventif parsemé de subtiles influences coréennes. Le jardin est on ne peut plus romantique.

11. *The Red Hook Ballfields Trucks*

$5-15 • à l'angle de Clinton & Bay Sts • redhookfoodvendors.com

Voir coup de cœur p.156

SORTIR

12. *Bait & Tackle*

$5-10 • 320 Van Brunt St • à l'angle de Pioneer St • 718-451-4665 • redhookbaitandtackle.com

Une sorte de cabinet marin de curiosités où descendre une pinte de bière en compagnie de drôles d'oiseaux. Dépaysement garanti.

13. *Fort Defiance*

$5-15 • 365 Van Brunt St • à l'angle de Dikeman St • 347-453-6672 • fortdefiancebrooklyn.com

On y vient (pas que) pour les cocktails, délicieux et pas hors de prix, signés St. John Frizell, le propriétaire, un écrivain bartender formé par Audrey Sanders, la star des mixologistes new-yorkaises.

14. *Sunny's*

cash only • $5-10 • 253 Conover St • entre Beard & Reed Sts • 718-625-8211 • sunnysredhook.com

Un rade de quartier comme on les aime, à deux blocs et quelques rails (fantômes) de l'eau. Sunny, dont l'arrière-grand père avait ouvert ce bar en 1890, a récemment disparu mais les habitués viennent boire un coup en écoutant du bluegrass le samedi soir à partir de 21h.

SE CONNECTER

15. *The Black Flamingo*

281 Van Brunt St • entre Pioneer St & Visitation Pl

Un café Art déco où boire un bon espresso et grignoter un scone en surfant sur le Net.

PAUSES URBAINES

16. *Red Hook Grain Terminal*

depuis le parc, entre 650 & 700 Columbia St •

Alors que les chantiers navals de Red Hook ont fait place à Ikea et que la Domino Sugar Factory est en train d'être transformée en complexe immobilier à Williamsburg, que va devenir ce gigantesque silo, vestige du passé industriel de Red Hook (fermé au public mais que l'on peut admirer de loin) ?

17. *The Beard and Robinson Stores*

499 Van Brunt St

18. *The Merchant Stores*

175 Van Dyke St

19. *The Red Hook Stores*

480-500 Van Brunt St

Magnifiques bâtiments de briques rouges datant de la fin du 19e siècle. Féerique quand leurs façades se teintent de la lumière mordorée du soleil couchant.

20. *Valentino Jr Pier & Park*

à l'angle de Coffey & Ferris Sts

Le seul endroit de New York (à part Governors Island l'été) où vous pouvez regarder Miss Liberty droit dans les yeux. On y pêche, on y fait du canoë, ou on lézarde sur la petite pelouse.

S'AÉRER LES NEURONES

21. *Pioneer Works*

159 Pioneer St • entre Imlay & Conover Sts • 718-596-3001 • pioneerworks.org

Un lieu culturel éclectique à découvrir. Ne ratez pas leurs événements live, chaque 2e dimanche du mois.

22. *Red Hook Flicks*

Valentino Jr Pier • à l'angle de Coffey & Ferris St • redhookflicks.com

En été, des classiques du cinéma sont projetés en plein air, au bord de l'eau, sous le regard bienveillant d'une star internationale du cinéma, la statue de la Liberté. Alcool interdit mais chiens bien élevés bienvenus (This is NY !).

23. *Waterfront Museum Barge*

KIDS • 290 Conover St • à l'angle de Reed St • 718-624-4719 • waterfrontmuseum.org

Superbe péniche de bois vieille de plus d'un siècle. Ce vestige de l'activité industrielle du quartier a été transformé en musée. On y vient pour une exposition sur l'aménagement des fronts de mer de New York, ou pour un spectacle de jazz ou de cirque !

24. *Red Hook Boaters*

Valentino Jr Pier • au bout de Coffey St • redhookboaters.org • de mai à septembre

Un tour en kayak pour vous faire les biceps ? Il suffit de s'inscrire sur le tableau en arrivant (premiers arrivés, premiers servis). Des bénévoles de l'association Red Hook Boaters vous équipent et vous encadrent pour une virée géniale et gratuite dans la baie de New York, de mai à septembre.

25. *Red Hook Swimming Pool*

KIDS • 155 Bay St • entre Henry & Clinton Sts • 718-722-3211 • nycgovparks.org/highlights/places-to-go/pools • de mai à septembre

Même s'il y a du monde, vous serez au large dans cette gigantesque piscine découverte de 100 mètres sur 40 qui peut contenir 3 000 personnes ! L'entrée est gratuite mais les règles d'accès sont strictes (et, comme toujours aux États-Unis, ne cherchez pas à les contourner). Cadenas à code (pour votre vestiaire) obligatoire et dress code à respecter (voir page 441).

26. *Cacao Prieto/ Widow Jane/Botanica*

218 Conover St • proche angle Coffey St • 347-225-0130 • widowjane.com/cacaoprieto.com

Voici un coin de rue qui ravira les épicuriens. Dans cet espace industriel récemment rénové, vous pouvez visiter à la fois la fabrique de chocolat Cacao Prieto et la distillerie de whisky Widow Jane. Curiosité de l'endroit : les poules sauvages qui se baladent en liberté dans un joli jardin intérieur. Posez-vous ensuite sur la terrasse de Botanica, le bar voisin, pour siroter un cocktail et profiter du calme.

27. *Foxy & Winston*

392 Van Brunt St • entre Dikeman & Coffey Sts • 718-928-4855 • foxyandwinston.com

Dans cette papeterie, il y a des cartes pour presque toutes les occasions de la vie, comme aiment en envoyer les Américains, même à l'ère des emails. Et aussi des bonnes idées de cadeaux.

28. *Kempton & Co.*

392 Van Brunt St • 718-596-2225 • kemptonandco.com

C'est l'histoire d'une english girl in Brooklyn qui dessine et fabrique des cabas dans son atelier. Hélas, pas à la portée de toutes les bourses. Mais c'est beau, alors on vous suggère de passer une tête.

29. *She Weld*

10B, 106 Ferris St • entrée par Van Dyke St en face de Key Lime • 917-482-4721 • she-weld.com

Marsha Trattner aime créer des moules à tarte originaux, des coupes et des luminaires. Vous aimerez participer à ses ateliers pour apprendre à forger et à souder.

30. *Tribe Bicycle Co.*

254 Van Brunt St • à l'angle de Delavan St • 844 672-0637 • tribebicycles.com

Même si vous n'êtes pas hipster, vous trouverez forcément pédale à votre pied.

31. *Wooden Sleepers*

395 Van Brunt St • entre Van Dyke & Coffey Sts • 718-643-0802 • wooden-sleepers.com

Friperie spécialisée dans les vêtements vintage pour hommes. Pas forcément donné mais c'est un joli plongeon dans l'histoire ouvrière, militaire ou universitaire des États-Unis.

MANGER

11. *The Red Hook Ballfields Trucks*

$3-12 • au coin de Clinton & Bay Sts • redhookfoodvendors.com • samedi & dimanche, 10h › tombée de la nuit • de fin avril à mi-octobre

Même si vous n'êtes pas très foot, vous allez adorer venir manger de la nourriture d'Amérique Latine, populaire et familiale, autour de ce stade où se disputent, tous les dimanches, des matchs acharnés entre les équipes locales, originaires du Guatemala, de Colombie ou encore du Salvador. Enchiladas*, pupusas, chicharrónes (gâteaux de maïs fourrés) faits maison, arrosés d'une agua fresca à la mangue ou la pastèque : ça fait plus de 30 ans que les vendeurs ambulants régalent le public. Vous verrez qu'après avoir goûté à cette délicieuse nourriture, vous serez vous aussi au bord du terrain, en train de hurler, tel un journaliste sportif sud-américain, « goooaaaaaaal ! » à chaque but marqué. Une bonne façon de vérifier que l'espagnol est en passe de devenir la première langue parlée à New York.

John Doe[1], appelez-moi John Doe ! Vous savez, on a tous en nous quelque chose de Monsieur Tout-le-monde. » Dans sa petite boutique de t-shirts customisés, Renaldo (il a quand même un vrai prénom !) est débordé. Ce matin, le centre aéré voisin lui a commandé des t-shirts en urgence pour un summer camp[2] qui démarre le jour même. S'adapter, c'est son quotidien. Ce natif de Red Hook ne se plaindra jamais d'avoir trop de travail. « Mes arrière-grands-parents sont venus de Porto Rico[3] au début du siècle dernier pour trouver du travail. »

À cette époque, Red Hook était le deuxième port de fret des États-Unis et les usines tournaient à plein. Plus tard, avec la désindustrialisation, est venue la criminalité. « Dans les années 1980, quand j'étais ado, le quartier était dévasté par le chômage et la drogue, poursuit ce gaillard aux bras musclés et largement tatoués. Beaucoup de gens ont déménagé. J'ai perdu plein de copains, qui ont fait de la prison ou qui sont morts à cause du crack. C'était terrible. » En 1992, un directeur d'école respecté de tous est tué d'une balle perdue lors d'un règlement de comptes entre dealers à Red Hook Houses, l'énorme cité dans laquelle vivent près de 9000 personnes. « Une tragédie qui a sauvé Red Hook. On a tous ouvert les yeux, les pouvoirs publics les premiers. Un centre associatif de justice a ouvert. Et il y a enfin eu des perspectives de boulot, notamment avec l'arrivée du supermarché Fairway et d'Ikea. Mais ça reste dur. »

> *« Quand j'étais enfant, j'avais la vue sur la statue de la Liberté pour moi tout seul. »*

Après des études d'électricien, Renaldo a bossé un temps pour le géant suédois, avant d'ouvrir son petit business de t-shirts. « Ce quartier est unique au monde. Sa beauté a de multiples facettes. Quand j'étais enfant, j'avais la vue sur la statue de la Liberté pour moi tout seul. Je nageais dans la baie avec mon grand-père, ma mère et ma fille. Maintenant, c'est interdit. » À 45 ans, père de 4 enfants, Renaldo repense au passé : « C'est vrai qu'on était abandonnés, mais on était tous frères, qu'on soit noir, blanc, asiatique. On était une communauté soudée. Avec les nouveaux habitants, qui ont un pouvoir d'achat plus élevé, c'est un peu plus compliqué aujourd'hui. Mais il y a aussi des gens chouettes parmi eux. Et puis, la vue est toujours là ! »

1. Expression qui désigne l'homme de la rue, équivalent de M. Dupont. | **2.** Très populaires aux États-Unis, c'est l'équivalent de nos centres aérés et de nos colonies de vacances. | **3.** Porto Rico était à l'origine une colonie espagnole, c'est aujourd'hui un État libre lié aux États-Unis, situé dans les Grandes Antilles.

Le Greenwich Village métissé de Brooklyn.

C'est l'une des premières choses qu'on remarque à Fort Greene, en se baladant à l'heure du brunch dominical ou sur le playground de Fort Greene Park : on croise beaucoup de couples mixtes, souvent jeunes et lookés, et d'enfants métis. Un mélange pas si fréquent dans une ville-monde où cohabitent des communautés certes voisines, mais séparées. Quartier de prédilection des Afro-Américains depuis l'abolition de l'esclavage par l'État de New York en 1827, Fort Greene a toujours été réputé pour son ouverture et sa tolérance.

Si vous arrivez par la station de métro Atlantic Avenue, dirigez-vous vers le nord et admirez au passage l'imposant bâtiment de la Williamsburg Savings Bank. En rejoignant Lafayette Avenue, l'agitation bruyante laisse place à d'infinis alignements de brownstones* que les arbres transforment en allées vertes l'été. Les terrasses, si propices au mélange des communautés, se succèdent sur Fulton Street, Dekalb Avenue et Myrtle Avenue. On s'y attarde pour goûter toutes les cuisines du monde.

Il n'est pourtant pas si loin, le temps où Myrtle Avenue était surnommée « the Murder Avenue ». Au tournant des années 1960, la fermeture des chantiers navals du Navy Yard[1], a profondément modifié son tissu social. Une partie de la population est alors reléguée dans les logements sociaux au nord de Fort Greene Park, où même aujourd'hui il ne fait pas bon traîner. La mobilisation des intellectuels blacks du coin, dans les années 1980, a heureusement permis de faire vivre l'esprit communautaire* et culturel de Fort Greene. Spike Lee, l'enfant du quartier, y a symboliquement installé, pendant quelques années, ses studios de production. Une classe moyenne noire, créative et éduquée, surnommée par les vieux résidents les « buppies » (contraction de black et de yuppies*), a contribué à embourgeoiser Fort Greene. Dès le début des années 2000, les prix se sont mis à flamber avec l'arrivée des familles blanches de Manhattan, séduites par le cachet de ses maisons.

Clinton Hill, quartier limitrophe, est également en pleine transition, même s'il est pour l'instant moins diversifié. La balade est agréable entre le campus du Pratt Institute, l'école d'arts appliqués et d'architecture, et Clinton ou Washington Avenues, où les immeubles laissent place à d'immenses et magnifiques manoirs néo-classiques qui rivalisent de détails architecturaux. Cafés et boutiques se cachent dans les entresols des maisons, il faut donc ouvrir l'œil pour les repérer ! La plupart donnent sur un jardin ou une cour intérieure.
Posez vos valises à Fort Greene ou à Clinton Hill. Vous verrez, vous aurez rapidement envie de parler à vos voisins.

1. Voir coup de cœur p. 168

PLAN 1

250 m
Flushing Ave
Commodore John Barry Park
N Elliott Pl
N Oxford St
Cumberland St
BQE
Park Ave
St Edwards St
N Portland Ave
Carlton Ave
Adelphi St
Clermont Ave
Clinton Ave
Hall St
Ryerson St
Grand Ave
Steuben St
Myrtle Ave
Fort Greene Park
Washington Park
Willoughby Ave
Vanderbilt Ave
Waverly Ave
Washington Ave
Ashland Pl
Dekalb Ave
St Felix St
Fort Greene Pl
S Elliott St
S Oxford St
Fulton St [G]
Clinton - Washington Avs [G]
Lafayette Ave
Rockwell Pl
Carlton Ave
Adelphi St
Vanderbilt Ave
Clinton Ave
Waverly Ave
St James Pl
Cambridge Pl
Hanson Pl
Atlantic Ave - Barclays Ctr [2/3/4/5]
Atlantic Ave - Barclays Ctr [B/Q]
S Portland Ave
Cumberland St
Fulton St
Clermont Ave
Washington Ave
Flatbush Ave
Dean St
Bergen St
Atlantic Ave
Pacific St

FORT GREENE + CLINTON HILL

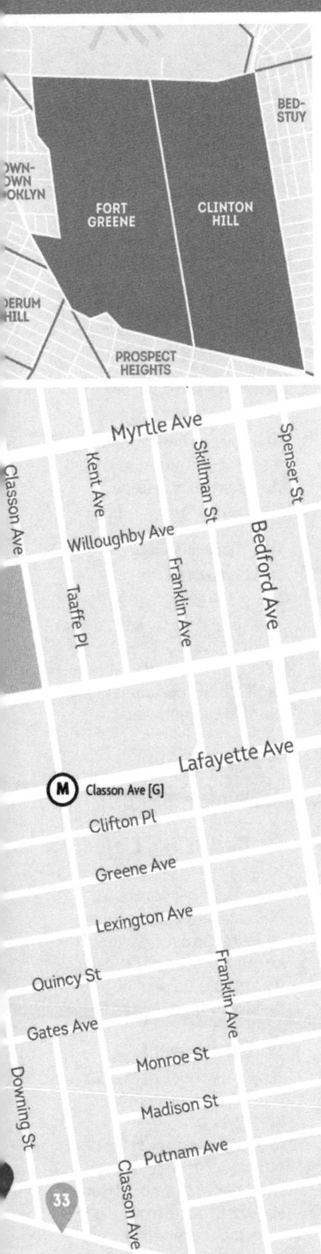

LES COURSES

01. Atlantic Terminal Mall
02. Choice Market
03. Fort Greene Park Greenmarket
04. Fresh Fanatic
05. Greene Grape Provisions
06. Mekelburg's
07. Mr Coco
08. Thirst Wine Merchants

PETIT DÉJEUNER

09. Baba Cool Café
10. Bittersweet
11. Mike's Coffee Shop
12. Peck's
13. Pillow Café Lounge

MANGER

14. 67 Burger
15. Bar Bolinas
16. Chez Oskar
17. Colonia Verde
18. Emily
19. Habana Outpost Brooklyn
20. Locanda Vini & Olii
21. Madiba
22. No.7
23. Olea
24. Roman's
25. Walter's

SORTIR

26. Alibi
27. Brooklyn Public House
28. BAMcafé
29. Hanson Dry
30. Hot Bird
31. The Fulton Grand

SE CONNECTER

32. Greene Grape Annex
33. Outpost Café
34. Primrose Cafe
35. Urban Vintage

PAUSES URBAINES

36. Biggie
37. Brooklyn Navy Yard
38. Fort Greene Park
39. Lafayette Avenue Presbyterian Church
40. Pratt Institute
41. Williamsburgh Savings Bank building

S'AÉRER LES NEURONES

42. BRIC
43a. BAM Harvey Theater
43b. Brooklyn Academy of Music (BAM)
43c. BAM Fisher
44. Brooklyn Masonic Temple
45. Greenlight Bookstore
46. JACK
47. Irondale Ensemble Project
48. Museum of Contemporary African Diasporan Arts

TAKE CARE

49. Lucky Lotus Yoga & Cafe
50. Mark Morris Dance Center
51. SU'JUK
52. Tennis courts de Fort Greene Park
53. The Owl and the Pussycat

BUY LOCAL

54. Apple Art Supplies
55. Cloth
56. Diamante's Brooklyn Cigar Lounge
57. Feliz
58. Fort Greene Flea
59. French Garment Cleaners Co.
60. Jill Lindsey
61. Moshood Creations
62. Posterfix Corp
63. Red Lantern Bicycles
64. Thistle & Clover

FAITES COMME CHEZ EUX

On-the-Go

ACCÉDER

MÉTRO

Fort Greene : Atlantic Ave, Dekalb Ave, Lafayette Ave ou Fulton St (lignes G, B, C, Q, R, 2, 3, 4, 5).

Clinton Hill : Clinton Washington Aves (lignes G, C).

CIRCULER

À VÉLO

Très agréable, les rues sont larges et ombragées.

À PIED

Agréable, pour profiter de la vie du quartier.

LOUER

FULTON BIKES

997 Fulton St • entre St James & Cambridge Pls • 718-638-2453 • fultonbikes.com

CITI BIKE

Disponible.

LES COURSES

01. *Atlantic Terminal Mall*

139 Flatbush Ave • entre Hanson Pl & Atlantic Ave • Fort Greene • 718-834-3407

On trouve de tout dans cet immense centre commercial au croisement de nombreuses lignes de métro et du train LIRR pour Long Island. Enseignes de prêt à porter internationales, magasins d'électronique, supermarchés... Ultra-pratique donc, même si ce n'est pas l'endroit le plus attrayant du quartier.

02. *Choice Market*

318 Lafayette Ave • angle de Grand Ave • Clinton Hill • 718-230-5234 • market.choicebrooklyn.com

Très bonne boulangerie/traiteur à l'influence française au cas où vous auriez le mal du pays.

03. *Fort Greene Park Greenmarket*

Dekalb Ave & Washington Park • 212-788-7476 • grownyc.org/greenmarket/fort-greene

Faites le plein de produits de saison sur ce grand marché en plein air à l'angle sud-est de Fort Greene Park. Ouvert le samedi toute l'année.

04. *Fresh Fanatic*

88 Washington Ave • angle de Park Ave • 888-373-7404 • freshfanatic.com

Comme son nom l'indique, ce supermarché regorge de produits frais, locaux, souvent bio. Parfait pour les adeptes des régimes vegan ou sans gluten.

05. *Greene Grape Provisions*

767 Fulton St • entre S Portland Ave & S Oxford St • Fort Greene • 718-233-2700 • greenegrape.com

Épicerie de quartier bien achalandée. Les plus pressés et/ou paresseux trouveront une grande variété de plats préparés sur place.

06. *Mekelburg's*

293 Grand Ave • entre Greene Ave & Clifton Pl • Clinton Hill • 718-399-2337 • mekelburgs.com

Épicerie fine qui propose des abonnements mensuels à des paniers de charcuterie ou de fromage. C'est aussi un relais d'abonnés aux paniers de légumes saisonniers. Côté jardin, on peut s'attabler pour déguster une bière locale et un sandwich.

07. *Mr Coco*

414 Myrtle Ave • Entre Vanderbilt & Clinton Aves • Fort Greene • 347-987-4578

Une épicerie bon marché où les prix des fruits et légumes rivalisent avec ceux de Chinatown.

08. *Thirst Wine Merchants*

11 Greene Ave • entre S Oxford & Cumberland Sts • Fort Greene • 718-596-7643 • thirstwinemerchants.com

Sélection de vins de petits producteurs qui favorisent le bio et la biodynamie.

PETIT DÉJEUNER

09. *Baba Cool Café*

64B Lafayette Ave • angle de South Elliott Pl • Fort Greene • 347-689-2344 • babacoolbrooklyn.com

Joli café tout blanc pour savourer un petit-déjeuner de vrai « Brooklynite » : essayez les toasts à l'avocat ou le pudding aux graines de Chia.

10. *Bittersweet*

180 Dekalb Ave • entre Cumberland St & Carlton Ave • Fort Greene • 718-852-2556 • bittersweetbk.com

Un classique du quartier dont on mesure la popularité au nombre de chiens qui attendent sagement sur le trottoir que leurs maîtres prennent leur dose de caféine matinale.

11. *Mike's Coffee Shop*

cash only • 328 Dekalb Ave • angle de St James Pl • Clinton Hill • 718-857-1462

Au coin de l'école Pratt Institute, cet old school diner* sait satisfaire les estomacs affamés des étudiants et autres habitués du quartier, avec de généreuses assiettes maison de pancakes ou d'œufs au bacon et pommes de terre.

12. *Peck's*

455A Myrtle Ave • entre Waverly & Washington Aves • Clinton Hill • 347-689-4969 • peckshomemade.com

Prenez un breakfast sandwich ou une pâtisserie, accompagnés d'un café dans cette petite épicerie fine où l'on reviendrait bien déjeuner sur le pouce dans son agréable arrière-cour…

13. *Pillow Café Lounge*

505 Myrtle Ave • entre Ryerson St & Grand Ave • Clinton Hill • 718-246-2711 • pillowcafenyc.com

Des petits-déjeuners simples, frais et pas chers. Chouette patio.

MANGER

14. *67 Burger*

$10-20 • 67 Lafayette Ave • angle de S Elliott Pl • Fort Greene • 718-797-7150 • 67burger.com

Parfait pour grignoter avant un spectacle au BAM (Brooklyn American Museum). Ne manquez surtout pas les curly fries qui font la réputation de l'établissement.

15. *Bar Bolinas*

$10-20 • 455 Myrtle Ave • angle de Washington Ave • Clinton Hill • 718-935-9333 • barbolinas.com

La partie nord du quartier, sur Myrtle Avenue, change très vite. Bar Bolinas est l'une de ces adresses récentes qui attirent les hipsters fraîchement installés à Clinton Hill le soir ou pour le brunch.

16. *Chez Oskar*

$20-30 • 211 Dekalb Ave • angle de Adelphi St • Fort Greene • 718-852-6250 • chezoskar.com

Ce restaurant français est un classique du quartier, notamment apprécié pour sa terrasse spacieuse.

17. *Colonia Verde*

$20-30 • 219 Dekalb Ave • entre Adelphi St & Clermont Ave • Fort Greene • 347-689-4287 • coloniaverdenyc.com

Pour les mangeurs de viande. La cour de ce restaurant argentin est ravissante.

18. *Emily*

$10-20 • 919 Fulton St • entre Clinton & Waverly Aves • Clinton Hill • 347-844-9588 • pizzalovesemily.com

Sûrement l'une des meilleures pizzerias de New York. Il faudra donc prendre votre mal en patience ou venir très tôt pour obtenir une table.

19. *Habana Outpost Brooklyn*

cash only • 757 Fulton St • angle de S Portland Ave • Fort Greene • 718-858-9500 • habanaoutpost.com

C'est la version Brooklyn de l'excellent Café Habana de Manhattan. On y trouve les mêmes généreux sandwichs cubains accompagnés d'épis de maïs. Comme on est à Fort Greene, il y a bien sûr une grande terrasse qui se transforme en cinéma en plein air tous les dimanches soir d'avril à octobre.

20. *Locanda Vini & Olii*

$20-30 • 129 Gates Ave • angle de Cambridge Pl • Clinton Hill • 718-622-9202 • locandavinieolii.com

Une officine de la fin du 19e siècle revisitée en restaurant italien. Tout y est authentique : ses plafonds sculptés, vitrines d'époque, boiseries, pots d'apothicaire, et les saveurs de sa cuisine toscane. Aux beaux jours, profitez de la terrasse dans le calme verdoyant de Clinton Hill.

21. *Madiba*

$20-30 • 195 Dekalb Ave • angle de Carlton Ave • Fort Greene • 718-855-9190 • madibarestaurant.com

Point névralgique de Dekalb Avenue : la terrasse de ce restaurant sud-africain ne désemplit pas dès les premiers rayons de soleil , et toutes les communautés du quartier s'y mélangent joyeusement.

22. *No. 7*

$20-30 • 7 Greene Ave • entre S Oxford & Cumberland Sts • Fort Greene • 718-522-6370 • no7restaurant.com

Goûtez une cuisine américaine créative à prix doux dans le clair obscur d'un élégant intérieur années 1920.

23. *Olea*

$20-30 • 171 Lafayette Ave • angle de Adelphi St • Fort Greene • 718-643-7003 • oleabrooklyn.com

Au cœur des paisibles rues de Fort Greene, en face du marché aux puces, cette taverne méditerranéenne est un incontournable du quartier où s'installer le week-end pour un déjeuner ou un brunch.

24. *Roman's*

$20-30 • 243 DeKalb Ave • entre Clermont & Vanderbilt Aves • 718-622-5300 • romansnyc.com

Un délicieux restaurant farm-to-table* aux accents italiens. C'est ici qu'a commencé l'aventure de la boulangerie She Wolf, dont on peut acheter le pain sur place.

FAITES COMME CHEZ EUX

25. *Walter's*

$20-30 • 166 Dekalb Ave • angle de Cumberland St • Fort Greene • 718-488-7800 • waltersbrooklyn.com

De délicieux cocktails, un service soigné, de grandes fenêtres qui donnent sur le parc, et une cuisine américaine raffinée : le cadre idéal pour une soirée romantique.

SORTIR

26. *Alibi*

cash only • 242 Dekalb Ave • entre Clermont & Vanderbilt Aves • Fort Greene

Pour l'ambiance décontractée d'un bar de quartier où savourer une pinte, en enchaînant les parties de billard.

27. *Brooklyn Public House*

$7 • 247 Dekalb Ave • angle de Vanderbilt Ave • Fort Greene-Clinton Hill • 347-227-8976 • bkpublichouse.com

Un pub à l'ambiance rétro-western : tabourets vertigineux, petits box aux banquettes de cuir rouge, miroirs anciens, les colts de Clint Eastwood fument encore sur le mur du fond...

28. *BAMcafé*

$7-11 • 30 Lafayette Ave • entre Ashland Pl & St Felix St • Fort Greene • 718-623-7811 • bam.org

Au premier étage du bâtiment principal de la Brooklyn Academy of Music, les Brooklynites se retrouvent pour grignoter avant un spectacle, ou profiter de concerts gratuits les vendredis et samedis soirs.

29. *Hanson Dry*

$6-12 • 925 Fulton St • angle de Waverly Ave • Clinton Hill • 347-422-0852 • hansondrybrooklyn.com

Belle déco minimaliste des années 1950 pour ce bar à cocktails.

30. *Hot Bird*

$10 • 546 Clinton Ave • angle de Clinton Ave • Clinton Hill • 718-230-5800

Hot Bird incarne tout ce qui fait Brooklyn. Installé dans un ancien garage automobile, il dégage l'énergie électrique d'un décor post-industriel et la coolitude d'un enclos extérieur avec ses tables de pique-nique en bois. Grand choix de bières, à accompagner de son fameux poulet grillé.

31. *The Fulton Grand*

$7 • 1011 Fulton St • angle de Grand Ave • Clinton Hill • 718-399-2240 • facebook.com/thefultongrand

Les habitués se pressent dans ce bar de quartier pour sa terrasse et sa carte, qui ne compte pas moins de douze bières à la pression.

SE CONNECTER

32. *Greene Grape Annex*

753 Fulton St • angle de S Portland Ave • Fort Greene • 718-858-4791 • greenegrape.com

Rejoignez la foule studieuse penchée sur son clavier en sirotant un latte* ou une bière, en fonction de l'heure de la journée.

33. *Outpost Café*

1014 Fulton St • entre Grand & Classon Aves • Clinton Hill • 718-636-1260 • outpostlounge.com

Pour les lève-tôt et les couche-tard. Du café au sandwich en passant par le vin... tout est équitable et bio. Concerts, expos... et un jardin à la déco dadaïste de bric et de broc.

34. *Primrose Café*

147 Greene Ave • angle de Waverly Ave • Clinton Hill • 718-789-7890 • primrosenyc.com

Endroit absolument charmant caché dans l'entresol d'un brownstone* au cœur de

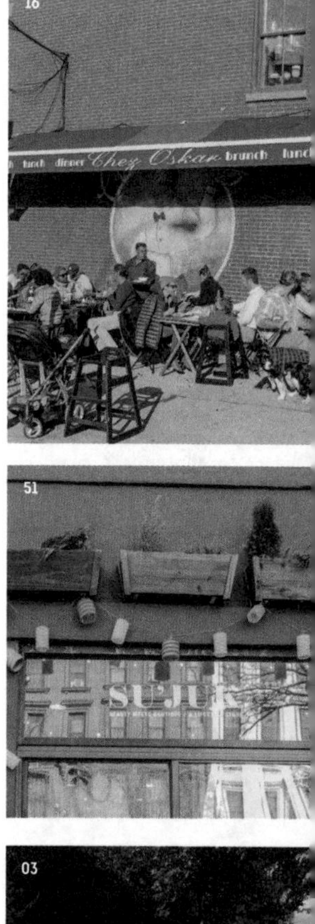

Clinton Hill : quelques tables en terrasse, un intérieur chaleureux et un grand jardin à l'arrière. On y passerait volontiers la journée. Attention, les ordinateurs ne sont pas autorisés le week-end.

35. *Urban Vintage*

294 Grand Ave • angle de Clifton Pl • Clinton Hill • 718-783-6045 • urbanvintageny.com
Sa grande salle très lumineuse et le charme de sa déco vintage invitent à la douceur d'une matinée studieuse autour d'un café et de cookies maison.

PAUSES URBAINES

36. *BIGGIE*

angle de Fulton St & South Portland Ave • Fort Greene
C'est sans doute l'une des fresques murales les plus connues de Notorious B.I.G., alias Biggie. La star du hip-hop de la côte Est a grandi juste à côté, dans une cité de Bed-Stuy. Elle est l'œuvre de Lee Quinones, une autre star locale du street-art, qui a choisi de le rebaptiser « Comandante Biggie » pour l'occasion.

37. *Brooklyn Navy Yard*

Voir coup de cœur p.168.

38. *Fort Greene Park*

entre Washington Pk & St Edwards St • Fort Greene • 718-222-1461 • fortgreenepark.org
À l'origine de ce parc, un fort – cela ne vous étonnera pas – utilisé pendant la révolution américaine par le général Greene et qui devint le premier parc de Brooklyn après la guerre de 1812. C'est encore aujourd'hui le point de rassemblement de toutes les communautés du quartier autour des terrains de sport ou de grandes pelouses, où l'on vient fêter l'anniversaire du petit dernier ou peaufiner son bronzage estival.

39. *Lafayette Avenue Presbyterian Church*

85 S Oxford St • angle de Lafayette Ave • Fort Greene • 718-625-7515 • lapcbrooklyn.org
Fondée au milieu du 19e siècle par un acteur majeur de l'abolition de l'esclavage, cette église a toujours gardé la justice sociale comme principale mission. Ne manquez pas la fresque qui orne le balcon supérieur, réalisée dans les années 1970 par un élève du Pratt Institute. Elle est l'emblème de la diversité des communautés qui fréquentent ce lieu.

40. *Pratt Institute*

200 Willoughby Avenue • entrée angle de Hall St & Dekalb Ave • Clinton Hill • 718-636-3600 • pratt.edu
Cette école de design et d'architecture, construite en 1887, dispose d'un agréable campus arboré au cœur de Clinton Hill. Ouvert au public, on peut s'y balader librement et découvrir ses sculptures d'art contemporain aussi nombreuses que surprenantes.

41. *Williamsburgh Savings Bank building*

1 Hanson Pl • entre Ashland Pl & St Felix St • Fort Greene
Un bâtiment iconique de Fort Greene qui a longtemps dominé Brooklyn de sa fascinante tour d'horloge à quatre faces haute de 156 mètres. D'abord siège de la banque Williamsburg Savings, il a récemment été transformé en appartements de luxe.

S'AÉRER LES NEURONES

42. *BRIC*

647 Fulton St • entre Rockwell & Ashland Pl • Fort Greene • 718-855-7882 • bricartsmedia.org
À la fois résidence d'artistes et vaste espace d'exposition ouvert à tous, ce lieu met en lumière la diversité culturelle locale. On y organise aussi le populaire festival musical BRIC Celebrate Brooklyn! qui se tient tous les ans dans Prospect Park.

43. *Brooklyn Academy of Music (BAM)*

Peter Jay Sharp Building • 30 Lafayette Ave • Fort Greene

BAM Harvey Theater

651 Fulton St • Fort Greene

BAM Fisher

321 Ashland Pl • Fort Greene • 718-636-4100 • bam.org
Vous êtes loin de Broadway et de ses paillettes. Avec ses trois bâtiments, la Brooklyn Academy of Music est le centre culturel le plus important de Brooklyn. Contrairement à ce que son nom pourrait laisser penser, on n'y va pas seulement pour écouter des concerts. Sa programmation éclectique et souvent avant-gardiste est principalement tournée vers le théâtre et la danse. Le musicien Philip Glass ou la chorégraphe Pina Bausch y ont souvent présenté leurs travaux. Chaque année, le festival Next Wave offre des spectacles originaux alliant toutes les disciplines artistiques. Le bâtiment principal abrite également un cinéma d'art et d'essai, le BAM Rose.

44. Brooklyn Masonic Temple

317 Clermont Ave • angle de Clermont & Lafayette Aves • Fort Greene • 718-638-1256 • brooklynmasonictemple.tripod.com

Ce temple franc-maçon vibre au rythme de la musique alternative et contemporaine. Forcément une curiosité.

45. Greenlight Bookstore

686 Fulton St • angle de S Portland Ave • Fort Greene • 718-246-0200 • greenlightbookstore.com

Installée en plein cœur de Fort Greene, cette librairie indépendante présente un large choix d'ouvrages, notamment sur New York.

46. JACK

505½ Waverly Ave • angle de Fulton St • Clinton Hill • jackny.org

Cette petite salle (50 places) accueille toute l'année concerts, danse, théâtre et performances, mais elle sert aussi de lieu d'échange sur le développement du quartier avec forums et débats.

47. Irondale Ensemble Project

85 S Oxford St • angle de Lafayette Ave • Fort Greene • 718-488-9233 • irondale.org

Des pièces classiques ou des créations originales proposées par une compagnie locale de théâtre qui a également lancé un programme important de cours de théâtre pour tous. À soutenir !

48. Museum of Contemporary African Diasporan Arts (MoCADA)

80 Hanson Pl • angle de Hanson Pl & South Portland Ave• Fort Greene • 718-230-0492 • mocada.org

Au travers d'expositions artistiques et visuelles, le MoCADA veut inciter au dialogue sur l'avenir de l'Afrique.

49. Lucky Lotus Yoga & Cafe

334 Myrtle Ave • entre Washington Park & Carlton Ave • 718-858-5758 • luckylotusyoga.com

Après votre cours de Vinyasa Yoga ou de Pilates du matin, vous opterez sûrement pour le délicieux petit-déjeuner du café attenant.

50. Mark Morris Dance Center

KIDS • 3 Lafayette Ave • angle de Rockwell Pl • Fort Greene • 718-624-8400 • markmorrisdancegroup.org

Un studio de danse créé par le chorégraphe américain Mark Morris où l'on s'initie au flamenco, danse bollywood, classique, contemporaine, et même aux claquettes. Pour enfants et adultes de tous niveaux.

51. SU'JUK

216 Greene Ave • angle de Grand Ave • Clinton Hill • 347-223-4707 • su-juk.com

Double casquette pour ce coiffeur atypique qui propose des produits de beauté et une sélection de vêtements et objets déco vintage à prix doux.

52. Tennis courts de Fort Greene Park

nycgovparks.org/parks/fort-greene-park/facilities/tennis

Comme pour tous les terrains de tennis gérés par les parcs de la Ville de New York, il faut prendre un abonnement annuel pour pouvoir ensuite réserver en ligne l'un des six courts.

53. The Owl and the Pussycat

154 Vanderbilt Ave • entre Myrtle & Willoughby Ave • Fort Greene-Clinton Hill • 718-522-5697 • opcsalon.com

Joli salon de coiffure pour vous faire un look de Brooklynite. Mieux vaut le savoir : le passage chez un bon coiffeur new-yorkais est plus cher qu'en France. Ici, comptez entre 75 et 92 dollars pour une simple coupe. Sur RDV seulement. N'oubliez pas les 15 % de tips !

54. Apple Art Supplies

321 Dekalb Ave • angle de Hall St • Clinton Hill • 718-399-2800

Ceux qui ont la fibre artistique trouveront tout le matériel nécessaire pour l'exprimer dans cette grande boutique à deux pas du Pratt Institute.

55. Cloth

138 Fort Greene Pl • entre Lafayette Ave & Hanson Pl • Fort Greene • 718-403-0223 • clothclothing.com

Petite échoppe cachée dans l'entresol d'un brownstone*. Belle sélection de marques françaises.

56. Diamante's Brooklyn Cigar Lounge

108 S Oxford St • entre Fulton St & Lafayette Ave • Fort Greene • 646-462-3876 • brooklyncigarlounge.com

Les connaisseurs pourront y savourer un cigare et s'envelopper de suaves volutes, en s'enfonçant avec délices dans l'un des profonds fauteuils club en cuir.

57. Feliz

185 Dekalb Ave • angle de Carlton Ave • Fort Greene • 718-797-1211 • instagram.com/felizbrooklyn

Boutique de cadeaux où l'on trouve aussi bien de la vaisselle que des bijoux ou des accessoires de mode.

58. *Fort Greene Flea*

176 Lafayette Ave • entre Clermont & Vanderbilt Aves • Fort Greene • 718-928-6603 • brooklynflea.com

Aux beaux jours, d'avril à novembre, les brocanteurs installent leurs stands le samedi dans la cour du lycée du quartier. C'est en prime l'occasion pour les gourmands de se régaler avec de la bonne cuisine de rue !

59. *French Garment Cleaners Co.*

85 Lafayette Ave • entre S Eliott Pl & S Portland Ave • Fort Greene • 717-797-0011 • frenchgarmentcleaners.com

Boutique de vêtements de créateurs installée dans un ancien pressing à la devanture rétro. Foncez directement au rayon soldes, sous peine d'y laisser votre portefeuille et davantage !

60. *Jill Lindsey*

370 Myrtle Ave • entre Adelphi St & Clermont Ave • Fort Greene • 347-987-4538 • jilllindsey.com

Magasin éclectique de déco/cadeaux/bijoux et vêtements made in Brooklyn. Il y a même un coin café. Petit bémol : la fabrication locale se paie un peu cher.

61. *Moshood Creations*

698 Fulton St • entre S Portland Ave & S Oxford St • Fort Greene • 718-243-9433 • afrikanspirit.com

Cette marque nigériane qui signifie "African Spirit" crée des vêtements et accessoires colorés.

62. *Posterfix Corp*

Brooklyn Navy Yard Building 5 • Suite 210 • 63 Flushing Ave • unit 249 • 718-230-4085 • posterfix.com

Vous avez une affiche ancienne qui part en lambeaux ? Pas de problème, Posterfix vous la rend comme neuve.

63. *Red Lantern Bicycles*

345 Myrtle Ave • entre Carlton Ave & Adelphi St • Fort Greene • 347-889-5338 • redlanternbicycles.com

Chez ces passionnés de la petite reine, vous pourrez redonner une seconde jeunesse à votre vélo ou l'équiper de tous les accessoires nécessaires au quotidien. Et comme leur seconde passion, c'est le café, n'hésitez pas à vous attabler devant un latte* pendant que votre vélo reprend vie !

64. *Thistle & Clover*

221 Dekalb Ave • entre Adelphi St & Clermont Ave • Fort Greene • 718-855-5577 • thistleclover.com

Cette boutique d'accessoires et d'objets de décoration met l'accent sur les créations locales.

PAUSES URBAINES

37. *Brooklyn Navy Yard*

Building 92 • 63 Flushing Ave • entre Carlton Ave & Adelphi St • 718-907-5932 • bldg92.org

Situé sur les bords de l'East River, entre le pont de Williamsburg et celui de Manhattan, le Brooklyn Navy Yard est un gigantesque chantier naval en pleine reconversion. À son apogée, pendant la Seconde Guerre mondiale, 70 000 personnes y travaillaient (l'USS Arizona, coulé à Pearl Harbor, a notamment été construit là). Depuis 1966, le chantier tourne au ralenti mais le Brooklyn Navy Yard est en train de renaître de ses cendres. C'est en effet devenu un incubateur novateur en écologie et en développement durable, qui héberge plus de 300 sociétés et 7 000 personnes. Vous pouvez visiter le musée BLDG 92 mais pour pénétrer à l'intérieur du Yard, vous devez vous inscrire à une visite guidée, à pied ou à vélo. Vous ne le regretterez pas. Vous pourrez par exemple monter sur le toit de la Brooklyn Grange Farm, une ferme de plus de 6 000 m² où poussent quarante variétés de légumes et d'herbes. La vue sur les gratte-ciel de Manhattan, avec les grues et les tourelles des bateaux au premier plan, y est saisissante. Ou bien, en longeant les docks, vous découvrirez les activités de la New York Harbor School, qui espère notamment restaurer le récif d'huîtres pour protéger l'estuaire de la ville en cas de fortes tempêtes. Vous pourrez également explorer le site de l'ancien hôpital militaire : à l'abandon depuis des décennies, les bâtiments sont recouverts de végétation et ce sont les chats qui règnent en maîtres.

Vous ne pouvez pas la rater. Le samedi, quand il fait beau, **Evette** expose ses trouvailles vintage devant chez elle, sur Cumberland Street, près de Fort Greene Park. Un stand improvisé qui lui permet de discuter avec les passants. « Tout le monde me connaît ici. J'ai toujours aimé chiner, j'ai l'œil pour les jolies choses... et je suis bien moins chère que le Brooklyn Flea juste à côté ! »
Vendeuse pendant des années au grand magasin Macy's, Evette travaille aujourd'hui dans le paramédical, auprès des personnes âgées. « J'ai eu envie d'aider les gens à bien vieillir. Mais la mode reste un hobby. »
À 61 ans, cette femme noire a l'allure coquette et le caractère bien trempé, avec ce je ne sais quoi d'attitude dans le regard, propre aux vrais New-Yorkais. « Pourtant, je suis d'origine anglaise. Quand je suis arrivée à New York en 1972 avec mes parents, j'avais 18 ans. Ça a été un choc culturel. On a d'abord habité dans le sud du Bronx. Des sans-abris et des drogués partout, le métro, le bruit, les coups de feu, la ville était folle. Je voulais rentrer en Angleterre ! »
Et puis Evette a appris à aimer New York. Passionnément. « Je vis à Fort Greene depuis 1993. J'ai été mariée pendant 25 ans avec un Brooklynite, jusqu'à sa mort il y a deux ans. Mais à New York, on ne se sent jamais seule ou déprimée. Il y a toujours quelque chose à faire. Une exposition, des concerts gratuits dans les parcs. »
Comme beaucoup, Evette a vu Fort Greene se métamorphoser. Les brownstones*, rénovés les uns après les autres, ont souvent été rachetés par des Européens et des familles plus aisées de Manhattan.

“ La ville change, mais il ne faut pas la laisser vous changer. ”

« J'adore la mixité du quartier, les Blancs et les Noirs qui vivent ensemble ! J'aime parler avec les gens, apprendre des différentes cultures. Quand certains râlent parce que des étrangers arrivent, je leur rappelle que cette ville s'est construite grâce à l'immigration, notamment européenne. » Evette voit en revanche d'un moins bon œil l'explosion des loyers. « J'ai de la chance que mon appartement soit un loyer contrôlé. J'ai un backyard*, en plus ! L'ancien propriétaire a essayé de me virer en me proposant une indemnité, mais c'était une somme ridicule, je lui ai ri au nez. Des voisins ont eu moins de chance, ils ont dû quitter leur immeuble après y avoir passé plus de 35 ans. Quelle honte ! » Malgré tout, Evette reste philosophe. « La ville change, mais il ne faut pas la laisser vous changer. Regardez-moi ! Je suis toujours la même ! Jamais stressée ! Ça doit être mon côté anglais. »

Le Little Harlem de Brooklyn se gentrifie.

Aux beaux jours, on comprend que le charme de Bed-Stuy tient non seulement à son cachet, mais aussi à sa vie de quartier, si bien filmée par Spike Lee dans *Do the Right Thing* et *Crooklyn*. Les perrons deviennent des salons extérieurs où l'on cause, on trinque, on joue, on danse... D'une porte à l'autre, on s'interpelle entre voisins, et même si vous n'êtes pas du coin, il y a toutes les chances pour qu'on vous salue au passage.

Le nom de Bed-Stuy (contraction de Bedford-Stuyvesant, prononcez Bed-Staï) a pourtant longtemps fait peur. Jusqu'au milieu des années 1990, ce fut l'un des plus importants ghettos noirs des États-Unis, miné par le crack et la guerre des gangs. Avec l'ouverture de la ligne de métro A/C en 1932, les Afro-Americains (arrivés pendant la Grande Migration[1]) quittent un Harlem surpeuplé et trop cher pour s'installer au cœur de Brooklyn, dans ce magnifique quartier victorien. Progressivement délaissé par les Blancs, Bed-Stuy s'enfonce dans la pauvreté à partir des années 1960. Mais derrière les élégantes façades, fiertés de leurs modestes propriétaires, la classe moyenne noire, professeurs, infirmiers, ou chauffeurs de bus, se serre les coudes, très active dans la lutte pour les droits civils (la première afro-américaine y est élue au Congrès américain en 1968). « Bed-Stuy a longtemps fait partie de la "red line", explique Morgan Munsey, agent immobilier. C'est ainsi que les banquiers désignent les quartiers officieusement interdits de prêt. Une discrimination que les Noirs ont réussi à contourner avec le soutien des églises, qui se sont substituées aux banques. »
De nombreux résidents historiques, ou leurs enfants, sont toujours là. D'autres ont préféré vendre leur bien et s'assurer une bonne retraite dans le Sud, ou sont forcés de partir, écrasés par la hausse exponentielle des loyers. Remplacés par des artistes, étudiants ou créatifs, et désormais des avocats ou des banquiers capables de mettre 2 millions de dollars dans une maison qui en valait 75 000 il y a 15 ans. Peu à peu, des symboles de la culture noire américaine disparaissent, comme le Slave Theatre, où le révérend Al Sharpton tenait ses meetings dans les années 1980, racheté récemment 18 millions de dollars par un promoteur pour être détruit.

Au hasard des rues de Bedford-Stuyvesant, où les brownstones* s'étendent à perte de vue, vous croiserez sûrement beaucoup de Français... qui ne sont pas des touristes. « Mes derniers clients s'appelaient Emmanuelle et Sébastien », s'amuse Morgan Munsey. Les Français ne sont

1. La Grande Migration est le mouvement qui a conduit des millions d'Afro-Américains du Sud à s'installer dans l'Ouest et le Nord-Est des États-Unis, pour échapper à la ségrégation et trouver du travail, de 1910 à 1930.

pas les seuls à tomber sous le charme du « Little Harlem de Brooklyn » qui connaît, depuis le début des années 2010, une gentrification accélérée. Aujourd'hui, 15 % de ses habitants sont blancs, trois fois plus qu'il y a cinq ans.

Même si vous n'êtes pas du coin, il y a toutes les chances pour qu'on vous salue au passage.

Ne vous laissez pas intimider par l'immensité du quartier. À l'ouest de Tompkins Avenue, ça grouille, ça klaxonne, et les bars font le plein sur Nostrand, Fulton, Bedford et Franklin Avenues. À l'est, l'atmosphère est moins animée et plus familiale. Pauvreté et violence sont loin d'avoir disparu, et Bed-Stuy reste l'un des quartiers les plus fournis en hébergements pour SDF. Mais en restant vigilant, on peut se balader sans crainte dans pas mal de coins (inutile cependant de traîner le soir dans les cités au nord, comme Marcy Houses, qui a vu grandir Jay-Z). Malgré les tensions liées à une gentrification express, c'est un quartier agréable, à mi-chemin entre le « Do or Die »[2] des rappeurs et le « Do or Dine »[3] des hipsters.

2. « Agis ou meurs » | 3. « Agis ou dîne », nom donné à un restaurant du quartier.

On-the-Go

ACCÉDER
MÉTRO
Nostrand, Bedford-Nostrand Aves, Franklin Ave, Kingstone Throops, Utica Ave (lignes A, C, G, J, S)

CIRCULER
À PIED
Agréable bien que le quartier soit très grand.

À VÉLO
Une bonne façon de gagner du temps.

LOUER
FULTON BIKES
1580 Fulton St • 718-778-2887 • fultonbikes.com

CITI BIKE
Disponible.

LES COURSES

01. *Bed-Vyne Wine & Spirits*
370 Tompkins Ave • angle de Putnam Ave • 347-915-1080 • bed-vyne.com
Un caviste décontracté et pédagogue.

02. *Breukelen Cellars*
504 Nostrand Ave • entre Halsey & Macon Sts • 347-240-5421
Très bonne cave doublée d'une galerie d'art qui organise des événements sympas.

03. *Dough*
448 Lafayette Ave • angle de Franklin Ave • 347-533-7544 • doughdoughnuts.com
Les donuts de Fany Gerson sont cultes. On vient de loin goûter ses beignets moelleux à l'orange sanguine, à l'hibiscus, ou au dulce de leche.

04. *Saraghina Bakery*
433 Halsey St • proche angle de Lewis Ave • 718-574-5500 • saraghinabakery.com
Tout fait envie dans cette boulangerie artisanale : les pains, les viennoiseries, et les pâtisseries. Pas toujours donné.

05. *Tony's Country Life*
1316 Fulton St • entre Nostrand & New York Aves • 718-789-2040 • tonyshealthfoodsupermarket.com
Voilà 20 ans que Tony, un Guyanais arrivé dans les années 1980, approvisionne le quartier en produits d'épicerie vegan et bio. Une success story à la new-yorkaise.

PETIT DÉJEUNER

06. *A&A Bake & Doubles Shop*
cash only • 481 Nostrand Ave • entre Fulton & Macon Sts
Le « double », c'est deux galettes de blé frites et garnies de purée de pois chiches et d'épices subtiles. Un délice de Trinidad-et-Tobago pour lequel les habitants n'hésitent pas à faire la queue, tôt le matin, sur fond de socca.

07. *Bedford Hill*
343 Franklin Ave • angle de Greene Ave • 718-636-7650 • bedfordhillbrooklyn.com
Excellents sandwichs ou bols de granola à la pistache pour bien attaquer la journée.

08. *Bread Love*
1933 Fulton St • entre Howard & Saratoga Aves • 347-405-9654 • breadlovebkny.com
Une adresse prisée des locaux pour un solide petit-déjeuner autour de produits fermiers. Profitez du backyard* l'été.

09. *Ms Dahlia's Cafe*
449 Nostrand Ave • entre Halsey & Hancock Sts • 718-975-0110 • dahliascafe.com
Joli café qui propose de la bonne soul food, la nourriture du Sud qui tient au corps.

10. *Manny's*
212 Patchen Ave • entre MacDonough & Macon Sts • 718-483-9868 • facebook.com/MannysBrooklyn
Le lieu idéal pour retrouver des copains autour de pancakes moelleux ou de viennoiseries maison.

MANGER

11. *Ali's Trinidad Roti Shop*
moins de $10 • 1267 Fulton St • entre Arlington Pl & Nostrand Ave • 718-783-0316
Une petite cantine très populaire où se régaler des incontournables de la street-food caribéenne que sont les rotis (crêpes fourrées au curry de poulet ou de chèvre, par exemple).

12. *Alice's Arbor*
$10-20 • 549 Classon Ave • entre Putnam Ave & Fulton St • 718-399-3003 • alicesarbor.com
Dans ce restaurant aux airs d'épicerie de campagne, la cuisine inventive mise sur les produits locaux. Une réussite.

PLAN 2

LES COURSES

01. Bed-Vyne Wine & Spirits
02. Breukelen Cellars
03. Dough
04. Saraghina Bakery
05. Tony's Country Life

PETIT DÉJEUNER

06. A&A Bake & Doubles Shop
07. Bedford Hill Cafe
08. Bread Love
09. Ms Dahlia's Cafe
10. Manny's

MANGER

11. Ali's Trinidad Roti Shop
12. Alice's Arbor
13. Black Swan
14. Chinantla
15. Endless Summer Sandwich
16. Peaches Hot House
17. Peaches
18. Pilar Cuban Eatery
19. Saraghina
20. Ice Cream House

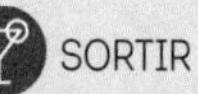

SORTIR

21. Bed-Vyne Brew
22. C'mon Everybody
23. Doris
24. Dynaco
25. Project Parlor
26. Tip-Top Bar & Grill
27. Vodou Bar
28. Stoptime

BED-STUY

SE CONNECTER

29. Brooklyn Kolache Co.
30. Georges-André Vintage Café
31. Le Paris Dakar
32. The Civil Service Café

PAUSES URBAINES

33. Akwaaba Mansion
34. Arlington Place
35. Concord Baptist Church of Christ
36. Hattie Carthan Community Garden
37. The Alhambra
38. The Renaissance

S'AÉRER LES NEURONES

39. Bed-Stuy Love Affair-Horscarte
40. Bedford-Stuyvesant Restoration Corporation
41. Sankofa Aban
42. Sistas' Place
43. STooPS-Horscarte
44. The Living Gallery

TAKE CARE

45. Locale
46. Pampering Under 1 Roof
47. SuperFrench Studio

BUY LOCAL

48. Calabar Imports
49. Indigo Style Vintage-Horscarte
50. Installation Brooklyn
51. Peace & Riot
52. Sincerely, Tommy

13. *Black Swan*

$10-20 • 1048 Bedford Ave • entre Lafayette Ave & Clifton Pl • 718-783-4744 • blackswannyc.com

Un gastropub aménagé dans un ancien garage où manger un bon burger, par exemple.

14. *Chinantla*

cash only • moins de $10 • 657 Myrtle Ave • entre Franklin Ave & Skillman St • 718-222-1719 • chinantlarestaurant.com

Au fond de cette épicerie mexicaine se cache une cantine avec des chilaquiles à tomber, un plat typique à base de tortillas et de sauce verte (ou rouge).

15. *Endless Summer Sandwich*

moins de $10 • 525 Dekalb Ave • entre Skillman St & Bedford Ave • 917-947-8787 • endlesssummerbrooklyn.com

Une échoppe où commander un très bon sandwich à emporter (testez celui au poulet frit).

16. *Peaches Hot House*

$10-20 • 415 Tompkins Ave • angle Hancock St • 718-483-9111 • peacheshothouse.com

Mac & Cheese, poulet frit, et grits (sorte de gruau) dans cette cantine inspirée, qui brasse les populations.

17. *Peaches*

$10-20 • 393 Lewis Ave • angle de MacDonough St • 718-942-4162

Une cuisine du Sud créative et fédératrice.

18. *Pilar Cuban Eatery*

$10-20 • 397 Greene Ave • angle de Bedford Ave • 718-623-2822 • pilarny.com

Installez-vous dans cette salle moderne et lumineuse pour déguster de la bonne cuisine cubaine.

19. *Saraghina*

$10-20 • 435 Halsey St • angle de Lewis Ave • 718-574-0010 • saraghinabrooklyn.com

Leurs pizzas au feu de bois sont excellentes, tout comme le reste de la carte... Les bobos de Brooklyn y sont un peu trop « entre eux », mais c'est un lieu très agréable.

20. *The Ice Cream House*

KIDS • moins de $10 • 873 Bedford Ave • entre Willoughby & Myrtle Aves • 718-972-0222 • theicecreamhouse.com

Le palais des glaces ! Vous pourrez y déguster la crème de Klein's, un empire casher qui a commencé avec un camion ambulant dans les années 1950. Des dizaines de parfums.

SORTIR

21. *Bed-Vyne Brew*

$7 • 370 Tompkins Ave • angle de Putnam Ave • 347-915-1080 • bed-vyne.com

La clientèle, à majorité afro-américaine, discute au son d'un DJ en sirotant de très bonnes bières artisanales.

22. *C'mon Everybody*

$5-7 • 325 Franklin Ave • entre Greene Ave & Clifton Pl • cmoneverybody.com

Cette salle de concert confidentielle organise régulièrement des soirées thématiques dont on profite, accoudé au bar en acajou...

23. *Doris*

$4-11 • 1088 Fulton St • entre Classon & Franklin Aves • 347-240-3350 • facebook.com/dorisbedstuy

Ce joli bar attire les hipsters du quartier, notamment pour son jardin à l'arrière.

24. *Dynaco*

cash only • $4-10 • 1112 Bedford Ave • angle de Quincy St

Le patio et la cheminée sont les plus de ce bar, bien fournie en bières artisanales.

45

25. *Project Parlor*

$7-12 • 742 Myrtle Ave • entre Sanford St & Nostrand Ave • 347-497-0550 • facebook.com/projectparlor

Une déco vintage et raffinée, un flipper, et une immense arrière-cour. Des DJ sets de qualité. Des cocktails et des bières à prix raisonnables. Parfait pour un date ou avec des copains.

26. *Tip Top Bar & Grill*

cash only • $3-5 • 432 Franklin Ave • entre Madison St & Putnam Ave • 718-857-9744

Un dive bar* dans une cave, tenu depuis plus de 40 ans par un couple fan d'Oprah, d'Obama et de Magic Johnson. Le mélange juke-box, guirlandes lumineuses et bières pas chères vous donnera sûrement envie de danser.

27. *Vodou Bar*

$5-11 • 95 Halsey St • angle de Nostrand Ave • 347-405-7011 • facebook.com/VodouBar

Une clientèle mixée, à l'image du quartier. Très bons cocktails, mais pas donnés. Reggae tous les jeudis.

28. *Stoptime*

$7-11 • 1223 Bedford Ave • angle de Halsey St • 718-230-1212 • stoptimebar.com

Excellents cocktails à tester sur fond de musique live de qualité.

SE CONNECTER

29. *Brooklyn Kolache Co.*

520 Dekalb Ave • entre Skillman St & Bedford Ave • 718-398-1111 • brooklynkolacheco.com

Un joli coffee-shop, où savourer des kolaches, des brioches tchèques revisitées par les Texans – magie de l'immigration – et fourrées notamment de confiture. Agréable patio.

30. *Georges-André Vintage Café*

KIDS • cash only • 558 Halsey St • entre Stuyvesant & Lewis Aves • 347-762-5578 • facebook.com/georgesandrevintagecafe

Ce café, décoré de meubles de récup' (que vous pouvez acheter), est tenu par une Française que tout le monde appelle SuperFrench, un surnom hérité du temps où elle officiait comme coach sportive.

31. *Le Paris Dakar*

518 Nostrand Ave • entre Halsey & Macon Sts • 347-955-4100 • facebook.com/LeParisDakar

Des crêpes françaises comme à Paris, dans ce café convivial ouvert par une jeune Parisienne d'origine sénégalaise. À accompagner d'un latte façon New York ou d'un jus de bissap (hibiscus) comme à Dakar.

32. *The Civil Service Café*

279 Nostrand Ave • angle de Clifton Pl • 718-484-3366 • facebook.com/The Civil Service Cafe

Bien à toute heure de la journée. On aime notamment la salade de chou kale et le sandwich à l'œuf. Et bien sûr le café.

PAUSES URBAINES

Bed-Stuy compte pas moins de 9 000 maisons victoriennes. Baladez-vous dans les quartiers historiques de Stuyvesant Heights – entre Macon, Tompkins, Decatur, Lewis, Chauncey, et Stuyvesant – et de Bedford – entre Gates, Fulton, Bedford et Tompkins.

33. *Akwaaba Mansion*

347 MacDonough St • angle Stuyvesant Ave • 1-866-466-3855 • akwaaba.com/akwaaba-mansion

Ce manoir du 19e a été entièrement rénové pour devenir un superbe B&B.

34. *Arlington Place*

7 Arlington Place • entre Macon & Halsey Sts • 718-638-1809 • arlingtonplacebnb.com

Le brownstone* où Spike Lee a tourné *Crooklyn* en 1994 a été transformé en B&B.

35. *Concord Baptist Church of Christ*

833 Gardner C. Taylor Blvd • entre Madison St & Putnam Ave • 718-622-1818 • concordcares.org

L'une des plus importantes congrégations protestantes des États-Unis. Elle a joué un rôle social et politique majeur pour la communauté afro-américaine, à travers l'action de leaders charismatiques comme le révérend Gardner C. Taylor, figure du mouvement des droits civiques, proche de Martin Luther, décédé en 2015.

36. *Hattie Carthan Community Garden*

654 Lafayette Ave • angle de Clifton Pl & Marcy Ave • 718-638-3566 • hattiecarthangarden.com • hattiecarthancommunitymarket.com

Un grand jardin potager partagé où la diversité ethnique se vit au quotidien. Et qui milite pour plus de justice alimentaire. À visiter. Vous pouvez aussi y faire votre marché le samedi matin, de juillet à novembre.

37. *The Alhambra*

angle de Nostrand Ave & Macon St

Construit en 1888, ce bâtiment a été le premier immeuble new-yorkais de logements collectifs de luxe pour les familles de la classe moyenne supérieure. Les appartements sont aujourd'hui des logements sociaux.

38. *The Renaissance*

140 Hancock Street • angle de Nostrand Ave

Hancock Street est l'une des plus belles rues de Bed-Stuy. Ne ratez pas les superbes détails architecturaux de cet immeuble de 1892.

S'AÉRER LES NEURONES

39. *Bed-Stuy Love Affair*

(Hors carte) • bedstuyloveaffair.us

Jared Madere est un jeune artiste qui monte. Avant sa première installation solo au Whitney Museum en 2015, il a pendant un temps organisé des expositions dans sa cuisine puis dans son camping-car. À l'heure où nous écrivons, il ne fait plus d'expos itinérante mais regardez son site Internet pour savoir où il en est.

40. *Bedford-Stuyvesant Restoration Corporation*

1368 Fulton St • entre Brooklyn & New York Aves • 718-636-6960 • restorationart.org

Cette association à but non lucratif veut améliorer la qualité de vie du quartier, notamment grâce à la culture. Concerts de jazz, spectacles de danse et de théâtre de qualité puisent dans le vivier de talents afro-américains. On peut aussi y prendre des cours de danse contemporaine.

41. *Sankofa Aban*

107 Macon St • entre Nostrand & Marcy Aves • 917-704-9237 • sankofaaban.com

La grand-mère de Debbie lui a légué ce beau brownstone*. Elle a eu la bonne idée de l'aménager en B&B, et d'organiser deux fois par semaine et un dimanche par mois une soirée jazz dans son salon. Une bonne façon de pénétrer dans un intérieur de Bed-Stuy.

42. *Sistas' Place*

456 Nostrand Ave • angle de Jefferson • 718-398-1766 • sistasplace.org

Bastion du jazz local, ce café communautaire est aussi un espace chaleureux où se tiennent régulièrement débats et scènes ouvertes pour les ados.

43. *STooPS*

(Hors carte) • stoopsbedstuy.org •
Voir coup de cœur p. 180.

44. *The Living Gallery*

1094 Broadway • entre Malcolm X Blvd & Dekalb Ave • the-living-gallery.com

Dans cet atelier de dessin, on peut prendre des cours de nu le mercredi en buvant un verre.

TAKE CARE

45. *Locale*

410 Marcus Garvey Blvd • entre Halsey & Macon Sts • 347-318-3031 • locale.nyc

Un petit studio qui propose des cours variés de yoga (notamment aérien), doublé d'une boutique de cadeaux locaux et eth(n)iques.

46. *Pampering Under 1 Roof*

404 Tompkins Ave • entre Hancock St & Jefferson Ave • 347-384-3962 • facebook.com/PamperingUnder1Roof

Offrez-vous une manucure en papotant avec Tamara, la propriétaire débordante d'énergie, qui a grandi dans le quartier.

47. *SuperFrench Studio*

KIDS • 521 Halsey St • angle de Stuyvesant Ave • 347-762-5578 • superfrench.com

Karine Petitnicolas, la propriétaire de Georges-André Vintage Café (voir adresse p. 178), a ouvert ce studio de fitness proposant aussi des classes de musique et d'art, boxe, yoga, de danse, et de musique pour les enfants et leurs parents.

BUY LOCAL

48. *Calabar Imports*

351 Tompkins Ave • entre Madison & Monroe Sts • 718-928-3970 • calabar-imports.com

Jolis vêtements, bijoux et objets de déco importés d'Afrique, d'Asie et d'Amérique du Sud.

49. *Indigo Style Vintage*

(Hors carte) • indigostyle.https0secure.com

Surveillez les ventes éphémères de cette boutique pop up de vintage.

50. *Installation Brooklyn*

433 Nostrand Ave • entre Hancock St & Jefferson Ave • 917-330-2199 • facebook.com/Installation Brooklyn

Une sélection éclectique de vêtements vintage des années 1970, 1980 et 1990, et de créateurs locaux.

51. *Peace and Riot*

492 Nostrand Ave • entre Hancock & Halsey Sts • 347-663-6100 • peaceandriot.com

Des bougies made in Brooklyn, de beaux paniers recyclés, des objets de déco importés d'Afrique de l'Ouest, des meubles design... cette boutique déborde de tentations.

52. *Sincerely, Tommy*

343 Tompkins Ave • angle de Monroe St • 718-484-8484 • sincerelytommy.com

Un concept-store pointu, ouvert par une jeune styliste du quartier qui mélange des vêtements féminins de créateurs locaux et internationaux, où l'on peut boire un très bon café en devisant mode et Brooklyn.

Bake
&
DOUBLE

S'AÉRER LES NEURONES

43. *SToopPS*

stoopsbedstuy.org

L'idée est géniale ! Transformer les stoops* en podiums et en scènes de spectacles. Une fois par an, au mois d'août, artistes et créateurs locaux envahissent les trottoirs de Bed-Stuy, de Nostrand à Patchen avenues et de Putnam Avenue à Fulton Street. Ici un conteur, là un défilé de mode, plus loin une pièce de théâtre, une chorégraphie de hip hop, un stand-up d'humoriste, ou encore une slameuse. Certains sont connus, d'autres pas encore. Une façon de mettre en valeur la richesse culturelle et l'incroyable diversité du quartier. Et surtout, de multiplier les contacts entre les habitants. La gentrification express de ces dernières années ne va pas sans poser de nouveaux défis. La culture est une bonne façon de créer du lien entre les résidents de longue date et ceux qui viennent d'emménager. Et de promouvoir cette tradition si chère à Bed-Stuy : faire de la rue la pièce à vivre des habitants.

Concepcion a 24 ans quand elle atterrit à New York, en novembre 1987. Elle vient du Nicaragua, sans papiers et sans parler un mot d'anglais. « C'était la guerre là-bas. Je voyais mes amis mourir. Mes parents n'avaient pas de quoi nourrir leurs huit enfants. Alors je me suis dit : Go to America ! C'était de la folie, mais qu'est-ce que j'avais à perdre ? Avec une amie, nous sommes allées jusqu'à Tijuana, la ville frontière entre le Mexique et la Basse Californie. De là, on a réussi à rejoindre San Diego puis à prendre un avion pour New York. C'était une autre époque, bien avant les mesures de sécurité post-11 septembre ! »

Au départ, le rêve américain a le goût salé des larmes. « Je n'arrêtais pas de pleurer ; ma famille me manquait, je ne savais même pas prendre le métro ! Heureusement j'étais hébergée chez une amie. » Très vite, avec ses trois mots d'anglais appris en regardant la télé, Concepcion travaille au noir, comme baby-sitter et comme femme de ménage. Comme tant d'autres immigrées, elle devient l'une des petites chevilles ouvrières clandestines sur lesquelles l'économie new-yorkaise s'est toujours appuyée. Petit à petit, le système lui permet de s'intégrer. Aidée par l'un de ses employeurs, elle obtient un permis de travail, puis se marie et demande la nationalité américaine. « J'y suis arrivée ! Je me suis préparée toute seule, et j'ai réussi l'examen. La première fois que j'ai voté, c'était pour Obama. »

> *« Alors je me suis dit : Go to America ! »*

Aujourd'hui, Concepcion jongle toujours entre plusieurs employeurs et gagne moins de 1000 $ par mois. Pour pouvoir élever seule son fils, elle a cessé d'être nounou et se débrouille pour faire des ménages qui lui permettent d'aller chercher Mauricio Junior à l'école. Depuis une dizaine d'années, elle habite dans un deux-pièces sur Franklin Avenue, à Bed-Stuy. « J'ai de la chance, la propriétaire m'aime bien. Elle me le loue moins cher que le marché. Sinon ça fait longtemps que je serais partie ! Ici, la vie est chère, très chère. Heureusement que j'ai 300 $ de bons alimentaires de la ville, et que mon fils va à l'école publique du quartier. »

Concepcion est croyante. Elle ne fréquente pas d'église, mais dit prier tous les jours. Sa vie est dure, mais elle l'aime. Et elle aime New York. « Ici, on s'habille comme on veut, on fait ce qu'on veut. Personne ne te juge. On est libre. Rien que pour ça, je ne regrette rien. »

Berkeley College
BerkeleyCollege.edu
FULTON MALL
DO NOT
ENTER
DENTAL
LAWREN

DOWNTOWN BROOKLYN

Un quartier administratif en pleine métamorphose.

Au premier abord, avec ses immenses bâtiments de marbre, le cœur administratif de Brooklyn ne possède pas le charme de ses voisins, Brooklyn Heights ou Boerum Hill. Les New-Yorkais y venaient, jusqu'à présent, plutôt à reculons, quand ils devaient renouveler leur permis de conduire ou lorsqu'ils étaient appelés comme jurés dans un procès.

Mais nous, on aime bien l'ambiance encore populaire de ce quartier, loin des touristes et des hipsters. En journée, ça grouille d'une activité incessante. On y voit les employés en tailleur-costard-cravate, un café dans une main, l'attaché-case dans l'autre, entrer et sortir des bâtiments administratifs et de MetroTech Center, qui regroupe les sièges de dizaines de sociétés et d'universités. On croise les nombreux étudiants qui vivent sur les campus du New York City College of Technology, de l'Institut Polytechnique, ou d'autres écoles récemment implantées ici. Et aussi les Afro-Américains des logements sociaux voisins, qui viennent faire des bonnes affaires sur Fulton Mall, l'une des plus anciennes allées piétonnes commerçantes de New York.

À la nuit tombée, le calme (relatif, on est à New York!) revient, mais on se dit que ça ne va pas durer très longtemps, à en juger par le nombre de grues et d'échafaudages au mètre carré... Les tours d'habitation poussent à vitesse grand V, sur d'anciens parkings ou terrains vagues, et attirent une population de plus en plus aisée. C'est ici que la première mega tower de Brooklyn est en train d'être érigée. soixante-treize étages! De quoi bouleverser le relief du borough. Des hôtels branchés apparaissent çà et là, et les foodies découvrent chaque jour de nouvelles adresses.

En fait, Downtown Brooklyn cache bien son jeu. Sa diversité architecturale n'a pas d'équivalent à New York. Un mélange étonnant de tours de verre récentes, de bâtiments modernes, et de nombreux monuments historiques de Borough Hall, l'ancienne mairie de Brooklyn qui, rappelons-le, a été une ville indépendante jusqu'en 1898.

N'hésitez pas à rester dans le quartier plus longtemps que pour une simple connexion de métro. Malgré les apparences, de belles surprises vous attendent.

PLAN 3

Cadman Plaza Park
Cadman Plz E
Brooklyn Bridge Blvd
Jay St
Concord St
Chapel St
Cathedral Pl
Mc Laughlin Park
Concord St
Duffield St
Gold St
Tillary St
Clinton St
Adams St
13 14
Johnson St
Johnson St
Pierrepont St
21
Gold St
Lawrence St
Bridge St
Jay St
Court St [R]
Montague St
01
Flatbush Ave
Remsen St
Borough Hall [2/3]
30
MetroTech Center
25
27
24
11
Joralemon St
19
Borough Hall [4/5]
Jay St - MetroTech [R]
Willoughby St
03
16
20
15
Fulton St
23
Duffield St
29
28
Livingston St
32
Hoyt St [2/3]
09
08
Court St
05
Hoyt St
Boerum Pl
Smith St
Schermerhorn St
18
Elm Pl
10
31
Pacific St
17
07 02
Atlantic Ave
State St
Bond St
250 m
06

DOWNTOWN BROOKLYN

FAITES COMME CHEZ EUX

On-the-Go

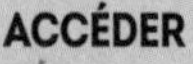

ACCÉDER

MÉTRO
Jay St - Metro Tech, Borough Hall, Court St, Hoyt St, Nevins St, Dekalb Ave (lignes A, B, C, F, G, Q, R, 2, 3, 4, 5).

CIRCULER

À PIED
Pratique.

À VÉLO
Peu de pistes et de nombreuses grandes rues peu adaptées au vélo. Visez les rues transversales.

LOUER

RIDE BROOKLYN
468 Bergen St 3 • 347-599-1340 • ridebrooklynny.com

CITI BIKE
Disponible.

LES COURSES

01. *Brooklyn Borough Hall Greenmarket*
Cadman Plaza • entre Court & Montague Sts • 212-788-7476 • grownyc.org/greenmarket/brooklyn/boro-hall-tu • ouvert les mardis, jeudis et samedis toute l'année.
Un petit marché en plein air pour les produits de saison.

02. *Brooklyn Fare*
200 Schermerhorn St • angle de Hoyt St • 718-243-0050 • brooklynfare.com
Épicerie fine où trouver des spécialités internationales, des produits frais de qualité ainsi que des plats préparés.

03. *Golden Fried Dumpling*
192 Duffield St • entre Willoughby St & Metrotech Center • 718-522-2836
Vous pouvez déguster leurs raviolis vapeur sur place ou les acheter congelés pour en avoir toujours sous la main.

04. *NYC Fresh Market*
150 Myrtle Ave • angle de Flatbush Ave Ext • 718-855-3200
Au rez-de-chaussée de l'une des nombreuses nouvelles tours, ce supermarché propose l'essentiel de l'épicerie et des produits frais.

PETIT DÉJEUNER

05. *New Apollo Diner*
155 Livingston St • angle de Smith St • 718-858-5600 • apollo-diner.com
Le menu de ce diner* tout droit sorti des années 1960 est d'une longueur étonnante. Le mieux est de faire dans le classique : œufs (toutes les formes sont permises), pancakes et french toasts.

06. *The Little Sweet Café*
77 Hoyt St • entre Atlantic Ave & State St • 718-858-8998 • facebook.com/The-Little-Sweet-Cafe
Charmant petit café avec patio à l'arrière pour déguster un latte* et une pâtisserie maison.

MANGER

07. *Chef's Table at Brooklyn Fare*
$306 • 200 Schermerhorn St • entre Hoyt & Bond Sts • 718-243-0050 • brooklynfare.com/pages/chefs-table
Le seul restaurant de Brooklyn avec 3 étoiles au Michelin se cache à côté de l'épicerie Brooklyn Fare. Dix-huit places seulement, toutes installées au comptoir de la cuisine pour profiter en direct de la préparation de la quinzaine de plats qui vont se succéder. Évidemment, l'excellence a un prix, 306$ hors taxe par personne. Et il faut réserver six semaines à l'avance.

08. *Don Nico's*
cash only • moins de $10 • 9-43 Dekalb Ave • entre Bond & Fulton Sts • 718-288-0107
Ce container recyclé en kiosque coloré propose tous les classiques de la nourriture mexicaine. Burritos, quesadillas et tacos* se dégustent sur les quelques tables ombragées du trottoir d'en face.

09. *Fulton Hot Dog King*
cash only • moins de $10 • 472 Fulton St • angle d'Elm Place • 718-858-9799
On vous conseille les hot-dogs de ce fast-food rétro au cœur de Fulton Mall.

10. *Ganso*
$10-20 • 25 Bond St • angle Livingston St • 718-403-0900 • gansonyc.com
Un bon restaurant de ramen (soupes de nouilles japonaises).

11. *Hill Country Barbecue Market*
$10-20 • 345 Adams St • Willoughby Pl • 718-885-4608 • hillcountrybk.com
Restaurant de BBQ aux parfums texans. Musique live du jeudi au dimanche.

12. *Junior's Cheesecake*

$10-20 • 386 Flatbush Ave Ext • angle de Dekalb Ave • 718-852-5257 • juniorscheescake.com
La façade de ce diner* des années 1950 est assortie aux camions des pompiers qui viennent prendre un pastrami et surtout le cheesecake légendaire de la maison. Depuis trois générations, la famille Rosen sert les employés, les étudiants, et les habitants du quartier. En espérant que ça dure encore longtemps.

13. *Jun Shokudo*

$10-20 • 306 Gold St • entre Flatbush Ave Ext & Gold St • 718-855-0988 • junshoduko.com
Restaurant de tapas japonaises avec, le midi, des formules repas intéressantes (donburis ou bento box copieux).

14. *Pollo d'Oro*

$10-20 • 306 Gold St • angle de Johnson St • 718-855-8088 • pollodorobk.com
Dans ce restaurant péruvien traditionnel, le poulet grillé est à l'honneur, mais on vous recommande les ceviches (poissons ou fruits de mer crus dans une marinade au citron vert), accompagnés d'un bon pisco sour.

15. *Shake Shack*

KIDS • **moins de $10** • 409 Fulton St • angle de Adams St • 718-307-7599 • shakeshack.com
On ne présente plus le roi du burger new-yorkais. De simple stand dans Madison Park en 2004, Shake Shack est devenu un mini-empire qui se développe dans tout le pays et à l'international. Dans celui-ci, vous éviterez sûrement la longue attente des restaurants proches des attractions touristiques de Manhattan.

16. *Yaso Tangbao*

moins de $10 • 148 Lawrence St • entre Fulton & Willoughby Sts • 929-337-7599 • yasotangbao.com
Dans ce restaurant de street-food chinoise (de Shanghai), optez pour les soup dumplings* ou les baos (beignets vapeur fourrés au porc). Leurs soupes de nouilles parfumées sont très nourrissantes.

17. *Grand Army*

$7-13 • 336 State St • angle de State St • 718-422-7867 • grandarmybar.com
Beau bar à cocktails et à huîtres. L'une des premières adresses du genre, signe de la gentrification en cours dans le quartier.

18. *Livingston Manor*

$7-13 • 42 Hoyt St • entre Livingston & Schermerhorn Sts • 347-987-3292 • livingstonmanorbk.com
Ce bar chaleureux de bois et de briques propose de très bons cocktails et des bières artisanales brassées dans le nord de l'État de New York.

19. *O'Keefe's Bar & Grill*

$5 • 62 Court St • entre Joralemon & Livingston Sts • 718-855-8751
Un pub traditionnel où boire une pinte de bière en grignotant des ailes de poulet grillées.

20. *AVA Brew*

100 Willoughby St • angle de Duffield St • 917-224-0766 • avabrew.com
Un vaste espace, des cafés aromatiques du monde entier et de confortables canapés.

21. *Columbus Park*

entre Court & Adam Sts • nycgovparks.org/parks/columbus-park
Installez-vous à l'une des nombreuses petites tables en plein air et profitez du wifi gratuit dans ce parc.

22. *340 Flatbush Avenue Extension*

À l'heure où nous écrivons, c'est ici que se construit la première mega tour de Brooklyn. Haute de plus de 300 mètres (soit à peu près la tour Eiffel), elle intègrera, à sa base, la Dime Savings Bank, une ancienne banque classée monument historique, d'inspiration gréco-romaine. À voir !

23. *Abraham & Strauss Department Store*

entre Fulton St, Livingston St, Hoyt St, et Gallatin Place
Ce magnifique bâtiment de la fin du 19e siècle était, jusque dans les années 1970, un grand magasin chic, repris depuis par Macy's, célèbre autre grand magasin. Le shopping n'y a pas grand intérêt mais les détails architecturaux intérieurs, si !

24. *Duffield Street Houses*

182-188 Duffield St
Vestiges de l'époque où Downtown était un quartier résidentiel de la classe moyenne, ces quatre charmantes maisons tranchent avec la verticalité ambiante. Détail intéressant : à l'origine situées sur Johnson Street, elles ont été déplacées sur Duffield Street en 1990 pendant la construction du MetroTech Center.

25. *Brooklyn Borough Hall*

209 Joralemon Street • angle de Court St

Au croisement de Joralemon et de Court Streets, les bâtisses ont échappé aux avides promoteurs immobiliers en étant classées, in extremis, « Borough Hall Skyscraper Historic District ».

26. *Commodore Barry Park*

entre Navy St & N Elliot Pl • afropunkfest.com/nyc/

Ce parc, situé au milieu des logements sociaux, n'est intéressant que pendant le festival de musique Afropunk, organisé chaque année fin août.

27. *Old Brooklyn Fire Headquarters*

365 Jay St • angle de Willoughby St

Ne manquez pas cet impressionnant bâtiment néo-roman aux briques jaunes et rouges qui fut le siège du Brooklyn Fire Department avant de devenir un bâtiment d'habitation. Il est aujourd'hui classé et a récemment été restauré.

S'AÉRER LES NEURONES

28. *New York Transit Museum*

KIDS • angle de Boerum Pl & Schermerhorn • 718-694-1600 • nytransitmuseum.org

Une ancienne station de métro revisitée en musée : c'est la sortie idéale pour les enfants... et les parents, curieux d'en apprendre plus sur la construction du métro new-yorkais. Tous seront ravis de se balader dans les anciennes rames rénovées.

29. *The Brooklyn Tabernacle*

17 Smith St • entre Fulton & Livingston Sts • 718-290-2000 • brooklyntabernacle.org

Pour assister à une messe gospel, cette église est une bonne alternative aux églises d'Harlem, trop souvent bondées de touristes.
Vous serez mêlés aux fidèles qui vous accueilleront bras grands ouverts et les deux cent quatre-vingts choristes ne vous laisseront pas indifférent. Par respect pour eux, ne partez pas à la fin des chants, mais restez pour le prêche.

30. *TKTS*

1 MetroTech Center • angle de Jay St & Myrtle Promenade • tdf.org/tkts

Le même kiosque qu'à Times Square, l'attente en moins, pour obtenir des billets à tarif réduit pour les spectacles de Broadway joués le soir même. (À moins que vous préfériez télécharger leur application.)

TAKE CARE

31. *Tangerine Hot Power Yoga*

225 Schermerhorn St • entre Hoyt & Bond Sts • 718-855-8622 • tangerinehotpoweryoga.com

Un studio flambant neuf pour expérimenter la pratique du yoga dans une salle chauffée à 35 degrés. Hautement détoxifiant, paraît-il.

BUY LOCAL

32. *Fulton Mall*

Fulton St • entre Boerum Pl & Flatbush Ave

Ce n'est pas ici que vous achèterez du local. En revanche, vous y ferez des affaires. Cette portion de Fulton Street, surnommée Fulton Mall, concentre de nombreux outlets, des magasins d'usine (Gap, Banana Republic etc.). Vous trouverez les baskets du moment chez Jimmy Jazz ou de quoi habiller les enfants pour pas cher chez Cookie's The Kids Departement Store, en compagnie des familles du coin, en quête de la tenue de communion du petit dernier. Les adeptes de fripes, eux, se perdront des heures durant, entre les rayons de Unique Thrift Store. Et surtout, même si vous n'avez envie de rien, vous aurez profité d'une tranche de vie populaire, typique d'un certain Brooklyn.

DOWNTOWN BROOKLYN

NO STANDING
Anytime
Monday
Thursday
8:30am - 10am

Des block parties aux coffee shops, des quartiers noirs en pleine mutation.

À **Prospect Heights, impossible de rater la gigantesque façade en acier rouillé du Barclays Center.** Au nord de Prospect Park, à l'intersection de Flatbush et d'Atlantic, cette salle omnisports de plus de 17000 places est non seulement la nouvelle maison de l'équipe des Nets[1] mais aussi la rivale du Madison Square Garden. À l'affiche, des poids lourds comme Beyoncé, Rihanna, les Rolling Stones, et bien sûr Jay-Z, l'enfant du quartier, qui a contribué à financer ce projet très controversé. « Don't be afraid, it's only Brooklyn![2] », lançait le rappeur multimillionnaire au public venu assister à son concert inaugural, en 2012. La même semaine, *New York Magazine* titrait, la photo du Barclays Center en couverture : « Brooklyn is finished. (Or has it just begun?)[3] ».

Dans la foulée, c'est une quinzaine de tours - mélange de logements et de malls* - qui vont bientôt sortir de terre. Observer cet immense chantier à ciel ouvert permet de prendre la mesure de ce « nouveau Brooklyn ». Les pouvoirs publics et les promoteurs présentent ce gigantesque projet comme une façon de booster l'économie locale. Les associations de défense du quartier le voient surtout comme un cheval de Troie qui risque de bouleverser ce qui faisait jusqu'à présent l'identité de Brooklyn en modifiant l'équilibre urbain et en expulsant des résidents de longue date sans fournir (pour l'instant) les logements à loyer modéré promis...

Quittez l'agitation populaire, poursuivez votre chemin vers l'est, par Bergen Street par exemple, pour rejoindre Vanderbilt Avenue. Des vieilles dames blacks vous saluent pour un brin de causette depuis le perron de la maison, dont elles sont propriétaires depuis près de quarante ans, ce qui leur permet de rester. Sur Vanderbilt, les boutiques, les restaurants farm-to-table* et les bars au look rétro se sont multipliés. On y croise des jeunes yuppies* noirs arrivés récemment, et de plus en plus de Blancs de la classe moyenne supérieure, attirés par l'architecture locale, la proximité de la Public Library, du Brooklyn Museum, et bien sûr du parc. « Quand j'ai emménagé en 2000, j'étais quasiment la seule Blanche de ma rue. Il y avait des block parties, des fêtes de rue, avec des barbecues géants et des murs d'enceinte qui crachaient de la musique. Ça craignait un peu, mais c'était une chouette ambiance », se souvient une photographe qui vit sur Sterling Place avec son mari musicien et leurs deux enfants.

1. Équipe de basket de la NBA (National Basketball Association). | **2.** « N'ayez pas peur, c'est juste Brooklyn ! »
3. La fin de Brooklyn (Ou bien le début ?).

Ici, un quatre pièces se vend près d'un million contre 100 000$ il y a quinze ans. Robert Price, propriétaire d'un restaurant de cuisine du Sud sur Vanderbilt, porte un regard mitigé sur l'évolution récente du quartier, dans lequel il vit depuis 1967 : « On me demande souvent si ça m'embête qu'il y ait de plus en plus de Blancs ici. Pas du tout ! Au contraire ! », explique cet Afro-Américain de 70 ans, la moustache élégante, le costard croisé, et le Stetson penché sur le crâne. « Mais il faut prévoir des solutions pour reloger les pauvres. Il faut faire de la regentrification ! ».

De l'autre côté de Washington Avenue, vous passez techniquement de Prospect Heights à Crown Heights. Quasiment impossible de vous en apercevoir car, au nord de Eastern Parkway et de ses magnifiques immeubles avant-guerre, il règne la même atmosphère bobo cool. On peut boire un coup avec les trentenaires dans les coffee-shops qui ont remplacé les bodegas*, ou faire du shopping dans les boutiques créatives qui ont remplacé les bazars de discount, sur Franklin, Washington, Nostrand et Classon Avenues.

Crown Heights, comme Leffert-Gardens, son quartier limitrophe sur le versant est du parc, est un quartier majoritairement afro-caribéen en pleine mutation. Un quart de la population vit toujours sous le seuil de pauvreté. Enfoncez-vous à l'est et au sud, là où la gentrification n'est pas encore passée. « It's been 90 days since our last shootings[4] » : une pancarte accrochée à la porte d'un deli* par l'association Save our Streets[5] rappelle que le quartier peut encore s'échauffer.

Ça pourrait être le comble de l'incongruité, c'est simplement New York.

Sur Nostrand Avenue, vers les stations President et Sterling Place, ou sur Utica Avenue, Brooklyn se savoure à la sauce afro-caribéenne. Les étals des supermarchés regorgent de fruits exotiques. Les effluves épicés des bouis-bouis se mêlent aux odeurs entêtantes des encens et des parfums capiteux des vendeurs rastas. Le samedi, les filles, originaires de Haïti, de la Barbade ou de Sainte-Lucie, viennent dépenser leur salaire de nanny dans les magasins de beauté dont elles ressortent les bras chargés d'extensions et de toutes sortes de baumes hydratants, défrisants, avant de pousser la porte d'un salon de coiffure. Selon la mode et le mood politique du moment, elles opteront pour une coupe afro big hair ou pour des tresses sur lesquelles les coiffeuses passeront la journée, s'interrompant juste le temps de manger un jerk livré par le snack jamaïcain d'à côté (en matière capillaire, c'est la parité car les hommes passent autant de temps au barber-shop du coin à faire graisser leurs dreadlocks).

Autour de Kingston Avenue, au sud de Eastern Parkway, autre ambiance. Vous pénétrez en terre loubavitch, seul îlot blanc à s'être maintenu dans les années 1970, quand le quartier sombrait dans la violence et la pauvreté. Ici, la mode et le mood n'ont pas beaucoup changé depuis le 19e siècle. Les femmes ne sont pas autorisées à montrer leurs vrais cheveux alors

4. « Ça fait 90 jours que nous n'avons pas eu de tirs dans le quartier. » | **5.** crownheights.org/sos/

que les tempes des hommes doivent être recouvertes par leur pilosité. Borsalinos et longs manteaux noirs pour les hommes en pleine conversation talmudique sur le trottoir, perruques et bas ultra-opaques pour les femmes qui attendent à la descente du school bus jaune floqué en hébreu.

Pour beaucoup de New-Yorkais, le nom de Crown Heights évoque encore les violentes émeutes raciales d'août 1991[6] qui ont opposé les Noirs et les juifs hassidiques. Depuis ces émeutes (les dernières qu'ait connu New York), même si les préjugés et les gunshots n'ont pas disparu, les deux communautés ont appris à voisiner plus sereinement. Une fois par an, le défilé pailleté et hypersensuel de la parade caribéenne de Labor Day[7] traverse le havre traditionaliste juif sous les fenêtres des étudiants talmudiques (qui n'en perdent pas une miette !). Ça pourrait être le comble de l'incongruité, c'est simplement New York.

6. Les émeutes ont éclaté après qu'une voiture de la délégation du rabbin Menachem Schneerson, leader de la communauté loubavitch, a tué accidentellement un petit garçon d'origine guyanaise de 7 ans, sans s'arrêter. Trois jours de violences et de pillages, pendant lesquels un étudiant juif orthodoxe a été poignardé. | **7.** La fête du travail, en septembre.

D PLAN 1

Dean St
Pacific St
Bergen St
Lefferts Pl
Atlantic Ave
Franklin Ave
Underhill Ave
Carlton Ave
Flatbush Ave
Vanderbilt Ave
Grand Ave
Pacific St
Bergen St
Dean St
St Marks Ave
Prospect Pl
7 Av [B/Q]
Plaza St E
Grand Army Plaza [2/3]
Sterling Pl
Park Pl
Park Pl [S]
St Johns Pl
Lincoln Pl
Classon Ave
Bedford Ave
Nostrand Ave
Union St
Eastern Pky
Lincoln Pl
Eastern Parkway Brooklyn Museum [2/3]
Botanic Garden [S]
Franklin Av [2/3/4/5]
Union St
Prospect Park West
Washington Ave
Franklin Ave
President St
Carroll St
Rogers Ave
Crown St
Montgomery St
Flatbush Ave
Prospect Park
Prospect Pond
Empire Blvd
Prospect Park Dr
Prospect Park Subway [B/Q/S]
Lincoln Rd
Ocean Ave
Prospect Park Lake
Parkside Av [Q]
Prospect Park Dr
Flatbush Ave
250 m
LES COURSES
01. Gombo's Heimishe Bakery
02. Grand Army Plaza Greenmarket
03. Little Cupcake Bakeshop
04. Wholesome Gourmet Market
05. Wino(t)
PETIT DÉJEUNER
06. Bunch-O-Bagels
07. Chavela's
08. Joyce Bakeshop
09. Tom's Restaurant
MANGER
10. Ali's Original Roti Shop
11. Ample Hills

PROSPECT HEIGHTS + CROWN HEIGHTS + LEFFERTS GARDENS

BROOKLYN

12. Barboncino
13. Basil Pizza & Wine
14. Chuko Ramen
15. Glady's
16. Gloria's Caribbean Cuisine

SORTIR

17. Friends & Lovers
18. King Tai Bar
19. The Way Station
20. Weather Up

SE CONNECTER

21. Breukelen Coffee House
22. Colina Cuervo
23. Lincoln Station
24. Sit & Wonder

PAUSES URBAINES

25. 47 Secret to a Younger You - Hors carte
26. Brooklyn Botanic Garden
27. Historic District de Prospect-Lefferts Garden - Hors carte
28. Jewish Tours
29. Lubavitch World Headquarters
30. Mount Prospect Park
31. Prospect Heights Community Farm
32. Prospect Park
33. Underhill Playground

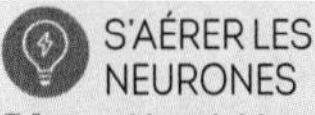

S'AÉRER LES NEURONES

34. Brooklyn Children's Museum
35. Brooklyn Museum
36. Central Library
37. Drummer's Grove
38. Hullabaloo Books
39. Weeksville Heritage Center

TAKE CARE

41. Ricky's NYC - Hors carte
42. St John's Recreation Center Indoor Pool
43. VeroYoga - Hors carte

BUY LOCAL

44. 1 of a Find Vintage
45. Brooklyn Flavors
46. Owl & Thistle General Store
47. Play Kids
48. Suzette LaValle

FAITES COMME CHEZ EUX

On-the-Go

ACCÉDER

MÉTRO
Grand Army Plaza, 7th Ave, Franklin Ave – Botanic Garden, Park Place, Prospect Park, Parkside Ave, Nostrand Ave, Kingston Ave, President St, Sterling St (lignes B, Q, 2, 3 4, 5 et S).

CIRCULER

À PIED
Agréable, mais les quartiers sont étalés.

À VÉLO
Pratique (piste cyclable en propre sur Eastern Parkway), d'autant que le parc n'est pas loin.

LOUER

EXCELSIOR BIKE SHOP
694 Franklin Ave • 718-789-2502 • excelsiorbikeshop.com

CITIBIKE
Disponible.

LES COURSES

01. *Gombo's Heimishe Bakery*

328 Kingston Ave • entre Union & President Sts • Crown Heights • 718-771-7701
On vient ici pour les douceurs casher, en particulier les rugelach (version Europe de l'Est des croissants), fourrés aux fruits secs, graines de pavot, miel ou chocolat.

02. *Grand Army Plaza Greenmarket*

Grand Army Plaza • Prospect Park West & Flatbush Avenue • Prospect Park • 212-788-7476 • grownyc.org/greenmarket/brooklyn-grand-army-plaza
Voir Les courses à Park Slope p. 132

03. *Little Cupcake Bakeshop*

598 Vanderbilt Ave • entre Prospect Pl & St Marks Ave • Prospect Heights • 718-783-0770 • littlecupcakebakeshop.com
Tous les desserts traditionnels américains (layer cakes, cheesecakes, pies etc.) sont dans cette pâtisserie qui limite au maximum l'empreinte carbone de ses produits.

04. *Wholesome Gourmet Market*

534 Flatbush Ave • entre Lincoln Rd & Lefferts Ave • Lefferts Gardens • 718-282-0004 • wholesomegourmetmarket.com
Grand choix de produits bio. Un peu cher donc plutôt en dépannage, si vous ne trouvez pas ce que vous voulez à la bodega* portoricaine du coin.

05. *Wino(t)*

796 Franklin Ave • entre Lincoln Pl & Eastern Pky • Crown Heights • 718-576-6944 • brooklynwinot.com
L'un des rares cavistes du coin à vendre des vins bio.

PETIT DÉJEUNER

06. *Bunch-O-Bagels*

361 Troy Ave • entre Crown & Carroll Sts • Crown Heights • 718-604-0634 • bunchobagels.com
Pour un bagel* au cream-cheese, à la new-yorkaise.

07. *Chavela's*

736 Franklin Ave • angle de terling Pl • Crown Heights • 718-622-3100 • chavelasnyc.com
Dans ce restaurant mexicain, où l'on se sent bien, le brunch du week-end est une good value (bon rapport qualité/prix).

08. *Joyce Bakeshop*

646 Vanderbilt Ave • entre Park & Prospect Pls • Prospect Heights • 718-623-7470 • joycebakeshop.com
Une boulangerie-pâtisserie cool, fréquentée aussi bien par les propriétaires de poussettes que par ceux de MacBook.

09. *Tom's Restaurant*

cash only • 782 Washington Ave • angle de Sterling Pl • Prospect Heights • 718-636-9738 • tomsbrooklyn.com
Dans ce restaurant familial et kitsch, les drapeaux américains, la comfort-food* et Count Basie sont toujours là. Mais les habitués vous diront que depuis que Gus est mort, ce n'est plus pareil. Gus Vlahavas avait grandi au-dessus du restaurant ouvert en 1936 par son grand-père, d'origine grecque. Toujours plein d'attention pour ses clients, qui le lui rendaient bien, n'hésitant pas à former une chaîne humaine pour protéger le diner* des pillages pendant le blackout de 1965.

MANGER

10. *Ali's Original Roti Shop*

cash only • moins de $10 • 337 Utica Ave • entre President & Carroll Sts • Crown Heights • 718-778-7329

Soyez prêt à faire la queue pour un bon roti trinidadien fourré au curry de canard.

11. *Ample Hills*

moins de $10 • 623 Vanderbilt Ave • angle de St Marks Ave • Prospect Heights • 347-240-3926 • amplehills.com

La référence locale quand il s'agit de manger une glace.

12. *Barboncino*

$10-20 • 781 Franklin Ave • entre Lincoln & St Johns Pls • Crown Heights • 718-483-8834 • barboncinopizza.com

Les pizzas sont fines et croustillantes, l'endroit est chic mais chaleureux.

13. *Basil Pizza & Wine*

$20-30 • 270 Kingston Ave • angle de Lincoln Pl • Crown Heights • 718-285-8777 • basilny.com

Ce n'est pas tellement pour le contenu des assiettes qu'on vous recommande ce bistrot à vin italien et casher, mais pour ce qu'il représente. Un restaurant que son propriétaire (Israélien d'origine russe) a choisi d'ouvrir du côté afro-caribéen de l'avenue. La gérante (ex-hôtesse de l'air pour la compagnie israélienne El Al) est d'origine colombienne. Des serveurs blacks, dont certains sont ouvertement homosexuels, prennent la commande des clients, juifs orthodoxes ou afro-américains. Le prêtre de l'église d'à côté y côtoie la trentenaire sexy. Vous êtes bien à Brooklyn.

14. *Chuko Ramen*

cash only • $10-20 • 552 Vanderbilt Ave • angle de Dean St • 718-576-6701 • barchuko.com

Un décor minimaliste pour mieux se concentrer sur un savoureux bol de ramen.

15. *Glady's*

$10-20 • 788 Franklin Ave • angle de Lincoln Pl • Crown Heights • 718-622-0249 • gladysnyc.com

Quand la gentrification s'appuie sur les racines du quartier, ça donne une cuisine caribéenne subtile. Les cocktails à base de rhum sont à tomber.

16. *Gloria's Caribbean Cuisine*

moins de $10 • 764 Nostrand Ave • angle de Sterling Pl • Crown Heights • glorias-hub.com

Une institution familiale et bon marché qui vaut bien un peu d'attente pour être servi.

SORTIR

17. *Friends & Lovers*

cash only • $6-7 • 641 Classon Ave • entre Dean & Pacific Sts • Crown Heights • 917-979-3060 • fnlbk.com

Pour ceux qui aiment trinquer (et danser) sur de la musique live.

18. *King Tai Bar*

$6-10 • 1095 Bergen St • proche angle Nostrand Ave • Crown Heights • 718-513-1025 • kingtaibar.com

Joli bar à cocktails de quartier qui a ouvert dans un ancien Chinese American restaurant.

19. *The Way Station*

$7-9 • 683 Washington Ave • proche angle Prospect Pl • Prospect Heights • 929-335-6290 • waystationbk.com

Petit bar de quartier pour écouter de la musique live ou participer à des karaokés.

20. *Weather Up*

cash only • $5.50-12 • 589 Vanderbilt Ave • proche angle Dean St • Prospect Heights • 212-766-3202 • weatherupnyc.com

Bar à cocktail façon speakeasy*.

SE CONNECTER

21. *Breukelen Coffee House*

764A Franklin Ave • angle St Johns Pl • Crown Heights • 718-789-7070 • breukelencoffeehouse.com

Le « bureau » de pas mal d'indépendants du coin.

22. *Colina Cuervo*

759 Nostrand Ave • entre Lincoln & St John Pls • Crown Heights • 718-552-2005 • colinacuervo.com

Un endroit parfait pour se poser à l'heure du petit-déjeuner ou pour un déjeuner léger et studieux.

23. *Lincoln Station*

409 Lincoln Pl • angle de Washington Ave • Crown Heights • 718-399-2211 • stationfoods.com

La version branchée du deli* du 21e siècle, où prendre un café ou un sandwich, selon l'heure.

24. *Sit & Wonder*

688 Washington Ave • angle de St Marks Ave • Prospect Heights • 718-622-0299 • sitandwonder.org

Chaleureux café typique du Brooklyn d'aujourd'hui, avec un chouette patio.

PAUSES URBAINES

25. *47 Secrets to a Younger You*

(Hors carte) • 47secretstoayoungeryou.com

Des web-comédies réalisées par les habitants, tournées dans les rues de Lefferts Garden.

26. *Brooklyn Botanic Garden*

KIDS • 990 Washington Ave • entre President St & Classon Ave • Prospect Park • 718-622-0963 • bbg.org

Enivrant en avril quand les lilas et les cerisiers sont en fleurs. Revigorant en hiver dans les serres victoriennes. Apaisant à n'importe quelle période de l'année, dans les allées du jardin japonais, du Shakespeare Garden qui compte plus de 80 plantes (mentionnées dans les œuvres du dramaturge), ou au milieu des pivoines en fleurs.

27. *Historic District de Prospect-Lefferts Garden*

(Hors carte)

Ce quartier classé, bordé au sud et au nord par Fenimore et Stering Sts, à l'est et à l'ouest par Flatbush et Rodgers Aves, est un secteur à part qui tranche avec l'ambiance populaire de Flatbush Avenue, la caribéenne. Impossible de définir un style majoritaire pour ces quelques rues résidentielles calmes et bordées d'arbres. Les maisons individuelles se mélangent aux petits immeubles de deux ou trois étages dans un mix des genres étonnant. On passe d'une maison à colombages à une maison victorienne puis à un petit immeuble de briques rouges (qui ne jurerait pas à Londres) en une seule rue, voire un numéro de rue ! Mais cet eldorado, que les résidents aiment encore à appeler le secret le mieux gardé de Brooklyn, commence doucement à attirer une nouvelle population venue de Park Slope et même de Manhattan.

28. *Jewish Tours*

305 Kingston Ave • entre Union St & Eastern Pkwy • 718-953-5244 • jewishtours.com

Si vous voulez mieux comprendre le mode de vie des Habad-Loubavitchs, suivez le rabbin. Vous visiterez une synagogue et un mikvé (bain rituel), et vous terminerez dans un deli* du quartier pour un déjeuner casher. L'occasion d'apprendre qu'entre 13 et 24 ans, les garçons passent 12 heures par jour à étudier les textes sacrés, avant de pouvoir choisir un métier. Et qu'il n'est pas interdit aux femmes de travailler, mais que leur priorité doit rester la famille (et comme la contraception est proscrite...). Cette communauté hassidique est traditionnelle (seule concession à la modernité : Internet et l'informatique sont autorisés. Du coup, la plupart des systèmes de sécurité des banques sont conçus par des hassidiques !), mais très accueillante.

29. *Lubavitch World Headquarters*

770 Eastern Pkw • proche angle Kingston Ave • Crown Heights • 718-774-4000 • lubavitch.com

Surnommé le « 770 », le QG mondial du mouvement loubavitch abrite une synagogue et une école, visités chaque année par des milliers de pèlerins.

30. *Mount Prospect Park*

KIDS • 150 Eastern Pkwy • entre la Brooklyn Public Library & le Brooklyn Museum • Prospect Heights • 718-965-8900 • nycgovparks.org/parks/mount-prospect-park

Un charmant petit parc, un peu caché en hauteur donc pas pris d'assaut avec (autre bonne surprise) un super point de vue sur Manhattan. Parfait pour un pique-nique romantique sur une pelouse ombragée... ou pour emmener vos enfants jouer sur les deux playgrounds avec les gamins du quartier !

31. *Prospect Heights Community Farm*

252-256 St Marks Ave • entre Vanderbilt & Underhill Aves • Prospect Heights • phcfarm.com

Ce jardin partagé a été créé dans les années 1990 par des enseignants-chefs scouts et le pasteur de l'église baptiste d'à côté pour accueillir des enfants. Il est aujourd'hui ouvert au public à certaines heures de la journée, et organise régulièrement des fêtes de quartier comme la Pumpkin Smash Potato Bake Bash (tout le monde vient jeter sa citrouille d'Halloween dans le compost) ou une vente annuelle de plantes.

32. *Prospect Park*

KIDS • Voir balade p.216.

33. *Underhill Playground*

KIDS • 121-147 Underhill Ave • angle de Prospect Pl • Prospect Heights • 718-771-1693 • nycgovparks.org/parks/underhill-playground

Une aire de jeux où la mixité récente du quartier se vit au quotidien.

S'AÉRER LES NEURONES

34. Brooklyn Children's Museum

KIDS • 145 Brooklyn Ave • angle de St Marks Ave • Crown Heights • 718-735-4400 • brooklynkids.org

Le plus vieux musée du monde entièrement dédié aux enfants est interactif et écolo. Il invite à toucher, expérimenter, explorer. Notamment la diversité ethnique du borough, avec l'atelier « World Brooklyn » où les enfants peuvent jouer aux marchands dans des fausses boutiques, de la boulangerie mexicaine au magasin d'artisanat africain, en passant par l'épicerie sud-asiatique et la papeterie chinoise.

35. Brooklyn Museum

200 Eastern Pkwy • angle de Washington Ave • Prospect Heights • 718-638-5000 • brooklynmuseum.org

Moins connu que le Met, ce musée vaut vraiment d'y passer du temps. De l'Égypte ancienne à l'art féministe (dont l'impressionnante installation The Dinner Party), en passant par Visible Storage, une section originale dédiée aux objets des 19e et 20e siècles. Sans oublier la culture urbaine avec des expos consacrées aux sneakers ou à Coney Island.

36. Central Library / Brooklyn Public Library

KIDS • 10 Grand Army Plaza • angle de Flatbush Ave & Eastern Pkwy • Prospect Park • 718-230-2100 • bklynlibrary.org

Ce magnifique bâtiment Art déco en forme de livre abrite 1,5 million d'ouvrages. Les salles de lecture, lumineuses, donnent sur le parc. Les story times (lectures) attirent les foules enfantines, notamment les jours de grosse chaleur ou de grand froid (c'est gratuit et il y a même des histoires lues en français et en espagnol). Vous pouvez emprunter des tablettes et utiliser le Wifi, le tout gratuitement. Modalités d'inscription sur le site.

37. Drummers' Grove

KIDS • entrée sud-est de Prospect Park • angle de Parkside & Ocean Aves

Tous les dimanches après-midi, aux beaux jours, des centaines de percussionnistes se retrouvent au sud-est de Prospect Park pour groover au rythme des djembés, dunums et autres drums. Une bonne façon de lâcher prise !

38. *Hullabaloo Books*

658 Franklin Ave • angle de St. Marks Ave • Crown Heights • 347-240-7414 • facebook.com/HullabalooBooks

Les librairies indépendantes font leur retour à Brooklyn, financées par le crowd-funding. En voici un bon exemple !

39. *Weeksville Heritage Center*

158 Buffalo Ave • angle de St. Marks Ave • Crown Heights • 718-756-5250 • weeksvillesociety.org

De Weeksville, village fondé en 1838 par d'anciens esclaves noirs, il ne reste que quatre maisons, aujourd'hui appelées the Hunterfly Road Houses. Si vous voulez en savoir plus sur ce qui fut l'une des premières communautés d'Afro-Américains libres aux États-Unis, le Weeksville Heritage Center est un magnifique centre de recherche et de mémoire qui organise notamment des visites des maisons.

40. *West Indian American Labor Day Carnival*

(Hors carte) • wiadcacarnival.org

Chaque année, en septembre, sur Eastern Parkway, plus d'un million de personnes viennent voir les Caraïbes se déhancher et twerker. Sept heures de défilé au rythme des casseroles, sur des airs de salsa et de calypso, dans les effluves de jerk. Vu le monde et la surchauffe, un coup de feu ou un mouvement de foule n'est pas à exclure mais le NYPD veille. Les plus aventuriers iront aux fêtes organisées juste avant, le fameux « J'ouvert », grand défouloir qui commence à l'aube.

TAKE CARE

41. *Ricky's NYC*

(Hors carte) • 478 Bergen St • angle de Flatbush Ave • Prospect Heights • 718-622-0063 • rickysnyc.com

Dans cette minichaîne new-yorkaise dédiée à la beauté et à la déconne, vous trouverez aussi bien un vernis Essie qu'un costume kitsch pour Halloween, ou un sex-toy.

42. *St John's Recreation Center indoor pool*

KIDS • 1251 Prospect Pl • entre Troy & Schenectady Aves • Crown Heights • 718-771-2787 • nycgovparks.org/facilities/recreationcenters/B245

Une piscine couverte municipale pas immense mais bien pratique en hiver.

43. *VeroYoga*

KIDS • (Hors carte) • 208 Midwood St • entre Bedford & Rogers Aves • Prospect Lefferts Gardens • 646-391-3266 • veroyoganyc.com

Pendant que vous faites votre salutation au soleil, votre enfant participe à un kids-class dans la salle d'à côté. Si après ça, il n'a pas d'énergie pour arpenter la ville !

BUY LOCAL

44. *1 of a Find Vintage*

633 Vanderbilt Ave • entre Prospect Pl & St Marks Ave • Prospect Heights • 718-789-2008 • 1ofafindvintage.com

Honey a toujours eu l'œil pour repérer les pièces rétro dans le coup. Des vêtements et des accessoires vintage qu'elle sélectionne avec soin, et qu'elle revend à des prix plutôt raisonnables pour leur qualité.

45. *Brooklyn Flavors*

820 Washington Ave • entre Lincoln Pl & St. Johns Pl • Prospect Heights • 718-854-7486 • brooklynflavors.com

Mettre l'odeur de Brooklyn en bouteille ? C'est la drôle d'idée de Sophia Sylvester, ex-secrétaire médicale, initiée à l'herboristerie par ses parents, caribéens. Ses huiles et beurres corporels ont tous un parfum associé à un quartier. Prospect Heights est un mélange de fleurs de cerisier et de jasmin, en écho au Botanic Garden à deux pas. Church Avenue est une infusion de mangue, de papaye, et de jasmin, avec une touche de noix de coco. On vous rassure, Gowanus Canal n'existe pas.

46. *Owl & Thistle General Store*

833 Franklin Ave • angle de Union St • Crown Heights • 347-722-5836 • owlandthistlegeneral.com

La boutique où trouver des accessoires Brooklyn made.

47. *Play Kids*

KIDS • 668 Flatbush Ave • entre Westbury Ct & Hawthorne St • Prospect Lefferts Gardens • 347-715-9347 • playkidsstore.com

Ce shop around the corner est rempli de jouets qui n'ont pas besoin de piles !

48. *Suzette Lavalle*

726 Franklin Ave • entre Sterling & Park Pls • Crown Heights • 646-281-4029 • suzettelavalle.com

La patronne est un personnage. Sa boutique un mini concept-store où trouver des vêtements, bijoux, des accessoires de mode et des objets de déco sympas et pas hors de prix.

PROSPECT HEIGHTS + CROWN HEIGHTS + LEFFERTS GARDENS

9

Un concentré de maisons victoriennes et de ville-monde.

Dans les rues calmes, bordées de sycomores et d'imposantes maisons victoriennes de Ditmas Park, on jurerait avoir été téléporté dans une banlieue résidentielle de la Nouvelle-Angleterre. Sur Marlborough, Albemarle, ou Rugby Road, on passe d'une façade en bois colorée à l'autre, admirant les tourelles, les colonnes, les vitraux, les porches, et plein d'autres détails architecturaux fantaisistes. On salue le facteur, l'étudiant qui tond la pelouse, et la vieille dame qui se balance sur son rocking-chair. Sur des pylônes, des petites affiches du NYPD annoncent que le stationnement sera prochainement perturbé par le tournage d'un film. Au loin, une sirène d'ambulance et des coups de klaxon rappellent que le chaudron urbain n'est qu'à quelques blocs.

Sur Cortelyou Road et Church Avenue, près des bouches de métro éponymes, retour à l'agitation d'un quartier familial qui a su se développer tout en préservant sa mixité. À la sortie des écoles, c'est un concentré de ville-monde : des mamans portent le sari, d'autres le tchador, d'autres encore des jeans trop moulants. Des grands frères exhibent leurs dents en or et leur bandana noué sur la tête. Les deux tiers des habitants sont d'origine étrangère, ce qui en fait l'un des coins les plus multiculturels de New York. « La raison pour laquelle ça fonctionne, c'est qu'aucun groupe ne domine. Le quartier n'appartient à personne, alors on a un peu de tout le monde, ça n'est pas organisé par communauté », explique Jan Rosenberg, une septuagénaire alerte qui vit ici depuis près de 30 ans. À côté d'elle, son amie Susan Siegel, « Caucasian », comme on dit pour définir les Blancs aux États-Unis, mariée à une Afro-Américaine, approuve. « Mon voisin est bengali. La porte d'à côté, c'est un Chinois. Il y a des juifs orthodoxes, des Turcs, des Italiens, des Polonais, des Pakistanais, des Mexicains, des Marocains, et plein d'autres nationalités ! Nous voulons garder cette diversité. »

Par amour pour un quartier qu'elle a choisi d'habiter à une époque où ça craignait, Jan (sociologue reconvertie en agente immobilière) est allée convaincre des restaurateurs installés dans d'autres coins up & coming de Brooklyn de venir chez elle. Avec succès. On ne peut pas s'empêcher de lui faire remarquer qu'elle a sans doute contribué à menacer l'équilibre qu'elle aime tant dans ce quartier. « La gentrification a des aspects positifs, rétorque-t-elle. Jusqu'à présent, elle a été contenue par l'engagement des habitants dans la vie locale et par le fait que beaucoup d'immigrés sont propriétaires de leur logement. La grande crainte, évidemment, c'est l'augmentation des loyers et des prix. » Et Susan, qui tient une boutique de cadeaux, de poursuivre : « Moi, par exemple, je fais toujours attention à avoir des choses à la portée de toutes les bourses. Et notre marché en plein air est certainement celui qui prend le plus de coupons alimentaires à New York. »

Plus à l'ouest, vers la bruyante Flatsbush Avenue, le quartier est plus populaire, majoritairement afro-caribéen, avec ses bodegas*, ses magasins de discount, ses boucheries qui vendent des têtes de chèvres et des pieds de cochons. Quand la nuit tombe, l'ambiance est un peu plus glauque. Mais la rénovation du Kings Theatre, un magnifique théâtre fermé pendant des décennies, est un signe. D'ailleurs, on commence à voir des trentenaires qui travaillent dans les medias faire leur jogging ou promener leur chien.

De l'autre côté de Coney Island Avenue, large artère encore un peu déglinguée avec ses garages qui sentent la graisse et ses car wash photogéniques, voici Kensington, un autre creuset exemplaire. Dans ce quartier résidentiel à l'habitat modeste, traversé par Ocean Parkway (une immense neuf voies), près de la moitié des habitants est née à l'étranger. Dans les petits magasins de Church, Foster, Ditmas et 18th Avenues, Bengalis, Russes, Ukrainiens, Mexicains, Haïtiens, Pakistanais et Caribéens côtoient les récents transfuges qui n'ont plus les moyens de vivre près de Prospect Park. « Regardez, ils sont en train de construire une nouvelle école ! », s'enthousiasme le propriétaire de La Damas's Cookies, un petit café mexicain qui vient d'ouvrir. « It's growing*! » On vous laisse imaginer combien d'églises, de mosquées, de synagogues, et de temples il y a dans le coin... certains lieux de culte étant parfois utilisés par plusieurs religions à la fois ! L'illustration du melting-pot à la new-yorkaise.

“ Le quartier n'appartient à personne, alors on a un peu de tout le monde. ”

On-the-Go

ACCÉDER
MÉTRO
Newkirk Plaza, Beverley Road Station, Cortelyou Road, ou Church Ave (lignes B et Q).

CIRCULER
À PIED
Agréable.

À VÉLO
Pratique pour passer d'une ambiance à l'autre. La piste cyclable peut vous emmener jusqu'à Coney Island et à l'océan (voir balade p.292).

LOUER
NOMBREUX LOUEURS
À Park Slope.

LES COURSES

01. *Bhutta Grocery & Halal Meat*
750 Coney Island Ave • angle de Cortelyou Rd • Kensington • 718-287-1516
Riz, nouilles, lentilles et épices à profusion dans cette épicerie sud-asiatique.

02. *Cortelyou Craft Beer*
1211 Cortelyou Rd • entre Westminster & Argyle Rds • Flatbush • 718-284-4446 • facebook.com/cortelyoucraftbeer
Cette épicerie fine a une belle sélection de bières locales. Vous pouvez même en acheter à la pression et l'emporter dans un bocal en verre.

03. *Cortelyou Greenmarket*
1305 Cortelyou Rd • entre Argyle et Rugby Rds • Flatbush • 212-788-7476 • grownyc.org/greenmarket/brooklyn/cortelyou
Ce marché en plein air est l'un des lieux fédérateurs du quartier. « Avant, il avait lieu le samedi, maintenant, c'est le dimanche, pour que les juifs puissent en profiter », se réjouit une habitante du quartier.

04. *Flatbush Food Co-op*
1415 Cortelyou Rd • entre Rugby & Marlborough Rds • Flatbush • 718-284-9717 • flatbushfood.coop
Pas besoin d'être membre pour pouvoir faire ses courses dans cette coopérative bien achalandée en bio, datant de 1976.

05. *Kings County Wines*
1205 Cortelyou Road • angle de Westminster Rd • Flatbush • 718-826-6600 • kingscountywines.com
Un caviste accueillant, avec une bonne sélection de vins naturels et du monde entier.

06. *Lords Bakery*
(Hors carte) • 2135 Nostrand Ave • entre Glenwood Rd & Flatbush Ave • Flatbush • 718-434-9551 • lordsbakery.com
Depuis plus de 60 ans, cette boulangerie familiale approvisionne le quartier en gros gâteaux d'anniversaire à la crème. Pas des plus légers !

07. *Los Jazmines Grocery*
16-12 Newkirk Ave • entre E 16th & E 17th Sts • Flatbush • 718 859-4941
Une épicerie mexicaine où faire le plein de tamales* et de toutes sortes de sauces piquantes.

08. *Stems Brooklyn*
1118 Cortelyou Rd • angle de Westminster Rd • Flatbush • 347-240-5850 • stemsbrooklyn.com
Ce fleuriste champêtre occupe l'avant du bar Sycamore. Pour 15 à 50$, vous pouvez (vous) offrir un charmant bouquet. Une affaire au vu des prix pratiqués habituellement à New York.

PETIT DÉJEUNER

09. *Hamilton's*
2826 Fort Hamilton Pkwy • angle de E 4th St • Kensington • 718-438-0488 • hamiltonsbrooklyn.com
À l'image du quartier, le brunch du week-end est un joyeux mélange : huevos rancheros, buttermilk biscuits tous chauds, french toasts briochés, corned-beef hash & eggs, ou encore salade de kale.

10. *Qathra*
1112 Cortelyou Rd • entre Stratford & Westminster Rds • Ditmas Park • 347-305-3250 • qathra.nyc
Café aux accents égyptiens, avec un patio agréable. (Attention pas de laptop avant 15 h le week-end.)

D PLAN 2

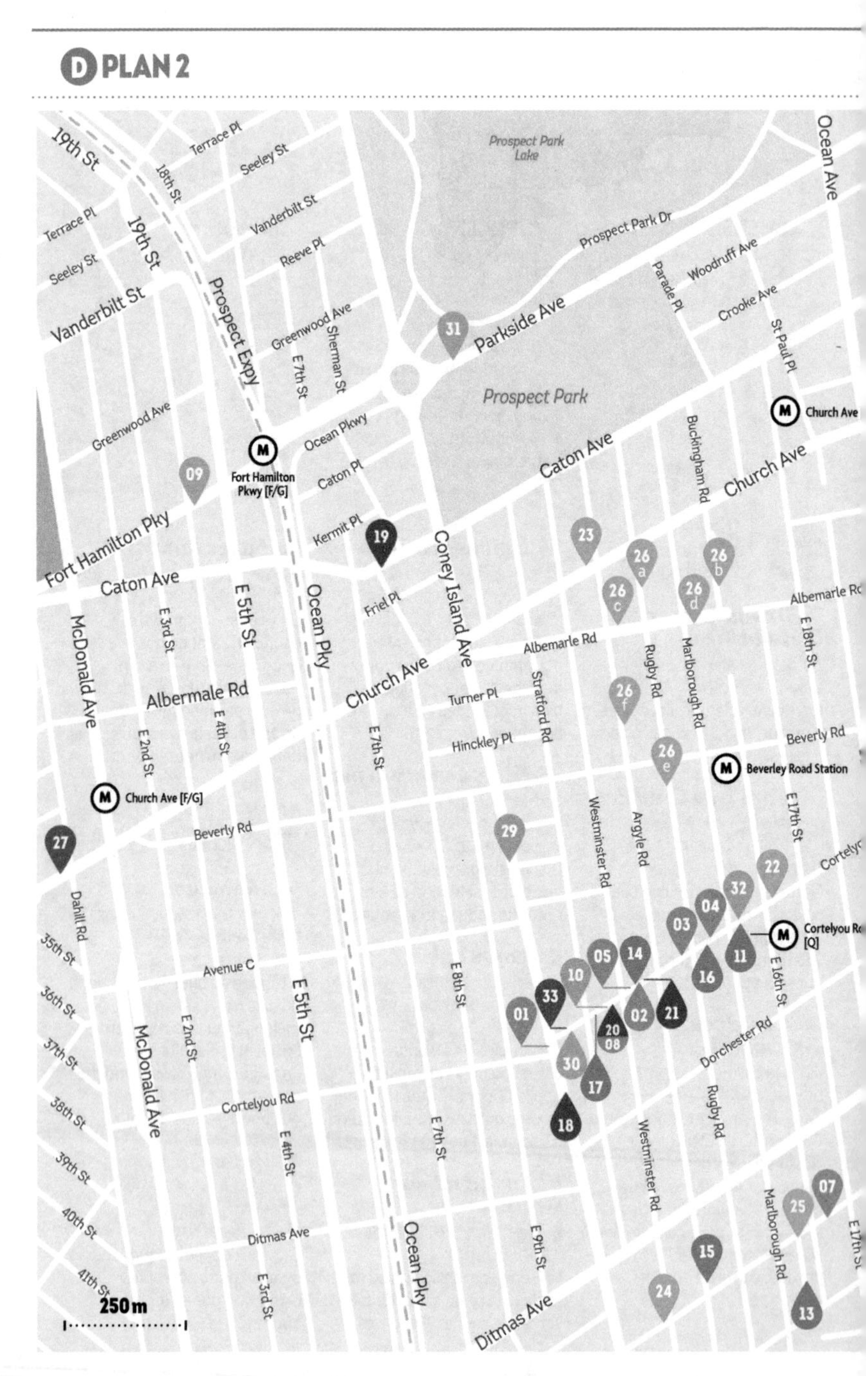
Prospect Park Lake
Prospect Park
19th St
Terrace Pl
Seeley St
Vanderbilt St
Reeve Pl
18th St
Prospect Expy
Greenwood Ave
E 7th St
Sherman St
Prospect Park Dr
Parkside Ave
Woodruff Ave
Parade Pl
Crooke Ave
St Paul Pl
Ocean Ave
Church Ave
Ocean Pkwy
Caton Pl
Fort Hamilton Pkwy [F/G]
Fort Hamilton Pky
Caton Ave
Kermit Pl
Friel Pl
Coney Island Ave
Buckingham Rd
Albemarle Rd
E 18th St
McDonald Ave
E 3rd St
E 5th St
Ocean Pky
Albermale Rd
E 4th St
E 2nd St
Church Ave [F/G]
Turner Pl
Hinckley Pl
Stratford Rd
Rugby Rd
Marlborough Rd
Beverly Rd
Beverley Road Station
Westminster Rd
Argyle Rd
E 17th St
Dahill Rd
35th St
36th St
37th St
38th St
39th St
40th St
41th St
Avenue C
E 8th St
E 16th St
Cortelyou Rd [Q]
Dorchester Rd
Cortelyou Rd
E 7th St
E 9th St
Ditmas Ave
250 m
01 02 03 04 05 07 08 09 10 11 13 14 15 16 17 18 19 20 21 22 23 24 25 26a 26b 26c 26d 26e 26f 27 29 30 31 32 33

DITMAS PARK + FLATBUSH + KENSINGTON

FAITES COMME CHEZ EUX

11. *Café Tibet*

BYOB* • cash only • moins de $10 •
1510 Cortelyou Rd • entre Marlborough & E 16th St • Flatbush • 718-941-2725
Minuscule restaurant en enfilade au-dessus de la station de métro. Attaquez par un thé au beurre, la boisson tibétaine traditionnelle. Si vous préférez une bière, achetez-la dans le deli* d'à côté, tenu par les mêmes propriétaires, car c'est BYOB*. Commandez des momos* et une soupe. Et regardez les trains passer.

12. *Fisherman's Cove*

(Hors carte) **• moins de $10 •**
2137 Nostrand Ave • entre Hillel Pl & Glenwood Rd • Flatbush • 347-295-2892 • fishermanscoveinc.wix.com
Une cantine jamaïcaine plébiscitée par les gens du coin, notamment pour son jerk chicken.

13. *LoDuca Pizza*

moins de 10$ • 14 Newkirk Plaza • entre Marlborough Rd & E 16th St • Flatbush • 718-859-1501
Ça fait plus de 25 ans que la famille LoDuca pétrit la pâte. Le lieu ne paie pas de mine, mais la pâte est fine, quintessence de la pizza New York style.

14. *Mimi's Hummus*

$10-20 • 1209 Cortelyou Rd • entre Westminster & Argyle Rds • Flatbush • 718-284-4444 • mimishummus.com
Mimi a appris à cuisiner en regardant ses parents et ses grands-parents. Aujourd'hui, sa cuisine raffinée du Middle-East est devenue une référence des foodies new-yorkais.

15. *Ox Cart Tavern*

$10-20 • 1301 Newkirk Ave • angle de Argyle Rd • Ditmas Park • 718-284-0005 • oxcarttavern.com
Un gastropub décontracté aux allures de taverne américaine vintage, réputé pour ses burgers et sa comfort-food* locale et bio.

16. *San Remo*

moins de $10 • 1408 Cortelyou Rd • entre Rugby & Marlborough Rds • Flatbush • 718-282-4915 • sanremobrooklyn.com
Ici, la pizza se commande by the slice, pour pouvoir la manger en marchant, comme il se doit à New York. Essayez la Grandma, favorite des habitués.

17. *The Farm on Adderley*

$10-20 • 1108 Cortelyou Rd • entre Stratford & Westminster Rds • Ditmas Park • 718-287-3101 • thefarmonadderley.com
Ce néo-bistrot local et bio a pavé la voie de la gentrification du quartier en 2006. Le genre d'endroit où les enfants se mettent à aimer le tofu et les brocolis ! On vous rassure, il y a aussi des frites maison, parmi les meilleures du monde.

18. *773 Lounge*

$3 • 773 Coney Island Ave • entre Cortelyou & Dorchester Rds • Ditmas Park • 718-462-9746
Un vieux bar irlandais où l'on peut boire une pression, regarder un match, écouter un concert de rock live. Et aussi s'essayer au micro le temps d'un stand-up. La devise : « Être le premier bar à ouvrir et le dernier à fermer chaque jour ».

19. *Shenanigans Pub*

cash only • 802 Caton Ave • angle de E 8th St • Kensington • 718-633-3689
Les karaokés du samedi soir de ce pub irlandais sont légendaires. On y croise aussi bien des ouvriers et des retraités que des yuppies*.

20. *Sycamore Flower Shop & Bar*

$7-9 • 1118 Cortelyou Rd • angle de Westminster Rd • Flatbush • 347-240-5850 • sycamorebrooklyn.com
Un bar apprécié pour sa sélection de vins, de bières et de bourbons. Le coin fleuriste à l'avant et le patio à l'arrière lui donnent un vrai cachet.

21. *The Castello Plan*

$7-11 • 1213 Cortelyou Rd • entre Westminster & Argyle Rds • Flatbush • 718-856-8888 • thecastelloplan.com
Bar à vin chaleureux.

22. *Café Madeline*

1603 Cortelyou Rd • entre E17th & E16th Sts • Ditmas Park • 718-941-4020
Un café agréable qui propose de la healthy food. De nombreuses prises électriques pour charger son ordi ou son téléphone.

23. *Kettle & Thread*

1219 Church Ave • entre Westminster & Argyle Rds • Ditmas Park • 347-789-3108 • kettleandthread.com
Un café confortable et cosy, avec des jeux de société en libre accès et un patio.

24. *Milk & Honey Café*

1119 Newkirk Ave • angle Westminster Rd • Flatbush • 718-513-0441 • milkandhoneycafeny.com
La salle est lumineuse, les sandwichs et les salades maison sont aromatisés avec des herbes qui poussent sur le mur végétal. (Attention pas de laptop avant 15 h le week-end.)

25. *Newkirk Plaza*

sur Newkirk Ave • entre Marlborough Rd & E 16th St • Flatbush

Les amateurs de photos d'enseignes vintage vont se régaler. La quincaillerie et les autres magasins de proximité de ce vieux mall* à ciel ouvert sont complètement désuets. C'est ce qui fait leur charme.

26. *Quartier victorien*

À la fin du 19e siècle, un promoteur a décidé de faire du sud de Prospect Park une enclave champêtre pour les riches. Il a donné leurs noms anglais aux rues, comme Albemarle, Buckingham ou Marlborough. Son principal architecte, John J. Petit, s'est amusé à mélanger les styles des maisons : Colonial Revival, Queen Anne, Tudor Revival, Spanish Mission, villas italiennes… Il y a même un chalet suisse (101 Rugby Road) et une maison d'inspiration japonaise (131 Buckingham Road)! L'intérieur de la Japanese House est magnifique et sa propriétaire, qui y vit depuis plus de 40 ans, organise parfois des visites. Autres manoirs étonnants : 1305 Albemarle Road, 1510 Albermarle, 242 Rugby Road, 183 Argyle Road. Pour les visiter, inscrivez-vous sur : fdconline.org/house-tour.

27. *Buzz-a-Rama*

KIDS • 69 Church Ave • entre Story St & Dahill Rd • Kensington • 718-853-1800 • buzz-a-rama.com

Buzz-a-Rama est le panthéon new-yorkais des voitures électriques. Depuis plus de 50 ans, le propriétaire de ce circuit géant anime des courses aussi bien pour les petits que pour les collectionneurs.

28. *Kings Theatre*

1027 Flatbush Ave • entre Tilden Ave & Duryea Pl • Flatbush • 718-856-2220 • kingstheatre.com

Dans ce coin modeste de Brooklyn où l'on ne se sent pas très à l'aise à la nuit tombée, on ne s'attend pas à tomber sur un si majestueux théâtre. Construit en 1929, il faisait partie des cinq « wonder theaters » de New York. Fermé en 1977, il lui aura fallu un lifting à 95 millions de dollars pour rouvrir ses portes en 2015. Le résultat est époustouflant. La salle, de près de 3 000 places, a retrouvé son faste d'antan, ses décors inspirés de Versailles et de l'Opéra Garnier ayant été restaurés avec soin. N'hésitez pas à faire une visite guidée. Redynamisant un quartier défavorisé, le théâtre emploie une centaine de riverains et attire une foule qui ne se serait probablement jamais aventurée là avant.

29. *Brooklyn Banya*

602 Coney Island Ave • entre Beverley Rd & Ave C • Kensington • 718-853-1300 • brooklynbanya.com

Ici, on se mélange. Dans la piscine et dans les pièces de vapeur. Et pour une fois, on ne refuse pas de se faire fouetter (à coups de branches de bouleau séchées).

30. *Element Beauty Lounge*

1016 Cortelyou Rd • entre Coney Island Ave & Stratford Rd • Ditmas Park • 718-282-3287

Un nail salon qui joue la carte du glamour.

31. *Prospect Park Tennis Center*

KIDS • 50 Parkside Ave • angle de Coney Island Ave • Flatbush • 718-436-2500 • prospectpark.org/visit-the-park/places-to-go/tennis-center

Club de tennis avec des courts découverts l'été et couverts l'hiver. Nombreux camps de vacances pour les enfants.

32. *Vincent's Barber*

cash only • 1505 Cortelyou Rd • angle de Marlborough Rd • Ditmas Park • 718-693-0619

Dans ce barber-shop qui n'a pas bougé en cent ans, asseyez-vous sur un fauteuil Belmont en skaï rouge, fermez les yeux pour mieux profiter du bruit de la lame qui glisse, bercé par l'accent italo-américain de votre barbier.

33. *Brooklyn ARTery*

1021 Cortelyou Rd • entre Coney Island Ave & Stratford Rd • Ditmas Park • 347-425-7770 • brooklynartery.com

Susan et Jocelyn mettent un point d'honneur à rester à la portée de toutes les bourses. De jolis bijoux de designers locaux, des bonnets tricotés par une mamie russe du quartier, des gadgets pour les enfants et plein d'articles marrants de papeterie.

34. *House of Fashion*

(Hors carte) • 1103 Coney Island Ave • entre Glenwood Rd & Avenue H • Kensington • 718-434-3515

Difficile de résister aux étoffes et au sourire de Malani ! Sri-Lankaise d'origine, elle est arrivée il y a plus de 25 ans aux États-Unis. D'abord vendeuse chez Dean & Delucca, elle a ouvert une épicerie avant de se lancer dans le commerce de tissus.

WINDSOR TERRACE

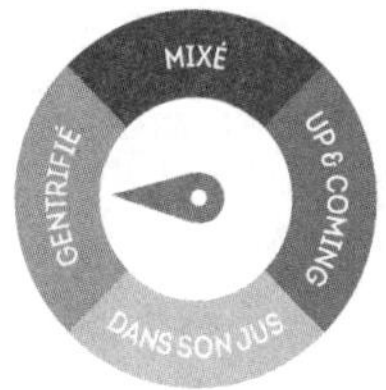

Une paisible enclave middle-class, appréciée par les bobos.

On pourrait croire que Windsor Terrace est une simple extension de Park Slope. Mais cette petite enclave de neuf blocks, en bordure sud de Prospect Park et nord de Green-Wood Cemetery, a sa propre identité. Si vous avez envie de voir de plus près à quoi ressemble une vie de quartier middle class et familial, allez y prendre un café ou grignoter un morceau après une balade dans Prospect Park ou une visite du cimetière de Greenwood. Windsor Terrace n'a physiquement pas beaucoup changé ces dernières années, épargné par les condos* de verre et les tours géantes. On trouve encore pas mal de petits commerces de proximité. Les gens discutent sur les perrons, s'invitent pour un barbecue dans leurs backyards*. Pour Halloween, c'est concours de toiles d'araignées géantes et de citrouilles éclairées. Le reste de l'année, le drapeau américain flotte sur les porches des maisons alignées. « Quand nous avons emménagé en 1999, la plupart de mes voisins étaient de vieilles familles italiennes ou irlandaises, avec parfois trois générations sous le même toit, raconte Sally, 60 ans, universitaire. Je faisais presque figure d'étrangère avec mes racines juives d'Europe centrale ! Ça a pris du temps pour qu'on soit acceptés… Robert, à deux maisons de chez moi, était le "maire" de notre block. Il passait son temps à observer la rue, frappant à notre porte quand on était sur le point de prendre un PV pour la voiture. Il était très gentil, attentionné. Il nous manque beaucoup depuis qu'il est mort. J'ai l'impression que chaque block de Windsor Terrace a son propre "maire". »

Le quartier s'est progressivement diversifié. Des familles sont arrivées de Manhattan. « Une de mes collègues, indienne habite juste au coin, un danseur afro-américain célèbre a emménagé de l'autre côté de la rue. Il y a deux couples de lesbiennes avec leurs enfants. Et les condos au bout de la rue hébergent de jeunes célibataires russes et des familles qui viennent de partout. Bref, c'est very Brooklyn ! » Depuis quelque temps, l'ouverture de restaurants branchés fait venir du monde. « For better or for worse »[1], prévient Sally. Mais pour l'instant, Windsor Terrace a su préserver la vie de quartier un peu assoupie qui fait son charme.

1. « Pour le meilleur comme pour le pire. »

D PLAN 3

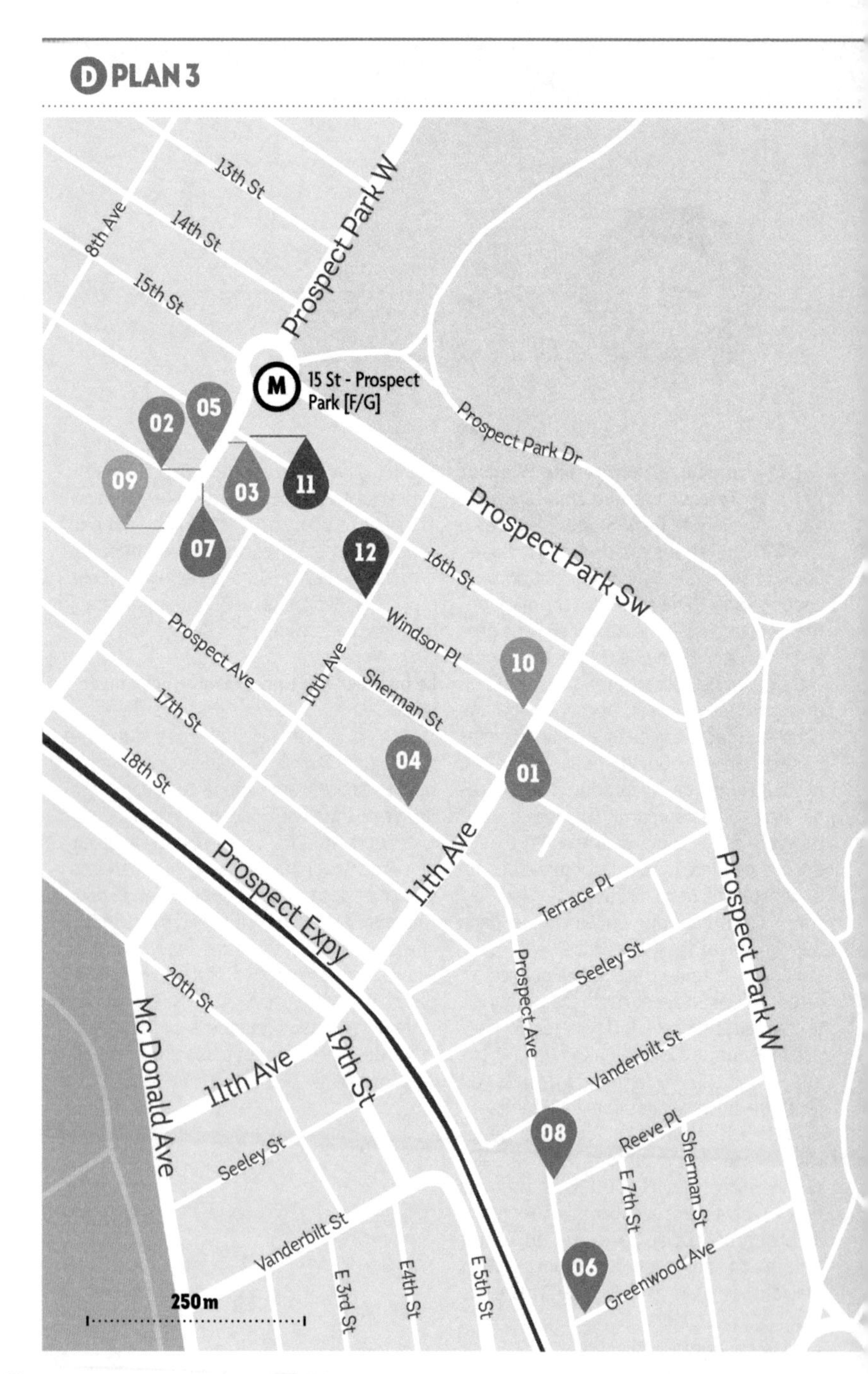

13th St
14th St
15th St
8th Ave
Prospect Park W
15 St - Prospect Park [F/G]
Prospect Park Dr
Prospect Park Sw
16th St
Windsor Pl
Prospect Ave
10th Ave
Sherman St
17th St
18th St
11th Ave
Prospect Expy
Terrace Pl
Seeley St
Prospect Ave
Prospect Park W
20th St
Mc Donald Ave
11th Ave
19th St
Vanderbilt St
Seeley St
Reeve Pl
E 7th St
Sherman St
Vanderbilt St
Greenwood Ave
E 3rd St
E4th St
E 5th St
250 m
01
02
03
04
05
06
07
08
09
10
11
12

WINDSOR TERRACE

On-the-Go

ACCÉDER

MÉTRO
15th St - Prospect Park ou Hamilton Parkway (lignes F & G).

CIRCULER

À PIED
Agréable car très calme.

À VÉLO
Bien à vélo, d'autant que le parc est juste à côté.

LOUER

ON THE MOVE
259 13th St • près de l'angle de 5th Ave Park Slope • 718-768-4998 • onthemovenyc.com

LES COURSES
01. Greenmarket
02. Terrace Bagels
03. United Meat Market
04. Windsor Farms Market
05. Windsor Wine Merchants

MANGER
06. Brooklyn Commune
07. Krupa Grocery
08. Le Paddock

SE CONNECTER
09. Brunswick

TAKE CARE
10. YogaSole

BUY LOCAL
11. Black Bear Vintage, Modern & Homemade
12. Windsor Place Antiques

LES COURSES

01. *Greenmarket*

11th Ave • entre Sherman St & Windsor Pl • grownyc.org/greenmarket/brooklyn/windsor
Devant l'école élémentaire, le petit marché de producteurs locaux où se retrouvent les parents le dimanche matin, est un lieu de vie et d'échange (on y troque même les costumes pour Halloween).

02. *Terrace Bagels*

222 Prospect Park West • angle de Windsor Pl • 718-768-3943
La réputation de leurs bagels* a traversé les ponts. Dans cette boulangerie, on croise aussi bien les policiers et les pompiers qui viennent prendre leur petit-déjeuner très tôt le matin, que les joggers qui rentrent du parc.

03. *United Meat Market*

219 Prospect Park West • angle de 16th St • 718-768-7227
Très bonne boucherie italienne à l'ancienne, où l'on trouve aussi tout ce qu'il faut pour faire de bonnes pasta.

04. *Windsor Farms Market*

589 Prospect Ave • entre 10th & 11th Aves • 718-788-0323
La chaîne de supermarchés Key Food s'est adaptée aux goûts de l'époque avec des rayons bio et des produits de qualité.

05. *Windsor Wine Merchants*

216 Prospect Park West • entre 16th St & Windsor Pl • 718-768-2291 • windsorwinemerchants.com
Les bonnes bouteilles de vin ont remplacé les bonbons dans cet ancien candy store dont la jolie vitrine en vitraux se repère de loin.

MANGER

06. *Brooklyn Commune*

$10-20 • 601 Greenwood Ave • angle Prospect Ave • 718-686-1044 • brooklyncommune.com
C'est le premier coffee-shop à avoir ouvert dans ce « village dans le village », niché entre le parc et le cimetière. Très investi dans la vie du quartier et très axé sur le développement durable.

07. *Krupa Grocery*

$10-20 • 231 Prospect Park W • entre Windsor Pl & 16th St • 718-709-7098 • krupagrocery.com
Un néo-bistrot qui décide de garder le nom de la bodega* qui était là avant... le comble de la gentrification ! Comme la cuisine est délicieuse et inventive, on leur pardonne. Très bien aussi pour le brunch du week-end.

08. *Le Paddock*

$10-20 • 1235 Prospect Ave • angle de Reeve Pl • 718-435-0921 • lepaddockbrooklyn.com
La carte de ce restaurant décontracté va de la pizza au feu de bois aux moules frites en passant par un burger. Éclectique et bon.

SE CONNECTER

09. *Brunswick*

240 Prospect Park West • entre Windsor Pl & Prospect Ave • 347-404-6832 • brunswickcafe.com
Ce café australien sert des brunches tous les jours et toute la journée.

TAKE CARE

10. *YogaSole*

254 Windsor Pl • angle de 11th Ave • 718-541-1382 • yogasole.com
Evalena a lâché le monde de la pub et du marketing pour monter son studio de yoga en 2008. Les habitués aiment ses cours en petit comité qui durent 1 h 30, très axés sur le yoga thérapeutique (pour aider les gens en convalescence d'une blessure, par exemple). Et dînent régulièrement les uns chez les autres. Le contraire d'une usine branchée.

BUY LOCAL

11. *Black Bear Vintage, Modern & Homemade*

469 16th St • entre 10th Ave & Prospect Park West • 917-715-5889 • blackbearbrooklyn.com
Une sélection pointue et sûre. Dans cette petite boutique de vintage, vous y dénicherez aussi bien une robe seventies qu'une nuisette en soie sixties ou un manteau griffé.

12. *Windsor Place Antiques*

1624 10th Ave • angle de Windsor Pl • 718-986-7615 • windsorplaceantiques.com
Une chouette brocante qui aime particulièrement les cartes, les mappemondes, l'univers de l'école et les vieux jouets.

Annie Hauck-Lawson vit à Brooklyn. Elle fait elle-même ses bocaux de pickles*, son kombucha*, et elle adore les salades de chou kale. Elle porte toujours ses courses dans des tote bags en tissu et composte tous les déchets de sa cuisine. Pourtant, Annie n'a rien d'une hipster.

Ce mode de vie, elle en a hérité. « Mes grands-parents maternels ont émigré de Pologne et mes grands-parents paternels d'Autriche. Chez eux, rien n'allait aux ordures. Si une chemise était bonne à jeter, on récupérait les boutons et le tissu devenait un chiffon. » Et Annie de montrer fièrement le fil sur lequel elle fait sécher le linge, à l'arrière de sa petite maison de Windsor Terrace. Dans une ville où l'on fait tourner le sèche-linge pour une serviette, son fil passerait pour un acte de résistance.

Cette diététicienne, diplômée d'agriculture urbaine, se réjouit que les jeunes qui s'installent à Brooklyn soient de plus en plus sensibles à l'écologie au quotidien. Et aussi qu'ils renouent avec leurs racines culinaires. « Aux États-Unis, beaucoup de trentenaires ont été élevés par ce que j'appelle "la génération perdue", qui prend sa voiture pour aller acheter des plats tout fait au supermarché et qui n'a transmis aucun savoir-faire à ses enfants. »

Née en 1956, Annie a grandi à Park Slope, entourée de ses frères et sœurs et de ses parents, tous deux excellents cuisiniers. « Ma mère, qui était infirmière, rentrait de l'hôpital avec des recettes de ses collègues, originaires du monde entier. Mon père, qui était assainisseur, rapportait toutes sortes de bonnes choses de chez ses clients, quand il intervenait pour des urgences en pleine nuit... Des pâtes fraîches de Bensonhurst, le quartier italien, des saucisses polonaises de Greenpoint... »

Annie se souvient des virées pour aller cueillir des champignons ou des pissenlits dans les parcs de Brooklyn, pêcher à Coney Island et à Sheepshead Bay. Elle se souvient de Niki le cochon, avec lequel elle jouait dans le jardin jusqu'à ce qu'il finisse dans son assiette. Une vie urbaine en harmonie avec les saisons et la nature, qu'elle raconte dans un livre passionnant, *Gastropolis*[1].

Il y a quelques années, elle a démissionné de son boulot de prof pour lancer Mompost[2], une entreprise de conseils en compostage et autres gestes verts du quotidien. Elle anime des ateliers dans les écoles, chez les particuliers, et sur le toit de Brooklyn Grange Farm[3]. Et bientôt des cours de cuisine.

« Brooklyn est une mosaïque de communautés, construite en grande partie par des immigrants. Comme ma mère, qui est arrivée en 1937 dans les cales du paquebot Batory avant de passer par Ellis Island. Brooklyn a tellement plus à offrir que des bars branchés ! »

1. Gastropolis, Food and New York City, Columbia University Press, 2009 | **2.** brooklynmompost.com | **3.** Voir p.306

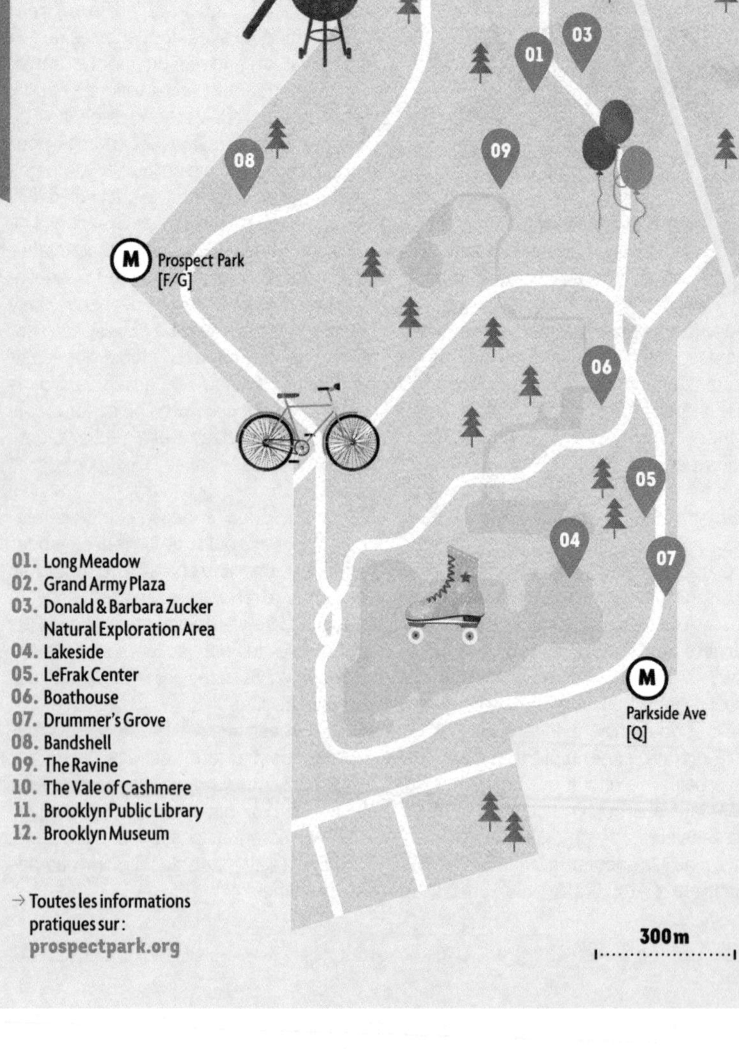

01. Long Meadow
02. Grand Army Plaza
03. Donald & Barbara Zucker Natural Exploration Area
04. Lakeside
05. LeFrak Center
06. Boathouse
07. Drummer's Grove
08. Bandshell
09. The Ravine
10. The Vale of Cashmere
11. Brooklyn Public Library
12. Brooklyn Museum

→ Toutes les informations pratiques sur : **prospectpark.org**

Prospect Park

N'allez pas croire que New York n'est qu'une jungle de béton. 14 % de la ville sont recouverts d'espaces verts ! Prospect Park est moins connu mais plus cool que Central Park. C'est un vrai lieu de vie où toutes les classes sociales se mélangent.

Les New-Yorkais viennent courir, sortir leurs chiens (qui ont même leur plage pour s'ébrouer !), faire du yoga, pique-niquer, célébrer les anniversaires, avec concours de gâteaux décorés à la gloire de Dora l'exploratrice et de Spider-Man. Enfourchez une bicyclette, chaussez des rollers, ou prenez tout simplement vos pieds pour découvrir les immenses espaces et les innombrables recoins de ce poumon vivant.

LONG MEADOW, la vaste pelouse centrale, est idéale pour faire la sieste, jouer au foot ou au frisbee. Le week-end, elle est envahie par les familles bobos (qui font leur marché le samedi à **GRAND ARMY PLAZA**, à l'entrée nord du parc) et par celles de toutes les ethnies qui vivent dans les logements sociaux alentour. Le 4 juillet, fête de l'indépendance, c'est barbecue géant, parfumé au pétrole des allume-feu ! En hiver, on dévale ses pentes enneigées en luge, parfois même en ski...

Amusez-vous sur l'aire de jeux **DONALD & BARBARA ZUCKER NATURAL EXPLORATION AREA**, où les arbres déracinés lors des tempêtes ont été aménagés en structures pour grimper. À **LAKESIDE**, prenez une leçon de patin à glace ou de roller disco au **LEFRAK CENTER** et, bien sûr, allez ramer sur le lac. Un peu plus au sud, on vous suggère un cours de yoga dans une magnifique **BOATHOUSE** où vous pourrez vous inscrire à un atelier d'éveil à la nature.

Aux beaux jours, le dimanche après-midi, les percussionnistes se retrouvent à **DRUMMER'S GROVE**. Au **BANDSHELL**, assistez à un concert gratuit. Vous pourrez même laisser votre vélo à un bike valet. N'oubliez pas le pourboire !

À n'importe quelle saison, mais surtout début novembre, quand les couleurs des feuilles explosent, baladez-vous dans le bois, **THE RAVINE**, admirez les cascades, posez-vous sur un banc de **THE VALE OF CASHMERE**, cet étang à la végétation luxuriante qui aurait toute sa place dans *Minuit dans le jardin du bien et du mal* (et connu pour être un haut lieu d'ébats de jeunes homosexuels blacks et latinos). Et s'il fait trop chaud ou trop froid, vous êtes juste à côté de la **BROOKLYN PUBLIC LIBRARY** et du **BROOKLYN MUSEUM**.

ONE WAY

GREENPOINT

Un quartier historiquement polonais, frontière entre Brooklyn et Queens.

Quand on arrive à Greenpoint, on ressent tout de suite l'ambiance relax et familiale qui anime ce quartier. Le brouhaha de Manhattan semble loin. Les immeubles de briques rouges des principaux axes dépassent rarement les 2 ou 3 étages et les rues parallèles, plantées d'arbres, sont bordées de jolies petites maisons individuelles. Impossible par exemple de ne pas tomber sous le charme de Guernsey Street.

Ce quartier est historiquement le repaire de la communauté polonaise et l'on s'en rend vite compte en se promenant le long de son artère principale, Manhattan Avenue. Les boulangeries, épiceries de produits d'importation d'Europe de l'Est et les boucheries regorgeant de kielbasa et autres pierogi* se succèdent. Pas de grandes enseignes, ici on fait encore son shopping, comme les vieilles dames polonaises, en passant d'un commerçant à l'autre avec son caddy. Le président polonais ne s'y trompe pas : il vient souvent s'attabler à l'un des restaurants du quartier quand il est de passage à New York, pour le plus grand bonheur de ses compatriotes. Le temps semble s'être arrêté à Greenpoint. « Les petits commerces du quartier vont pourtant devoir se moderniser et s'adapter à la nouvelle population jeune et branchée du quartier s'ils veulent survivre », soupire Zosia, qui propose de faire découvrir les spécialités culinaires du quartier dans un food tour.

Cette petite enclave si proche de Manhattan, qui jouit d'une vue magnifique sur la skyline depuis la rive de l'East River, ne pouvait en effet pas résister longtemps à la gentrification. Les prix ont commencé à grimper et les jeunes Polonais, pas encore propriétaires comme leurs parents, ne peuvent plus se payer Greenpoint. Ils partent s'installer à Queens, le borough de l'autre côté de la rivière. En ouvrant l'œil, on remarque que des cafés branchés et des restaurants à la déco soignée se mêlent aux delis* aux devantures un peu décaties, jusque dans les rues les plus isolées, au nord du quartier.

À la sortie du métro Greenpoint Avenue, vous constaterez que le quartier offre une concentration impressionnante de barbes micro-taillées. Les hipsters de Williamsburg, son voisin direct, ont pris leurs vélos et bougé leurs cartons de vinyles un peu plus au nord, pour investir d'abord la partie sud de Greenpoint autour de Nassau Avenue, puis un peu plus à l'ouest, entre Manhattan Avenue et l'East River. Le carrefour de Franklin Street et de Greenpoint Avenue est aujourd'hui leur repaire. Les rues pavées sombres et bordées d'entrepôts plus ou moins à l'abandon permettaient, encore jusqu'à récemment, de faire monter son taux d'adrénaline avant d'aller profiter de la vue sur la skyline de Manhattan, au milieu des chats sauvages et des pêcheurs polonais. Mais l'arrivée de l'East River Ferry, qui a pour mission de désenclaver ce quartier uniquement desservi par la ligne G du métro (la seule qui ne passe pas par Manhattan), est en train de changer la donne. Les grues ont remplacé les entrepôts et les condos* rutilants poussent à présent comme des champignons. On commence même à parler d'hôtels. Le sort de Greenpoint serait-il déjà scellé, voué à être le prochain Williamsburg? En attendant, ce quartier reste la destination parfaite pour bruncher sans faire la queue sur le trottoir pendant une heure. Une gageure à New York!

Le temps semble s'être arrêté à Greenpoint.

Rassurez-vous, une facette de Greenpoint ne semble pas près de changer: à l'est, sa partie industrielle, est dominée par une imposante station d'épuration que l'on repère de loin avec ses huit gros réservoirs rutilants. En empruntant le Pulaski Bridge qui enjambe Newton Creek, l'estuaire séparant Brooklyn de Queens, il est possible d'avoir un point de vue intéressant sur un paysage industriel qui fait aussi partie de l'identité de New York. Se balader dans cette zone, c'est un peu comme visiter les coulisses de la ville, là où sont garés les taxis jaunes pour la nuit et où les camions de pompier se refont une santé. Plus photogénique, on va avoir du mal à trouver!

On-the-Go

ACCÉDER

MÉTRO
Nassau et Greenpoint Ave (ligne G).

FERRY
Avec l'East River Ferry, descendre à India Street / Greenpoint.
eastriverferry.com

CIRCULER

À PIED
Très agréable.

À VÉLO
Pratique, de nombreuses pistes cyclables.

LOUER

NOMBREUX LOUEURS
À Williamsburg, tout proche.

CITI BIKE
Disponible.

LES COURSES

01. *Dandelion Wine*

153 Franklin St • entre India & Java Sts • 347-689-4563 • dandelionwinenyc.com
Belle sélection riche en vins bio. Des dégustations sont organisées chaque semaine et vous pouvez même vous faire livrer à domicile.

02. *Duke's Liquor Box*

170 Franklin St • entre Java & Kent Sts • 347-534-3088 • dukesliquorbox.com
Sélection très pointue de spiritueux en tout genre. Et tout ce qu'il faut pour vous transformer en mixologiste new-yorkais !

03. *Eastern District*

1053 Manhattan Ave • entre Eagle & Freeman Sts • 718-349-1432 • easterndistrictny.com
Dans cette boutique, on vient faire remplir sa bouteille de bière, goûter quelques fromages locaux, ou la soupe du jour en hiver.

04. *Green Farms Supermarket*

918 Manhattan Ave • angle de Kent St • 718-389-4114
De nombreux produits d'importation d'Europe de l'Est.

05. *Greenpoint Fish & Lobster*

114 Nassau Ave • angle de Eckford St • 718-349-0400 • greenpointfish.com
Cette petite poissonnerie ne vend que des produits d'une pêche inscrite dans le développement durable. On peut s'y attabler pour déguster un lobster roll (sandwich au homard) ou quelques huîtres.

06. *Polka Dot*

726 Manhattan Ave • entre Meserole & Norman Aves • 718-349-2884 • facebook.com/PolkaDotGreenpoint
Ce traiteur polonais a bien compris que le quartier était en pleine mutation. Un coup de blanc sur les murs, un comptoir pour vendre du café, et ça marche ! Les hipsters se sont mis aux pierogis* et aux choux farcis (voir portrait p. 229).

07. *Rzeszowska Bakery*

cash only • 948 Manhattan Ave • angle de Java St • 718-383-8142
Boulangerie polonaise. On vous recommande le makowiec, sorte de brioche fourrée au pavot.

08. *W – Nassau Meat Market*

915 Manhattan Ave • entre Kent St & Greenpoint Ave • 718-389-6149
Boucherie également polonaise, où l'on parle à peine anglais. La charcuterie est faite maison. On y vient pour la saucisse (kielbasa) ou le rôti de porc aux herbes.

PETIT DÉJEUNER

09. *Eagle Trading Co.*

258 Franklin St • angle de Eagle St • 718-576-3217
Un peu à l'écart de l'agitation de Manhattan Avenue, ce café sert de très bons breakfasts sandwichs dans de la baguette, et l'on peut s'y attabler tranquillement avec son laptop. Si vous êtes encore là à midi, laissez-vous tenter par le reste de la carte.

10. *Peter Pan Donuts & Pastry Shop*

cash only • 727 Manhattan Ave • entre Meserole & Norman Aves • 718-389-3676 • peterpandonuts.com
On vient de loin pour les donuts de Peter Pan. Arrivez tôt si vous voulez avoir le choix dans les parfums.

E PLAN 1

Newtown Creek
Pulaski Brg
Ash St
Box st
Paidge Ave
Commercial St
Clay St
Dupont St
Eagle St
Freeman St
West St
Green St
Huron St
India St
Java St
Kent St
Provost St
Mc Guinness Blvd
Greenpoint Ave [G]
Milton St
Noble St
Oak St
Calyer St
Quay St
Meserole Ave
Banker St
Dobbin St
Guernsey St
Leonard St
Eckford St
Newell St
Diamond
Nassau Ave [G]
Manhattan Ave
Lorimer St
Nassau Ave
Franklin St
N 11th St
N 12th St
N 13th St
N 14th St
N 15th St
Wythe Ave
Bushwick Inlet Park
Mc Carren Park
250 m
34
12
38
32
11
26
29
09
03
15
18
28
39
13
49
36
27
01
50
02
44
07
04
47
20
35
16
23
40
14
08
19
45
42
51
48
25
21
24
41
37
06
46
10
22
17
05
43
30

GREENPOINT

LES COURSES

01. Dandelion Wine
02. Duke's Liquor Box
03. Eastern District
04. Green Farms Supermarket
05. Greenpoint Fish & Lobster
06. Polka Dot
07. Rzeszowska Bakery
08. W-Nassau Meat Market

PETIT DÉJEUNER

09. Eagle Trading Co.
10. Peter Pan Donuts & Pastry Shop

MANGER

11. Acapulco Deli & Restaurant
12. Glasserie
13. Jungle Café
14. Karczma
15. Lobster Joint
16. Paulie Gee's
17. Xi'an Famous Foods

SORTIR

18. Alameda
19. Brooklyn Barge Bar
20. Brouwerij Lane
21. Irene's Capri Lounge
22. Northern Territory
23. Pencil Factory Bar
24. The Diamond

SE CONNECTER

25. Café Grumpy
26. Milk and Roses
27. Propeller Coffee
28. Sweetleaf

PAUSES URBAINES

29. Eagle Street Rooftop Farm
30. McCarren Park
31. McGolrick Park
32. Newtown Creek Nature Walk
33. Newtown Creek Wastewater Treatment Plant
34. Pulaski Bridge
35. Transmitter Park

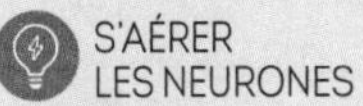

S'AÉRER LES NEURONES

36. Archestratus Books & Foods
37. Good Room
38. Saint Vitus

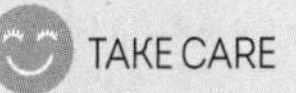

TAKE CARE

39. East River Tattoo
40. Goodyoga
41. Greenpoint YMCA
42. Primp & Polish
43. Pure Qi Regimen Spa
44. Tomcats Barbershop

BUY LOCAL

45. Alter
46. Awoke Vintage
47. Bellocq Tea Atelier
48. City Furniture
49. The Thing
50. Wolves Within
51. WORD

FAITES COMME CHEZ EUX

MANGER

11. *Acapulco Deli & Restaurant*
$10-20 • 1116 Manhattan Ave • angle de Clay St • 718-349-8429 • acapulcodeliandrestaurant.com
L'extrême nord de Greenpoint compte une petite communauté d'Amérique centrale et Acapulco est leur cantine. Les quesadillas et assiettes de tacos* sont généreuses et délicieuses pour un prix vraiment dérisoire.

12. *Glasserie*
$10-20 • 95 Commercial St • entre Manhattan Ave & Box St • 718-389-0640 • glasserienyc.com
Il est facile de manquer ce restaurant sans enseigne mais ce serait dommage. La cuisine d'inspiration libanaise est servie dans un ancien bâtiment industriel à la déco très réussie. Mention spéciale pour le brunch servi sous forme de mezzé.

13. *Jungle Café*
$10-20 • 996 Manhattan Ave • angle de Huron St • 347-987-4981 • junglecafenyc.com
Paradis des végétariens et vegans. Le brunch du week-end est servi sous forme d'un buffet généreux.

14. *Karczma*
$10-20 • 136 Greenpoint Ave • entre Franklin St & Manhattan Ave • 718-349-1744 • karczmabrooklyn.com
Musique et tenue traditionnelles pour accompagner choux farcis, bortsch, pierogi* et autres kielbasas. Une institution polonaise.

15. *Lobster Joint*
$10-20 • 1073 Manhattan Ave • entre Dupont & Eagle Sts • 718-389-8990 • lobsterjoint.com
Un des meilleurs endroits de New York pour déguster un lobster roll Connecticut style (chaud avec du beurre fondu) ou New England style (froid avec une mayonnaise aux herbes). Grand patio à l'arrière.

16. *Paulie Gee's*
$10-20 • 60 Greenpoint Ave • entre West & Franklin Sts • 347-987-3747 • pauliegee.com
Les pizzas de Paulie figurent très souvent dans le top 10 des meilleures pizzas de New York. Ajoutez un service sympa et une ambiance tamisée, ça donne un incontournable du quartier (où il faut souvent patienter longtemps pour avoir une table). Mettez votre nom sur la liste et allez admirer Manhattan depuis Transmitter Park, tout proche.

17. *Xi'an Famous Foods*
$10-20 • 648 Manhattan Ave • entre Norman & Nassau Aves • xianfoods.com
Oui, il est encore possible de bien se nourrir pour moins de 10$ à New York. Le jeune chef Jason Wang a un énorme succès avec ses nouilles préparées à la minute. Les nombreuses adresses qu'il a ouvertes ces dernières années ne désemplissent pas. Celle de Greenpoint est certainement la plus agréable, surtout aux beaux jours, avec son large patio à l'arrière. Attention, quand il est indiqué spicy sur les plats, c'est à prendre au sérieux !

SORTIR

18. *Alameda*
$7-12 • 195 Franklin St • angle de Green St • 347-227-7296 • alamedagreenpoint.com
De bons cocktails dans une ambiance Art déco très réussie. Si vous avez un creux, les quelques plats de la carte sont très réussis.

19. Brooklyn Barge Bar

Milton St • angle de West St • 914-356-6809 • brooklynbargebar.com

Accolée au Transmitter Park, cette barge est l'endroit de rêve, de mai à octobre, pour prendre un verre au coucher du soleil. L'ouverture dépendant de la météo, il vaut mieux consulter la page Facebook avant de s'y rendre.

20. Brouwerij Lane

$3-65 • 78 Greenpoint Ave • angle de Franklin St • 347-529-6133 • brouwerijlane.com

À la fois boutique et bar, vous trouverez là une impressionnante sélection de bières locales et internationales.

21. Irene's Capri Lounge

156 Calyer St • angle de Lorimer St • 347-392-7591

Greenpoint compte encore de nombreux dive bars* et celui-ci est l'un des plus typiques. Le mobilier comme le zinc sont vieux de plusieurs décennies, le juke-box fonctionne encore et la tenancière, septuagénaire, sert toujours les bières les moins chères du quartier. Si le décor vous semble familier, c'est normal, on ne compte plus les films et séries qui sont venus y poser leurs caméras.

22. Northern Territory

$7-12 • 12 Franklin St • entre N 15th St & Meserole Ave • 347-689-4065 • northernterritorybk.com

Avec la proximité de Manhattan, Greenpoint devait avoir son bar rooftop. Venez en fin d'après-midi pour voir le soleil se cacher derrière la skyline.

23. Pencil Factory Bar

cash only • **$6** • 142 Franklin St • angle de Greenpoint Ave • 718-609-5858 • pencilfactorybar.com

Les places en terrasse sont rares à New York et celle de ce bar sans prétention vaut surtout le détour. Au coin du carrefour le plus hip du quartier, parfait pour observer la faune locale.

24. The Diamond

$7 • 43 Franklin St • entre Calyer & Quay Sts • 718-383-5030 • thediamondbrooklyn.com

Ce bar de quartier attire les locaux pour son agréable arrière-cour mais aussi pour sa shuffleboard. Le jeu américain, qui consiste à lancer des palais sur une longue table en bois recouverte de sable, est très convivial. Les réguliers se feront un plaisir de vous expliquer les règles. Lancez-vous !

SE CONNECTER

25. Café Grumpy

193 Meserole Ave • angle de Diamond St • 718-349-7623 • cafegrumpy.com

Un classique du quartier qui a connu son heure de gloire avec la série *Girls*, où de nombreuses scènes ont été tournées.

26. Milk and Roses

cash only • 1110 Manhattan Ave • entre Clay & Dupont Sts • 718-389-0160 • milkandrosesbk.com

Difficile de choisir où s'installer chez Milk and Roses tellement cet endroit a de charme. La salle principale toute en bois avec ses murs couverts de vieux livres et ses banquettes de cuir bordeaux est parfaite pour une soirée hivernale, alors que les beaux jours vous mèneront plutôt vers la véranda à l'arrière ou dans le jardin soigneusement aménagé. Sa localisation, un peu en retrait au nord de Greenpoint, vous assure de toujours y trouver une table libre.

27. Propeller Coffee

984 Manhattan Ave • entre Huron & India Sts • 347-689-4777 • cargocollective.com/propellercoffee

Jolie déco pour ce petit café entouré de delis* polonais locaux.

28. Sweetleaf

159 Freeman St • entre Manhattan Ave & Franklin St • 347-987-3732 • sweetleafcoffee.com

Cette chaîne locale de cafés a installé son adresse de Greenpoint dans un ancien garage aux murs de briques rouges. Parfait pour s'installer avec son ordinateur et déguster un café accompagné d'une pâtisserie maison.

PAUSES URBAINES

29. Eagle Street Rooftop Farm

44 Eagle St • entre West & Franklin Sts • rooftopfarms.org

Les poules de cette ferme perchée profitent d'une vue imprenable sur Manhattan et l'Empire State Building. Aux heures d'ouverture au public, repartez avec des légumes et herbes qui poussent sur le toit de cet entrepôt abritant des studios de cinéma. Très Brooklyn !

30. McCarren Park

776 Lorimer St • angle de Driggs Ave • nycgovparks.org/parks/mccarren-park

Ce parc qui marque la séparation de Williamsburg et de Greenpoint est très vivant. Terrains de sport, marché de produits locaux et même une grande piscine en plein air pour l'été.

31. McGolrick Park

Nassau Ave • entre Russell & Monitor Sts • nycgovparks.org/parks/msgr-mcgolrick-park

Plus petit que le McCarren Park voisin, celui-ci a également son charme. Ne vous étonnez pas d'entendre beaucoup parler français : une école bilingue, située à proximité, attire de nombreuses familles françaises qui ont élu domicile dans ce coin de Greenpoint.

32. Newtown Creek Nature Walk

à l'est de Paidge Ave • nyc.gov/html/dep/html/environmental_education/newtown.shtml

Au milieu de la zone industrielle de Greenpoint, cette promenade inattendue vous mènera au bord de la Newtown Creek. Elle se veut éducative pour sensibiliser le public aux récents efforts de dépollution du quartier. La vue sur l'Empire State Building depuis l'allée principale ne se rate pas.

33. Newtown Creek Wastewater Treatment Plant

329 Greenpoint Ave • entre Provost & N Henry Sts • 718-595-5140 • nyc.gov/html/dep/html/environmental_education/newtown_wwtp.shtml

Cette station d'épuration au cœur du paysage industriel de Greenpoint se repère de loin avec ses huit grands réservoirs rutilants à la forme ogivale futuriste. Pour en apprendre plus sur le système de traitement des eaux usées de New York, programmez une visite (sur rendez-vous) au visitor center de la station.

34. Pulaski Bridge

angle de Freeman St & McGuinness Blvd

Ce pont qui enjambe la Newtown Creek et qui marque la séparation de Brooklyn et de Queens permet d'avoir une belle perspective sur Manhattan.

35. Transmitter Park

10 Kent St • entre Greenpoint Ave & Kent St • nycgovparks.org/parks/transmitter-park

Ce petit parc jouit d'une vue incroyable sur Manhattan. La longue jetée aménagée vous permet de vous en approcher avec l'impression de vous retrouver au milieu de l'East River.

S'AÉRER LES NEURONES

36. Archestratus Books & Foods

160 Huron St • angle de Manhattan Ave • 718-349-7711 • archestrat.us

Cette librairie est spécialisée dans les livres de cuisine et il est possible d'y déguster de bonnes spécialités siciliennes. Des événements culinaires y sont régulièrement organisés avec des chefs locaux.

37. Good Room

98 Meserole Ave • entre Lorimer St & Manhattan Ave • 718-349-2373 • goodroombk.com

Concerts et DJ set dans ce petit club convivial.

38. Saint Vitus

1120 Manhattan Ave • angle de Clay St • saintvitusbar.com

Concert tous les soirs dans ce bar métal gothique situé à l'extrême nord de Greenpoint. Pas d'enseigne, mais vous le trouverez facilement à la dégaine des habitués qui fument une cigarette devant l'établissement.

TAKE CARE

39. East River Tattoo

cash only • 1047 Manhattan Ave • angle de Freeman St • 718-532-8282 • eastrivertattoo.com

Qui n'a pas son tatouage à Brooklyn ? Si l'envie vous prend d'inscrire à vie sur votre peau votre passage à New York, prenez rendez-vous (plusieurs semaines à l'avance) avec l'un des artistes de ce salon réputé.

40. Goodyoga

114 Greenpoint Ave • entre Franklin St & Manhattan Ave • 347-574-4370 • goodyoga.com

Nombreux cours de yoga de différents styles proposés dans cette salle petite mais cosy.

41. Greenpoint YMCA

99 Meserole Ave • angle de Lorimer St • 212-912-2260 • ymcanyc.org

Derrière le sigle YMCA se cache non pas une chanson disco mais le plus ancien et plus important mouvement international de jeunesse qui possède plusieurs milliers d'auberges, de foyers pour étudiants et d'équipements sportifs. Celle de Greenpoint propose un large éventail de cours collectifs et possède une petite piscine. L'accès aux installations sportives est gratuit si vous y séjournez.

42. Primp & Polish

845 Manhattan Ave • angle de Noble St • 718-236-1463 • primpandpolish.com

Grand nail bar très clean.

43. Pure Qi Regimen Spa

268 Driggs Ave • entre Leonard & Eckford Sts • 718-383-3822 • pureqispa.com

Après avoir arpenté les rues de New York pendant quelques jours, vous pourriez avoir besoin de détendre vos muscles. Bookez un massage chinois et oubliez tout le reste pendant une heure.

44. Tomcats Barbershop

cash only • 135 India St • angle de Manhattan Ave • 718-349-9666 • tomcatsbarbershop.com

Chez ce barbier à la déco vintage, venez faire tailler votre barbe ou tenter une coiffure avant-gardiste. On vous servira même une bière pendant la coupe !

45. Alter

140 Franklin St • angle de Greenpoint Ave • 718-349-0203 • alterbrooklyn.com

Vêtements de designers pour hommes et femmes à des prix raisonnables. Les accessoires et bijoux sont également intéressants.

46. Awoke Vintage

688 Manhattan Ave • angle de Norman Ave • 718-349-5925 • awokevintage.com

Jolie friperie où les pièces ont été sélectionnées avec soin et sont présentées sur des portants aérés.

47. Bellocq Tea Atelier

104 West St • angle de Kent St • 347-463-9231 • bellocq.com

Voir coup de cœur p.228.

48. City Furniture

820 Manhattan Ave • angle de Calyer St • 347-457-5727 • cityfurnitureshop.com

Très belle sélection de meubles scandinaves ou de fabrication locale, aussi bien contemporains que vintage.

49. The Thing

1001 Manhattan Ave • entre Green & Huron Sts • 718-349-8234

Oubliez la partie brocante de la boutique et allez directement au fond et au sous-sol. Vous tomberez sur des allées remplies de vinyles. Prévoyez quelques heures d'intenses excavations car aucun système de rangement n'a l'air de faire loi dans cet impressionnant capharnaüm.

50. Wolves Within

174 Franklin St • angle de Java St • 347-889-5798 • wolveswithin.com

Magasin de vêtements pour femmes. Attardez-vous sur leur sélection de lingerie raffinée. Ça change de Victoria's Secret !

51. WORD

126 Franklin St • angle de Milton St • 718-383-0096 • wordbookstores.com

Suivez les coups de cœur de ces libraires indépendants. Ils sont toujours de très bon conseil. Belle section pour les enfants et les ados.

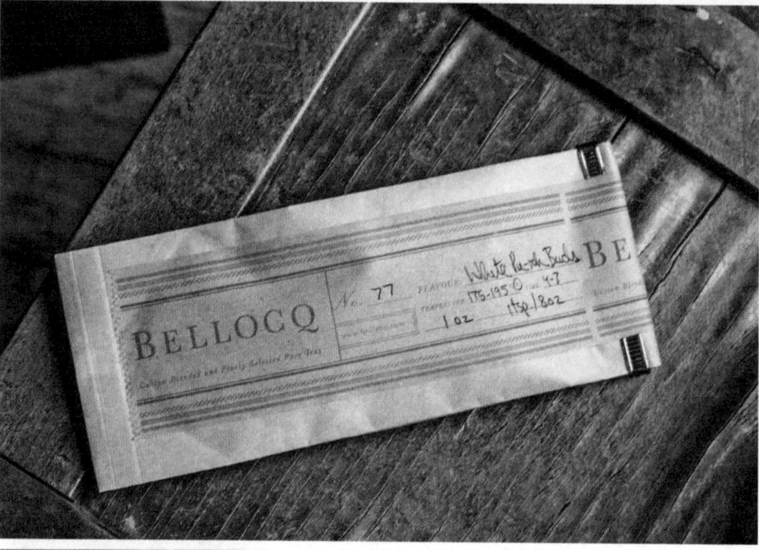

BUY LOCAL

47. *Bellocq Tea Atelier*

104 West St • angle de Kent St • 347-463-9231 • bellocq.com

Impossible d'imaginer une boutique de thé aussi charmante derrière la lourde porte de ce vieil entrepôt de West Street. Bellocq Tea est né de l'association de deux passionnés de thé et d'un artisan. Pendant que Heidi et son partenaire Scott voyagent à la recherche des meilleures feuilles pour créer des mélanges originaux et subtils, Michael s'occupe du magasin et du packaging. Défendant un certain art de vivre, ils prônent une fabrication artisanale. Leur collection compte aujourd'hui cent variétés de thés noirs, verts ou blancs, venant de plantations biologiques d'Inde, du Népal, du Japon, de Chine ou du Vietnam. Entrez dans leur univers et venez humer toutes ces senteurs. Essayez la dégustation du jour, à siroter sur l'un des canapés en velours rose qui se marient si bien avec le bois brut de la pièce. Vous pouvez même rapporter un peu de cette ambiance chez vous, grâce aux bougies inspirées de leurs thés.

Ne vous fiez pas au sourire timide de **Marzena Parys.** Il cache une femme de caractère. Originaires de Pologne, Marzena et son mari se sont installés il y a 25 ans à Greenpoint. Un quartier à l'époque presque uniquement peuplé de Polonais où son mari ouvre une boucherie traditionnelle. Ils ont trois enfants et quand ces derniers gagnent les bancs de l'école, Marzena décide de reprendre les études. Bosseuse et douée, elle est sur le point d'obtenir une bourse pour devenir prof de maths quand son mari décède subitement.
Elle aurait pu rentrer dans sa famille en Pologne. Mais sa vie est à New York et elle décide de reprendre le commerce de son mari. « J'ai eu quand même très peur de finir dehors dans un parc avec mes enfants ».

Depuis vingt ans, Marzena a été le témoin de la métamorphose de Greenpoint. Le nombre de Polonais n'a cessé de diminuer, chassés par la flambée des prix de l'immobilier ou préférant, à leur retraite, rentrer au pays. De nombreuses boutiques ont mis la clé sous la porte. Mais Marzena s'est accrochée. « Certes, le quartier est de moins en moins polonais, mais il est aussi plus sûr et plus propre. Il faut savoir s'adapter à la nouvelle population, plus jeune. C'est ça, ou tirer le rideau. »

En bonne New-Yorkaise, Marzena est devenue « driven », comme on dit ici, une expression qui désigne le moteur interne qui permet de se dépasser. C'est ainsi que Polish Meat Market est devenu Polka Dot, une coquette épicerie polonaise. Viande et charcuterie ont progressivement laissé place à des bons petits plats traditionnels polonais. Aujourd'hui, elle se félicite d'avoir réussi à garder ses vieux clients tout en fidélisant les hipsters, toujours en quête d'authenticité et de story-telling, qui se régalent le weekend de pierogi*, de bortsch (soupe polonaise) et de kielbasa (saucisses fumées).

Marzena aurait pu rentrer dans sa famille en Pologne. Mais sa vie est à New York.

Marzena est à la tête d'une petite entreprise : elle emploie sept personnes, des Polonaises du quartier, pour cuisiner et servir les clients. Quand on lui demande la recette de son succès, elle répond simplement qu'elle a toujours voulu apporter le meilleur à ses enfants. Le futur n'a plus l'air de l'inquiéter. Elle s'amuse même à imaginer les nouveaux défis qu'elle devra relever.

PUNK
METS
BNE
Mitchell
Cocci
5/17/87-
9/29/15
druthers

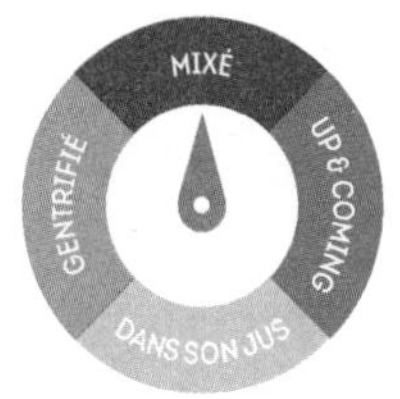

Décors industriels branchés et quartiers populaires.

Tout a commencé avec une pizzeria. Pas n'importe laquelle, évidemment. En 2008, deux musiciens branchés et un chef italo-panaméo-new-yorkais rock'n'roll décident de faire des pizzas dans un ancien garage, à deux pas du métro Morgan Ave. Sans électricité ni gaz au départ. Juste un four à bois et des bons produits. Derrière leur mur de parpaings, ils plantent des tables de pique-nique, un décor piqué aux puces, un bar hawaïen, un jardin potager. Et aussi une web-radio dédiée à la slow-food. Un parti pris qui fait écho au quartier industriel dans lequel ils ont choisi de s'installer, mélange d'usines désaffectées et d'entreprises toujours en activité, d'entrepôts et de parkings entourés de barbelés. Une sorte de no man's land où il était alors possible de tirer des feux d'artifice sans déranger ses voisins ni le NYPD et que les artistes et les étudiants fauchés commencent à investir.

Quelques mois plus tard, Roberta's incarne la nouvelle scène gastronomique new-yorkaise, de façon aussi caricaturale que lumineuse. Et le quartier décolle, bientôt rebaptisé Morgantown autour de Bogart et de Moore Streets. Pour le meilleur, il devient le repaire des galeries, des danseurs, des peintres, des photographes et des ébénistes – tous ceux qui ont besoin d'espace pour s'épanouir. Et pour le pire, les loyers des lofts commencent à grimper. Pour l'anecdote, depuis le début tout le monde pense que Roberta's est à Bushwick (y compris ses propriétaires)! En réalité, il se situe à East Williamsburg. Vous vous dites qu'on chipote pour quelques blocs de rue, mais l'identité architecturale de ces deux quartiers est vraiment différente, comme on peut le voir à leur jonction, sur Flushing Avenue.

East Williamsburg, au sud du BQE, est résolument manufacturier. Sur Maspeth, Metropolitan et Grand Avenues, qui mènent aux eaux troubles de la nauséabonde et photogénique Newton Creek, les amateurs de décors industriels et de vieilles enseignes ne seront pas déçus.

Une station plus loin, vous voilà vraiment à Bushwick, nettement plus résidentiel, avec ses petites maisons aux façades de bois modestes et ses multifamily buildings. Le changement de décor s'effectue brusquement, en un bloc ou deux, autour de la station de métro Jefferson St. Depuis 2010, les coffee-shops, les espaces de coworking et les bars se sont ouverts aussi vite que les murs se sont couverts de fresques vibrantes, entre le parc Maria Hernandez et Flushing Avenue, zone du coup vite renommée « Jeffersontown ».

Bushwick reste majoritairement peuplé de working class people hispaniques. S'il y a encore quelques années, les gangs tenaient les rues, aujourd'hui, on peut s'y promener sans crainte. Empruntez par exemple Moore Street, en direction de Graham Avenue (rebaptisée Avenue of Puerto Rico) : vous tomberez sur une flopée de magasins de disques et de petits commerces latinos.

Sur Knickerbocker Avenue, l'une des artères commerçantes, l'ambiance est également populaire. Ici, on vend des tenues de communion, des robes de bal à frous-frous roses pour les futures quinceaneras qui vont fêter leurs 15 ans en grande pompe, et des smokings pour leurs garçons d'honneur gominés. Là, dans les bazars à 99 cents, ce sont des bouquets de balais-brosses et des montagnes de papier toilette. Plus loin, une vieille pâtisserie italienne et une pizzeria rappellent qu'ici, avant l'espagnol, on parlait surtout italien.

Ici, le mélange des genres fonctionne plutôt bien.

Sur Myrtle Avenue, les bruits et les odeurs de la ville vous sautent dessus : avec les bus qui klaxonnent, les autoradios qui crachent et les bonnes odeurs de cuisine sud-américaine...

On-the-Go

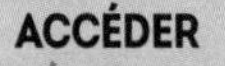

ACCÉDER

MÉTRO
Morgan Ave et Jefferson St, Central Ave, Knickerbocker Ave, ou Myrtle-Wyckoff Aves (lignes L et M).

CIRCULER

À PIED
Agréable, en faisanit des sauts de puce en métro si besoin.

À VÉLO
Circuler à vélo dans ces quartiers étendus permet de voir plus de choses.

LOUER

ZUKKIES
279 Bushwick Ave • entre Boerum & Johnson • East Williamsburg • 718-456-0048 • zukkies.com

CITI BIKE
En cours d'installation.

LES COURSES

01. *Blue Angel Wines*

638 Grand St • entre Leonard St & Manhattan Ave • East Williamsburg • blueangelwines.com
Un caviste qui met l'accent sur les petits producteurs et les vins bio. Wine tasting gratuit le mardi soir.

02. *Brooklyn's Natural*

49 Bogart St • entre Grattan & Moore Sts • East Williamsburg
Si vous êtes en manque de granola et de lait bio pour votre petit-déj, ce deli* haut de gamme vous dépannera.

03. *Bushwick Farmers' Market*

tous les dimanches de juin à octobre dans le Maria Hernandez Park • angle de Irving Ave & Suydam St • Bushwick • bushwickfarmersmarket.org
Ce marché de petits producteurs lève des fonds pour planter une ferme urbaine sur un toit du quartier. Avis aux amateurs !

04. *Bushwick Food Coop*

2 Porter Ave (The Loom) • entre Thames St & Flushing Ave • Bushwick • 347-450-1087 • bushwickfoodcoop.org
Comme de nombreux autres quartiers, Bushwick a désormais sa coopérative alimentaire. Ses membres doivent y travailler 4 h par mois pour payer (vraiment) moins cher. Même si vous n'êtes pas membre, les tarifs pratiqués restent plus bas qu'ailleurs.

05. *Circo's Pastry Shop*

312 Knickerbocker Ave • angle de Hart St • Bushwick • circospastryshop.com
Réminiscence du temps où le quartier était italien, cette pâtisserie à l'ancienne vaut le coup d'œil rien que pour l'ambiance. D'ailleurs, plusieurs films y ont été tournés.

06. *El Charro Bakery*

1427 Myrtle Ave • Bushwick • 718-452-1401 • facebook.com/El Charro Bakery
De délicieuses viennoiseries mexicaines. Et aussi de gros gâteaux colorés pour les anniversaires et toutes les fêtes de famille.

07. *Food Bazaar Supermarket*

454 Wyckoff Ave • angle de Putnam Ave • Bushwick • 718-381-8338
& 21 Manhattan Ave • angle de Moore St • 718-532-0530 • myfoodbazaar.com
Cette minichaîne de supermarchés fait en sorte de s'installer là où les autres ne sont pas. Un bon dépannage.

08. *The Angels Fruit Market*

272 Knickerbocker Ave • entre Willoughby Ave & Suydam St • Bushwick • 718-366-7664 • facebook.com/theangelsfruitmarket
Vous trouverez tous les produits sud-américains possibles et imaginables dans cette épicerie. Notamment une collection impressionnante de piments.

PETIT DÉJEUNER

09. *L'Imprimerie*

1524 Myrtle Ave • Bushwick • limprimerie.nyc
Comme son nom le suggère, cette boulangerie française a ouvert dans une ancienne imprimerie (les presses sont en vitrine). Vous pourrez y déguster une viennoiserie ou une bonne tartine de beurre et de miel (les ruches sont sur leur toit, visibles depuis la plate-forme de métro !).

10. *Mixtape*

1533 Myrtle Ave • Bushwick • 718-381-5248 • facebook.com/MixtapeBK
Un minuscule coffee-shop sous le métro aérien. Les prix ont su s'adapter au quartier : 3$ pour un muffin à la myrtille et un bon café à emporter (seulement deux tabourets au comptoir), on a rarement vu mieux.

E PLAN 2

Engert Ave
Meeker Ave
Beadel St
Division Pl
Graham Ave
Manhattan Ave
Richardson St
Frost St
Withers St
Humboldt St
Jackson St
Vandervoort Ave
Morgan Ave
Maspeth Ave
Rewe St
Grand Ave
48th St
49th Pl
47th St
Skillman Ave
Conselyea St
Metropolitan Ave
Devoe St
Ainslie St
Grand St
Stewart Ave
Gardner Ave
Scott Ave
Waterbury St
Meadow St
Maujer St
Leonard St
Bogart St
Flushing Ave
Randolph St
Stagg St
Scholes St
Meserole St
Johnson Ave
Porter Ave
Varick Ave
Montrose Ave
Montrose Ave [L]
Harrison Pl
Boerum St
Mckibbin St
Seigel St
Moore St
Varet St
Cook St
Thames St
Troutman St
Hart St
Broadway
Maria Hernandez Park
George St
Jefferson St
Gerry St
Bartlett St
Evergreen Ave
Central Ave
Starr St
Willoughby Ave
Flushing Ave [J/M]
Beaver St
Throop Ave
Dekalb Ave
Myrtle Ave
Ellery St
Park Ave
Marcus Garvey Blvd
Arion Pl
Melrose St
Jeff. St
Central Ave [M]
Knickerbocker Av
Tompkins Ave
Hart St
Cedar St
Stanhope St
Himrod St
Harman St
Vernon Ave
Stuyvesant Ave
Bleecker St
Menahan St
Bushwick Ave
Pulaski St
Malcolm X Blvd
250 m
Kosciusko St
Lafayette Ave

EAST WILLIAMSBURG + BUSHWICK

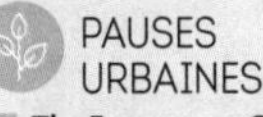

LES COURSES

01. Blue Angel Wines
02. Brooklyn's Natural
03. Bushwick Farmers' Market
04. Bushwick Food Coop
05. Circo's Pastry Shop
06. El Charro Bakery
07a. Food Bazaar Supermarket
07b. Food Bazaar Supermarket
08. The Angels Fruit Market

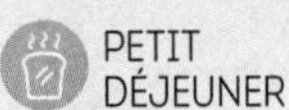

PETIT DÉJEUNER

09. L'imprimerie
10. Mixtape
11. Montana's Trail House
12. Newtown

MANGER

13. Antojitos Mexicanos
14. Blanca
15. Bunna Cafe
16. Carmine's
17. Chimu Express
18. Grand Morelos
19. Los Hermanos
20. Mesa Coyoacan
21. Momo Sushi Shack
22. Moore Street Market
23. Roberta's

SORTIR

24. Bossa Nova Civic Club
25. Don Pedro
26. Duckduck
27. Gotham City Lounge
28. Hell Phone
29. Pine Box Rock Shop
30. The Anchored Inn
31. The Narrows
32. The Well

SE CONNECTER

33. Bat-Haus
34. Little Skips
35. Nhà Minh
36. Wyckoff Starr

PAUSES URBAINES

37. The Evergreens Cemetery - Hors carte
38. Linden-Bushwick Community Garden
39. Maria Hernandez Park
40. 630 Flushing Ave (ex-usine Pfizer)
41. St. Barbara's Church
42a. Street-art
42b. Street-art
43. The Bushwick Collective
44. Williamsburg Houses

S'AÉRER LES NEURONES

45. Bizarre
46 a. Bushwick Open Studios - The BogArt
46 b. Bushwick Open Studios - 1717 Troutman St 1
47. House of Yes
48. Shea Stadium BK
49. Silent Barn
50. The Bushwick Starr

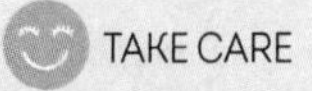

TAKE CARE

51. Jai Yoga Arts

BUY LOCAL

52. Better Than Jam's Store and Studio
53. Bushwick Flea
54. Dolly G's Vintage
55. Friends NYC
56. Green Village
57. Jarontiques
58. RDNMKS
59. Urban Jungle
60. Vinyl Fantasy

11. *Montana's Trail House*
445 Troutman St • entre Cypress & St Nicholas Aves • Bushwick • 917-966-1666 • montanastrailhouse.com
Pari réussi pour la déco qui recrée une ambiance chaleureuse de cabane en bois du Montana. On aime venir pour leur brunch du week-end et pour observer le street art environnant à travers les grandes baies vitrées.

12. *Newtown*
BYOB* • cash only • 55 Waterbury St • entre Shcoles & Mesorole Sts • East Williamsburg • 347-984-6215 • newtownbk.com
Un café qui sert de bons plats vegan.

MANGER

13. *Antojitos Mexicanos*
cash only • moins de $10 • 107 Graham Ave • entre Boerum & Mckibbin Sts • East Williamsburg • 718-384-9076
Super take-away mexicain familial.

14. *Blanca*
menu unique $195 • 261 Moore St • angle de Bogart St • East Williamsburg • 347-799-2807 • blancanyc.com
Une bonne raison de casser votre tirelire ! Réservez (quelques bonnes semaines à l'avance) l'une des 13 places de Blanca, le restaurant intimiste que le chef Carlo Mirarchi a ouvert juste derrière Roberta's. Vous goûterez son menu dégustation, près de 30 plats-bouchées, en admirant l'artiste à l'œuvre, casquette de baseball sur la tête.

15. *Bunna Café*
$10-20 • 1084 Flushing Ave • entre Knickerbocker & Irving Aves • Bushwick • 347-295-2227 • bunnaethiopia.net
Un savoureux restaurant éthiopien à vous faire devenir végétarien.

16. *Carmine's*
$10-20 • 358 Graham Ave • entre Conselyea St & Metropolitan Ave • East Williamsburg • 718-782-9659 • facebook.com/carmine.sons
La trattoria familiale italo-américaine par excellence. Elle communique avec un sports bar juste à côté pour aller voir un match des Yankees. Le patron a beau être de Brooklyn, n'allez surtout pas lui parler des Mets.

17. *Chimu Express*
cash only • $10-20 • 180 Irving Ave • entre Himrod & Stanhope Sts • Bushwick • 718-443-0787 • chimuexpress.com
Une rôtisserie péruvienne bon marché fréquentée par les locaux.

18. *Grand Morelos*
moins de $10 • 727 Grand St • angle de Graham Ave • East Williamsburg • 718 -218-9441 • grandmorelos.biz
Ce diner* mexicain, ouvert 24 h sur 24 h, est une institution dans le quartier. Snobez les gâteaux Dora l'exploratrice et les pancakes : vous êtes ici pour les burritos*.

19. *Los Hermanos*
BYOB* • cash only • moins de $10 • 271 Starr St • entre Wyckoff & St Nicholas Aves • Bushwick • 718-456-3422 • facebook.com/Tortilleria Mexicana Los Hermanos
Cette fabrique familiale de tortillas a su s'adapter à l'évolution du quartier en ouvrant un café juste à côté de ses fours, pour que les hipsters (et vous !) puissent en profiter en mordant à pleines dents dans un taco*.

20. *Mesa Coyoacan*
$10-20 • 372 Graham Ave • entre Skillman Ave & Conselyea St • 718-782-8171 • mesacoyoacan.com

Des tamales*, des enchiladas* et des tacos de haute volée.

21. *Momo Sushi Shack*
cash only • $20-30 • 43 Bogart St • angle de Moore St • Bushwick • 718-418-6666 • momosushishack.com
Vous passerez peut-être devant sans remarquer cette version nippone du restaurant farm-to-table* inventif. Un conseil, poussez la porte.

22. *Moore Street Market*
moins de $10 • 110 Moore St • angle de Humbold St • East Williamsburg • nycedc.com/project/moore-street-market
La « Marqueta de Williamsburg » est un marché couvert fréquenté depuis plus de 70 ans par les riverains. Mention spéciale pour les bons petits plats et les sandwichs dominicains de Ramonita Rodriguez et de sa fille.

23. *Roberta's*
$10-20 • 261 Moore St • angle de Bogart St • East Williamsburg • 718-417-1118 • robertaspizza.com
Bien sûr, il y a les pizzas à tomber. Mais la liste est longue des raisons pour lesquelles on aime ce restaurant. Pas de réservations, donnez votre nom dès que vous arrivez et allez boire un apéro en attendant

votre tour (ça peut être trèèès long). Ou mieux, venez déjeuner en semaine.

SORTIR

24. *Bossa Nova Civic Club*

$7-10 • 1271 Myrtle Ave • angle de Hart St • Bushwick • 718-443-1271 • bossanovacivicclub.com

Vous êtes là pour danser. C'est gratuit, il n'y a aucun dress code et les DJ (électro) sont vraiment bons. Il y a même une machine à fumée !

25. *Don Pedro*

$6 • 90 Manhattan Ave • entre Boerum & McKibbin Sts • East Williamsburg • 347-689-3163 • donpedrobrooklyn.com

Un bar de quartier, salle de concerts, théâtre expérimental, sports bar... À tester. Au milieu des drag queens.

26. *Duckduck*

$6-9 • 153 Montrose Ave • angle de Graham Ave • East Williamsburg • 347-799-1449 • duckduckbar.com

Ce n'est pas parce que vous aurez trop bu que vous verrez des canards (pas sauvages mais en plastique) sur les murs.

27. *Gotham City Lounge*

$3 • 1293 Myrtle Ave • entre Cedar St & Central Ave • Bushwick • 718-387-4182

Un dive bar* avec billard et comics à disposition.

28. *Hell Phone*

$9-14 • 247 Varet St • entre Bogart & White Sts • Bushwick • 718-821-2459 • hellphonebrooklyn.com

Un speakeasy* planqué façon Prohibition comme New York les aime. On y entre par une cabine téléphonique rouge, au fond de l'Ange Noir Café. Canapé de velours et ambiance tamisée, propice aux conversations intimes.

29. *Pine Box Rock Shop*

$6-12 • 12 Grattan St • angle de Bogart St • Bushwick • 718-366-6311 • pineboxrockshop.com

Pour ses concerts de rock, ses karaokés et aussi ses trivia nights. Cocktails 100% vegan, approuvés par le guide Barnivore (si vous voulez en savoir plus : barnivore.com).

30. *The Anchored Inn*

$6-9 • 57 Waterbury St • entre Scholes & Meserole Sts • East Williamsburg • 718-576-3297 • theanchoredinn.com

Ce dive bar* un peu crado a une déco étonnante. Les vieilles peintures qui recouvrent les murs vont du portrait de Poutine à celui de Mao, en passant par des scènes de chasse... tout ce qu'il y a de plus kitsch !

31. *The Narrows*

cash only • **$6-11** • 1037 Flushing Ave • entre Noll St & Wilson Ave • Bushwick • facebook.com/thenarrowsbar

Comme son nom l'indique, ce bar à cocktails qui joue la carte vintage est très étroit. Ça le rend d'autant plus chaleureux. Très beau jardin à l'arrière, ce qui ne gâche rien !

32. *The Well*

$8 • 272 Meserole St • entre Bushwick Pl & Waterbury St • East Williamsburg • thewellbrooklyn.com

Grand bar parfait pour les soirées en groupe. Grosse ambiance, surtout l'été quand les tiki disco, des après-midis electro, sont organisés dans le jardin.

SE CONNECTER

33. *Bat-Haus*

279 Starr St • entre Wyckoff & St Nicholas Aves • Bushwick • bathaus.com

Cet espace de co-working n'est ni un café ni votre lit. Vous voilà prévenu, vous êtes ici pour bosser ! De 85 à 225$ par mois pour avoir le droit de vous installer avec votre ordinateur et de bénéficier de tous les équipements (Internet, imprimante, cuisine commune, salle de réunion et garage à vélo). Il vous en coûtera 25$ à la journée.

34. *Little Skips*

941 Willoughby Ave • entre Evergreen & Bushwick Aves • Bushwick • 718-484-0980 • littleskips.com

Petit café atypique rempli d'œuvres d'art où l'on mange aussi de très bons sandwichs.

35. *Nhà Minh*

485 Morgan Ave • entre Beadel St & Division Pl • East Williamsburg • 718-387-7848 • nhaminh.squarespace.com

Café-resto vietnamien à la limite de East Williamsburg et de Greenpoint où l'on vient manger de délicieux bols de riz et légumes ou des Bánh mì (fameux sandwichs vietnamiens).

36. *Wyckoff Starr*

30 Wyckoff Ave • angle de Starr St • Bushwick • 718-484-9766 • facebook.com/wyckoffstarr

Ce coffee-shop fait partie des premiers à avoir parié sur le quartier. Et il est toujours aussi apprécié !

PAUSES URBAINES

37. The Evergreens Cemetery

(Hors carte) • 1629 Bushwick Ave • 718-455-5300 • theevergreenscemetery.com

Un cimetière à la frontière de Brooklyn et de Queens. Plus de 500 000 personnes sont enterrées là. Une à deux fois par mois, Donato Daddario (Danny pour les intimes) vous fait faire le tour du propriétaire. Et vous dit tout sur ses conversations avec la Dame en blanc et les autres fantômes du coin.

38. Linden-Bushwick Community Garden

1327-33 Broadway • angle de Linden St • Bushwick

Dans ce jardin partagé où se côtoient vieux résidents blacks et transfuges plus récents, on vous fera sentir l'odeur du compost et peut-être goûter un piment ou une framboise.

39. Maria Hernandez Park

angle de Starr St & Irving Ave • entre Knickerbocker et Irving Aves • Bushwick

Un parc à l'image du quartier, très mixte, fréquenté par les familles qui viennent y pique-niquer, les petits vieux qui se chauffent sur les bancs au soleil, les amateurs de basket ou de skate. Maria Hernandez était une figure locale, abattue en 1989, à travers la fenêtre de son appartement sur Starr Street, par des dealers qu'elle avait passé sa vie à combattre.

40. 630 Flushing (ex-usine Pfizer)

630 Flushing Ave • entre Tompkins & Marcy Aves • Williamsburg • 630flushing.com

C'est ici qu'est né le géant pharmaceutique Pfizer. À New York, rien ne se perd ! Son usine a été rachetée par un promoteur qui l'a reconvertie en incubateur de start-up et en temple de la cuisine. On cuit, marine, distille, du kombutcha* aux pickles*, en passant par les glaces et les sodas artisanaux, le chocolat, le whiskey... bref, tout ce qui fait la renommée culinaire de Brooklyn.

41. St. Barbara's Church

138 Bleecker St • entre Wilson & Central Aves • Bushwick • stbarbarascatholicchurch.com

Cette jolie église romane ocre et blanche, dont on peut voir les deux petites tours de loin, a été construite avec les deniers de la bière, au début du 20e siècle, à l'époque où Bushwick était une terre de brasseurs.

42. Street Art

angle de Boerum St & Graham Ave & Meserole & Waterbury Sts • East Williamsburg

Ouvrez l'œil, beaux graffitis en vue. Perdez-vous également dans un carré qui va de Maujer Street au nord à Meserole Street au sud, et de Waterbury Street à l'ouest à Morgan Avenue à l'est. Essayez de privilégier une visite le week-end quand les portes des hangars sont fermées, sinon vous pourriez manquer pas mal de fresques.

43. The Bushwick Collective

angle de Troutman St & St Nicholas Ave • facebook.com/TheBushwickCollective

Joe Ficalora est un enfant de Bushwick. Un quartier dont il a bien connu la violence : son père y a été assassiné pour une poignée de dollars, en 1991. Après la mort de sa mère, en 2011, il a décidé d'embellir son quotidien en invitant des graffeurs à colorer les façades de son quartier, avec l'accord des propriétaires. C'est ainsi que le Bushwick Collective est né et que Bushwick est devenu une galerie à ciel ouvert qui attire des street-artists locaux et internationaux, dont vous pourrez admirer les œuvres, notamment sur Jefferson Street, Troutman Street et Saint Nicholas Avenue. Depuis quelque temps, les pubs géantes, plus rentables pour les propriétaires, s'invitent malheureusement sur certains murs.

44. Williamsburg Houses

176 Maujer St • angle de Maujer & Scholes Sts • East Williamsburg

L'un des premiers ensembles de logements sociaux construits à New York, en 1938, pour accueillir l'afflux d'immigrés. Aujourd'hui, plus de 1 600 familles vivent dans cette ville dans la ville, classée monument historique et qui reste l'un des plus grands du genre dans le pays.

S'AÉRER LES NEURONES

45. Bizarre

12 Jefferson St • entre Bushwick Ave & Broadway • Bushwick • 347-915-2717 • bizarrebushwick.com

Comme son nom le laisse deviner, vous verrez des shows pas comme les autres dans cette salle atypique, LGBT friendly*.

46. *Bushwick Open Studios*
artsinbushwick.org
Chaque année, le premier week-end d'octobre, plus de 500 artistes et galeries de Bushwick ouvrent leurs portes. Visitez notamment les lofts lumineux de la résidence The BogArt au 56 Bogart St ou l'immense ensemble d'ateliers au 1717 Troutman Street.

47. *House of Yes*
2 Wyckoff Ave • angle de Jefferson St • Bushwick • 646-838-4937 • houseofyes.org
Un espace protéiforme de performances qui mêlent acrobatie, burlesque, et danse (et pas seulement sur la scène donc vous pourrez aussi vous lâcher !).

48. *Shea Stadium BK*
20 Meadow St • entre Waterbury & Bogart Sts • East Williamsburg • liveatsheastadium.com
Studio d'enregistrement et de répétition dans la journée, Shea Stadium devient une salle de concert dans la soirée.

49. *Silent Barn*
603 Bushwick Ave • entre Jefferson & Melrose Sts • Bushwick • 929-234-6060 • silentbarn.org
Un entrepôt rénové où tout peut se passer. On parle d'art bien sûr.

50. *The Bushwick Starr*
207 Starr St • entre Wyckoff & Irving Aves • Bushwick • thebushwickstarr.org
Pièces de théâtre avant-gardiste et spectacles Off Broadway qui ébouriffent.

51. *Jai Yoga Arts*
47 Thames St • entre Vandervoort Pl & Morgan Ave • East Williamsburg • 347-460-7510 • jaiyogaarts.com
Dans ce studio de vinyasa yoga ouvert par une ancienne danseuse, tous les niveaux sont bienvenus.

52. *Better Than Jam's Store & Studio*
20 Grattan St • entre Morgan Ave & Bogart St • East Williamsburg • 929-295-0894 • betterthanjamnyc.com
Dans cet atelier-boutique, tout est fait main par des créateurs locaux. On aime surtout les bijoux fantaisie. Vous pourrez aussi y prendre des cours de couture.

53. *Bushwick Flea*
52 Wyckoff Ave • angle de Willoughby Ave • Bushwick • 845-707-3942 • bwflea.com
Ce petit marché en plein air ouvre ses portes dès le début du printemps jusque tard en automne. Vous y ferez plus d'affaires en termes de fripes et de déco vintage que chez son grand frère de Williamsburg.

54. *Dolly G's*
320 Graham Ave • entre Ainslie et Devoe Sts • East Williamsburg • 718-599-1044 • dollygsvintage.blogspot.fr
Vous trouverez ici de quoi parfaire votre look rétro années 1980.

55. *Friends NYC*
56 Bogart St • entre Harrison Pl & Grattan St • Bushwick • 718-386-6279 • shopfriendsnyc.com
La styliste Mary Meyer et sa best-friend-forever Emma ont ouvert ce joli vintage store juste en dessous de l'atelier où Mary vend ses créations.

56. *Green Village*
276 Starr St • entre Wyckoff & St. Nicholas Aves • Bushwick • 718-456-8844 • gogreenvillage.com
On aime fouiner dans ce capharnaüm du recyclage, bien connu des amateurs de bonnes affaires, où s'accumulent jouets, vêtements (vendus au poids), meubles, ou encore ustensiles de cuisine.

57. *Jarontiques*
295 Meserole St • entre Waterbury & Bogart Sts • East Williamsburg • 718-288-1050 • jarontiques.com
Cet antiquaire a une belle sélection de meubles et d'accessoires des années 1940 à 1970.

58. *RDNMKS*
1095 Flushing Ave • entre Knickerbocker & Porter Aves • Bushwick • 718-576-3090 • reflectiondynamiks.com
Une marque de street-wear née à Bushwick où dégoter une belle casquette ou un sac à dos.

59. *Urban Jungle*
120 Knickerbocker St • entre Thames St & Flushing Ave • East Williamsburg • 718-381-8510
Des kilomètres de fringues et de chaussures en bon état et pas chères. Bon choix de sweaters et de t-shirts graphiques des seventies et des eighties.

60. *Vinyl Fantasy*
194 Knickerbocker Ave • entre Jefferson & Troutman Sts • Bushwick • facebook.com/Vinylfantasybk
Boutique qui vend à la fois des vinyles, des bandes dessinées et des romans graphiques.

Et pour ne rien manquer de l'actualité du quartier, consultez bushwickdaily.com

Attablés à la terrasse d'un bar de Bushwick, près du métro Jefferson St, **Lorenzo et Charlotte** trinquent à l'avenir. Ils ont tout juste 25 ans et déjà quelques années de vie new-yorkaise. Ils sont arrivés en 2011, lui de Turin, elle de Paris, pour intégrer la prestigieuse Martha Graham School, la plus ancienne école de danse contemporaine de la ville, où ils sont devenus amis. Séduits par la diversité et la tolérance de New York, ils ont choisi de rester.

Lorenzo se souvient de ses premières années : « Comme j'étais fauché, j'ai commencé par vivre à Jamaica, un quartier de Brooklyn au bout des lignes de métro F et E. J'habitais dans une petite maison où vivait une famille chinoise qui ne parlait pas un mot d'anglais. Je partageais le basement* avec les puces de lit !
Ensuite, j'ai déménagé à East Williamsburg, au croisement de Flushing et de Marcy Avenues, avec d'un côté les juifs hassidiques et de l'autre les Afro-Américains des projects*. »

Depuis trois ans, Lorenzo vit à Bushwick, près du métro Halsey. « Quand tu vois qu'à New York, le moindre studio se loue 1 300$! On est obligés d'aller de plus en plus loin sur la ligne L pour trouver des locations abordables, explique le jeune homme. Lorsque j'ai emménagé avec mes colocataires, on était quasiment les seuls Blancs dans ce quartier hispanique. Ça me coûtait 730$ par mois. Le samedi, on se réveillait au son des autoradios que les Latinos du quartier poussaient à fond, pendant qu'ils lavaient leur voiture. Je m'y suis toujours senti bien : en plus, c'était pratique pour sortir. Il y a plein de rave parties organisées dans le coin, un peu n'importe où... dans un magasin de meubles, un entrepôt, ou sur le toit d'une usine de parapluies. » À présent, Lorenzo partage un appartement avec Charlotte. « J'ai d'abord vécu à Manhattan, explique celle-ci. Mais c'était hors de prix, donc j'ai traversé la rivière pour m'installer à Williamsburg, puis à Bushwick. En plus, ici, il y a de l'espace pour répéter nos chorégraphies, notamment des studios, comme Chez Bushwick ou The Loom. »

Séduits par la diversité et la tolérance de New York, ils ont choisi de rester.

Charlotte et Lorenzo ne se voient pas vivre ailleurs qu'à Brooklyn. « On n'irait quand même pas jusque East NY. Après Bed-Stuy, ça craint trop. Enfin, pour l'instant... »

Avec leur look décontracté de danseurs bien dans leur corps, short noir et marinière pour elle, t-shirt gris et pantalon en tissu rayé pour lui, ils n'ont rien à voir avec la caricature du hipster que l'on a en tête en pensant à Bushwick, un quartier plus mélangé que sa réputation pourrait le laisser penser.

En quelques minutes, on croise un Afro-Américain en costard et nœud papillon qui lit la Bible, une jeune femme à l'allure rétro et à la peau blanche tatouée de roses, un skater, un couple latino qui part travailler, un panier de roses artificielles au bras, des jeunes Blacks en jogging et sneakers. Le témoignage de Lorenzo et Charlotte sur l'évolution de leur quartier est un discours désormais familier : « Il y a 3 ans, il n'y avait quasiment aucun commerce. C'était un ghetto. Maintenant, tu vois des restaurants vegan, des superettes bio. »

Lorenzo a eu la chance d'être embauché par la compagnie Martha Graham. Charlotte, elle, a obtenu son visa d'artiste, qui lui permet de rester 3 ans aux États-Unis pour tenter sa chance. Un petit parcours du combattant. Tous deux sont d'accord pour dire que la concurrence est rude mais qu'à New York, les portes s'ouvrent plus facilement. « Bien sûr, c'est la capitale de la danse, mais surtout, c'est la ville des possibles, s'enthousiasme Lorenzo. Si tu décides de reprendre tes études à 30 ou à 50 ans, ce n'est un problème pour personne. Ça peut faire cliché, mais il y a vraiment une énergie incroyable et de nombreuses opportunités qu'il faut savoir saisir. Le réseautage, le networking, c'est quelque chose d'essentiel. » Et Charlotte de poursuivre : « Quand tu es là depuis quelques années, tu te rends compte que beaucoup de gens sont de passage. C'est très stimulant en tant qu'artiste. J'ai vraiment l'impression de vivre plusieurs vies en une. Évidemment, ce n'est pas tous les jours facile. En même temps, ça fait grandir. New York, c'est un bon départ dans la vie. »

La Botanica
SPIRITS

RIDGEWOOD

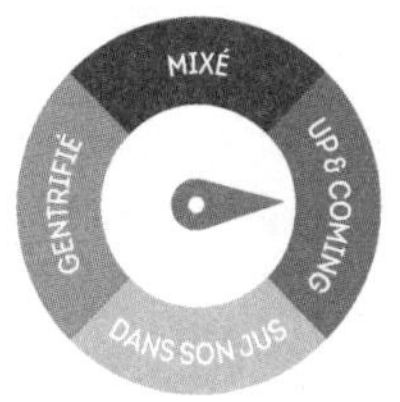

Le Brooklyn de Queens veut conserver son âme.

Ridgewood est un quartier limitrophe de Bushwick, à la lisière de Brooklyn et de Queens. On vous rassure, pas besoin de passeport pour passer la frontière ! Même les Brooklynites qui rechignent à « émigrer » à Queens, par esprit de clocher, se laissent tenter par ce nouveau coin qui monte.

À première vue, Ridgewood a pourtant l'air tranquille. C'est un quartier résidentiel de la classe moyenne, avec des petites maisons individuelles dont les fenêtres s'avancent sur des façades à briques jaunes et des immeubles à taille humaine, pour la plupart bâtis au début du 20e siècle pour accueillir les migrants. C'est aussi un quartier industriel, notamment entre Myrtle Avenue, son artère commerçante, et les alentours du métro aérien Halsey. De nombreuses petites entreprises y sont implantées, héritage de l'époque où Ridgewood abritait une industrie textile et des brasseurs prospères.

Les Polonais et les Sud-Américains ont remplacé les Allemands et les Italiens. « Dans notre immeuble, nous sommes les seuls à ne pas être polonais, remarque Marion, une jeune danseuse française qui a emménagé en 2015 avec son petit ami américain. En fait, c'est la même famille qui se partage presque tout l'immeuble ! » À Ridgewood, certaines familles sont là depuis plusieurs générations, même si les nouveaux venus y sont de plus en plus nombreux. Jeunes, artistes ou créatifs pour la plupart. Des « pionniers » comme on dit chaque fois qu'un quartier populaire évolue.

Car la coolitude de Brooklyn a déteint sur ce quartier de Queens, au point qu'on le surnomme « Quooklyn ». Mais Ridgewood, traversé par la fameuse ligne de métro L, ne veut pas ressembler à Bushwick, son voisin trop vite devenu branché. Le quartier en est à ce moment subtil de la gentrification, où le mélange entre les résidents de longue date et les néo-habitants donne une alchimie intéressante. Les quelques bars à vins et coffee-shops se mélangent aux nombreux delis* polonais, bouchers allemands et autres boulangeries italiennes. Entre deux entrepôts ou sur un terrain vague naissent des initiatives collaboratives, des lieux d'innovation culturelle, des laboratoires sociaux qu'on vous conseille d'aller voir de plus près. Pendant ce temps, les églises célèbrent Pâques et les grandes fêtes catholiques en anglais, en espagnol et en polonais. C'est ce mélange des populations qui fait la force du quartier. On est au cœur de l'éternelle et entêtante problématique urbaine : comment accueillir les nouveaux (en tout cas ceux qui sont respectueux de l'histoire du quartier), sans virer les anciens ?

E PLAN 3

Metropolitan Ave
Flushing Ave
Linden Hill Cemetery
Cypress Ave
Myrtle Ave
Putnam Ave
Cornelia St
Bushwick Ave
Cooper Ave
Cooper St
Eliot Ave
Fresh Pond Rd
DeKalb Ave [L]
Seneca Ave [M]
Myrtle - Wyckoff Aves [M]
Forest Ave [M]
Halsey St [L]
Wilson Ave [L]
250 m

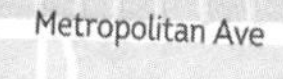
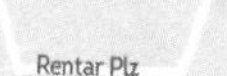

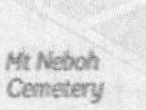

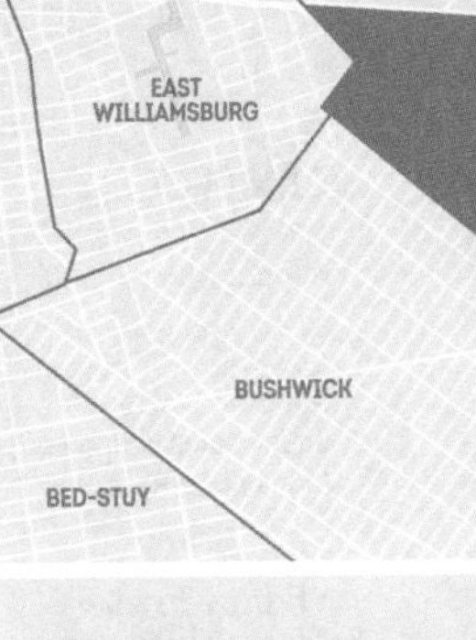

LES COURSES

01. Buttah
02. Catania Bakery
03. Europa
04. Fancy Fruits & Vegetables
05. Morscher's Pork Store
06. Parrot Coffee Grocery
07. Ridgewood Pork Store
08. Ridgewood Youth Market

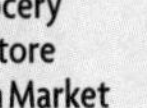

PETIT DÉJEUNER

09. Ltauha
10. Milk & Pull

MANGER

11. Bun-Ker
12. Cracovia Polish Deli
13. Gottscheer Hall
14. Guadalajara de Dia 2
15. Houdini Kitchen Laboratory
16. Julia's
17. Super Pollo

SORTIR

18. K & A Social Club
19. Nowadays
20. Queens Tavern
21. The Keep

SE CONNECTER

22. Norma's Corner Shoppe
23. Rudy's Pastry Shop
24. Spolem Cafe & Lounge
25. Trans-Am Cafe

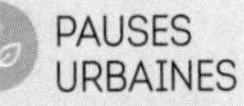

PAUSES URBAINES

26. Bridge and Tunnel Brewery
27. Finback Brewery - Hors carte
28. Queens Brewery
29. Machpelah Cemetery
30. Ridgewood Reservoir
31. Stockholm Street
32. The Vander Ende-Onderdonk House

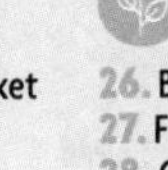
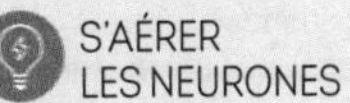

S'AÉRER LES NEURONES

33. Knockdown Center
34. Lorimoto
35. Ridgewood Branch Queens Library
36. The Ridgewood Social - Hors carte
37. Topos Bookstore Cafe
38. Trans-Pecos
39. Woodbine

TAKE CARE

40. Ridgewood YMCA

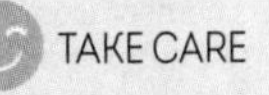

BUY LOCAL

41. Ridgewood Market

FAITES COMME CHEZ EUX

On-the-Go

ACCÉDER
MÉTRO
Myrtle-Wyckoff Aves, Halsey St, Dekalb Ave, Seneca Ave, Forest Ave, Fresh Pond Road (lignes L, M).

CIRCULER
À PIED
Adapté.

À VÉLO
Agréable, surtout si vous voulez aller jusqu'au Ridgewood Reservoir.

LOUER
BUSHWICK BICYCLE SHOP
308 Irving Ave • entre Linden St & Myrtle Ave • 718-366-2804

LES COURSES

01. *Buttah*
377 Onderdonk Ave • entre Stanhope & Stockholm Sts • 347-833-7899 • buttahbakery.com
Buttah, c'est la façon de prononcer « butter » avec l'accent de Brooklyn*. Leurs cupcakes, shortcakes et autres pâtisseries américaines font l'unanimité.

02. *Catania Bakery*
6410 Fresh Pond Rd • entre Grove & Linden Sts • 718-417-5700
Cette pâtisserie italienne traditionnelle est une icône du quartier. Goûtez notamment les sfogliatelle (pâte feuilletée garnie de ricotta parfumée à la vanille) et les ennis (sorte de donuts feuilletés et garnis de crème fraîche). Très bon pain également.

03. *Europa*
66-99 Forest Ave • angle de 67th Ave • 718-821-3732
Parmi les nombreuses épiceries de quartier le long de Forest Avenue, nous aimons particulièrement celle-ci. Les fruits et légumes viennent souvent des fermes de la région de New York et sont bon marché.

04. *Fancy Fruits & Vegetables*
56-11 Catalpa Ave • entre Seneca & Myrtle Aves • 718-417-5322
Un épicier de quartier où trouver de bons fruits et légumes pas chers.

05. *Morscher's Pork Store*
5844 Catalpa Ave • entre Woodward & Oderdonk Aves • 718-821-1040
Cette boucherie-charcuterie familiale d'Europe centrale a ouvert ses portes en 1957, du temps où Ridgewood était surnommée « Little Germany ». On aime y aller autant pour le rapport qualité-prix que pour l'accueil.

06. *Parrot Coffee Grocery*
5822 Myrtle Ave • entre Center & George Sts • 718-821-2785 • parrotcoffee.com
Une épicerie réputée pour ses produits importés des Balkans et des pays méditerranéens, où l'on trouve notamment du fromage, du thé, des olives, des épices et des fruits secs.

07. *Ridgewood Pork Store*
cash only • 516 Seneca Avenue • angle de Bleecker St • 718-381-0686 •
Une autre magnifique boucherie-charcuterie à l'ancienne où tout fait envie.

08. *Ridgewood Youth Market*
Cypress Ave • entre Myrtle & Putnam Aves • grownyc.org/youthmarket/ridgewood • le samedi de juillet à novembre
Sur ce marché saisonnier en plein air, on peut faire le plein de produits frais et souvent locaux.

PETIT DÉJEUNER

09. *Ltauha*
55-50 Myrtle Ave • angle de Putnam Ave • 347-689-3462 • facebook.com/LtauhaRest
Néobistrot parfait pour le brunch du week-end : œufs Benedict au saumon fumé, pancakes, ou pourquoi pas un burger bien juteux.

10. *Milk & Pull*
778 Seneca Ave • angle de Madison St • 347-627-8511 • milkandpull.com
Vous y trouverez toutes les bonnes raisons de fréquenter un coffee-shop : du café, des viennoiseries, sur place ou à emporter.

MANGER

11. *Bun-Ker*
$10-20 • 46-63 Metropolitan Ave • entre Woodward & Onderdonk Aves • 718-386-4282 • bunkervietnamese.com

Au cœur du Ridgewood industriel, ce restaurant vietnamien n'a pas mis longtemps à faire le buzz. Son chef, Jimmy Tu, s'inspire de la cuisine de rue et c'est une réussite. Comme le lieu est minuscule, mieux vaut arriver tôt car il n'y a pas de bar aux alentours pour patienter.

12. *Cracovia Polish Deli*

cash only • moins de $10 • 501 Woodward Ave • angle de Greene Ave • 718-894-4982

Une épicerie polonaise qui sert, entre autres, des chicken noodle soups, la soupe que les Américains consomment pour soigner un rhume ou un chagrin d'amour, et des bortschs. De très bons remontants naturels !

13. *Gottscheer Hall*

moins de $10 • 657 Fairview Ave • entre Linden St & Gates Ave • 718-366-3030 • gottscheerhall.com

Ce restaurant presque centenaire, témoin de l'époque où Ridgewood était une terre d'immigration allemande, connaît une deuxième jeunesse grâce aux nouveaux habitants du quartier qui aiment venir y manger un goulasch spaetzle ou une saucisse choucroute, et surtout boire des pressions devant un match à la télé. On y côtoie un mélange intéressant de populations. Le week-end, on peut finir en dansant au son du juke-box.

14. *Guadalajara de Dia 2*

moins de $10 • 566 Seneca Ave • angle de Menahan St • 718-456-3698

Une épicerie-cantine mexicaine où se régaler pour pas cher des classiques tacos et burritos*, et aussi de très bonnes soupes. Ou juste pour s'acheter des paletas, glaces à l'eau, aux parfums exotiques.

15. *Houdini Kitchen Laboratory*

cash only • $10-20 • 15-63 Decatur St • angle de Wyckoff Ave • 718-456-3770 • houdinikitchenlaboratoryridgewood.com

D'excellentes pizzas au feu de bois cuites dans une ancienne brasserie, perdue au milieu d'un quartier industriel, avec une terrasse ultra-cool où se pressent les hipsters ? Ça ne vous rappelle rien ? La comparaison avec Roberta's s'arrête là car le concept est moins abouti, mais ça reste une excellente adresse urbaine. Avant ou après, allez faire quelques contorsions sur la tombe de Houdini, le célèbre prestidigitateur, enterré à quelques centaines de mètres de là, dans le cimetière de Machpelah.

16. *Julia's*

$10-20 • 818 Woodward Ave • entre Putnam Ave & Cornelia St • 917-909-1314

Charmant bar à vin qui mise sur le local et le bio, avec un petit twist mexicain dans la déco.

17. *Super Pollo*

$10-20 • 865 Woodward Ave • angle de 68th Rd • 718-418-0808 • superpollo.nyc

Délicieuse rôtisserie équatorienne.

18. *K & A Social Club*

$4-10 • 66-48 Myrtle Ave • entre 66th Ave & 67th St • Glendale • 347-721-3012 • KandAbar.com

Un bar qui n'est pas conceptuel, c'est reposant. On y boit un verre en jouant au billard, aux fléchettes, au palet, et même à des vieux jeux vidéo comme Galaga et Pac-Man. Soirée quiz et stand-up d'humoristes chaque semaine. Agréable backyard*.

19. *Nowadays*

KIDS • $5-8 • 56-06 Cooper Ave • entre Wyckoff & Irving Aves • Glendale • 718-386-0111 • nowadays.nyc • de mai à octobre

Un grand backyard aux airs de guinguette aménagé pour recevoir les copains – dont vous ! –, leurs chiens et leurs enfants. On peut se poser à l'ombre des arbres, s'allonger sur l'herbe, jouer au ping-pong, commander une sangria ou une bière locale au bar, manger un bon burger. Un espace collaboratif où l'on se sent comme dans son (immense) jardin.

20. *Queens Tavern*

cash only • $4-6 • 6869 Fresh Pond Rd • au croisement de 69th Ave & Cypress Hills St • facebook.com/Queens Tavern

Un bar de quartier qui organise des événements sympas, comme le karaoké du premier lundi du mois, le Bring your own vinyl (votre vinyle préféré mixé par un DJ) tous les dimanches à 20 h, et aussi un Hootenanny (un bœuf de musique folk) chaque année.

21. *The Keep*

cash only • $4-10 • 205 Cypress Ave • angle de Starr St • 718-381-0400 • facebook.com/thekeepny

Un chouette bar à mi-chemin entre le cabinet de curiosités et la brocante, avec de la bonne musique live. Agréable à toutes les heures de la journée, y compris le matin pour un café.

SE CONNECTER

22. *Norma's Corner Shoppe*

59-02 Catalpa Ave • angle de Forest Ave • 347-294-0185 • normascornershoppe.com

On viendrait bien bosser tous les jours dans ce salon

de thé tant les sandwichs et les pâtisseries maison sont savoureux.

23. *Rudy's Pastry Shop*

905 Seneca Ave • entre Capalca & Myrtle Aves • 718-821-5890 • rudysbakeryandcafe.com

À côté des strudels et autres classiques de la pâtisserie allemande, on trouve désormais des desserts vegan et sans gluten qui collent à l'évolution du quartier.

24. *Spolem Cafe & Lounge*

66-30 Fresh Pond Rd • entre Palmetto & Woodbine Sts • 347-725-3379

Café chaleureux. Laissez-vous tenter par le Nutella Latte*.

25. *Trans-Am Cafe*

9-15 Wyckoff Ave • entre Hancock & Weirfield Sts • thetranspecos.com

Immense café à la cool, situé à l'intérieur de l'espace culturel Trans-Pecos. L'espace extérieur est aussi agréable. Bon café, bons sandwichs, bons smoothies. Bref, on s'y sent bien.

PAUSES URBAINES

BRASSERIES

Les vieilles brasseries allemandes du début du 20e siècle ont disparu, pour la plupart, après la Prohibition. Mais plusieurs jeunes micro-brasseurs se sont récemment installés à Ridgewood, relançant une activité qui a le vent en poupe un peu partout à New York.

26. *Bridge & Tunnel Brewery*

15-35 Decatur St • entre Wyckoff & Irving Aves • 347-392-8593 • bridgeandtunnelbrewery.com

Une micro-brasserie dans l'esprit DIY du quartier... Venez goûter les bières de Rich et sa femme Lisa, qu'ils aiment sombres et riches.

27. *Finback Brewery*

(Hors carte) • 7801 77th Ave • entre 76th & 79th Sts • 718-628-8600 • finbackbrewery.com

Stafford et Lee font visiter leur brasserie artisanale, en général les samedis et dimanches (à vérifier avant de vous y rendre). Ou ils vous accueillent pour une dégustation dans leur tasting room. L'occasion d'apprendre comment ils ont plaqué leur boulot d'architecte et de designer pour essayer de vivre de leur passion.

28. *Queens Brewery*

1539 Covert St • entre Wyckoff & Irving Aves • queensbrewery.com

Cette brasserie artisanale doit bientôt ouvrir un beer garden. En attendant, vous pouvez savourer ses bières dans de nombreux bars new-yorkais. Et aussi à Citi Field, le stade des Mets, l'équipe de baseball de Queens.

29. *Machpelah Cemetery*

8230 Cypress Hills St • entre Cypress & 80th Aves • Glendale

Pour les amateurs d'histoire à donner la chair de poule ! La plupart des vieilles tombes sont à l'abandon sauf celle de Houdini, émigré bulgare devenu le plus grand magicien de tous les temps.

30. *Ridgewood Reservoir à Highland Park*

Jackie Robinson Pkwy, Vermont Pl, Highland Blvd & Cypress Hills St • Glendale • nycgovparks.org/parks/highland-park

Le bus B13 vous déposera à l'angle de Cypress Hills St & Cypress Ave, à deux blocs

de l'entrée est du parc. Marchez vers le sud, traversez le Jackie Robinson Parkway et prenez, à droite, le chemin qui entre dans Highland Park. Son réservoir, l'une des principales sources en eau de New York jusqu'en 1989, a depuis sa fermeture été envahi par les marais et la végétation pour devenir une réserve naturelle exceptionnelle. Empruntez le chemin aménagé autour des trois bassins pour vous balader ou faire du vélo. Vous y découvrirez plus de 180 essences végétales, des insectes, des reptiles, et une foule d'animaux, dont 148 espèces d'oiseaux. Vous pouvez aussi grimper sur les hauteurs du parc pour admirer la vue sur le réservoir, les cimetières alentour, et l'océan Atlantique au loin...

31. *Stockholm Street*

entre Woodward & Onderdonk Aves

De part et d'autre de la rue, trente six maisons du début du 20e siècle, classées monuments historiques, pour accueillir les migrants allemands. Un morceau d'histoire.

32. *The Vander Ende-Onderdonk House*

1820 Flushing Ave • angle de Onderdonk Ave • 718-456-1776 • onderdonkhouse.org

Bâtie en 1709, c'est la plus vieille maison de style Dutch Colonial de New York (bien que partiellement reconstruite après un incendie).

S'AÉRER LES NEURONES

33. *Knockdown Center*

52-19 Flushing Ave • angle de 54th St • Maspeth • 347-915-5615 • knockdowncenter.com

Cet ancien entrepôt sert de galerie d'art et organise également des soirées-concerts live, en plus d'être un vraiment bel espace.

34. *Lorimoto*

16-23 Hancock St • entre Cypress & Wyckoff Aves • lorimoto.com

Installée dans une ancienne usine de textile, cette galerie multimédia a rapidement trouvé sa place sur la scène artistique bourgeonnante de Ridgewood.

35. *Ridgewood Branch Queens Library*

KIDS • 20-12 Madison St • entre Fairview & Forest Aves • 718-821-4770 • queenslibrary.org/fr/ridgewood

Plus qu'une simple bibliothèque, c'est un lieu où les habitants se retrouvent pour une lecture de contes ou un cours de yoga.

36. *The Ridgewood Social*

(Hors carte) • ridgewoodsocial.com • 347-460-7549 • facebook.com/RidgewoodSocial

Cette association d'habitants hyperactive aime mettre les gens en contact et organise régulièrement des événements, comme des soirées rétro, des brocantes ou des pique-niques. Pour connaître l'actualité culturelle et sociale de Ridgewood, consultez son site ou sa page Facebook.

37. *Topos Bookstore Cafe*

788 Woodward Ave • angle de Putnam Ave • 347-927-5680 • toposbookstore.com

Un super petit café où l'on se sent comme chez soi, sans wifi, puisque le but du jeu c'est de parler à ses voisins ! Ou de découvrir des livres parmi une sélection d'ouvrages neufs ou d'occasion.

38. *Trans-Pecos*

9-15 Wyckoff Ave • entre Weirfield & Hancock Sts • thetranspecos.com

Un lieu culturel créé par deux artistes-gourous de la scène Do It Yourself de Brooklyn. En journée, il accueille des associations qui aident les jeunes du quartier, et des cours de yoga. En soirée, on peut y écouter du bon son live, notamment electro.

39. *Woodbine*

1882 Woodbine St • entre Woodward & Onderdonk Aves • woodbine.nyc

Une association de quartier qui milite pour plus de justice sociale et d'écologie. Woodbine organise toutes sortes d'ateliers : comment faire ses bocaux et ses conserves, ou du feu sans allumettes, comment recycler son eau, comment échapper à la surveillance et aux risques sur Internet... et même des stages de survie ! En France on les appellerait des ZADistes. Tous les dimanches, à partir de 20 h, vient qui veut à leurs dîners-débats. Vous pouvez venir cuisiner avec eux (inscriptions sur leur site) ou apporter des trucs à partager.

TAKE CARE

40. *Ridgewood YMCA*

69-02 64th St • angle de Catalpa Ave • 212-912-2180 • ymcanyc.org/ridgewood

YMCA (le réseau des auberges de jeunesse chrétienne de la chanson des Village People) propose souvent des super salles de fitness à des tarifs compétitifs. C'est le cas de celui de Ridgewood, très fréquenté par les riverains.

BUY LOCAL

41. *Ridgewood Market*

Gottscheer Hall • 657 Fairview Ave • entre Linden St & Gates Ave • 347-460-7549 • ridgewoodmarket.com

Les artisans, artistes et designers indépendants du coin investissent régulièrement le Gottscheer Hall le dimanche pour un brunch/bazar/concert pendant lequel vous pouvez acheter leurs créations en musique.

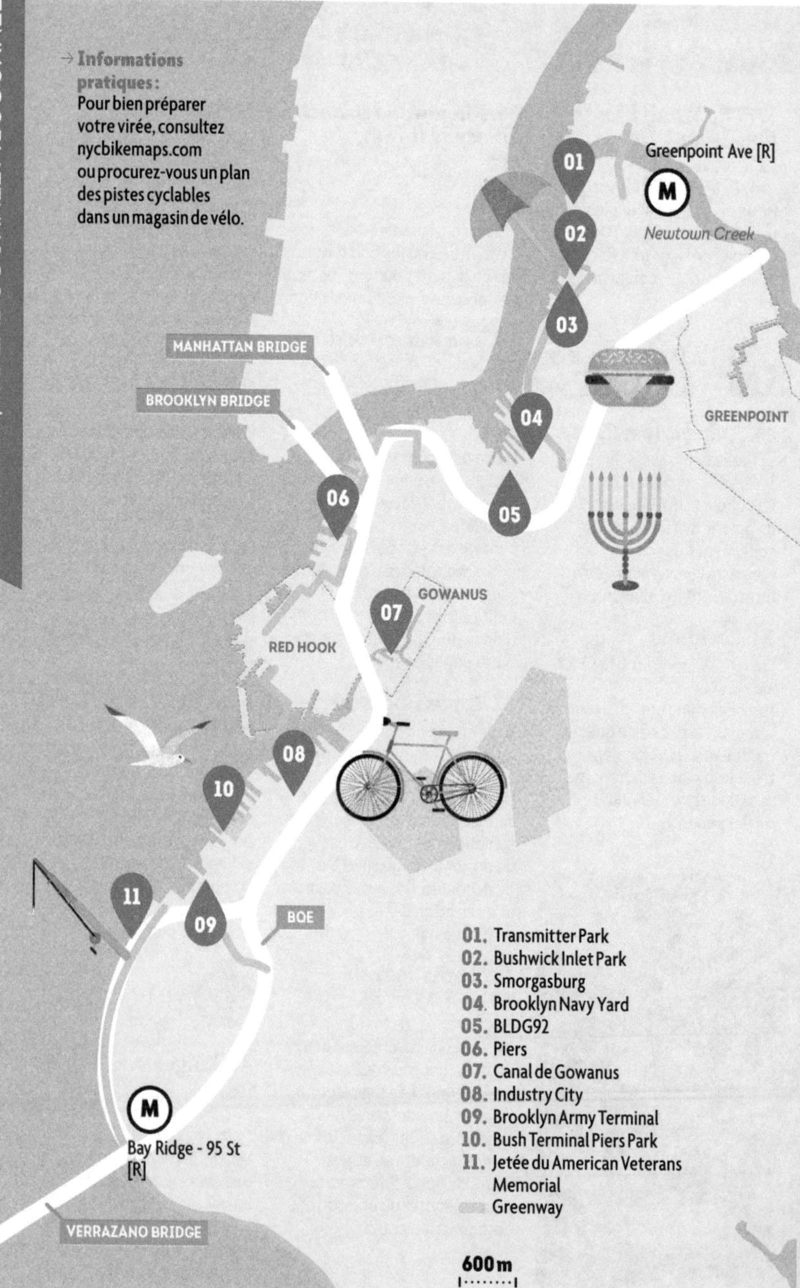
→ Informations pratiques :
Pour bien préparer votre virée, consultez nycbikemaps.com ou procurez-vous un plan des pistes cyclables dans un magasin de vélo.
Greenpoint Ave [R]
Newtown Creek
MANHATTAN BRIDGE
BROOKLYN BRIDGE
GREENPOINT
GOWANUS
RED HOOK
BQE
Bay Ridge - 95 St [R]
VERRAZANO BRIDGE
01. Transmitter Park
02. Bushwick Inlet Park
03. Smorgasburg
04. Brooklyn Navy Yard
05. BLDG92
06. Piers
07. Canal de Gowanus
08. Industry City
09. Brooklyn Army Terminal
10. Bush Terminal Piers Park
11. Jetée du American Veterans Memorial
Greenway
600 m

Le Brooklyn Waterfront à vélo

Pour découvrir le New York bike-friendly, nous vous conseillons d'emprunter la Brooklyn Waterfront Greenway, un projet urbain de 22 km qui se réapproprie les berges de la ville.*

Démarrez à l'extrémité nord de **GREENPOINT**, au bord de la Newton Creek (métro Greenpoint Ave). Au bout de la Greenpoint Avenue (vers l'East River), ne manquez pas le **TRANSMITTER PARK** et sa longue jetée qui s'avance sur la rivière. Vue imprenable sur Midtown.

Si vous prenez Franklin Street vers le sud, vous arrivez à **WILLIAMSBURG**. Pause sur la plage artificielle du **BUSHWICK INLET PARK**. Le samedi, reprenez des forces au **SMORGASBURG**, le marché de street-food (voir p.117).

Descendez Kent Avenue : vous quittez les hipsters pour les juifs hassidiques. Sur votre gauche, les synagogues sont très animées, surtout le samedi, alors que sur votre droite s'étend l'immense site du **BROOKLYN NAVY YARD** (voir p.168). Stop culturel à son musée gratuit, **BLDG92**, sur Flushing Avenue.

Continuez à longer l'East River : vous passerez sous le Manhattan Bridge, pour arriver sur Old Fulton Street, au pied du fameux Brooklyn Bridge. De là, laissez-vous rouler vers le sud, le long des **PIERS** (les jetées) aménagés sur la rivière. Une pause gourmande ou rafraîchissante s'impose (voir p.139).

Mais pas le temps de traîner, vous n'en êtes qu'à la moitié du chemin. Passez sous le BQE, le Brooklyn Queens Expressway, pour récupérer Columbia Street et faire un crochet par **RED HOOK**.

Depuis Columbia Street, W 9th Street vous emmène à **GOWANUS** et à son **CANAL**. Vous êtes maintenant dans une zone en pleine renaissance, non loin de l'eau, sur 2nd puis 1st Aves. Plus au sud, là où le canal de Gowanus se jette dans la baie, le complexe d'**INDUSTRY CITY** est déjà opérationnel (voir p.270) alors que la rénovation du **BROOKLYN ARMY TERMINAL** est toujours en cours.

Au milieu de ce paysage industriel, on peut accéder aux berges : **BUSH TERMINAL PIERS PARK** est l'endroit idéal pour observer les oiseaux migrateurs.

Vous voilà dans la dernière ligne droite. La Shore Parkway Esplanade longe le quartier de Bay Ridge. Mélangez-vous aux pêcheurs sur **LA JETÉE DU AMERICAN VETERANS MEMORIAL** pour admirer Manhattan d'un peu plus loin. À l'extrémité sud, approchez-vous de l'imposant Verrazano Bridge qui relie Staten Island à Brooklyn, où se donne chaque année le départ du marathon de New York.

Si vos mollets fatiguent au retour, il est permis d'embarquer son vélo dans le métro (par exemple à la station Bay Ridge 95 St), mais évitez l'heure de pointe...

14

GOWANUS

L'odeur sulfureuse d'un quartier industriel en devenir.

Ce qui peut vous sauter au nez en sortant de la station de métro Smith - 9th Sts, c'est l'odeur sulfureuse - au propre comme au figuré - de ce quartier en devenir. Gowanus Canal est l'un des canaux les plus pollués des États-Unis : un bouillon de plomb, de mercure, de nitrates, d'excréments et de bactéries, surnommé « black mayo » tant il est épais à certains endroits, témoin de l'histoire industrielle du quartier (les premières centrales à charbon s'y sont installées dans la deuxième moitié du 19e siècle). La légende dit que c'était aussi le dépotoir de la mafia. En 2010, son nettoyage est devenu une priorité écologique pour les autorités fédérales et pour les promoteurs.

Malgré ces eaux peu ragoûtantes, ou sans doute aussi grâce à elles, le quartier de Gowanus a beaucoup de charme. Tranchant avec ses quartiers limitrophes, Carroll Gardens à l'ouest et Park Slope à l'est, tous deux très bourgeois. Avec ses pylônes massifs en acier au charme scorsesien (l'autoroute passe juste au-dessus), ses entrepôts, ses magasins de pneus, ses ateliers d'artistes et ses salles de concert underground, Gowanus est devenu une scène urbaine. Une scène sur laquelle la nature reprend de temps à autre ses droits, ici et là, de façon totalement anarchique : un tournesol poussant sur le bitume, une aigrette se posant au bord du canal[1]. Un certain nombre de pionniers ont emménagé ces dernières années, attirés par la lumière et les grands espaces, retapant des bâtisses ou faisant construire des maisons d'architecte sur d'anciens terrains vagues. Annonciateurs de changements plus profonds que les vieux Italiens, installés là depuis des décennies, ne voient pas forcément d'un bon œil.

Depuis quelques années, on aperçoit des aventuriers pagayer sur le canal. Pas de flingues ni de cadavres repêchés pour l'instant ! Le vrai nettoyage devrait commencer en 2017 et durer cinq ans. En même temps que le canal, c'est un peu tout le quartier qui commence à être nettoyé. Avec son lot de bonnes choses, d'expérimentations, de mode de vie alternatif. Et, comme toujours, son risque d'uniformisation. Les berges du canal sont en passe d'être transformées en parc. Les immeubles de verre et autres projets immobiliers ont commencé à menacer le paysage, comme cet ensemble de douze étages au coin de Bond Street et de 1st Street. Au rythme où ça va, espérons que les sacs à 2000$ ne seront pas en vitrine dans trois ans.

1. Un bébé baleine a même été aperçu dans les eaux troubles !

PLAN 1

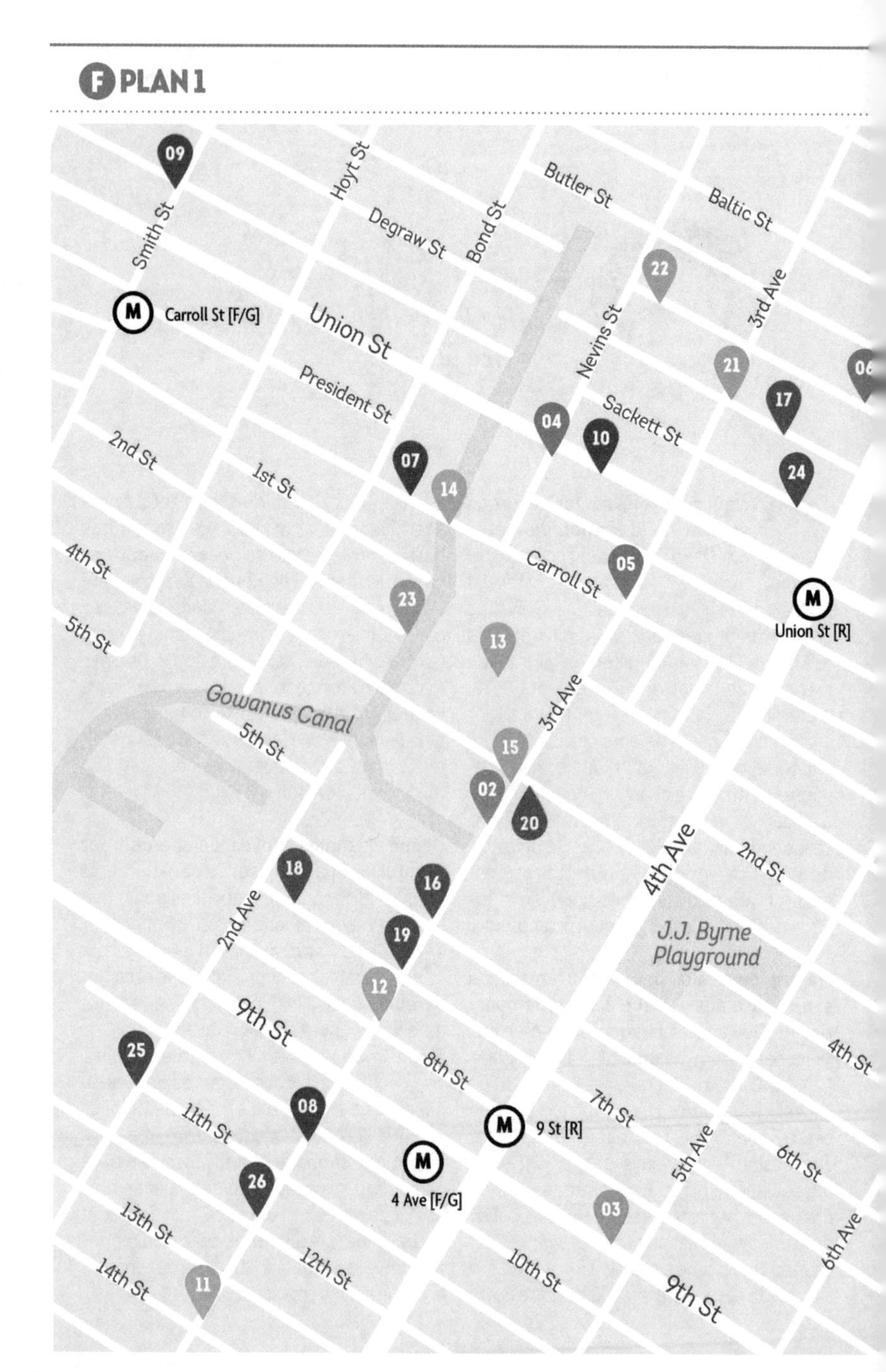

Smith St
Hoyt St
Degraw St
Bond St
Butler St
Baltic St
Carroll St [F/G]
Union St
President St
Nevins St
3rd Ave
Sackett St
2nd St
1st St
Carroll St
4th St
5th St
Union St [R]
Gowanus Canal
5th St
3rd Ave
4th Ave
2nd St
J.J. Byrne Playground
2nd Ave
9th St
8th St
4th St
7th St
9 St [R]
11th St
5th Ave
6th St
4 Ave [F/G]
13th St
12th St
10th St
6th Ave
14th St
9th St
09
22
21
17
24
04
10
07
14
05
23
13
15
02
20
18
16
19
12
25
08
26
03
11

GOWANUS

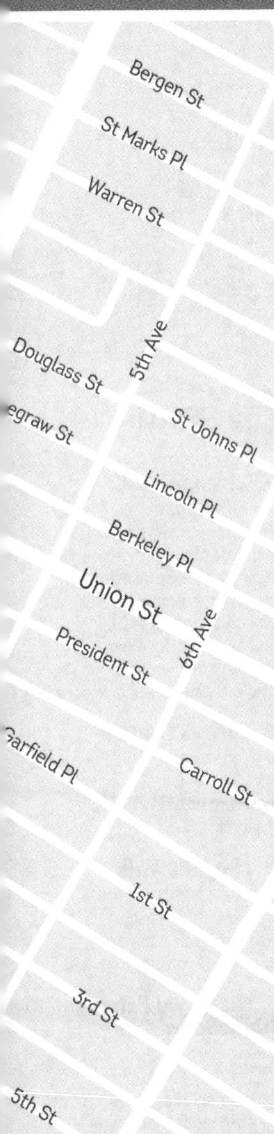

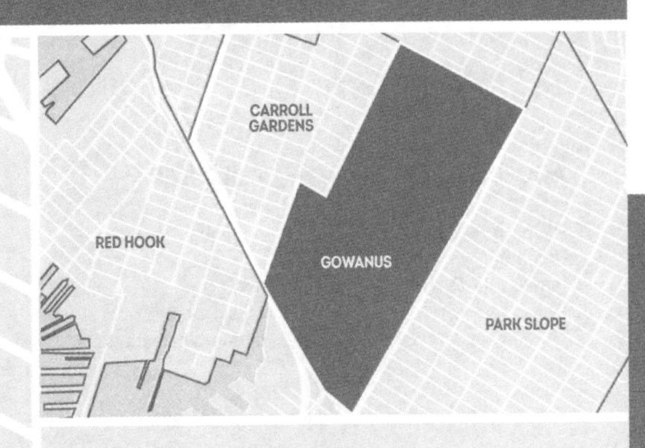

LES COURSES

01. Brooklyn Wine Exchange - Hors carte
02. Whole Foods Market

PETIT DÉJEUNER

03. Bagel Pub

MANGER

04. Ample Hills
05. Littleneck
06. Threes Brewing

SORTIR

07. Lavender Lake
08. Lucey's Lounge
09. The Jake Walk
10. The Royal Palms Shuffleboard Club

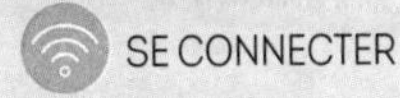

SE CONNECTER

11. Crop to Cup
12. Four & Twenty Blackbirds

PAUSES URBAINES

13. Bat Cave
14. Carroll Street Bridge
15. Coignet Building

S'AÉRER LES NEURONES

16. Curious Jane
17. Littlefield
18. The Bell House
19. The Morbid Anatomy Museum
20. The Old American Can Factory

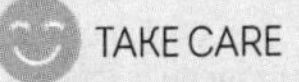

TAKE CARE

21. Brooklyn Boulders Gowanus
22. Douglas & Degraw Pool
23. Gowanus Dredgers

BUY LOCAL

24. L Train Vintage
25. New York Old Iron
26. Schone Bride

FAITES COMME CHEZ EUX

On-the-Go

ACCÉDER

MÉTRO

R. Smith - 9 Sts, 4 Au, 9 St, Union St (lignes F, G, D, N).

CIRCULER

À PIED

Agréable.

À VÉLO

Très pratique, et en plus c'est plat.

LOUER

718 CYCLERY

254 3rd Ave • 347-457-5760 • 718c.com

CITI BIKE

Disponible été 2016.

LES COURSES

01. *Brooklyn Wine Exchange*

(Hors carte) • 138 Court St • entre Atlantic Ave & Pacific St • 718-855-9463 • brooklynwineexchange.com

Ici, la biodynamie fait le trait d'union entre vins locaux et breuvages du vieux monde.

02. *Whole Foods Market*

214 3rd St • entre 3rd Ave & Bond St • 718-907-3622 • wholefoodsmarket.com

Des serres sur le toit, des panneaux solaires et un self-service de réparation de vélos sur le parking... On arriverait presque à en oublier qu'on est venu pousser un caddy.

PETIT DÉJEUNER

03. *Bagel Pub*

287 9th St • entre 4th & 5th Aves • 718-499-4402 • bagelpub.com

Un bagel* tartiné de cream cheese aux oignons et de saumon fumé, quoi de mieux pour commencer sa journée à la new-yorkaise. Arrière-cour agréable.

MANGER

04. *Ample Hills*

moins de $10 • 305 Nevins St • angle de Union St • 347-725-4061 • amplehills.com

Des glaces à l'ancienne, crémeuses et locales (même le lait est pasteurisé sur place !). Les parfums changent au fil des saisons. Mentions spéciales au Salted Crack Caramel et à la citrouille. Pensez à réserver les ateliers pour apprendre à faire votre glace maison.

05. *Littleneck*

$10-20 • 288 3rd Ave • entre Carroll & President Sts • 718-522-1921 • littleneckbrooklyn.com

On vient pour les clams et autres fruits de mer. Ne ratez pas le lobster roll (sandwich au homard typique de la Nouvelle-Angleterre). Revenez pour le brunch !

06. *Threes Brewing*

$10-20 • 333 Douglass St • entre 3rd & 4th Aves • 718-522-2110 • threesbrewing.com

On se sent bien dans cette micro-brasserie qui sert plus de vingt bières artisanales à la pression. En cuisine, des chefs en résidence, bons et branchés (Mimi's Humus, Roberta's, etc.). Cour agréable et grande salle commune animée.

SORTIR

07. *Lavender Lake*

$8-12 • 383 Carroll St • proche angle de Bond St • 347-799-2154 • lavenderlake.com

Un pub de briques et de bois où grignoter et boire de délicieux breuvages, notamment leur cocktail signature, le L.L.I.T. (Lavender Lake Iced Tea). Nombreux événements dans le patio extérieur aux beaux jours.

08. *Lucey's Lounge*

$12 • 475 3rd Ave • angle de 10th St • 718-877-1075 • luceysloungebklyn.com

Charmant bar à cocktails de quartier.

09. *The JakeWalk*

$12 • 282 Smith St • angle de Sackett St • 347-599-0294 • thejakewalk.com

Un cheese-and-wine-bar aux airs de Prohibition.

10. *The Royal Palms Shuffleboard Club*

$6-11 • 514 Union St • entre 3rd Ave & Nevins St • 347-223-4410 • royalpalmsshuffle.com

Et si pour changer, vous sirotiez votre cocktail en jouant au shuffleboard (un cousin du curling) ? Dans cet immense bar au look rétro, dix allées vous attendent. Premier arrivé, premier servi. On vous conseille d'arriver tôt le samedi ou de venir en semaine. En attendant, faites une tour chancelante géante ou un jeu de société, prêtés gratuitement.

SE CONNECTER

11. *Crop to Cup*

541 A 3rd Ave • entre 13th & 14th Sts • 347-599-0053 • croptocup.com

Les grands sacs de café ne sont pas là que pour faire genre. Ce coffee-shop est d'abord un importateur de grains, que vous pouvez acheter verts et torréfier vous-mêmes (vous pouvez aussi suivre des cours de barista). Ne ratez pas le joli jardin.

12. *Four & Twenty Blackbirds*

439 3rd Ave • angle de 8th St • 718-499-2917 • birdsblack.com

Originaires du Sud Dakota, Emily et Melissa ont appris l'art de la pâte à tarte en regardant leur grand-mère. Quand on goûte leurs tartes au caramel au beurre salé ou aux fruits, on se dit qu'elles ont bien fait d'abandonner la finance et la photographie !

PAUSES URBAINES

13. *Bat Cave*

sur 3rd St • entre le Gowanus Canal & 3rd Ave • face au supermarché Whole Foods

Cet immense bâtiment en briques rouges tape dans l'œil autant pour son style néo-roman de la fin du 19e siècle que pour l'énorme inscription taguée sur sa façade avant. Située en bordure du canal, cette ancienne centrale à charbon a été laissée à l'abandon, pour le plus grand bonheur des graffeurs, des squatteurs, des ados en quête de frisson, des raveurs... et des chauves-souris ! D'où son surnom. Aujourd'hui, il est plus compliqué d'y pénétrer. Rachetée 50 millions de dollars par Joshua Rechnitz, un philanthrope qui souhaite en faire un lieu culturel, la Bat Cave attend sa renaissance.

14. *Carroll Street Bridge*

angle du Gowanus canal & Carroll St

C'est le plus ancien pont rétractable des États-Unis. Et l'un des derniers. Construit en 1889, du temps où Brooklyn était indépendante. Pas mal de belles façades et d'enseignes d'usines à admirer en se baladant dans le coin.

15. *Coignet Building*

360 3rd Ave • angle de 3rd St

Cette maison est à la gentrification ce que le village d'Astérix est aux Romains. Comme elle est classée landmark, la chaîne Whole Foods n'a pas pu la démolir pour implanter son supermarché bio. Le groupe a dû construire tout autour, et s'engager à restaurer la maison, conçue au 19e siècle par un ingénieur français, François Coignet, pionnier dans le développement de structures préfabriquées et de béton armé qui imite la pierre.

04

FAITES COMME CHEZ EUX

S'AÉRER LES NEURONES

16. *Curious Jane*
KIDS • 400 3rd Ave • angle de 6th St • 718-369-6320 • curiousjanecamp.com
C'est bien connu, les filles osent moins devenir ingénieures ou pilotes de ligne. Les camps de vacances de Curious Jane (proposés dans une dizaine de quartiers de Brooklyn et de Manhattan) les encouragent à s'intéresser aux sciences, à la technologie, aux arts et aux maths.

17. *Littlefield*
622 Degraw St • entre 3rd & 4th Aves • littlefieldnyc.com
Ce lieu hybride, aménagé dans une ancienne fabrique de textile avec toutes sortes de matériaux recyclés, accueille aussi bien des comedy nights qu'un concert de soul ou un spectacle de danse.

18. *The Bell House*
149 7th St • entre 2nd & 3rd Aves • 718-643-6510 • thebellhouseny.com
Allez régulièrement jeter un œil sur la programmation pointue et variée de cette salle de concert installée dans une ancienne imprimerie.

19. *The Morbid Anatomy Museum*
424 Third Ave • angle de 7th St • 347-799-1017 • morbidanatomymuseum.org
Voir coup de cœur p.260.

20. *The Old American Can Factory*
232 3rd St • angle de 3rd Ave
Un décor médiévalo-post-industriel pour une scène artistique éclectique comme Brooklyn en a le secret. L'été, l'association Rooftop Films (rooftopfilms.com) projette des films sur le toit. Magique.

TAKE CARE

21. *Brooklyn Boulders Gowanus*
575 Degraw St • entre 3rd & 4th Aves • 347-834-9066 • brooklynboulders.com
Dans cet ancien hangar devenu la plus grande salle de varappe de la ville, on croise des graphistes indépendants et des courtiers de Wall Street qui viennent décompresser. Profitez-en pour prendre un cours d'accro-yoga, excellent pour la concentration.

22. *Douglas & DeGraw Pool*
230 Douglas Street • entre 3rd Ave & Nevins St • 718-625-3268 • nycgovparks.org
« The Double D » est une piscine extérieure à taille humaine, fréquentée par les familles du quartier. Attention, comme toutes les piscines municipales, les règles d'accès au bassin de juin à octobre sont strictes et à consulter sur le site (voir p.441).

23. *Gowanus Dredgers*
au bout de 2nd St • après le croisement avec Bond St • Gowanus Canal Launch Site • 718-243-0849 • gowanuscanal.org
Une virée gratuite en kayak pour explorer le canal avec des dragueurs (de vase, on vous rassure) ? L'association organise également des balades à pied ou à vélo dans le quartier.

BUY LOCAL

24. *L Train Vintage*
654 Sackett St • entre 4th & 3rd Aves • 718-858-4906 • ltrainvintage.com
Une friperie où l'on trouve de tout, en général pour moins de 25$.

25. *New York Old Iron*
118 2nd Ave • entre 9th & 10th Sts • 917-837-3039
Un vaste bric-à-brac installé en plein air, sous l'autoroute. Une façon de fouiller l'histoire de New York.

26. *Schone Bride*
530 3rd Avenue • entre 12th & 13th Sts • 718-788-3849 • schonebride.com
Pourquoi vous recommander une boutique de robes de mariées ? Parce que si vous envisagez de vous faire passer la bague au doigt, une visite dans l'atelier de Rebecca Schoneveld vous évitera de ressembler à une meringue le jour J. Sinon, comme c'est beau, et que les robes sont fabriquées à l'arrière de la boutique, ça vaut le coup d'œil !

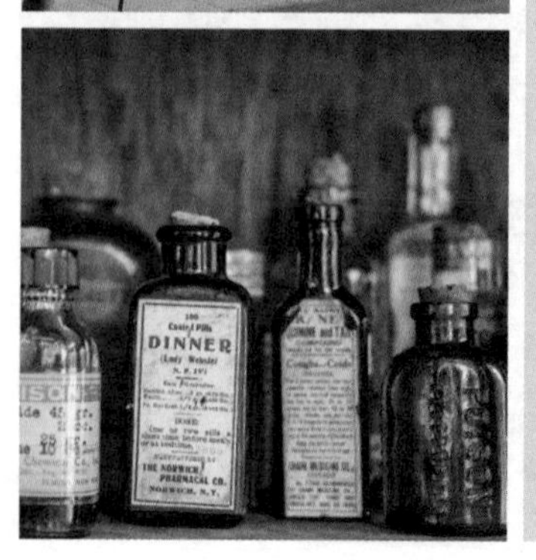

S'AÉRER LES NEURONES

19. *The Morbid Anatomy Museum*

424-A 3rd Ave • angle de 7th St • 347-799-1017 • morbidanatomymuseum.org

Toute petite déjà, Joanna Ebenstein aimait ce qui effraierait la plupart d'entre nous : les araignées qu'elle passait des heures à observer enfermées dans leur bocal, les animaux morts qu'elle disséquait, puis conservait à l'aide du formol que son père lui achetait, ainsi que les tombes. Dans son très joli cabinet de curiosités morbides, on peut consulter sa collection personnelle de livres (elle en possède plus de 2 000, consacrés à l'histoire de la médecine, aux rituels funéraires et au corps humain) confortablement installé dans la bibliothèque. On peut aussi y admirer des crânes, une chauve-souris séchée, un poussin à deux têtes empaillé, une exposition sur l'art du deuil, assister à une conférence sur la place de la maladie dans la littérature, participer à un atelier de taxidermie, ou prendre un cours de dessin d'anatomie. De quoi entrevoir le côté obscur de la force.

Quand on demande à « Dr Michel » combien de cabinets il possède, il a un moment d'hésitation. « 15 ? 16 ? Je ne sais plus ! » **Michel Cohen** a beau être devenu un pédiatre médiatique doublé d'un businessman, il n'en reste pas moins iconoclaste. Ce Niçois d'origine a débarqué aux États-Unis il y a plus de 30 ans. Ancien danseur, ébéniste à ses heures et même restaurateur depuis qu'il a ouvert un lieu branché à Tribeca : impossible de le ranger dans une case. Sa pratique de la pédiatrie a autant dérangé ses pairs que séduit les stars et les bobos. Prônant une éducation à la carte, il est adepte d'un laisser-faire contrastant avec l'hyper technicité de la médecine américaine, ne dégainant pas la Ritaline[1] pour calmer les caprices d'un enfant et recommandant de laisser pleurer un bébé de deux mois pour lui apprendre à faire ses nuits.

Cheveux poivre et sel, lunettes noires et jeans skinny : son look est à l'image de ses cabinets. Tellement cool qu'on a peine à croire qu'on est chez le médecin. Jouets rétro dans la salle d'attente, mobilier design (dont il assure désormais la livraison en kits, avec six personnes à temps plein dans sa menuiserie), papiers peints et tableaux contemporains aux murs.

En 2010, Michel Cohen a quitté Tribeca pour retaper une maison dans le quartier industriel de Gowanus, à Brooklyn. « À la fin des années 1990, j'y avais sous-loué un studio dans lequel je m'amusais à fabriquer des meubles pour mon cabinet. À l'époque, 3rd Avenue était la rue des prostituées et des camionneurs. Le propriétaire, un vrai Italo-Américain, passait ses journées assis devant la maison. Un peu après la crise de 2008, j'ai vu qu'elle était en vente à 650 000$, avec les terrains à côté. J'étais attiré par la lumière et l'espace, de plus en plus rares à New York. »

Michel Cohen ne consulte plus que le mercredi. Entre deux rendez-vous professionnels, vous le trouverez sur un surf en République Dominicaine. « Je recrute moi-même les médecins, forme le personnel. Le succès de mes cabinets repose aussi sur la relation au patient. Et je supervise les chantiers de mes futurs cabinets. » Derniers TriBeCa Pediatrics ouverts : Ditmas, Downtown Brooklyn, East village et bientôt Flatbush, Bushwick, et Ridgewood. Dr Michel est un bon baromètre de la gentrification. Sa clientèle cible : la classe moyenne supérieure branchée et intellectuelle, qui s'installe dans des quartiers pionniers. « J'arrive à sentir les coins en développement. J'aime m'adapter à un quartier diversifié. » Pour autant, Dr Michel se défend de n'être que le pédiatre des bobos. « Je m'implante là où vivent aussi les classes moyennes et populaires. J'accepte Medicaid[2]. »

1. Médicament donné aux enfants hyperactifs, dont les médecins américains ont tendance à abuser. |
2. Assurance-maladie pour les plus pauvres, financée par les pouvoirs publics.

大藥房
RENT
917-337-4077
仁信大藥房
ABC PHARMACY INC.
5401 8th AVE

SUNSET PARK

Un coin encore préservé, où cohabitent Chinois, Latinos, et hipsters.

Vous avez plein de bonnes raisons de venir dans ce quartier. D'abord le parc : au sommet de la colline, vous aurez une vue imprenable sur les toits de Brooklyn, avec la skyline de Manhattan, la baie et la statue de la Liberté au loin. Asseyez-vous sur un banc, respirez, profitez du silence. Ça aussi, ça fait partie de New York. Il y a de fortes chances pour que vos voisins de contemplation soient une grand-mère chinoise voûtée et sa petite-fille emmitouflée dans sa poussette, ou des Latinos qui jouent aux dominos. Car, autre bonne raison de venir, Sunset Park abrite les plus grosses communautés sud-américaine et chinoise. Ici, english is a second language.

En sortant du parc, si vous vous dirigez vers 8th Avenue, entre 42th St et 68th Streets, vous tombez sur le Chinatown de Brooklyn. On pourrait presque dire le vrai Chinatown de New York tant les touristes sont rares. L'architecture est un mélange de petits immeubles de brique modestes mais non dépourvus de charme, de brownstones plus cossus et de condos* qui commencent aussi à pousser dans le coin.

Vers 14 h 30, quand les petits Chinois et les petits Hispaniques quittent les bancs qu'ils partagent à l'école, les trottoirs et les commerces asiatiques s'animent. Les étals des épiceries débordent de choux, de pousses de soja, de feuilles de moutarde, de coriandre, d'aubergines, de champignons, de civettes et de plein d'autres légumes ; les poissonniers attrapent à pleine main les petits crabes bleus qui gigotent dans des seaux en plastique dehors ; entre deux courses pour le dîner, les familles s'arrêtent dans une boulangerie pour un bubble tea et un bun tout chaud à la noix de coco – ou un jello cake à la mangue (soyez prêt à expérimenter !) ; les voix de la pop sud-coréenne s'échappent des salons de coiffure et d'ongles ; les queues se forment devant les charrettes des vendeurs ambulants, les odeurs de feu de bois se mêlent aux effluves de fruits exotiques et de poisson.

Dans les magasins, il faut souvent chercher LA personne qui parle trois mots d'anglais. Plus de 500 000 Chinois vivent officiellement à New York (autant dire beaucoup plus). C'est à Brooklyn que cette population a le plus augmenté, alors qu'elle est de moins en moins présente à Manhattan. Les Chinois n'échappent pas aux effets collatéraux de la gentrification. Arrivés à Sunset Park dans les années 1980, ils sont originaires de la province de Canton et, de plus en plus, de la région de Fuzhou.
Laissez-vous porter par le flot... Les rues fourmillent, mais le niveau sonore est nettement moins fatigant que dans le Chinatown de Manhattan et, en plus, les prix sont moins élevés !

De l'autre côté du parc, sur 4th et surtout sur 5th Avenue, entre 39th et 62th Streets, vous êtes en tierra latina. Tout le monde parle espagnol. Depuis les années

1950, les Portoricains ont remplacé les Finlandais et leurs saunas (!), rejoints un peu plus tard par les Dominicains et les Mexicains. À chaque coin de rue, les étals des bodegas* débordent de pinas, de limones, d'aguacates et de nombreux autres fruits et légumes pas chers et gorgés de soleil. Les vendeuses ambulantes plaisantent avec les clients qui viennent acheter un taco*, une brochette de fruits, ou un arroz con leche.

Dans les salons de belleza, les casques font chauffer les bigoudis dans les effluves de laque. Des vieux esquissent quelques pas en passant devant les magasins de disques d'où s'échappent des notes de salsa et de merengue. Quant aux innombrables cantines, équatoriennes, dominicaines, cubaines, colombiennes et bien sûr mexicaines, elles font faire le tour de l'Amérique latine en quelques pâtés d'immeubles.

Asseyez-vous sur un banc, respirez, profitez du silence.

Une certaine douceur émane de ce quartier familial. Les étudiants ne s'y trompent pas : ils sont de plus en plus nombreux à y vivre en colocation. « Mais ne le dites pas trop, sinon tout le monde va venir ! », plaisante à moitié l'un d'entre eux. Signe d'une gentrification naissante, on croise de plus en plus de yuppies* qui habitent là et de hipsters qui viennent travailler ou faire leurs emplettes à Industry City, l'un des plus gros projets urbains en cours, de l'autre côté du BQE, sur le front de mer (voir p.270). En passant d'une communauté à l'autre, on comprend qu'en réalité, New York est plus un formidable salad bowl qu'un réel melting-pot ; les communautés vivent les unes à côté des autres mais se mélangent rarement.

On-the-Go

ACCÉDER
MÉTRO
36 St, 45 St, 8th Ave (lignes de métro D, N, R).

CIRCULER
À PIED
Agréable.

À VÉLO
Pratique pour passer du quartier hispanique au quartier chinois.

LOUER
MR C'S CYCLES
4622 7th Ave • entre 46th & 47th Sts • 718-438-7283 • mrccycles.com

LES COURSES

01. *Don Paco Lopez Panaderia*
4703 4th Ave • entre 47th & 48th Sts • 718-492-7443 • en.donpacolopez.com
Chez les Lopez, le pain se cuit en famille depuis des générations. Toute la journée, les habitués défilent pour acheter leurs viennoiseries mexicaines, comme les conchas, ces petits pains briochés en forme de coquillage, et bien sûr les churros au dulce de leche. Dès 5 h du matin, le petit café du magasin sert des tamales*, des quesadillas et des tortas* fraîches et bon marché.

02. *New York Mart*
6023 8th Ave • angle de 61st St • 718-853-8887 • newyorkmart.com
Un grand supermarché asiatique où on peut acheter de tout.

03. *Sunset Beer Distributors*
969 3rd Ave • angle de 37th St • 718-788-8000 • sunsetbeer.com
De la Budweiser aux micro-brasseries locales en passant par les marques étrangères, ce magasin, situé sous le BQE, ne vend que de la bière.

PETIT DÉJEUNER

04. *SouthSide Coffee*
cash only • 652 6th Ave • proche angle de 19th St • 347-599-0887 • southsidecoffeenyc.com
Excellent café, accompagné de bonnes choses qui viennent du restaurant locavore d'en face (même propriétaire).

05. *The Green Fig Bakery & Café*
462 36th St • entre 4th & 5th Aves • 718-369-8937 • greenfigbakerycafe.com
Un café cosy où l'on peut grignoter une pâtisserie ou un sandwich.

MANGER

06. *Ba Xuyen*
cash only • moins de $10 • 4222 8th Ave • entre 42th & 43rd Sts • 718-633-6601
Vous vous souviendrez longtemps de leurs bánh mì, les fameux sandwichs vietnamiens, faits avec de la baguette.

07. *Don Pepe*
cash only • moins de $10 • 3908 5th Ave • entre 39th & 40th Sts • 718-435-3326
Les habitués viennent pour leurs tortas – gargantuesques sandwichs mexicains – et pour la carte sans fin de jus de fruits pressés et de smoothies bons pour tout, y compris la gueule de bois.

08. *East Harbor Seafood Palace*
BYOB* • $10-20 • 714 65th St • entre 7th & 8th Aves • 718-765-0098
Immense salle fréquentée par les locaux quand il s'agit de manger des dim-sums*.

09. *Great Taste Dumpling*
cash only • moins de $10 • 4317 8th Ave • angle de 44th St • 718-436-2516
Comme son nom le suggère, recommandé pour ses chariots de raviolis chinois.

F PLAN 2

250 m
Gowanus Expy
Brooklyn Queens Expy
Belt Pkwy
Fort Hamilton Pky
Leif Ericson Park And Square
Sunset Park
36 St [D/N/R]
45 St [R]
53 St [R]
59 St [N/R]
8 Ave [N]
1st Ave
2nd Ave
3rd Ave
4th Ave
5th Ave
6th Ave
7th Ave
8th Ave
9th Ave
Senator St
Bay Ridge Ave
Ovington Ave
Eirik Pl
65th St
66th St
67th St
68th St
72nd St
73rd St
01
02
03
05
06
07
08
09
10
11
12
13
14
15
18
20
21
22
23
24
25

SUNSET PARK

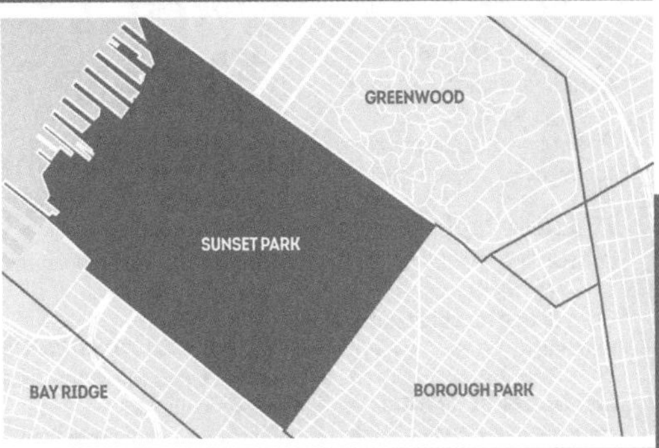

LES COURSES

01. Don Paco Lopez Panaderia
02. New York Mart
03. Sunset Beer Distributors

PETIT DÉJEUNER

04. Southside Coffee
05. The Green Fig Bakery & Cafe

MANGER

06. Ba Xuyen
07. Don Pepe
08. East Harbor Seafood Palace
09. Great Taste Dumpling
10. Ines Bakery
11. Lucky Eight
12. Tacos El Bronco
13. Tacos Matamoros
14. Rico's Tacos y Antojitos Mexicanos
15. Super Pollo Latino

SORTIR

16. Quarter Bar
17. Toby's Public House

PAUSES URBAINES

18. Brooklyn Army Terminal
19. Green-Wood Cemetery

TAKE CARE

20. Melody Lanes
21. Sunset Park Pool

BUY LOCAL

22. Bertrand & Claude
23. Get Well Pharmacy
24. Ten-Ren
25. Industry City

10. *Ines Bakery*

cash only • moins de $10 • 948 4th Ave • entre 35th & 36th Sts • 718-788-0594

Très bonne adresse pour les tacos* et les pâtisseries.

11. *Lucky Eight*

moins de $10 • 5204 8th Ave • entre 52nd & 53rd Sts • 718-851-8862

Une cantine réputée pour son porc laqué.

12. *Tacos El Bronco*

cash only • $10-20 • 4324 4th Ave • angle de 44th St • 718-788-2229 • tacoselbronco.net

Vous ne serez pas déçu par leurs tacos*. Si vous êtes pressé, achetez un take away à leur camion (à l'angle de 5th Ave et de 43rd St).

13. *Tacos Matamoros*

cash only • $10-20 • 4508 5th Ave • entre 45th & 46th Sts • 718-871-7627

Faites comme les familles du quartier, commandez des classiques Tacos al Pastor (au porc). Option tripes pour les aventuriers. Aussi bien qu'à Mexico City !

14. *Rico's Tacos y Antojitos Mexicanos*

cash only • moins de $10 • 505 51st St • entre 5th & 6th Aves • 718-633-4816

Une cantine simple et familiale où avaler une bonne soupe, un sandwich ou, bien sûr, des tacos*.

15. *Super Pollo Latino*

$10-20 • 4102 5th Ave • angle de 41st St • 718-871-5700

Un restaurant péruvien où l'on ne vient pas pour le décor mais pour le demi-poulet mariné et rôti accompagné de bananes frites. Goûtez également les ceviches.

SORTIR

16. *Quarter Bar*

$6-12 • 676 5th Ave • entre 20th & 21st Sts • 718-788-0989 • facebook.com/Quarter-Bar

Un bar à cocktails chaleureux et sans prétention.

17. *Toby's Public House*

cash only • $7 • 686 6th Ave • angle de 21st St • 718-788-1186 • tobyspublichouse.nyc

Un sports bar convivial où boire une bière en mangeant une pizza au feu de bois devant un match de baseball.

PAUSES URBAINES

18. *Brooklyn Army Terminal*

140 58th St • angle de 2nd Ave • turnstiletours.com/tours/brooklyn-army-terminal-tours

Ce fut le plus grand centre d'approvisionnement militaire des États-Unis jusque dans les années 1960. Pour mieux comprendre le déclin du waterfront de Brooklyn au 20e siècle et sa revitalisation actuelle, inscrivez-vous à une visite guidée, seule façon d'explorer ce bijou d'architecture industrielle, dont une grande partie est encore intacte (l'autre partie accueille des entreprises, comme la chocolaterie de Jacques Torres, le Willy Wonka français de New York, au sixième étage).

19. *Green-Wood Cemetery*

500 25th St • angle de 5th Ave • 718-768-7300 • green-wood.com

L'un des plus vieux cimetières américains, perché sur une colline. Vous serez accueilli par le chant des perruches moines qui nichent sur la grande arche gothique située à l'entrée. Baladez-vous entre les tombes et les mausolées de style victorien de ce beau cimetière vallonné. Empruntez au hasard les allées pavées aux noms bucoliques, comme le Sweet Gum Path ou le Cypress Path. Vos seuls voisins seront les canards sauvages. En haut de la Battle Hill, vous aurez une vue imprenable sur la baie de New York et Lady Liberty. Pour en apprendre plus sur l'histoire du lieu et de ses occupants célèbres, réservez un tour en trolley ou une visite guidée plus originale, la nuit à la torche, que Tim Burton ne renierait pas !

TAKE CARE

Chez les Latinos comme chez les Chinois, les manucures sont à 5$ et les pédicures à 12$. Et vous ne devriez pas avoir de problème pour vous faire faire un brushing pas cher. Laissez un bon tip !

20. *Melody Lanes*

461 37th St • angle de 5th Ave • melodylanesny.com

C'est le genre d'endroit qui résume bien l'esprit de Brooklyn. Un bowling rétro où se côtoient toutes les communautés, sous les boules disco et les néons kitsch. On peut y croiser une famille de Latinos, des juifs orthodoxes venus fêter l'anniversaire du petit dernier, un groupe

de jeunes Chinois ou des trentenaires bobos.

21. *Sunset Park Pool*

4200 7th Ave • entre 41st & 44th Sts • 718-972-2180 • nycgovparks.org/parks/sunset-park/facilities/outdoor-pools/sunset-park-pool • de fin mai à début septembre

L'une des onze piscines olympiques ouvertes en 1936 par Robert Moses, le baron Haussmann de New York. Comme toujours, vérifiez les conditions drastiques d'accès (voir p.441).

BUY LOCAL

22. *Bertrand & Claude*

Industry City • 67 35th St • entre 2nd & 3rd Ave • Unit C409 • 4th Floor • 347-470-8835 • bertrandandclaude.com

Cette galerie expose et vend des meubles vintage rares, des années 1950, 1960 et 1970.

23. *Get Well Pharmacy*

5218 8th Ave • entre 52nd & 53rd Sts • 718-686-0812

On y trouve un choix incomparable de baumes du tigre et de patchs aux extraits de plantes naturelles pour soulager les douleurs musculaires ou articulaires. Peut-être vous laisserez-vous tenter par des fleurs de lotus, du ginseng, ou des concombres de mer séchés...

24. *Ten-Ren*

5817 8th Ave • entre 58th & 59th Sts • 718-853-0660 • tenrenusa.com

Pour faire provision de thés noirs et verts.

25. *Industry City*

220 36th St • entre 2nd & 3rd Aves • 718-965-6450 • industrycity.com

Voir coup de cœur p.270.

BUY LOCAL

25. *Industry City*

220 36th St • entre 2nd & 3rd Aves • 718-965-6450 • industrycity.com

C'est l'histoire d'une renaissance. Jusque dans les années 1950, cette zone portuaire grouillait d'ouvriers. 25 000 personnes venaient chaque jour y décharger les cargos et faire tourner les industries qui animaient Brooklyn avant la désindustrialisation. Rachetée par des promoteurs, cette gigantesque friche a été transformée en antre du cool. Aujourd'hui, les magnifiques bâtiments d'Industry City, ville dans la ville, hébergent start-up, artisans ou créateurs de design et de mode, bref tous les représentants de cette nouvelle économie qui fait la réputation du borough. Vous viendrez aussi bien admirer l'architecture des lieux que manger sur le pouce dans le food hall ou chiner, quand les puces y prennent leurs quartiers d'hiver. Ne ratez pas (automne et printemps) le marché pop-up du vintage pointu (itsacurrentaffair.com) et les journées portes ouvertes des artistes (industrycitystudios.org).

Dans son atelier inondé de soleil, **Henry Finkelstein** emballe une vingtaine de toiles. Dans un mois, elles seront exposées dans une galerie de Dallas. À travers les larges baies vitrées du loft perché au cinquième étage d'Industry City[1], on aperçoit de magnifiques pans de briques qu'on imaginerait bien dans un tableau. Partout accrochées aux murs blancs, des scènes de la campagne française. L'artiste passe plusieurs mois par an en Bretagne où il a acheté une maison. « J'adore la lumière là-bas. Elle est différente. Plus subtile, plus douce, plus élégante. »

Henry est un New-Yorkais pure souche, « born and raised » comme on dit. Ses parents, également peintres, ont déménagé au gré des quartiers pionniers. D'abord un appartement à Chelsea, au début des années 1960. « Ça n'avait rien à voir avec le Chelsea d'aujourd'hui ! Il y avait beaucoup d'entrepôts et de bureaux, c'était quasiment désert le soir. Comme le loyer était plafonné, on payait seulement 60$ de loyer par mois ! ». Puis une maison dans l'Upper West Side, à partir de 1968. « Les Blancs avaient presque tous fui dans le New Jersey ou à Long Island. Mes parents avaient acheté un brownstone* à retaper sur 88th Street, au milieu des Portoricains. ». En 1976, un loft à Soho, après le vote de la loi Artists in Residence qui a légalisé les squats après quelques incendies mortels, pour permettre aux artistes de se loger pour pas cher dans les anciens entrepôts et manufactures.

Quand il était ado, aller à Brooklyn se limitait à traverser le pont éponyme à vélo. Aujourd'hui, Henry a largement repoussé les frontières du New York de ses parents ; sa transhumance illustre l'évolution récente de la ville. En 1995, il a franchi la rivière pour de vrai, en louant son premier atelier à Williamsburg. « Quand la propriétaire a vendu son loft, en 2002, j'ai dû partir car le quartier commençait à devenir trop cher. Je suis allé pendant cinq ans à Long Island City, à Queens. Maintenant, je suis à Industry City, où je paie 1400$ par mois. J'ai toujours peur d'être mis à la porte parce que les promoteurs, après avoir valorisé le coin grâce à nous, voudront gagner plus d'argent. Qui sait, un jour je serai peut-être obligé d'aller jusqu'à Coney Island ? Il faut toujours aller plus loin ! » Enseignant à la National Academy of Design et à l'Art Students League, Henry soupire : « Ça m'énerve quand certains de mes élèves disent qu'ils aimeraient être connus tout de suite. On dirait qu'ils considèrent l'art comme le rock ! En même temps, aujourd'hui, si tu veux être artiste, tu dois être vite rentable. Regarde combien coûtent les loyers ! » Malgré tout, Henry aime New York et ne se verrait pas habiter ailleurs. « Même si elle est chère, cette ville reste vivante et accueillante pour les artistes. J'espère que ça va durer. »

1. Voir coup de cœur p. 270.

BAY RIDGE

MIXÉ
UP & COMING
DANS SON JUS
GENTRIFIÉ

Le charme du Brooklyn rétro et moyen-oriental.

Si on vous demande ce que vous allez faire à Bay Ridge, répondez que vous partez découvrir le New York d'autrefois! En sortant du métro, tout au bout de la ligne R, on a l'impression étrange d'avoir remonté le temps. Aucun bâtiment moderne en vue, les devantures des coffee-shops, diners* et autres épiceries semblent ne pas avoir bougé depuis des siècles. La première chose qui attire votre regard, c'est le Verrazano-Narrows Bridge suspendu entre Staten Island et Brooklyn depuis les années 1950, qui sert de repère visuel dans le quartier. Avant sa construction, Shore Road, en bord de mer, était une succession de splendides manoirs accueillant les riches familles de Manhattan qui venaient prendre l'air du large le week-end. Il n'en reste guère (de manoirs), même si la partie ouest du quartier, entre Shore Rd et Ridge Blvd, concentre un bon nombre de maisons cossues à l'architecture ampoulée, avec jardins de buis parfaitement taillés et pelouses tondues de près. Il fait bon déambuler dans ces rues aussi vertes que tranquilles, au son des cloches du monastère de la Visitation (qui organise des retraites le week-end au cas où vous aspireriez au calme absolu!).

Jusque dans les années 1990, la population était en partie irlandaise, grecque et surtout italienne. Tony Manero, ça vous dit quelque chose ? Incarné par John Travolta, le héros de *Saturday Night Fever* écume les boîtes disco et déambule dans Bay Ridge, décor et personnage à part entière du film. Le long de 3rd Avenue, les cantines italiennes côtoient les pubs et les pâtisseries méditerranéennes. Ce sont pour beaucoup de petites affaires familiales, des commerces « mom & pop »* comme on dit ici, qui contribuent à donner une âme au quartier. Depuis les années 1980, émigrés libanais, palestiniens, jordaniens, égyptiens, syriens, et yéménites font de Bay Ridge le cœur de la communauté arabe de Brooklyn. Sur 5th Avenue, l'air se charge d'odeurs épicées alors que l'on remplit son cabas de produits orientaux. Cette parfaite incarnation d'un New York pluriel où les communautés se mélangent sans tension fait la fierté des habitants du quartier.

Quand on demande à Rawia, restauratrice à succès, pourquoi elle n'a pas choisi Manhattan, elle répond en souriant qu'elle préfère faire venir Manhattan à elle. Si les locaux n'ont pas oublié leurs racines, ils affichent clairement leur attachement à leur pays d'accueil et accrochent le drapeau américain sur leurs modestes façades de bois. Malgré leur éloignement géographique (il faut compter au moins 45 minutes de métro pour rejoindre Manhattan et son centre économique), ces maisons, qui valent le quart du prix de celles de Park Slope, séduisent de plus en plus de monde. Mais d'ici la gentrification complète du quartier (qui n'est quand même pas pour tout de suite), croyez-nous, vous ne regretterez pas le voyage.

Owl's Head Park
Shore Road Park
Belt Pky
Shore Rd
Shore Pky
Pow/mia Memorial Pky
John J. Carty Park
67th St
68th St
70th St
Mackay Pl
Senator St
Bay Ridge Ave
Shore Road Dr
2nd Ave
3rd Ave
Colonial Rd
Ridge Blvd
71st St
72nd St
74th St
Ovington Ave
73rd St
Bay Ridge Pky
76th St
Narrows Ave
77th St
78th St
80th St
79th St
81st St
83rd St
82nd St
4th Ave
5th Ave
6th Ave
86th St
85th St
87th St
84th St
89th St
88th St
90th St
91st St
92nd St
93rd St
94th St
95th St
96th St
97th St
98th St
99th St
Marine Ave
Gelston Ave
Fort Hamilton Pky
Gatling Pl
Dahlgren Pl
Parrott Pl
7th Ave
Battery Ave
Bay Ridge Ave [R]
77 St [R]
86 St [R]
Bay Ridge - 95 St [R]
250 m

BAY RIDGE

LES COURSES

01. ALC Italian Grocery
02. Antepli Baklava
03. Appletree Natural Market
04. Balady Foods
05. Bay Ridge Bakery
06. Bay Ridge Greenmarket
07. Frank & Eddie's Meat Market
08. Leske's Bakery
09. Organic Girl on 3rd
10. Samia's Mediterranean Food

PETIT DÉJEUNER

11. Bake Ridge Bagels
12. Little Cupcake Bakeshop
13. Narrows Coffee Shop
14. Paneantico Bakery
15. Pegasus
16. Royal Restaurant

MANGER

17. Bahary Sea Food
18. Campania Coal Fired Pizza
19. Gino's
20. Ho'Brah
21. Karam
22. Nino's Pizza
23. Philadelphia Grille
24. Shangri-La
25. Tanoreen
26. Uncle Louie G
27. Yemen Cafe & Restaurant

SORTIR

28. Kitty Kiernans
29. LoneStar Bar & Grill
30. Longbow Pub & Pantry
31. The Owl's Head
32. The Wicked Monk

PAUSES URBAINES

33. James F. Farrell House
34. Leif Ericson Park
35. Owl's Head Park
36. Senator Street Historic District
37. Shore Park & Parkway
38. The Barkaloo Cemetery
39. The Gingerbread House

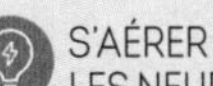

S'AÉRER LES NEURONES

40. Alpine Cinema
41. Arab American Association of New York
42. BrooklynONE Productions
43. Hall of Fame Billiards
44. The Bookmark Shoppe

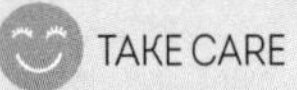

TAKE CARE

45. Beyond Dance
46. Bridge Pharmacy

BUY LOCAL

47. Baby/Mama
48. Classic Impression
49. Circa Vintage House
50. Hookahnuts
51. Kaleidoscope Toy Store

FAITES COMME CHEZ EUX

On-the-Go

ACCÉDER
MÉTRO
Bay Ridge Ave, 77, 86 ou 95 St (ligne R).

CIRCULER
À PIED
Agréable.

À VÉLO
Quartier idéal, étalé et résidentiel. C'est plat ! La piste longe l'eau.

LOUER
VERRAZANO BICYCLE
7308 5th Ave • 718-680-6521 • verrazanocycles.com

CITI BIKE
Disponible.

LES COURSES

01. *ALC Italian Grocery*
8613 3rd Ave • entre 86th & 87th Sts • 718-836-3200 • alcitaliangrocery.com
Chez les Coluccio, le commerce de bouche est une histoire de famille. En ouvrant son épicerie fine en 2012, Louis Junior a naturellement suivi les traces de son grand-père, épicier depuis 50 ans à Bensonhurst, le quartier italien voisin. Une illustration de la gentrification naissante, mais qui reste ancrée dans la tradition. Avec tout ce qu'il faut de pains, charcuteries, fromages et autres gourmandises bio ou locales.

02. *Antepli Baklava*
7216 5th Ave • entre 73rd & 72nd Sts • 718-745-0777 • anteplibaklava.com
Cette pâtisserie turque sert les meilleurs baklavas de New York.

03. *Appletree Natural Market*
7613 3rd Ave • entre 76 & 77th Sts • 718-745-5776 • facebook.com/Appletree Natural Market
Cela fait 35 ans que cette épicerie avant-gardiste fournit les locaux en produits biologiques.

04. *Balady Foods*
7128 5th Ave • entre 72th St & Ovington Ave • 718-567-2252 • facebook.com/balady foods
Le supermarché de produits orientaux qui fournit tout le quartier en épices, pain pita et légumes, mais aussi une boucherie au fond du magasin où s'approvisionner pour vos tajines.

05. *Bay Ridge Bakery*
7805 5th Ave • entre 79th & 78th Sts • 718-238-0014 • bayridgebakery.com
Depuis les années 1970, la famille Nikolopoulos régale les riverains de pâtisseries grecques comme de gâteaux plus traditionnels (et non moins colorés) pour toutes les occasions.

06. *Bay Ridge Greenmarket*
9408 3rd Ave • angle de 95th St • sur le parking du supermarché Walgreens • les samedis, de mai à novembre
Ce petit marché en plein air dédié aux producteurs locaux est le rendez-vous hebdomadaire des riverains qui y font le plein de fruits et légumes, d'œufs ou encore de poisson, tout en refaisant le monde – ou plutôt la vie du quartier.

07. *Frank & Eddie's Meat Market*
302 86th St • angle de 3rd Ave • 718-836-9600 • facebook.com/frank and eddies meat market
Une institution. Dans cette boucherie italienne, on vient chercher l'osso bucco du dimanche, des saucisses maison, mais aussi des ciabattas et une onctueuse mozzarella fraîche du jour.

08. *Leske's Bakery*
7612 Fifth Ave • entre 76th et 77th Sts • 718-680-2323 • leskesbakery.com
Cette vieille pâtisserie nordique a pu renaître de ses cendres après avoir été rachetée par deux habitants du quartier qui perpétuent les recettes traditionnelles suédoises ou danoises à la cannelle. Et de très bons donuts.

09. *Organic Girl on 3rd*
9401 3rd Ave • angle de 94th St • 718-748-2228
Une épicerie spécialisée en bières artisanales qui propose une bonne centaine de références locales et internationales.

10. *Samia's Mediterranean Food*
cash only • 792 3rd Ave • angle de 80th St • 718-748-3337
Épicerie et traiteur méditerranéen pour se régaler de produits grecs et libanais. Goûtez le taboulé ou les feuilletés aux épinards.

PETIT DÉJEUNER

11. *Bake Ridge Bagels*

9417 3rd Ave • angle de 95th St • 718-680-6353

Pour commencer la journée avec un bon bagel*, tartiné de toutes les variations possibles du cream cheese, selon votre envie.

12. *Little Cupcake Bakeshop*

9102 3rd Ave • angle de 91th St • 718-680-4465 • littlecupcakebakeshop.com

Une boutique à la déco soignée, typique du Brooklyn hipster, qui détonne dans ce quartier encore si traditionnel. Les deux petites tables en terrasse permettent de profiter de l'ambiance environnante devant un bon café, bio bien sûr.

13. *Narrows Coffee Shop*

cash only • 10001 4th Ave • angle de 100th St • 718-833-9281

Installez-vous près des fenêtres de ce diner* américain typique pour déguster vos pancakes en admirant le Verrazano Bridge au loin.

14. *Paneantico Bakery*

9124 3rd Ave • angle de 92nd St • 718-680-2347 • paneantico.com

Les locaux se pressent dans cette boulangerie italienne traditionnelle, surtout le week-end, à l'heure du brunch. Au menu, de généreux sandwichs garnis de prosciutto ou d'aubergines marinées, des salades colorées et bien sûr des cannolis à la ricotta.

15. *Pegasus*

cash only • 8610 3rd Ave • entre 86 & 87th Sts • 718-748-6977 • pegasusbrooklyn.com

Tous les classiques du petit-déjeuner américain sont à la carte de ce diner populaire. Oubliez la déco un peu kitsch et plongez dans votre assiette avec délice. Prévoyez une petite attente le week-end.

16. *Royal Restaurant*

7609 5th Ave • entre 76 & 77th Sts • 718-745-3444 • theroyaldiner.net

Bay Ridge ne manque pas d'adresses dans leur jus, et ce diner* en est l'illustration.

MANGER

17. *Bahary Sea Food*

cash only • $10-20 • 484 Bay Ridge Ave • angle de 5th Ave • 718-680-8135

Dans cette échoppe égyptienne, vous choisissez directement sur l'étal votre poisson tout frais pêché. Le cuistot se chargera de le cuire (parfaitement) à moins que vous ne préfériez le cuisiner chez vous. On vous conseille la première option.

18. *Campania Coal Fired Pizza*

$10-20 • 9824 4th Ave • angle de 99th St • 347-517-4868 • campanianyc.com

Ce restaurant italien de la pointe sud de Bay Ridge ne plaisante pas avec la qualité des produits. Les pizzas en sont d'ailleurs généreusement garnies.

19. *Gino's*

$10-20 • 7414 5th Ave • entre 74th St & Bay Ridge Parkway • 718-748-1668 • ginosbayridge.com

Les familles italiennes du sud de Brooklyn ne s'y trompent pas, c'est ici qu'elles viennent bruyamment célébrer toutes les occasions autour d'une généreuse assiette des légendaires pastas de Gino, et ce depuis 1964.

20. *Ho'Brah*

moins de $10 • 8618 3rd Ave • entre 86 & 87th Sts • 718-680-8226 • hobrahtacos.com

Ce petit restaurant de tacos* vous accueille dans une ambiance très hawaïenne. Profitez de la musique live en fin de semaine.

21. *Karam*

moins de $10 • 8519 4th Ave • entre 85 & 86th Sts • 718-745-5227 • karam-brooklyn.com

Pour d'excellents sandwichs libanais sur le pouce. Ici, la star, c'est le chicken shawarma : de fines lamelles de poulet recouvertes de sauce au yaourt citronnée accompagnées de tomates et salade, le tout roulé dans un pain pita tiède.

22. *Nino's Pizza*

moins de $10 • 9110 3rd Ave • entre 91st & 92nd Sts • 718-680-0222 • ninospizzabrooklyn.com

Commandez une part de pizza Grandma, et prenez place entre les petites vieilles du quartier et les flics en pause déjeuner.

23. *Philadelphia Grille*

cash only • moins de $10 • 10004 4th Ave • entre 100 & 101st Sts • Fort Hamilton-Bay Ridge • 718-238-0747

Goûtez le Philly cheesesteak, la spécialité de Philadelphie. Ce sandwich au bœuf émincé et oignons recouvert de fromage devrait vous caler pour une bonne partie de la journée.

24. *Shangri-La*

$10-20 • 7400 3rd Ave • angle de 74th St • 718-836-0333 • shangrilavegetarian.net

Les options végétariennes ne sont pas légion dans le quartier. Mais ici, on vous sert toute la cuisine asiatique revisitée pour les amateurs de légumes et de tofu.

25. *Tanoreen*

$20-30 • 7523 3rd Ave • angle de 76th St • 718-748-5600 • tanoreen.com

Voir coup de cœur p.281.

26. *Uncle Louie G*

cash only • moins de 10$ • 8702 3rd Ave • angle de 87th St • 718-833-4237 • unclelouiegee.com

Flash-back dans les années 1950, le temps d'une glace dans cette boutique au look rétro.

27. *Yemen Café & Restaurant*

$10-20 • 7130 5th Ave • proche angle 72nd St • 718-745-3000 • yemencafe.com

Pour goûter une savoureuse cuisine yéménite traditionnelle. Commandez le haneeth (agneau mijoté accompagné de riz et de légumes) ou le fassolia (tartine de haricots blancs, oignons et tomates).

SORTIR

28. *Kitty Kiernans*

9715 3rd Ave • entre 97th St & Marine Ave • 718-921-0217 • kittykiernans.com

Les nombreux pubs qui jalonnent 3rd ou 5th Avenues rappellent qu'une importante communauté irlandaise est toujours solidement implantée dans le quartier. La particularité de celui-ci est d'avoir été choisi par Spike Lee comme décor de son film *La 25e Heure*.

29. *LoneStar Bar & Grill*

$5-6 • 8703 5th Ave • entre 87 & 88th Sts • 718-833-5180 • lonestarsportsbarandgrill.com

Mêlez-vous aux locaux les soirs d'événements sportifs. Ambiance assurée !

30. *Longbow Pub & Pantry*

$7 • 7316 3rd Ave • entre 73 & 74th Sts • 718-238-7468 • longbownyc.com

Le seul pub gallois de New York. Installez-vous pour une pinte de bière anglaise, accompagnée du classique de votre choix : fish & chips, shepherd's pie ou scotch eggs.

31. *The Owl's Head*

$10 • 479 74th St • angle de 5th Ave • 718-680-2436 • theowlshead.com

L'un des rares bars à vin du quartier. Rejoignez la foule d'enthousiastes autour d'un verre et d'un plateau de fromages.

32. *The Wicked Monk*

$6-9 • 9510 3rd Ave • entre 95 & 96th Sts • 347-497-5152 • wickedmonk.com

L'intérieur de ce pub insolite intègre des éléments de décoration d'un monastère irlandais gothique de Cork. L'ambiance, elle, est loin d'être ascétique.

PAUSES URBAINES

33. *James F. Farrell House*

125 95th St • angle de Shore Rd

Ce manoir imposant vous laisse imaginer à quoi ressemblait le quartier au 19e siècle.

34. *Leif Ericson Park*

6598 4th Ave • entre 67th St & Shore Rd, et 3rd & 4th Aves • nycgovparks.org/parks/leif-ericson-park

Ce square est un vestige du temps où le quartier comptait une forte population norvégienne. Il a été créé en mémoire de Leif Ericson, un Viking qui a certainement été le premier Européen à fouler le sol américain, avant même Christophe Colomb !

35. *Owl's Head Park*

68 Colonial Rd • angle de 68th St • nycgovparks.org/parks/owls-head-park

Emplacement parfait pour un pique-nique, avec vue sur Manhattan, Staten Island et le Verrazano-Narrows Bridge. Les amateurs de planche à roulettes s'éclateront dans le grand skate park.

36. *Senator Street Historic District*

Senator Street • entre 3rd & 4th Aves

Les rues charmantes ne manquent pas dans le quartier, mais celle-ci, classée, vaut particulièrement le détour avec ses quarante brownstones* de style néo-renaissance.

37. *Shore Park & Parkway*

9701 Shore Rd • entre 4 Ave, Belt Pkwy & Verrazano Bridge • nycgovparks.org/parks/shore-road-park

Depuis la jetée du American Veterans Memorial Pier, appréciez le panorama sur Manhattan et Staten Island, en compagnie des pêcheurs (voir balade p.250). Tous les ans, on y rend hommage aux victimes du 11-Septembre. Le Narrows-Botanical Garden, qui surplombe les berges, est géré par des bénévoles qui vous attendent les bras grands ouverts.

38. *The Barkaloo Cemetery*

32 Mackay Pl • angle de Narrows Ave

Le plus petit cimetière de Brooklyn. Parfaitement entretenu, il abrite les dépouilles de deux soldats de la guerre d'Indépendance américaine.

39. *The Gingerbread House*

8220 Narrows Ave • angle de 83rd St

Cette incroyable maison construite en 1917 est l'une des rares de l'époque où Bay Ridge était une coquette station balnéaire. N'hésitez pas à prolonger votre visite le long de Narrows Ave, Ridge Blvd et Colonial Rd, où d'autres demeures étonnantes vous attendent.

S'AÉRER LES NEURONES

40. *Alpine Cinema*

(Hors carte) • 6817 5th Ave • entre Bay Ridge Ave & 68th St • 718-748-4200 • alpinecinemas.com

À son ouverture, en 1921, c'était la salle la plus vaste jamais construite (2 200 places). Aujourd'hui, les huit salles de ce complexe projettent les dernières sorties, principalement américaines.

41. *Arab American Association of NY*

7111 5th Ave • entre 72nd St & Ovington Ave • 718-745-3523 • arabamericanny.org

Une association dynamique qui aide les migrants arabes à s'intégrer aux États-Unis. Elle a répondu à un besoin croissant après le 11-Septembre et sert d'intermédiaire avec les institutions de la ville.

42. *BrooklynONE Productions*

461 99th St • entre Fort Hamilton Pkwy & 4th Ave • 347-746-4002 • bkone.org

Cette compagnie de théâtre met l'accent sur les créations les plus innovantes de la scène locale émergente et organise des concerts, des projections de films.

43. *Hall of Fame of Billiards*

505 Ovington Ave • angle de 5th Ave • 718-921-2694

L'ambiance est rétro à souhait et des dizaines de tables de billard vous y attendent. Il y a même des tables de ping-pong (entourées de filets, très astucieux !). Bref, de quoi passer une bonne soirée avec les locaux.

44. *The Bookmark Shoppe*

8415 3rd Ave • entre 84 & 85th Sts • 718-833-5115 • bookmarkshoppe.com

En plus d'ouvrages neufs, cette librairie possède une sélection intéressante de livres d'occasion. On y vend aussi du matériel de crochet et de tricot (cours proposés sur place).

TAKE CARE

Vous aurez l'embarras du choix : chaque bloc de 5th Avenue possède son salon de manucure, son coiffeur et/ou son spa. Allez-y au feeling.

45. *Beyond Dance*

8717 3rd Ave • entre 87 & 88th Sts • 718-921-0655 • beyonddancenyc.com

Du hip-hop à la danse classique en passant par la danse du ventre, ce studio propose des cours pour tous niveaux.

46. *Bridge Pharmacy*

8912 3rd Ave • entre 89 & 90th Sts • 718-836-1400

On aime cette petite pharmacie de quartier pour son look vintage et ses fioles anciennes en devanture.

BUY LOCAL

Toutes les enseignes populaires américaines sont regroupées sur 86th St, entre 4th Ave et Fort Hamilton Parkway. Les magasins d'usine, les boutiques de sport et les enseignes de vêtements d'enfants bon marché alternent avec les fast-foods.

47. *Baby/Mama*

9002 3rd Ave • angle de 90th St • 718-238-2354 • babymamabk.com

Les futurs parents y trouveront tout, de la layette au matériel de puériculture. Le plus souvent bio. Il y a même un espace privé pour allaiter ou changer une couche.

48. *Classic Impression*

9008 3rd Ave • entre 90th & 91st Sts • 718-745-2176 • classicimpressionsnyc.com

La boutique de cadeaux idéale pour rapporter des souvenirs originaux à l'effigie de Bay Ridge (bien plus original que Park Slope ou Williamsburg !) ou de Brooklyn.

49. *Circa Vintage House*

276 88th St • entre Ridge Blvd & 3rd Ave • 718-836-0362 • facebook.com/Circa Vintage House

Jill, la propriétaire, est une enfant de Bay Ridge qui a l'œil pour repérer vêtements, chaussures et accessoires vintage. Beaucoup de pièces de luxe, à des prix forcément conséquents. Il est aussi possible d'y faire des trouvailles plus accessibles.

50. *Hookahnuts*

7214 5th Ave • entre 72nd & 73rd Sts • 718-833-5252 • hookahnutsny.com

Narguilés et accessoires, mélanges aromatiques du monde entier… la boutique déborde de tout le nécessaire pour combler les adeptes de la chicha (hookah, en brooklynite).

51. *Kaleidoscope Toy Store*

8722 3rd Ave • entre 87 & 88th Sts • 718-491-2051 • kaleidoscopecommunities.com

Parents et enfants adorent cette boutique spécialisée dans les jeux éducatifs et créatifs.

PAUSE URBAINE

Noël à Dyker Heights

(Hors carte) • entre 10th & 13th Aves et 80th et 86th Sts • métro D/M (arrêt 18th Ave) ou R (arrêt 86 St) puis 20 minutes de marche ou bus B1

À l'est de Bay Ridge, Dyker Heigths est un quartier résidentiel plutôt chic, où la taille des maisons vous surprendra. Les Italo-Américains qui y habitent semblent apprécier les porches à colonnes, les statues en marbre et autres fontaines décoratives. Mais si vous pensiez avoir tout vu de l'extravagance, revenez pendant les fêtes de fin d'année. Ce ne sont pas de simples guirlandes mais des créations hallucinantes, avec des traîneaux, des rennes, des pères Noël format XXL. Certaines sont offertes par des magasins de décoration qui dépensent jusqu'à 20 000$ pour faire leur pub. On vient de loin pour voir ce spectacle lumineux, et certains soirs, il y a des bouchons dans ces rues d'habitude si calmes. On vous conseille de vous balader à pied, entre 17 h et 21 h, surtout sur 83rd et 84th Sts et entre 11th et 12th Aves. Rassurez-vous, les propriétaires éteignent avant d'aller se coucher...

MANGER

25. *Tanoreen*

$20-30 • 7523 3rd Ave • entre 76th St & Bay Ridge Pkwy • 718-748-5600 • tanoreen.com • réservation indispensable le week-end.

Qu'est-ce qui peut bien attirer les Manhattanites jusqu'à Bay Ridge ? Un restaurant, bien sûr ! Chez Tanoreen, la chef Rawia vous transporte en Palestine. Elle mitonne avec passion les recettes traditionnelles, héritées de sa mère, dont elle a appris les secrets pendant son enfance à Nazareth. Sa cuisine familiale est généreuse ; rendez-lui visite avec un groupe d'amis affamés. Ne passez pas à côté du mushakan, une tarte fine au poulet mariné aux épices avec amandes et oignons caramélisés, et pour le reste, laissez-vous guider par les serveurs. Il arrive que Rawia, elle-même, vienne répondre aux nombreuses questions que l'on se pose sur l'histoire de ses plats et des épices utilisées. N'hésitez pas à acheter son mélange d'épices secret ainsi que son livre de recettes, et à compléter vos provisions dans les épiceries méditerranéennes du quartier.

WONDER
WHEEL

CONEY ISLAND + BRIGHTON BEACH + SHEEPSHEAD BAY

La plage, les mouettes, les Russes et vous.

BROOKLYN

Se rendre à l'extrême sud de Brooklyn, c'est un peu comme partir en vacances en métro (ou en vélo[1]). Descendez les marches de la station aérienne de Coney Island Stillwell Ave, traversez Surf Avenue, passez les fast-foods et leurs odeurs de friture, les boutiques cheap, les manèges... et vous voilà au milieu des familles des quartiers populaires qui prennent un bol d'iode au bord de l'océan.

Coney Island, c'est d'abord une ambiance. Au 19e siècle, on venait y chercher un peu de fraîcheur, l'été, en calèche. Avec l'arrivée du chemin de fer puis du métro au début du 20e siècle, des millions de New-Yorkais de la classe moyenne ont pu à leur tour profiter de ses immenses plages de sable et de ses parcs d'attractions, Dreamland, Steeplechase et Luna Park. Tombée en désuétude après la Seconde Guerre mondiale, la boardwalk, promenade qui longe l'océan sur plus de 4 kilomètres, a été récemment rénovée. Sur son plancher, se pressent pêle-mêle familles et poussettes tout-terrain, ados à vélo, couples enlacés, petits vieux accrochés à leurs déambulateurs. Majestueux, le Parachute Jump, ancienne attraction métallique rouge surnommée « la Tour Eiffel de Brooklyn », sert de point de rendez-vous. À côté, la fête foraine flambant neuve a nettement moins de cachet que ses illustres ancêtres. Heureusement, il reste le Cyclone, les montagnes russes tout en bois et Wonder Wheel, la grande roue des années 1920, dont les nacelles se balancent lentement dans les airs. Et bien sûr, le visage grimaçant de Funny Face, totem de Coney Island. Car ce que l'on vient chercher ici, c'est la nostalgie, encore plus palpable l'hiver, quand les manèges s'éteignent, que les boutiques ferment ; le bord de mer prend alors des allures de ville fantôme, comme dans un rêve éveillé.

Ces amusements d'un autre siècle cachent une réalité moins connue, celle d'un quartier pauvre et violent. Face à l'océan, se dressent les tours des logements sociaux où vit une population défavorisée, majoritairement hispanique et afro-américaine. Sur les murs de Mermaid Avenue, l'artère commerçante, on trouve des fresques à la mémoire de jeunes tués lors de règlements de compte.

Brighton Beach, juste à côté de Coney Island, abrite une importante communauté d'origine soviétique, le plus souvent juive, à laquelle se sont récemment mêlés des catholiques et un grand nombre de musulmans d'Asie centrale. Rebaptisé Little Odessa par les Ukrainiens fuyant les pogroms du début du 20e siècle, le quartier a ensuite accueilli des survivants de l'Holocauste, puis des victimes de l'antisémitisme soviétique à partir des années 1970. Après la chute de l'URSS,

1. Voir balade p.292.

début 1990, la quatrième grande vague d'immigration, liée à des motivations économiques, achève de transformer Brighton Beach en fief de la mafia russe, avec sa cohorte de nouveaux riches. Sous le métro aérien, le long de Brighton Beach Avenue, les enseignes et les journaux sont en cyrillique ! Les magasins regorgent de produits russes importés, les synagogues et églises orthodoxes, de fidèles. L'été, les babouchkas aux paupières lourdement fardées troquent leurs fourrures de l'hiver pour des t-shirts à strass. Chez Tatiana et Volna, les deux immenses restaurants concurrents de la promenade, les locaux se régalent de shashlik (kebab) et de harengs marinés, accompagnés d'un shot de vodka ou d'une bière Baltika.

Mais la vraie destination, c'est Sheepshead Bay. Un autre quartier russe (et un peu chinois) qui touche Brighton Beach.

Une atmosphère hors du temps, qui n'a pas de prix à New York aujourd'hui.

Vous n'y croiserez aucun touriste. En longeant les bateaux de pêche et de plaisance amarrés dans cette petite baie, on oublie qu'on est à New York. Sur Emmons Avenue, au bout des pontons, les pêcheurs taquinent le poisson, sous l'œil cupide des mouettes dont seuls les cris perturbent le silence environnant. Les cygnes se comptent souvent par dizaines, des yachts proposent des excursions à la journée et très tôt le matin, sur les quais endormis, on vend la pêche du jour, encore frétillante. Magasins d'appâts, clam bars[2] vintage, motels un peu glauques et restaurants aux allures mafieuses donnent au quartier son atmosphère hors du temps, qui n'a pas de prix dans le New York d'aujourd'hui.

2. Restaurants de fruits de mer.

On-the-Go

ACCÉDER

MÉTRO

Coney Island - Stillwell Ave, West 8 St - NY Aquarium, Ocean Parkway, Brighton Beach, Sheepshead Bay (lignes B, D, F, N, Q).

CIRCULER

EN BUS

36 et 68 pour passer d'un quartier à l'autre.

À VÉLO

Longue mais agréable balade par Ocean Parkway.

LOUER

WHEEL FUN RENTALS

Ave U & E 33rd St • 917-533-6196 • Marine Park • wheelfunrentals.com

LES COURSES

01. *Brighton Food Bazaar*

1007 Brighton Beach Ave • entre Coney Island Ave & Brighton 11th St • Brighton Beach • 718-769-1700

Un supermarché russe bien achalandé, à des prix raisonnables. Boulangerie et buffet de plats chauds et froids à emporter.

02. *Cherry Hill Gourmet*

1901 Emmons Ave • entre 19th St & Ocean Ave • Sheepshead Bay • 718-616-1900 • cherryhillgourmet.net

Dans cette immense épicerie fine, on trouve quantité de produits importés (russes en majorité mais aussi européens, plus rares dans le coin). Les rayons poissonnerie, charcuterie, pâtisserie, sont particulièrement bien pourvus. On pousse son caddy aux côtés de femmes arborant visons et diamants. Les prix sont parfois en conséquence mais on peut s'y faire plaisir... Le lieu, classé monument historique, est magnifique. À voir !

03. *Gourmanoff*

1029 Brighton Beach Ave • entre Brighton 11th & Brighton 12th Sts • Brighton Beach • 718-517-2297 • gourmanoff.com

Une grande épicerie russe aussi fine que bling, installée au rez-de-chaussée d'un ancien théâtre (on y accède en foulant le tapis rouge !). Homards, poissons fumés et caviars sont à l'affiche. Pour le coup d'œil, à défaut d'y faire ses courses. Un espace restauration permet de manger un morceau ou de boire un verre entre deux rayons.

04. *Ocean Wine & Liquor*

514 Brighton Beach Ave • entre Brighton 5th & 6th Brighton Sts • Brighton Beach • 718-743-3084

De nombreux restaurants étant BYOB* dans le quartier, vous pourrez choisir une vodka de qualité chez ce caviste qui en propose plus de cinquante variétés.

05. *Vintage Food*

287 Brighton Beach Ave • entre Brighton 2nd & Brighton 3rd Sts • Brighton Beach • 718-769-6674

Un bazar turc où acheter sucreries, olives, pistaches, amandes et toutes sortes de fruits secs en vrac.

06. *Williams Candy*

1318 Surf Ave • angle de W 15th St • Coney Island • 718-372-0302 • candytreats.com

Voilà plus de 75 ans que Williams régale les mômes et leurs parents de pommes d'amour, barbes à papa, pop-corns et marshmallows sous toutes les formes possibles et imaginables. Le goût délicieusement régressif du vieux Brooklyn.

PETIT DÉJEUNER

07. *Bakery « La Brioche » Café*

1073 Brighton Beach Ave • entre Brighton 12th & Brighton 13th Sts • Brighton Beach • 718-934-0731

Dans cette boulangerie yiddish, tout fait envie. Difficile de s'y retrouver (surtout quand c'est écrit en russe), mais laissez-vous guider par votre bec sucré. On vous recommande notamment les oreshki, ces petits gâteaux en forme de noix remplis de caramel liquide, et les bulochiskis makom, des brioches à la cannelle et aux graines de pavot.

MANGER

08. *Beyti Turkish Kebab*

moins de $10 • 414 Brighton Beach Ave • entre Brighton 5th & Brighton 4th Sts • Brighton Beach • 718-332-7900 • beytiturkishkebabbrooklyn.com

Pour de savoureux Adana kebabs, ceux du sud-est de la Turquie, assez épicés.

G PLAN 2

LES COURSES

01. Brighton Food Bazaar
02. Cherry Hill Gourmet
03. Gourmanoff
04. Ocean Wine & Liquor
05. Vintage Food
06. Williams Candy

PETIT DÉJEUNER

07. Bakery « La Brioche » Café

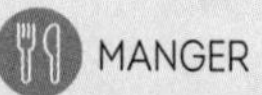

MANGER

08. Beyti Turkish Kebab
09. Café Glechik
10. Gastronom Arkadia
11. Georgian Food
12. Istanbul Restaurant
13. Nargis Cafe
14. Nathan's
15. Randazzo's Clam Bar
16. Roll-N-Roaster
17. TONÉ-Café
18. Totonno's
19. Varenichnaya

SORTIR

20. Ruby's Bar & Grill
21. Sideshows by the Seashore

SE CONNECTER

22. Arbuz
23. Masal Cafe & Lounge

CONEY ISLAND + BRIGHTON BEACH + SHEEPSHEAD BAY

PAUSES URBAINES

24. Feux d'artifices
25. Luna Park
26. The Mermaid Parade

TAKE CARE

31. Coney Island Polar Bear Club
32. Manhattan Beach
33. Mermaid Spa

BUY LOCAL

34. Classic Furs
35. Kids World
36. Lola Star

S'AÉRER LES NEURONES

27. Coney Art Wall
28. Coney Island Flicks on the Beach
29. Coney Island History Project
30. New York Aquarium

09. *Café Glechik*

$10-20 • 1655 Sheepshead Bay Rd • entre Jerome & Voorhies Aves • Sheepshead Bay • 718-332-2414 • glechik.com

Une valeur sûre en matière de raviolis ukrainiens. Vous en trouverez à la viande, aux pommes de terre, et même à la griotte pour le dessert.

10. *Gastronom Arkadia*

1079 Brighton Beach Ave • entre Brighton 12th & Brighton 13th Sts • Brighton Beach • 718-934-7709

Ce buffet propose un choix incroyable et bon marché de délicieux plats russes à emporter, chauds ou froids, à déguster face à l'océan.

11. *Georgian Food*

moins de $10 • 109 Brighton 11th St • entre Oceanview & Brighton Beach Aves • Brighton Beach • 718-676-0332

Parce qu'il est impossible d'aller à Brighton Beach sans goûter aux khachapuri et aux shotis puri, les fameux pains géorgiens. Natures ou fourrés au fromage, accompagnés de savoureuses salades.

12. *Istanbul Restaurant*

$10-20 • 1715 Emmons Ave • entre E 16th St & Sheepsheadbay Rd • Sheepshead Bay • 718-368-3587 • istanbulbrooklyn.com

Pour une excellente lahmacun, la pizza turque, une galette garnie de viande hachée, de poivrons et d'épices.

13. *Nargis Café*

moins de $10 • 2818 Coney Island Ave • entre Kathleen Ct & Avenue Z • Brighton Beach • 718-872-7888 • nargiscafe.com

Une savoureuse cuisine russe et uzbek bon marché. Le lieu est immense, vous n'y croiserez pas beaucoup de touristes.

14. *Nathan's*

moins de $10 • 1310 Surf Ave • entre Stillwell Ave & Schweikerts Walk • Coney Island • 718-333-2202 • nathansfamous.com

Quitte à manger un hot-dog, autant aller à la source. Nathan Handwerker a ouvert sa première baraque en 1916, à Coney Island. C'est aujourd'hui une chaîne de restauration rapide mondialement connue où, comme souvent aux États-Unis, le mot « small » veut dire grand.

15. *Randazzo's Clam Bar*

$10-20 • 2017 Emmons Ave • angle de E 21st St • Sheepshead Bay • 718-615-0010 • randazzosclambar.nyc

La sauce tomate épicée, servie avec les fruits de mer, a fait saliver des générations de New-Yorkais. Cent ans après l'ouverture de ce restaurant familial, c'est l'arrière-petit-fils de Helen Randazzo qui accueille aujourd'hui les habitués. Faites comme eux, commandez des clams gratinés ou des calamars frits.

16. *Roll-N-Roaster*

moins de $10 • 2901 Emmons Ave • entre 29th St & Nostrand Ave • Sheepshead Bay • 718-769-6000 • rollnroaster.com

Rien n'a bougé de ce fast-food des 70's : ni le logo, ni l'uniforme des serveuses, ni la devise, ni la déco disco-rustique ! Commandez un sandwich au roast beef, des cheese fries, une orangeade, et si vous avez encore faim, une tarte aux pommes avec une boule de glace pour le dessert.

17. *TONÉ-Café*

moins de $10 • 265 Neptune Ave • angle de Brighton 6th St • Brighton Beach • 718-332-8082 • tone-cafe.com

Le Toné, c'est le four traditionnel dans lequel les Géorgiens font cuire le pain. Cette boulangerie, la plus ancienne du quartier, est dotée de quelques tables agréables avec vue sur le maître-boulanger à l'œuvre. Essayez notamment l'excellent kachapuri à l'œuf et au fromage, met typiquement géorgien.

18. *Totonno's*

cash only • **$20-30** • 1524 Neptune Ave • entre W16th & W15th Sts • Coney Island • 718-372-8606 • totonnosconeyisland.com

Touristes et New-Yorkais amateurs de pizza (un pléonasme !) se retrouvent dans cette pizzeria familiale napolitaine, où les coupures de presse élogieuses recouvrent les murs.

19. *Varenichnaya*

cash only • **moins de $10** • 3086 Brighton 2nd St • entre Brighton Beach Ave & Brightwater Ct • Brighton Beach • 718-332-9797

Vareniki urkrainiens ou pelmeni russes ? Allez-y les yeux fermés, tous les raviolis de ce café sont à tomber.

SORTIR

20. *Ruby's Bar & Grill*

$6-8 • 1213 Riegelmann Boardwalk • entre W 12th St & Henderson Walk • Coney Island • 718-975-7829 • rubysbar.com

Un classique pour prendre un verre face à l'océan. Installez-vous au bar, près des anciens qui ont connu l'ex-propriétaire Ruby Jacobs, un photographe amateur dont les clichés de Coney Island exposés aux murs vous plongent dans un autre temps. Au rythme où vont les projets immobiliers, il n'est pas dit que vous puissiez le faire encore longtemps.

21. *Sideshows by the Seashore*

1208 Surf Ave • angle de W 12th St • 718-372-5159 • coneyisland.com • de mars à septembre • calendrier sur le site Internet

Coney Island USA, qui organise également la fameuse Mermaid

Parade, s'efforce de défendre la culture populaire américaine dont Coney Island fut un temps un symbole. Sur scène, des magiciens, effeuilleuses burlesques ou chanteurs freaks se succèdent pour un spectacle traditionnel en dix actes, où l'avaleur d'épées croise la charmeuse de serpents.

SE CONNECTER

22. *Arbuz*

1706 Sheepshead Bay Road • entre N Shore Pky & Voorhies Ave • Sheepshead Bay • 718-975-0999 • facebook.com/ArbuzCafe

Pour une pause sucrée, notamment une délicieuse glace au yaourt.

23. *Masal Cafe & Lounge*

1901 Emmons Ave • entre 19th St & Ocean Ave • Sheepshead Bay • 718-891-7090 • masalcafe.com

Aussi bien le matin pour un solide petit-déjeuner que l'après-midi pour une pâtisserie et un café turc.

PAUSES URBAINES

24. *Feux d'artifices*

KIDS • sur la plage de Coney Island • Boardwalk W • entre W 10th & W 15th Sts • de fin juin à début septembre

C'est le rituel du vendredi soir. Pendant la saison de baseball, les feux d'artifice tirés à côté du stade des Brooklyn Cyclones, l'équipe locale, embrasent le ciel de Coney Island à 21 h 30.

25. *Luna Park*

KIDS • 1000 Surf Ave • angle de W 10th St • 718-373-5862 • lunaparknyc.com

Les manèges et les attractions sont ouverts le week-end, de Pâques à Memorial Day (fin mai), toute la semaine de Memorial Day jusque Labor Day (en septembre), et à nouveau le week-end de Labor Day à fin octobre. Une atmosphère délicieusement surannée et populaire.

26. *The Mermaid Parade*

départ West 21st St & Surf Avenue • coneyisland.com/programs/mermaid-parade

Cette parade est l'événement le plus attendu à Coney Island. Chaque année, fin juin, elle attire des milliers de personnes venant des quatre coins de New York, et tout ce que la ville compte d'excentriques. Les accoutrements, parfois très minimalistes, des sirènes et autres incarnations de Neptune, ébouriffent.

S'AÉRER LES NEURONES

27. *Coney Art Wall*

3050 Stillwell Ave • entre Boardwalk & Bowery St • Coney Island • coneyartwalls.com • de fin mai à septembre

Là où Coney Island renoue avec la culture populaire, version 21e siècle.
Un musée en plein air avec aux murs les œuvres d'une trentaine de street-artists du monde entier ; des fêtes avec DJ le dimanche, des stands de bonne street-food avec Smorgasburg et des spectacles de voltige et de lutte professionnelle.

28. *Coney Island Flicks on the Beach*

1001 Boardwalk West • angle de W 10th St • 718-594-7895 • rooftopfilms.com • les lundis à la tombée de la nuit, en juillet et août

Pour voir un film sur écran géant, le visage caressé par la brise de l'océan, avec la grande roue illuminée en arrière-plan.

29. *Coney Island History Project*

3059 W 12th St • à l'entrée de Deno's Wonder Wheel Park • Coney Island • 347-702-8553 • coneyislandhistory.org

À l'ombre de la grande roue, ce minuscule musée est tenu par Charles Denson, une mémoire vivante qui a passé presque toute sa vie à Coney Island. Pour comprendre l'évolution du quartier à travers expositions et témoignages audios ou vidéos de ceux qui ont fait et font la vie locale. Entrée gratuite.

30. *New York Aquarium*

KIDS • 602 Surf Ave • angle de W 8th St • Coney Island • 718-265-3474 • nyaquarium.com

Un classique des familles new-yorkaises. L'aquarium a beaucoup souffert du passage de l'ouragan Sandy et reste en cours de rénovation, mais une grande partie des attractions se trouve heureusement à l'extérieur.

TAKE CARE

31. *Coney Island Polar Bear Club*

1301 Boardwalk West • angle de W 37 St • Coney Island • 718-356-7741 • facebook.com/Coney Island Polar Bear Club

Piquer une tête dans l'Atlantique en plein hiver ? Qu'il pleuve, qu'il vente, qu'il neige, les membres du Coney Island Polar Bear, le plus vieux club de natation américain, le font tous les dimanches, de novembre à avril ; ça fouette le sang et ça entretient l'amitié.

32. *Manhattan Beach*

Vous pouvez bien sûr poser votre serviette sur la plage de Coney Island, (davantage pour l'ambiance que pour la baignade d'ailleurs). Mais on vous conseille de pousser jusqu'à Manhattan Beach, à l'extrémité orientale de la péninsule de Coney Island. Cette ancienne plage privée, située dans un quartier résidentiel juif ashkénaze et russe très huppé, est fréquentée par les familles du coin. Plus préservée et tout aussi populaire, elle possède de nombreuses infrastructures sportives et une grande aire de jeu.

33. *Mermaid Spa*

3703 Mermaid Ave • angle de W 37th St • Coney Island • 347-462-2166 • seagatebaths.com

Ces banyas (bains russes) valent à eux seuls le voyage jusqu'à Coney Island. Prévoyez d'y passer la journée, pour avoir le temps d'alterner entre sauna, salle de vapeur, piscines glacées ou bouillonnantes, de vous faire fouetter à coups de feuilles séchées de bouleau et de grignoter pickles*, hareng et saumon. Faites comme les habitués, familles ou vieux ruscofs : demandez des petits pots de miel et tartinez-vous allègrement le visage et le corps avant d'aller suer… ça nourrit la peau. Si vous ne voulez pas avoir l'air de touristes, ce ne sont pas des shots de vodka qu'il faut commander mais des quartiers de citron écrasés à mélanger avec de l'eau gazeuse et du miel, pour vous hydrater.

BUY LOCAL

34. *Classic Furs*

221 Brighton Beach Ave • entre Brighton 1st St & Brighton 1st Pl • Brighton Beach • 718-332-5138 • classicfurs.us

Pour connaître la tendance de la toque l'hiver prochain, faites un tour dans ce magasin de fourrures typiquement du coin.

35. *Kids World*

KIDS • 230 Brighton Beach Ave • entre Brighton 1st St & Brighton 1st Pl • Brighton Beach • 718-332-7502

Dans ce magasin de jouets et de livres pour enfants, les Américains d'origine russe ou ukrainienne retrouvent les madeleines de leur enfance.

36. *Lola Star*

1205 Boardwalk W • entre 12th St & Stillwell Ave • Coney Island • 718-832-7827 • lolastar.com

Une petite boutique sur le front de mer où dégoter un mug en forme de donut ou un t-shirt rigolo à l'effigie du quartier.

Enjoy Coca-Cola
STELLA MARIS
BAIT · ICE · TACKLE · FISHING SUPPLIES
Coca-Cola
Seeker

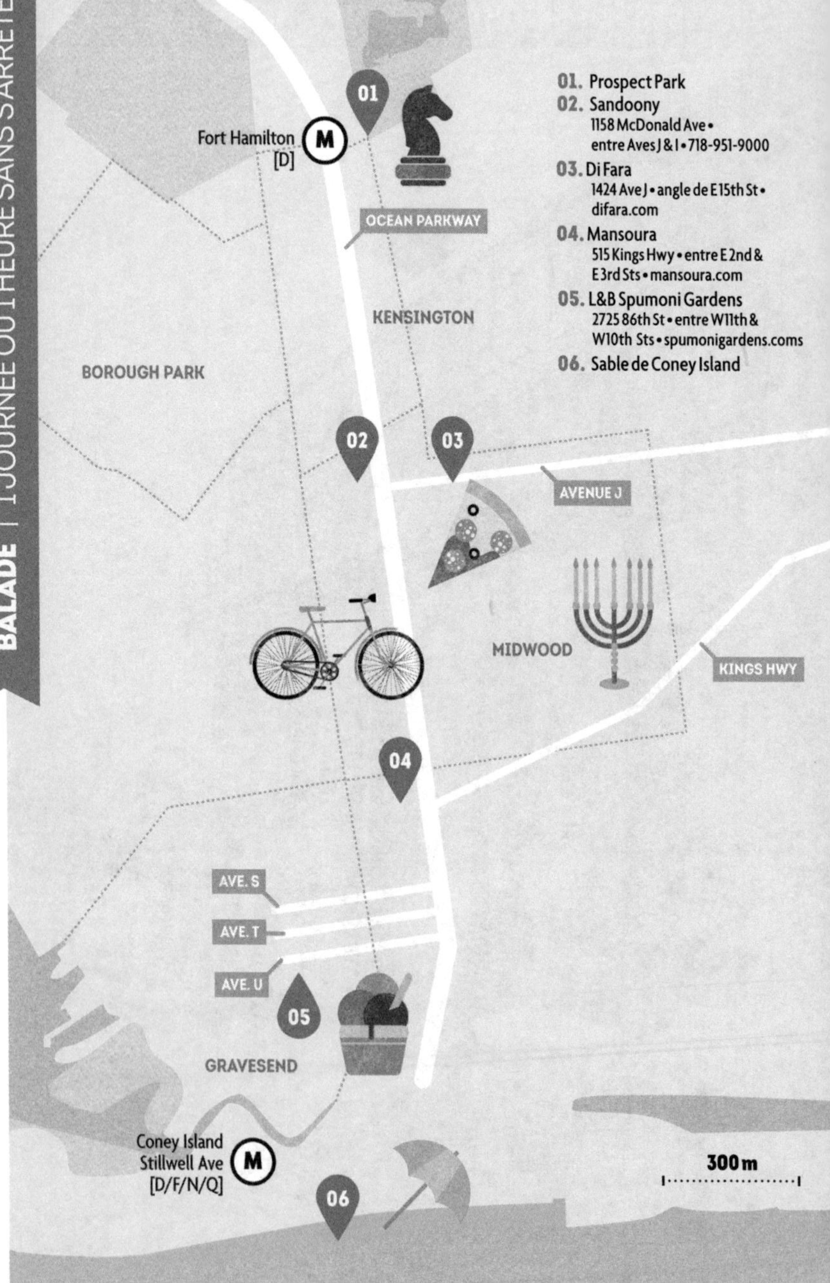
01. Prospect Park
02. Sandoony
1158 McDonald Ave • entre Aves J & I • 718-951-9000
03. Di Fara
1424 Ave J • angle de E 15th St • difara.com
04. Mansoura
515 Kings Hwy • entre E 2nd & E 3rd Sts • mansoura.com
05. L&B Spumoni Gardens
2725 86th St • entre W 11th & W10th Sts • spumonigardens.coms
06. Sable de Coney Island
Fort Hamilton
[D]
OCEAN PARKWAY
KENSINGTON
BOROUGH PARK
AVENUE J
MIDWOOD
KINGS HWY
AVE. S
AVE. T
AVE. U
GRAVESEND
Coney Island
Stillwell Ave
[D/F/N/Q]
300 m

Ocean Parkway à vélo

Pas d'été sans une virée sur Ocean Parkway ! De Prospect Park à Coney Island, cette (très) large artère s'étire sur près de 8 kilomètres de long.

On peut y pédaler en toute sécurité depuis la fin du 19e siècle, ce qui en fait la plus ancienne piste cyclable des États-Unis.

Démarrez au sud de **PROSPECT PARK,** au niveau du métro Fort Hamilton Parkway. Attention, la piste cyclable est du côté ouest, le côté est étant réservé aux piétons (et les six files du milieu, aux voitures !).

Pendant que vous pédalez, ayez une pensée pour les architectes qui se sont inspirés des grands boulevards européens bordés d'arbres, comme l'avenue Foch à Paris, pour imaginer cette voie de circulation comme un salon en plein air. On y croise des joggers, des petits vieux qui discutent, des lecteurs, des joueurs d'échecs et de dominos, des familles qui viennent prendre l'air.

En quelques coups de pédale, juste après **KENSINGTON,** l'un des coins les plus cosmopolites de New York (voir p.204), vous traversez deux quartiers juifs orthodoxes : **BOROUGH PARK,** sur votre droite, de Church à 18th Aves, puis **MIDWOOD,** sur votre gauche, de Foster Ave à Ave P. Le samedi, redingotes noires et shtreimels, collants épais et jupes longues se pressent vers les immenses synagogues d'Ocean Parkway (pas très loin se trouve l'un de nos bains russes préférés, **SANDOONY,** que l'on vous recommande de fréquenter aux frimas). Midwood est plus diversifié, avec sa population russe, pakistanaise, italienne et ses familles hassidiques. Avenue J, au milieu des boulangeries et des restaurants casher, se niche **DI FARA,** une modeste pizzeria qui régale les locaux depuis 50 ans et qui vaut à elle seule la balade. Soyez prêt à faire la queue.

Reprenez votre vélo et dirigez-vous vers Kings Highway. **GRAVESEND** est le quartier des juifs syriens. Autour des avenues S, T et U, près des principales synagogues et d'une prestigieuse école talmudique, le prix du mètre carré rivalise avec Manhattan. Des palaces façon Las Vegas se vendent des millions de dollars (avec ascenseur privé, trottoirs chauffés pour faire fondre la neige, salle de cinéma ou terrain de basket au sous-sol).

Avant d'arriver à l'océan, offrez-vous des douceurs chez **MANSOURA,** une pâtisserie syrienne qui n'a pas bougé depuis les années 1960, ou une glace en terrasse chez **L&B SPUMONI GARDENS,** une institution italienne.

Après ça, vous avez le droit de vous affaler **SUR LE SABLE DE CONEY ISLAND.** Et de rentrer en métro (depuis la station Coney Island Stillwell Av).

C'est le borough le plus multiculturel de New York : un habitant sur deux est né à l'étranger. Queens est la quintessence de la ville-monde.

QUEENS

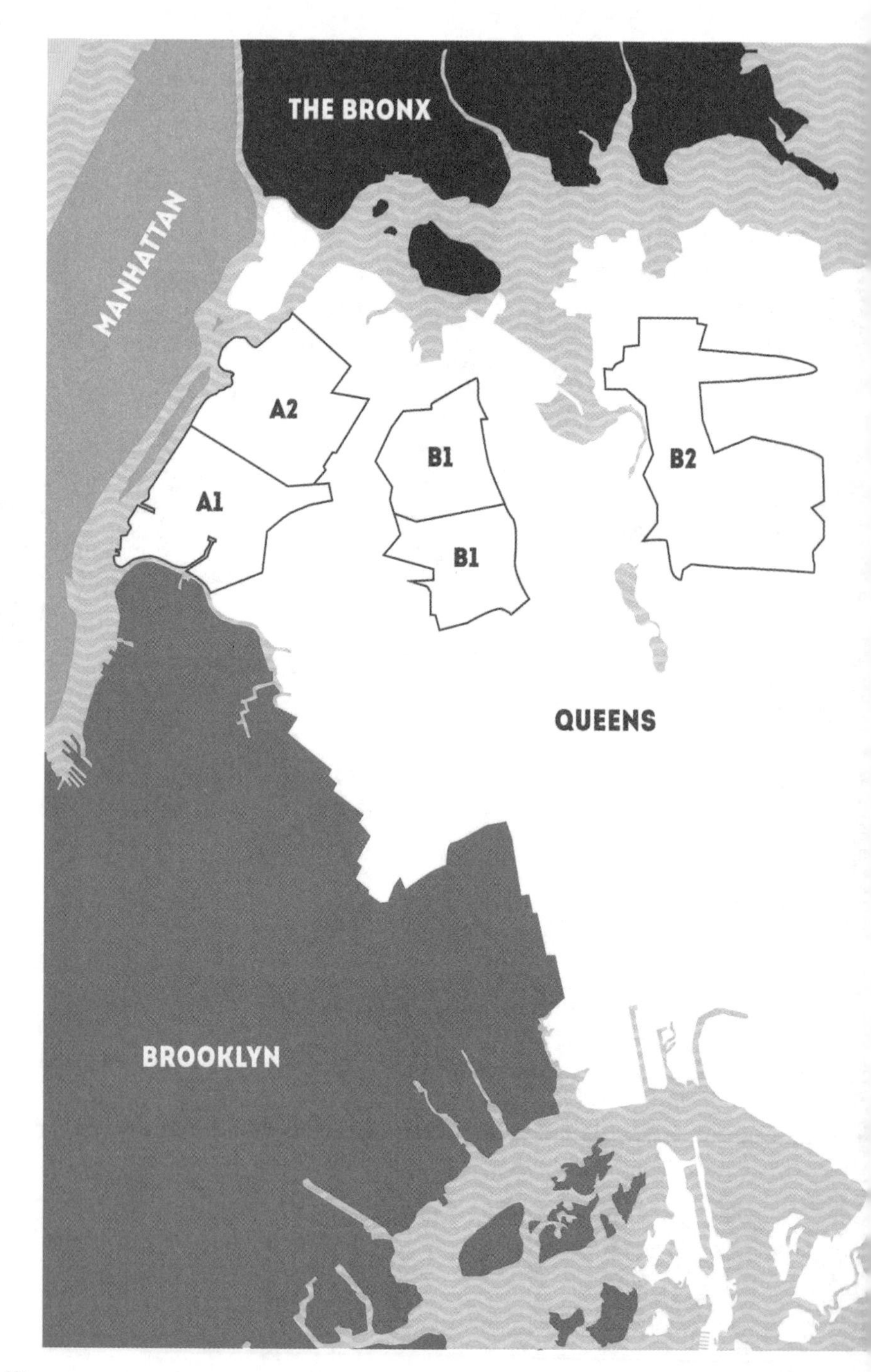
THE BRONX
MANHATTAN
A2
A1
B1
B1
B2
QUEENS
BROOKLYN

LONG ISLAND

LONG
ISLAND

Un patchwork urbain le long de l'East River.

Long Island City (LIC) est le quartier de Queens le plus à l'ouest, tout proche de Manhattan. Comme la plupart des quartiers qui jouissent d'une vue sur la skyline, il est aujourd'hui en pleine mutation. Ce quartier au passé industriel ne cesse de se renouveler. La fermeture de la plupart des usines et ateliers a dans un premier temps attiré une communauté artistique importante, à la recherche d'espaces à bas prix. Les anciens silos à grains des boulangeries Silvercup hébergent désormais des studios de cinéma et les entrepôts ont pour beaucoup été reconvertis en ateliers d'artistes et en galeries. L'antenne du MoMA dédiée à l'art contemporain, installée dans une ancienne école publique, attire même la jeunesse de Manhattan, notamment les samedis après-midis d'été où la musique électronique résonne à fond dans la cour du musée. La Mecque du street-art new-yorkais, Five Pointz, se trouvait d'ailleurs juste en face mais vient malheureusement de faire les frais d'une nouvelle révolution qui secoue le quartier depuis une petite dizaine d'années. Et oui, ce sont maintenant aux artistes de se sentir menacés. La situation idéale de Long Island City, qui jouit en plus d'une offre de transports variée pour rejoindre Manhattan en quelques arrêts de métro, ne pouvait échapper très longtemps aux promoteurs immobiliers. Aujourd'hui, ce sont donc les condos* de luxe qui viennent remplacer les vieux entrepôts. Tout a commencé au bord de l'East River. Une forêt de tours en verre a vu le jour ces dernières années, bloquant la vue sur Manhattan pour bon nombre de riverains. Mais heureusement, tout développement apporte quand même son lot de bonnes choses. Les habitants du quartier se sont réappropriés les rives de l'East River. Les nouveaux aménagements du Gantry State Park sont très réussis et permettent de profiter de l'une des plus belles vues sur Midtown. La fameuse enseigne lumineuse Pepsi Cola a même résisté aux bulldozers et s'intègre parfaitement à ce nouveau décor.

Ces différentes vagues font aujourd'hui de Long Island City un patchwork varié. L'ambiance change d'une rue à l'autre de façon étonnante. Vernon Blvd, aux abords de la station de métro du même nom, a encore des allures de bourgade avec son église de briques rouges, ses restaurants et ses petits commerces de proximité. En poussant plus au nord, on traverse toujours des enfilades d'entrepôts plus ou moins à l'abandon servant de garages pour les taxis jaunes de New York ou les fameux chariots à hot-dogs qui envahissent les rues de Manhattan pendant la journée. En se rapprochant de Court Square, vous aurez même la surprise de tomber sur les étonnantes 45th et 44th Ave.

Ces deux blocs classés historiques semblent tout droit sortis du West Village avec leurs enfilades de magnifiques brownstones* bordés d'arbres. Elles ont d'ailleurs souvent servi de décor à la série *Sex and the City*. Le Court Square Diner, si typique et rutilant au coin de Jackson Ave et de la 11th St, ainsi que la station aérienne de métro, apparaissent également dans de nombreux films et séries.

Ce quartier au passé industriel ne cesse de se renouveler.

Long Island City, c'est aussi le fameux Queensborough Bridge. Si les tours de bureaux et les hôtels poussent comme des champignons autour de Queens Plaza, l'ambiance est tout autre un peu plus au nord. Queensbridge était la plus grande cité des États-Unis quand elle a été inaugurée dans les années 1940. Dans les années 1980-1990, il ne faisait pas bon s'aventurer dans ce coin connu pour être une plate-forme du trafic de drogue. Mais on retiendra surtout que c'est l'un des berceaux du hip-hop East Coast. Mobb Deep et Nas, pour ne citer qu'eux, en sont originaires. Profitez d'un passage là-bas pour avoir une vue imprenable sur le Queensborough Bridge et assistez à une partie de base-ball depuis le Queensbridge Park. Mais essayez de quitter le coin avant la tombée de la nuit !

19

FAITES COMME CHEZ EUX

On-the-Go

ACCÉDER

MÉTRO
Nombreuses stations lignes 7, E, G, M. (voir carte).

FERRY
East River Ferry à Gantry State Park • eastriverferry.com

CIRCULER

À VÉLO
Nombreuses pistes cyclables.

À PIED
Agréable.

LOUER

SPOKESMAN CYCLES
$35/jour • 49-04 Vernon Blvd • 718-433-0450

CITIBIKE
Disponible.

LES COURSES

01. *Foodcellar & Co.*
4-85 47th Rd • à l'angle de Center Blvd • 718-606-9786
& 43-18 Crescent St • à l'angle de 44th Rd • 718-606-1888 • foodcellarandco.com
Un grand supermarché type Whole Foods pour trouver des produits frais qui ont du goût. Le salad bar est parfait pour embarquer un pique-nique à déguster dans Gantry State Park tout proche.

02. *Natural Frontier Market*
12-01 Jackson Ave • à l'angle de 48th Ave • 718-937-9399 • naturalfrontiermarket.net
Belle sélection de produits bio.

PETIT DÉJEUNER

03. *Court Square Diner*
45-30 23rd St • à l'angle de 45th Rd • 718-392-1222 • courtsquarediner.com
Même les insomniaques pourront se faire une assiette de pancakes ou des œufs au bacon dans ce diner* chromé qui ne ferme jamais (sauf quand il sert de décor à un film ou une série...).

04. *LIC Market*
21-52 44th Dr • à l'angle de 23rd St • 718-361-0013 • licmarket.com
C'est l'une des institutions du quartier pour le brunch du week-end. Les assiettes sont copieuses et les prix tout doux.

MANGER

05. *Casa Enrique*
$10-20 • 5-48 49th Ave • à l'angle de Vernon Blvd • 347-448-6040 • henrinyc.com/casa-enrique.html
Un restaurant mexicain avec une étoile Michelin et une addition qui ne fait pas exploser le budget des vacances ? Réservez et régalez-vous !

06. *Cyclo*
$10-20 • 5-51 47th Ave • à l'angle de Vernon Blvd • 718-786-8305 • cyclolic.com
Petite cantine vietnamienne pour un déjeuner ou dîner rapide.

07. *John Brown Smokehouse*
$10-20 • 10-43 44th Dr • entre 10th & 11th Sts • 347-617-1120 • johnbrownseriousbbq.com
Parfait pour faire l'expérience du vrai BBQ à l'américaine. Ici, la viande, lentement grillée et fumée, est servie directement sur un plateau, les tables ont des nappes à carreaux rouges et les verres sont en plastique. Prenez le burnt ends, arrosez-le de sauce maison, choisissez une bière du moment et installez-vous dans le jardin. Vous ne le regretterez pas !

08. *M.Wells Steakhouse*
$30 et plus • 43-15 Crescent St • à l'angle de 43rd Ave • 718-786-9060 • magasinwells.com
Viande toujours, mais version chic cette fois. Service impeccable dans ce steakhouse atypique installé dans un ancien garage.

09. *Manetta's Ristorante*
$20-30 • 10-76 Jackson Ave • à l'angle de 11th St • 718-786-6171 • manettaslic.com
Dans ce restaurant familial italien, on a un peu l'impression d'être transporté dans une scène du *Parrain*.

10. *Mu Ramen*
$10-20 • 12-09 Jackson Ave • à l'angle de 48th Ave • 917-868-8903 • ramennyc.wix.com/popup
Le buzz qui a accompagné l'ouverture de ce petit restaurant de ramen ne semble pas faiblir. Venez à l'ouverture pour être sûr de pouvoir goûter à ce que New York fait de mieux en matière de nouilles japonaises.

A PLAN 1

Ed Koch Queensboro Brg-Lower Level
Queens Bridge Park
19
Vernon Blvd
11th St
40th Ave
13th St
10th St
41st Ave
21st St
12th St
23rd St
East Rd
South Point Park
28
Bridge Plz S
Queens Plz S
Queensbo
Plaza [7/N,
M
9th St
43rd Ave
20
10th St
43rd Rd
42nd Rd
11
07
34
44th Ave
23rd St
08
27th St
13
37
35
Vernon Blvd
44th Dr
44th Rd
04
01
Court Square -
23 Street Station [7]
M
30
45th Rd
Court Sq [7]
M
Jackson Ave
36
46th Ave
M
Court Sq [G]
Purves St
18
15
33
46th Rd
11th St
21st St
24
Pearson St
47th Rd
22
47th Ave
03
Center Blvd
01
05
06
10
12
M
21 Street -
Van Alst Station [G]
5th St
21
50th Ave
Skillman Ave
Queens Midtown Tunl
Vernon Blvd -
Jackson Ave [7]
M
38
15
02
M
Hunters Point Ave [7]
Davis Ct
27th St
51st Ave
09
49th Ave
14
32
51st Ave
50th Ave
54th Ave
53rd Ave
Long Island Expy
Borden Ave
2nd St
Newtown Creek
Ash St
Pulaski Brg
Commercial St
Box St
Clay St
Dupont St
Provost St
Railroad Ave
Eagle St
250 m
Freeman St
Green St

LONG ISLAND CITY

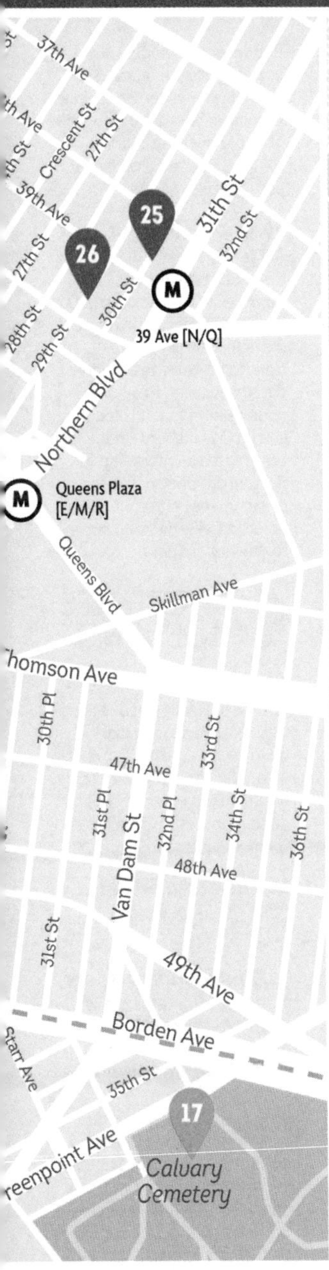

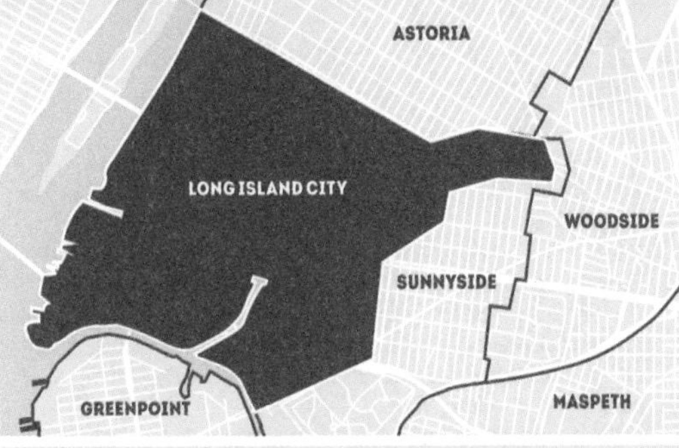

LES COURSES

01. Foodcellar & Co.
02. Natural Frontier Market

PETIT DÉJEUNER

03. Court Square Diner
04. LIC Market

MANGER

05. Casa Enrique
06. Cyclo
07. John Brown Smokehouse
08. M. Wells Steakhouse
09. Manetta's Ristorante
10. Mu Ramen

SORTIR

11. Anable Basin Sailing Bar & Grill
12. Bierocracy
13. Dutch Kills
14. LIC Landing by Coffeed

SE CONNECTER

15. Sweetleaf

PAUSES URBAINES

16. Brooklyn Grange Farm - Hors carte
17. Calvary Cemetery
18. Gantry Plaza State Park
19. Queensbridge Park
20. Top to Bottom

S'AÉRER LES NEURONES

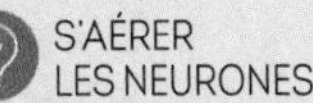

21. The Creek & The Cave
22. The Standing Room
23. LIC Open Studios - Hors carte
24. MoMA PS1
25. Fisher Landau Center for Art
26. Flux Factory
27. SculptureCenter
28. Big Alice Brewing
29. LIC Beer Project
30. Rockaway Brewing Company
31. Single Cut Beersmiths - Hors carte
32. Transmitter Brewing

TAKE CARE

33. LIC Community Boathouse
34. The Cliffs

BUY LOCAL

35. LIC Flea and Food
36. Matted LIC
37. mimi&mo
38. Tiny You

FAITES COMME CHEZ EUX

SORTIR

11. *Anable Basin Sailing Bar & Grill*
moins de $10 • 4-40 44th Dr • au bout du quai • 646-207-1333 • anablebasin.com
Ne vous arrêtez pas à l'aspect peu engageant de la rue qu'il faut emprunter pour atteindre ce bar aux allures de buvette au bord de la rivière. Vous le découvrirez au dernier moment, une fois passé le grillage de l'entrée. Très vite, vos appréhensions ne seront plus qu'un lointain souvenir. Prenez une bière, une saucisse grillée, et profitez de la vue.

12. *Bierocracy*
$10-20 • 12-23 Jackson Ave • à l'angle de 47th Rd • 718-361-9333 • bierocracy.com
Long Island City compte de nombreuses brasseries, il était temps qu'il ait aussi son beer hall. La sélection de pressions change souvent et propose bières américaines ou européennes.

13. *Dutch Kills*
$10-20 • 27-24 Jackson Ave • entre Queens & Dutch Kills Sts • 718-383-2724 • dutchkillsbar.com
Il faut d'abord trouver ce bar à cocktails intimiste que seul un néon « BAR » qui clignote fait remarquer. Après, prenez place au comptoir et laissez-vous guider par le mixologiste à l'œuvre.

14. *LIC Landing by Coffeed*
moins de $10 • 52-10 Center Blvd • entre Queens Midtown Tunnel & 54th Ave • 347-706-4696 • liclanding.com
Ce bar en plein air à l'arrêt du East River Ferry est un point stratégique pour admirer le coucher de soleil en sirotant un verre ou un café.

SE CONNECTER

15. *Sweetleaf*
10-93 Jackson Ave • à l'angle de 49th Ave • 917-832-6726
& 46-15 Center Blvd • entre 47th Rd & 48th Ave • 347-527-1038 • sweetleafcoffee.com
Un coffee-shop de bon aloi où les pâtisseries maison sont tout simplement excellentes.

PAUSES URBAINES

16. *Brooklyn Grange Farm*
(Hors carte) • 37-18 Northern Blvd • à l'angle de 39th St • 347-670-3660 • brooklyngrangefarm.com
Voir coup de coeur p.306.

17. *Calvary Cemetery*
49-02 Laurel Hill Blvd • entre 51st & 58th Sts • 718-786-8000 • calvarycemeteryqueens.com
Cet immense cimetière en hauteur à la limite entre Woodside et Long Island City, permet d'avoir une perspective inhabituelle sur Manhattan. Sa partie historique mérite le détour.

18. *Gantry Plaza State Park*
4-09 47th Rd • à l'angle de Center Blvd • gantrypark.com
De jour comme de nuit, l'un des plus beaux panoramas sur Midtown. Les belles pelouses sont propices au pique-nique à moins que vous ne préfériez vous installer sur l'un des nombreux transats en bois installés le long de la promenade. Ne manquez pas le Pepsi Cola Sign au nord du parc.

19. *Queensbridge Park*
sur Vernon Blvd • à l'angle de 41st Ave • nycgovparks.org/parks/queensbridgepark
La vue sur le Queensboro Bridge est imprenable depuis ce petit parc populaire. Bon endroit pour observer quelques parties de base-ball. Ne vous attardez pas trop à la nuit tombée. La cité d'à côté n'est pas réputée très sûre.

20. *Top To Bottom*
43-01 21st St • à l'angle de 43rd Ave • artsorg.nyc
New York est en perpétuel renouvellement. La destruction de 5 Pointz, Mecque du street-art new-yorkais, n'a pas signé la fin de cette tradition dans le quartier. Rendez-vous désormais à un bloc au sud du Queensboro Bridge. Les artistes du projet Top To Bottom ont pris possession d'un immense entrepôt dont on vous conseille de faire tout le tour le nez en l'air.

S'AÉRER LES NEURONES

COMEDY CLUBS
Ils sont populaires à Long Island City. Pour quelques dollars, vous pourrez assister à des stand-ups. À vous de voir à quel point votre niveau d'anglais vous permettra de saisir toutes les subtilités de l'humour américain.

21. *The Creek & The Cave*
10-93 Jackson Ave • à l'angle de 11th St • 718-706-8783 • creeklic.com

22. *The Standing Room*
47-38 Vernon Blvd • entre 48th Ave & 47th Rd • 347-309-7666 • standingroomlic.com

23. *LIC Open Studios*
(Hors carte) • licartsopen.org
Si vous êtes dans le coin au mois de mai pour le week-end du LIC Arts Open, vous aurez la chance de pouvoir pénétrer dans les innombrables ateliers d'artistes du quartier. Shows et performances aussi organisés.

LONG ISLAND CITY

24. *MoMA PS1*
22-25 Jackson Ave • à l'angle de 46th Rd • 718-784-2084 • momaps1.org
Cette ancienne école (PS pour Public School!) en briques rouges héberge l'antenne contemporaine du célèbre MoMA et promeut de jeunes artistes américains et internationaux. On vient aussi à PS1 pour faire la fête car de nombreux événements y sont organisés toute l'année. Ne manquez pas les fameuses warm-up du samedi après-midi, l'été, avec des concerts électro dans la cour du musée.

GALERIES D'ART
Long Island City compte de nombreuses galeries et centres culturels. En voici une sélection.

25. *Fisher Landau Center for Art*
38-27 30th St • entre 38th & 39th Aves • 718-937-0727 • flcart.org

26. *Flux Factory*
39-31 29th St • entre 39th & 40th Aves • 347-669-1406 • fluxfactory.org

27. *SculptureCenter*
44-19 Purves St • à l'angle de Jackson Ave • 718-361-1750 • sculpture-center.org

BRASSERIES ARTISANALES
Les micro-brasseries artisanales poussent comme du houblon ces dernières années à Long Island City et Astoria. Normal, les brasseurs/hipsters trouvent là de larges entrepôts pour installer leurs cuves et une nouvelle génération de clients pour les apprécier. La plupart proposent des visites guidées et des dégustations.

28. *Big Alice Brewing*
8-08 43rd Rd • entre Vernon Blvd & 9th St • 347-688-2337 • bigalicebrewing.com
Les bières de cette micro-brasserie sont le plus souvent faites avec des produits de l'État de New York.

29. *LIC Beer Project*
39-28 23rd St • à l'angle de 40th Ave • 917-832-6840 • licbeerproject.com
Entre deux garages, venez goûter les bières originales de ces brasseurs passionnés et en apprendre plus sur la fabrication de la bière artisanale.

30. *Rockaway Brewing Company*
46-01 5th St • entre 46th Ave & 46th Rd • 718-482-6528 • rockawaybrewco.com
Cette brasserie installée en face du flea market est un stop rafraîchissant.

31. *SingleCut Beersmiths*
(Hors carte) • 19-33 37th Ave • entre 19th & 20th Sts • Astoria • 718-606-0788 • singlecutbeer.com
Bel espace pour goûter leurs créations saisonnières en mangeant un morceau et en écoutant de la musique live (le vendredi soir).

32. *Transmitter Brewing*
53-02 11th St • à l'angle de 53rd Ave • 646-378-8529 • transmitterbrewing.com
Les étiquettes des bières de saison de cette minuscule brasserie, cachée sous le Pulaski Bridge à la limite de Queens, ont un design particulièrement réussi. Mais ce n'est pas seulement pour ça qu'il faut y aller, bien sûr.

33. *LIC Community Boathouse*
46-01 5th St • entre 46th Rd & 46th Ave • licboathouse.org
L'été, inscrivez-vous sur leur site Internet pour participer à l'une des excursions organisées par le LIC boathouse.

34. *The Cliffs*
11-11 44th Dr • entre 11th & 21st Sts • 718-729-7625 • lic.thecliffsclimbing.com
Le plus grand complexe de murs d'escalade de New York.

35. *LIC Flea & Food*
5-25 46th Ave • entre 5th St & Vernon Blvd • 718-224-5863 • licflea.com • d'avril à octobre
Des stands variés pour rapporter des souvenirs made in New York en grignotant de la street-food.

36. *Matted LIC*
46-36 Vernon Blvd • entre 46th Rd & 47th Ave • 718-786-8660 • mattedlic.com
Entre galerie d'art et boutique de déco, on ne sait jamais ce que l'on va trouver chez Matted et ils en ont fait leur credo. Dur de résister aux bijoux, bougies, tableaux ou autres créations artisanales.

37. *mimi&mo*
KIDS • 45-45 Center Blvd • à l'angle de 46th Ave • 718-440-8585 • mimiandmonyc.com
Les petites filles comme les grandes trouveront leur bonheur dans la jolie sélection de vêtements de cette boutique située à deux pas de Gantry State Park.

38. *Tiny You*
KIDS • 10-50 Jackson Ave • à l'angle de 50th Ave • 718-839-4133 • shoptiny.nyc
Pour transformer vos enfants en mini-hipsters, avec des vêtements créés par des designers indépendants.

PAUSES URBAINES

16. *Brooklyn Grange Farm*

(Hors carte) • 37-18 Northern Blvd • à l'angle de 39th St • 347-670-3660 • brooklyngrangefarm.com

C'est l'une des plus grandes fermes urbaines du monde, avec une vue incroyable sur la skyline de Manhattan. Plus de 4 000 m² de terre enrichie aux coques de cacao de la chocolaterie Hershey ou au fumier de cheval, dans laquelle poussent des tomates (les meilleures de votre vie), du chou kale, des salades, des fruits et légumes bio qui finiront dans les assiettes des restaurants de New York, ou dans le panier d'une CSA (la grande sœur de l'AMAP, l'association pour le maintien d'une agriculture paysanne). Vous pouvez faire votre marché de saison le samedi, participer à une visite guidée le lundi (inscription sur le site) ou suivre un cours de compost. Vous pouvez aussi vous inscrire à l'un des Butcher Paper Dinners, concoctés par des chefs avec les produits de la ferme et dégustés sur la table commune au coucher du soleil. Vous pouvez même vous y dire oui puisque le toit se privatise pour les mariages.

Quand on arrive chez **Orestes Gonzales**, on a peine à croire qu'on est à Long Island City. Avec ses townhouses* aux façades de pierre et de briques, la 45th Ave, entre 21st et 23rd Sts, donne l'impression d'être à Greenwich Village. Cette enclave a d'ailleurs été élue parmi les dix plus beaux blocks de New York par le magazine *Time Out*

Architecte et photographe, Orestes est arrivé là en 1982. « J'habitais Manhattan et j'avais vu une petite annonce pour un entrepôt, explique cet homme raffiné de 60 ans. En sortant du métro, j'ai été stupéfait de tomber sur cette rue si charmante au milieu d'une zone industrielle. J'ai tout de suite eu envie d'y vivre. » Orestes a commencé par y louer un brownstone* doté d'un jardin de roses et d'une cheminée. « Je suis né à Cuba, où mes parents espagnols avaient fui la guerre civile, avant de s'installer à Miami quand Castro a pris le pouvoir. J'ai grandi dans le Miami moderne des années 1950 et mon fantasme a toujours été de vivre dans un brownstone. Mes amis n'osaient pas me rendre visite, mais j'avais l'impression de vivre comme un roi ! »

Dix ans plus tard, Orestes achète sa première maison. « La propriétaire était une originale, une ancienne danseuse du Radio City Music Hall, qui se faisait conduire à l'épicerie du coin en Cadillac, comme Miss Daisy ! À sa mort, son fils m'a vendu la maison pour 100 000$. » Orestes devient rapidement propriétaire de trois autres biens, qu'il rénove pour les louer.

> *« J'ai toujours voulu vivre à New York, à cause des films qui ont baigné mon enfance. »*

Aujourd'hui, à une station de métro de Manhattan et dix minutes à pied des berges réaménagées de l'East River, les maisons de Orestes valent plus de deux millions de dollars. Mais comme la plupart des propriétaires historiques, c'est un sentimental, doublé d'un investisseur avisé. Il assure ne pas vouloir vendre, et louer ses biens à un tarif en-deçà du marché (ça ne veut pas dire bon marché non plus !). Sa façon à lui de préserver cette petite communauté, cernée par les grands condos* de verre qui ont poussé ces dernières années dans cet ancien no man's land industriel.

Ce jour-là, une tempête de neige a blanchi le patio de la maison où il vit avec son ami, d'origine argentine. « J'ai toujours voulu vivre à New York, à cause des films qui ont baigné mon enfance. *Miracle sur la 34e rue*... *Diamants sur canapé*... C'était mon american dream à moi. J'ai eu de la chance, j'ai fait les bons choix. Dans les années 1990, il y avait le crack, le sida, la criminalité, mais quand tu arrivais à faire ton trou, c'était comme un accomplissement. »

WE SELL

ASTORIA

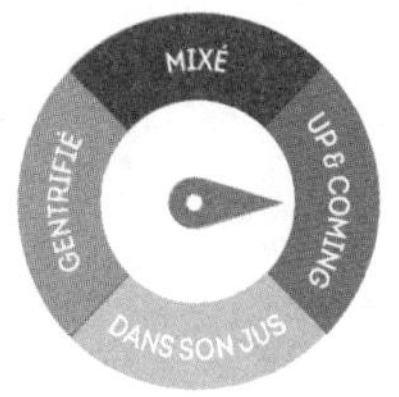

Toute la diversité de New York dans un quartier.

On décrit souvent New York comme la ville-monde par excellence. Pas une nationalité qui n'y soit représentée. Astoria est l'un des quartiers qui incarnent le mieux son multiculturalisme. Cette zone résidentielle modeste au nord-ouest de Queens a vu se succéder différentes vagues d'immigration, et tous ses habitants semblent aujourd'hui cohabiter en parfaite harmonie. Si la plupart des rues d'Astoria sont de calmes enfilades de petites maisons individuelles en briques, notamment au nord de Grand Central, les abords des différentes stations de métro grouillent d'une sympathique vie de quartier avec ses boutiques, supermarchés et restaurants en tout genre.

Les Allemands ont été les premiers à investir le quartier au 19e siècle. Ils y ont laissé le goût des bières brassées localement, que l'on déguste dans les bier gardens en encourageant bruyamment son équipe de foot favorite. Plus tard, ce sont les Arabes, notamment les Égyptiens, qui ont pris leurs quartiers sur Steinway St. Dans cette Little Egypt, ça sent toujours bon la chicha tant les hooka lounges se succèdent sur seulement quelques blocs ! Les Grecs sont ensuite arrivés en masse dans les années 1960 et se sont concentrés principalement autour de la station Ditmars. Ne soyez donc pas surpris de croiser au détour d'une rue une charmante église comme dans les Cyclades. Ils ont été rejoints plus récemment par les Colombiens et Brésiliens qui se sont eux installés un peu plus au sud autour de la station Broadway. Là aussi, l'ambiance est garantie pendant les grands événements footballistiques. Ces dernières années, ce sont les Japonais et Coréens qui ont débarqué et l'on trouve de plus en plus de restaurants asiatiques de qualité à Astoria. Et bien sûr, comme tout quartier proche de Manhattan où les loyers sont encore raisonnables, la gentrification est en marche. Des projets immobiliers sont d'ailleurs à l'étude pour redynamiser les abords de l'East River encore peu développés. On entend déjà murmurer que Queens serait le nouveau Brooklyn !

Venir se balader à Astoria, c'est donc une bonne façon de ressentir cette diversité si particulière à New York. C'est aussi une très bonne occasion de venir se régaler dans des restaurants qui servent une cuisine ethnique et familiale bon marché, ou s'approvisionner dans les épiceries où les New-Yorkais viennent parfois de loin.

A PLAN 2

Wards Island Park
Triborough Brg
Astoria Park
Shore Blvd
20th St
21st Rd
21st Dr
20th Ave
21st Ave
21st St
22nd Rd
22nd Dr
Ditmars Blvd
24th St
26th St
27th St
29th St
23rd Rd
23rd St
23rd Ave
Crescent St
26th St
28th St
31st St
33rd St
19th St
24th Rd
24th Dr
24th Ave
26th Ave
2nd St
3rd St
4th St
1st St
27th Ave
9th St
12th St
14th St
14th Pl
18th St
21st St
8th St
Hoyt Ave S
Astoria Blvd
Welling Ct
29th Ave
Vernon Blvd
30th Rd
14th St
Newtown Ave
Astoria - Ditmas Blvd [N/Q]
36th St
38th St
Steinway St
35th St
Astoria Blvd Station
23rd Ave
Astoria Blvd S
12th St
30th Dr
Crescent St
30th Ave
31st St
23rd St
37th St
38th St
31st Dr
Broadway
30 Ave [N/Q]
10th St
11th St
31st Rd
31st Ave
33rd St
41st St
42nd St
25th Ave
45th St
46th St
47th St
12th St
34th Ave
33rd Ave
33rd Rd
30th St
43rd St
28th Ave
21st St
34th St
36th St
37th St
Steinway St
48th St
24th St
28th St
29th St
31st St
42nd St
44th St
14th St
22nd St
35th Ave
Broadway [N/Q]
34th Ave
38th St
31st Ave
47th St
Newtown Rd
49th St
50th St
Hobart St
23rd St
Crescent St
36th Ave
Broadway
27th St
30th St
36 Ave [N/Q]
Steinway St [M/R]
46 St [M/R]
54th St
32nd St
33rd St
35th St
34th Ave
45th St
46th St
39th Ave
38th Ave
37th St
Steinway St
41st St
43rd St
48th St
51st St
40th Ave
37th Ave
Northern Blvd
29th St
27th St
48th St
250 m
36 St [M/R]
28th St
39th St
37th Ave
Barnett Ave
55th St

ASTORIA

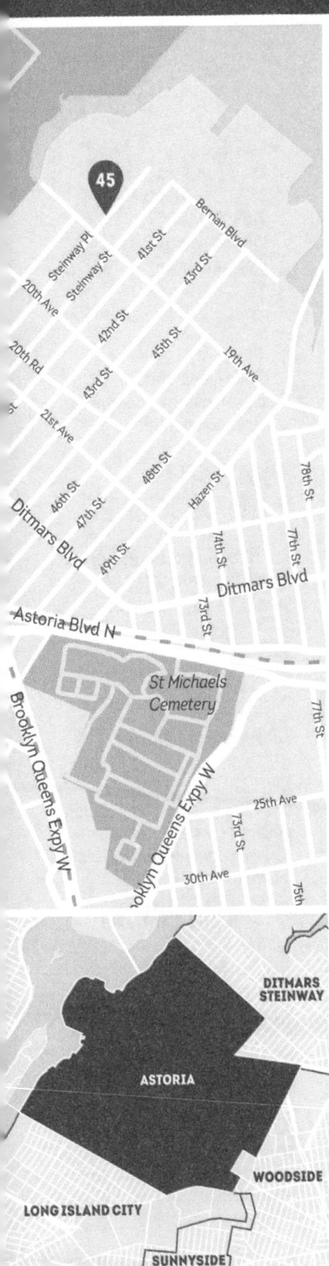

LES COURSES

01. Adega Wine & Spirits
02. Cassinelli Food Products
03. Family Market
04. Grand Wine & Liquor Store
05. Greenbay Marketplace
06. International Meat Market
07. Mediterranean Foods
08. Parrot Coffee
09. Sai Organics
10. Titan Foods
11. United Brothers Fruit Markets

PETIT DÉJEUNER

12. Brooklyn Bagel & Coffee Company
13. Neptune Diner
14. Queens Comfort
15. Sanfords

MANGER

16. Favela Grill
17. Gregory's 26 Corner Taverna
18. HinoMaru Ramen
19. Il Bambino
20. Jerusalem Pita
21. Kabab Cafe
22. Mojave
23. Pye Boat Noodle
24. Sabry's Seafood
25. Taverna Kyclades
26. The Strand Smokehouse
27. Trattoria L'incontro

SORTIR

28. Astoria Bier & Cheese
29. Bohemian Hall & Beer Garden
30. Max Bratwurst und Bier
31. Sweet Afton

SE CONNECTER

32. 60 Beans
33. Astor Bake Shop & Restaurant
34. Bakeway
35. Kinship Coffee Cooperative
36. The Queens Kickshaw

PAUSES URBAINES

37. Astoria Park
38. Street Art Welling Court
39. St. Irene Chrysovalantou
40. St. Catherine & St. George
41. Astyfides Petros V

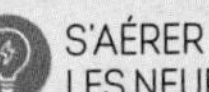
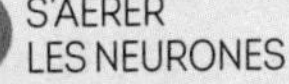

S'AÉRER LES NEURONES

42. Museum of the Moving Image
43. Q.E.D.
44. Socrates Sculpture Park
45. Steinway & Sons Factory
46. The Astoria Bookshop
47. The Noguchi Museum

TAKE CARE

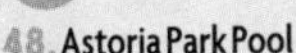

48. Astoria Park Pool

BUY LOCAL

49. Buffalo Exchange
50. Lockwood
51. The Brass Owl

On-the-Go

ACCÉDER
MÉTRO
Broadway, 30th Ave, Astoria-Ditmars Blvd, 36th Ave, 36th St, 46th St (lignes N, Q).

CIRCULER
À VÉLO
Pratique, les distances sont parfois longues.

À PIED
Pour les plus endurants !

LOUER
LIC BICYCLES
25-11 Queens Plz N • 718-472- 4537 • longislandcitybikes.wordpress.com

LES COURSES

01. *Adega Wine & Spirits*
31-25 Ditmars Blvd • à l'angle de 33rd St • 718-545-2525 • adegawineandspirits.com
Un caviste bien pourvu.

02. *Cassinelli Food Products*
cash only • 31-12 23rd Ave • à l'angle de 32nd Ave • 718-274-4881
Leurs tortellini, linguini et autres pâtes fraîches régalent le quartier depuis les années 1950.

03. *Family Market*
29-15 Broadway • entre 29th & 30th Sts • 718-956-7925
Supermarché japonais pour faire le plein de ramen, sauce soja et autres wasabi.

04. *Grand Wine & Liquor*
30-05 31st St • proche angle 30th Ave • 718-728-2520 • grandliquors.com
Un immense caviste où trouver des vins du monde entier à des prix compétitifs.

05. *Greenbay Marketplace*
32-06 Broadway • proche angle 32nd St • 718-204-6400
Supermarché avec un grand choix de produits bio.

06. *International Meat Market*
36-12 30th Ave • entre 36th & 37th Sts • 718-626-6656 • internationalmeatmarket.com
Une adresse de référence, la viande y est excellente.

07. *Mediterranean Foods*
23-18 31st St • entre 23rd Ave & 23rd Rd • 718-721-0221 • mediterraneanfoodsny.com
Vous pourrez y trouver toutes les spécialités grecques et orientales (feuilles de vigne, feta, olives, etc.)

08. *Parrot Coffee*
31-12 Ditmars Blvd • proche angle 31st St • 718-545-7920 • parrotcoffee.com
Épicerie spécialisée dans l'importation de produits d'Europe centrale et de l'Est, où vous pouvez également acheter du café fraîchement torréfié.

09. *Sai Organics*
30-21 30th Ave • à l'angle de 31st St • 718-278-1726
Dans ce magasin d'alimentation, tout est bio et santé !

10. *Titan Foods*
25-56 31st St • entre Astoria Blvd & 28th Ave • 718-626-7771 • titanfoods.net
Immense supermarché grec rempli d'huiles d'olive, de feta, de yaourts et de toutes sortes de douceurs au miel.

11. *United Brothers Fruit Markets*
32-24 30th Ave • à l'angle de 33rd St • 718-932-9876 • unitedbrothersfruitmarkets.com
Fruits et légumes à gogo, à des prix très compétitifs.

PETIT DÉJEUNER

12. *Brooklyn Bagel & Coffee Company*
3 adresses à Astoria : 35-05 Broadway & 36-14 30th Ave & 35-09 Ditmars Blvd • bkbagel.com
On fait la queue sur le trottoir pour leurs délicieux bagels*.

13. *Neptune Diner*
31-05 Astoria Blvd • entre 31st & 32nd Sts • 718-278-4853
Le classsique diner* américain ouvert 24/24 pour assouvir une envie de pancakes ou d'œufs au bacon.

14. *Queens Comfort*
cash only • 40-09 30th Ave • entre Steinway & 41st Sts • 718-728-2350 • queenscomfort.com
Pour un brunch du week-end autour de la cuisine du Sud des États-Unis.

15. *Sanfords*
30-13 Broadway • entre 30th & 31st Sts• 718-932-9569 • sanfordsnyc.com
Un plat, un verre de mimosa (champagne + jus d'orange) et un café, le tout pour 18$. Presque imbattable !

MANGER

On trouve de très nombreux restaurants sur 30th et Ditmars Ave. Voici quelques-uns de nos préférés.

16. *Favela Grill*

$20-30 • 33-18 28th Ave • à l'angle de 34th St • 718-545-8250 • favelagrill.com
Laissez-vous tenter par les grillades de ce restaurant brésilien. À moins que vous ne goûtiez la feijoda, plat traditionnel populaire à base de haricots noirs et de porc. Bons desserts également.

17. *Gregory's 26 Corner Taverna*

$10-20 • 26-02 23rd Ave • à l'angle de 26th St • 718-777-5511
Des nappes à carreaux rouges et blancs, un verre d'ouzo, la pêche du jour... On est proche du bonheur dans cette cantine grecque simple et chaleureuse, un peu en retrait de l'agitation.

18. *HinoMaru Ramen*

33-18 Ditmars Blvd • à l'angle de 35th St • 718-777-0228 • hinomaruramen.com
Cuisine traditionnelle japonaise. On y déguste de bons ramen (soupes de nouilles), des takoyaki (poulpes panés) ou des chashu don (bol de riz avec du porc braisé).

19. *Il Bambino*

$10-20 • 34-08 31st Ave • entre 34th & 35th Sts • 718-626-0087 • ilbambinonyc.com
De savoureux paninis pour manger vite et bien.

20. *Jerusalem Pita*

moins de $10 • 25-13 30th Ave • à l'angle de 27th St • 718-932-8282 • jerusalempitaastoriany.com
N'ayons pas peur des mots : l'un des meilleurs falafels de New York.

21. *Kabab Café*

cash only • $20-30 • 2512 Steinway St • proche angle 25th Ave • 718-728-9858
On vient autant pour manger les kebabs et les légumes rôtis d'Ali que pour la personnalité de ce chef/philosophe/musicien égyptien aux fourneaux de son minuscule restaurant depuis 1989. Pas de menu, c'est lui qui décide !

22. *Mojave*

$20-30 • 22-36 31st St • entre 23rd Ave & Ditmars Blvd • 718-545-4100 • mojaveny.com
Restaurant mexicain dont les fajitas, tacos* et cocktails à base de tequila sont les spécialités.

23. *Pye Boat Noodle*

$10-20 • 35-13 Broadway • entre 35th & 36th Sts • 718-685-2329 • pyeboatnoodle.com
L'arrivée récente d'une communauté asiatique à Astoria a apporté son lot de nouveaux restaurants. Ici, vous trouverez une cuisine thaïe parfumée et pas chère.

24. *Sabry's Seafood*

$20-30 • 24-25 Steinway St • entre Astoria Blvd S & 25th Ave • 718-721-9010
Une cuisine égyptienne qui fait la part belle aux produits de la mer.

25. *Taverna Kyclades*

$20-30 • 33-07 Ditmars Blvd • entre 33rd & 35th Sts • 718-545-8666 • tavernakyclades.com
Un grand classique du quartier pour goûter poissons et fruits de mer à la grecque. Prévoyez de l'attente mais on vous fera patienter avec un verre de vin offert par la maison.

26. *The Strand Smokehouse*

$10-20 • 25-27 Broadway • proche angle 29th St • 718-440-3231 • thestrandsmokehouse.com
Ce restaurant sert de l'excellente viande fumée. Testez les ribs et accompagnez-les de mac and cheese !

27. *Trattoria L'incontro*

plus de $30 • 21-76 31st St • à l'angle de Ditmars Blvd • 718-721-3532 • trattorialincontro.com
Un restaurant italien typique comme New York en a le secret.

SORTIR

28. *Astoria Bier & Cheese*

$5-9 • 34-14 Broadway • 718-545-5588 & 35-11 Ditmars Blvd • 718-255-6982 • astoriabierandcheese.com
Belle sélection de produits gourmands aussi bien locaux que d'importation. On y trouve même de la graisse de canard ou du foie gras ! Installez-vous au comptoir, choisissez un plateau de fromages et une bière du moment à la pression, enjoy !

29. *Bohemian Hall & Beer Garden*

$6 • 29-19 24th Ave • entre 29th & 31st Sts • 718-274-4925 • bohemianhall.com
Le plus vieux bier garden de New York, héritage du temps où le quartier était encore à majorité allemande.

30. *Max Bratwurst und Bier*

$6.50 • 47-02 30th Ave • à l'angle de 47th St • 718-777-1635 • maxbratwurst.com
De la bière et de la saucisse... Ambiance chaleureuse dans un pur esprit allemand. Les jours de match de foot, c'est rempli de supporters bruyants.

31. *Sweet Afton*

$7-11 • 30-09 34th St • proche angle 30th Ave • 718-777-2570 • sweetaftonbar.com
Petit bar pour siroter de bons cocktails.

FAITES COMME CHEZ EUX

SE CONNECTER

32. *60 Beans*
36-02 Ditmars Blvd • à l'angle de 36th St • 60beanskitchen.com
L'un des premier coffee-shops à avoir signé le début de la gentrification du coin. On peut y prendre un café ou un sandwich, en admirant la vue à travers la baie vitrée.

33. *Astor Bake Shop & Restaurant*
12-23 Astoria Blvd • à l'angle de 14th St • 718-606-8439 • astor-bakeshop.com
Un peu en retrait par rapport à l'animation de Ditmars ou de Broadway mais parfait pour une pause gourmande sur le chemin d'un tour street-art de Welling Court.

34. *Bakeway*
25-21 Broadway • entre Crescent & 29th Sts • 718-545-2120
Vaste boulangerie où tout est fait sur place, avec quelques tables pour se poser. Grand choix de thés variés.

35. *Kinship Coffee Cooperative*
30-5 Steinway St • à l'angle de 30th Ave • 646-468-7149 • kinship-preview.herokuapp.com
Niché au coeur de la Little Egypt, ce coffee-shop à la déco design sert des latte* bien crémeux.

36. *The Queens Kickshaw*
40-17 Broadway • entre Steinway & 41st Sts • 718-777-0913 • thequeenskickshaw.com
Café dans la journée, Kickshaw se transforme en bar le soir. Les grilled-cheese sandwiches y sont excellents.

PAUSES URBAINES

37. *Astoria Park*
à l'angle de Ditmars Blvd & 19th St • 212-639-9675 • nycgovparks.org/parks/astoria-park
Grand parc à l'extrémité nord-ouest de Queens. Il offre une belle vue sur Randall's Island et Triborough Bridge. La piscine géante en plein air est bien appréciée en été et les amateurs de skateboard pourront aller rejoindre les habitués dans le grand skatepark situé sous le pont.

38. *Street Art Welling Court*
30th Avenue & 12th St
Si Five Pointz n'a pas résisté aux promoteurs immobiliers, le street-art n'est pas pour autant mort à Queens. Vous en verrez un bel échantillon à l'intersection de Welling Court, 30th Ave et 12th St. Chaque année, les œuvres sont renouvelées pendant la block party The Welling Court Mural Project du mois de juin.

ÉGLISES ORTHODOXES
Au détour de votre balade dans Astoria, ne manquez pas d'admirer les jolies églises orthodoxes grecques du quartier.

39. *St. Irene Chrysovalantou*
36-07 23rd Ave • entre 36th & 37th Sts • 718-626-6225 • stirene.org

40. *St. Catherine & St. George*
22-30 33rd St • entre Ditmars Blvd & 23rd Ave • 718-545-4796

41. *Astyfides Petros V*
22-68 26th St • proche angle 23rd Ave • 718-274-5579

38

37

39

S'AÉRER LES NEURONES

42. Museum of the Moving Image

KIDS • 36-01 35th Ave • entre 36th & 37th Sts • 718-777-6800 • movingimage.us

Astoria a été un moment la capitale du cinéma, avec l'installation des studios Paramount au début du 20e siècle. Le 7e art reste célébré au Museum of the Moving Image. Ce musée interactif permet de tout savoir sur les secrets de fabrication d'un film. Il y a aussi de nombreuses projections et des festivals organisés tout au long de l'année.

43. Q.E.D.

27-16 23rd Ave • entre 27th & 28th Sts • 347-451-3873 • qedastoria.com

Q.E.D. est un espace communautaire inclassable où l'on peut apprendre à tricoter, jouer d'un instrument de musique, mais aussi assister à des lectures de poésie ou des stand-ups. Demandez le programme !

44. Socrates Sculpture Park

32-01 Vernon Blvd • à l'angle de Broadway • 718-956-1819 • socratessculpturepark.org

Ce parc se situe dans Long Island City mais il se combine bien avec une visite d'Astoria. Il est géré par une communauté d'artistes un peu farfelus et les installations qui s'y trouvent sont toujours étonnantes. De nombreux événements y sont organisés tout au long de l'année. Consultez leur site avant de planifier votre visite.

45. Steinway & Sons Factory

1 Steinway Pl • à l'angle de 19th Ave • 718-721-2600

Pour visiter l'usine où sont fabriqués les pianos les plus renommés au monde il faut s'y prendre un peu à l'avance. Prenez contact en écrivant à tours@steinway.com.

46. The Astoria Bookshop

KIDS • 31-29 31st St • entre 31st Ave & Broadway • 718-278-2665 • astoriabookshop.com

Storytime pour les petits et clubs de lecture pour les grands dans cette librairie indépendante.

47. The Noguchi Museum

9-01 33rd Rd • entre 9th & 10th Sts • 718-204-7088 • noguchi.org

Près du Socrates Sculpture Park, ce musée consacré à l'artiste-sculpteur américano-japonais Isamu Nogushi est un îlot de zénitude. Le jardin est particulièrement agréable au printemps quand les cerisiers du Japon sont en fleurs.

TAKE CARE

48. Astoria Park Pool

KIDS • à l'angle de 19th St & 23rd Rd • 718-626-8620 • nycgovparks.org • ouvert de mai à septembre

Comme pour toutes les piscines en plein air de la ville, vérifiez les conditions d'accès avant d'y aller.

BUY LOCAL

49. Buffalo Exchange

29-16 Ditmars Blvd • entre 29th & 31st Sts • 718-274-2054 • buffaloexchange.com

Dans cette mini-chaîne locale, vous pouvez vendre les fringues dont vous ne voulez plus ou les échanger contre d'autres d'occasion.

50. Lockwood

32-15 33rd St • proche angle Broadway • 718-626-6030 • lockwoodshop.com

Vous aurez du mal à repartir les mains vides de ces deux boutiques. Dans la première, Lockwood Clothes, vous trouverez des vêtements et surtout une belle sélection de sacs, et dans la seconde, des objets de déco ou des souvenirs estampillés made in Queens. Parce que Brooklyn, c'est presque le passé. Just kidding...

51. The Brass Owl

36-19 Ditmars Blvd • entre 21st & 23rd Sts • 347-848-0905 • thebrassowl.com

Un concept-store de quartier où trouver aussi bien des gadgets marrants à offrir qu'un accessoire ou une paire de chaussures.

WHITESTONE EXPRESSWAY
FLUSHING
GRAND CENTRAL PKWY
08
07
Flushing Main Street
09
103 St - Corona
Plaza Station
JACKSON
HEIGHTS
01
04
02
05
ROOSEVELT AVE
69 St Station
WOODSIDE
40 St
ELMHURST
CORONA
06
SUNNYSIDE
03
QUEENS BLVD
01. Sunnyside Gardens
02. Butcher Block
43-46 41st St • entre Queens Blvd & 43rd Ave • 718-784-1078
03. Mangal Kabob
46-20 Queens Blvd • à l'angle de 47th St • 718-706-0605 • mangalkabob.com
04. Red Ribbon Bakeshop
65-02 Roosevelt Ave • 718-335-1150 • redribbonbakeshop.us
05. Lemon Ice King of Corona
52-02 108th St • à l'angle de 52nd Ave
06. William F. Moore Park
entre Corona & 51st Aves
07. Maison de Louis Armstrong
34-56 107th St • 718-478-8274 • louisarmstronghouse.org
08. The New World Mall
09. Ganesh Temple
500 m

Le long de la ligne 7

Pour le prix d'un ticket de métro, faites le tour de la planète. À Queens, on parle plus d'une centaine de langues. L'occasion de voir comment New York absorbe ses vagues d'immigration. Et de goûter des épices du monde entier.

Après avoir franchi l'East River et admiré des vues plus photogéniques les unes que les autres depuis le métro aérien, descendez à 40th St. À **SUNNYSIDE**, il reste encore beaucoup d'Irlandais de la classe moyenne (il suffit de voir le nombre de pubs !), rejoints plus récemment par des Mexicains, des Chinois, des Turcs ou des Coréens. Promenez-vous dans **SUNNYSIDE GARDENS** – bordé par Queens Bld, 43rd et 52nd Sts, Barnett et Skillman Aves –, aux allures de vieux quartier anglais avec ses maisons de briques et ses jardins. Selon l'heure, faites des courses chez **BUTCHER BLOCK** (60 variétés de chips !) ou mangez un kebab chez **MANGAL KABOB**.

Quelques arrêts plus loin, à 69th St Station, sur Roosevelt Ave, le quartier de **WOODSIDE** a des airs de Manille. Les Philippins représentent le 2e groupe de migrants aux États-Unis, derrière les Mexicains. L'occasion de goûter les gâteaux à la patate douce de **RED RIBBON BAKE SHOP**. Juste à côté, les quartiers de **JACKSON HEIGHTS** et de **ELMHURST**, où l'on savoure l'une des meilleures cuisines de rue de la ville (voir p.318).

À 103rd St-Corona Plaza Station, vous êtes à **CORONA**, peuplé d'Afro-Américains, d'Irlandais et plus récemment de Sud-Américains. Offrez-vous une glace chez **LEMON ICE KING OF CORONA** et regardez les joueurs de bocce, la variante transalpine de la pétanque, dans le **WILLIAM F. MOORE PARK.** Réminiscences du temps où ce quartier populaire était italien. À un quart d'heure à pied, en remontant la 108th St, profitez-en pour visiter la **MAISON DE LOUIS AMSTRONG**. Le trompettiste, l'un des premiers musiciens noirs à faire fortune, n'a pourtant jamais déménagé de sa modeste maison (à la déco parfois extravagante).

Au bout de la ligne 7, à Flushing Main St Station, bienvenu dans le Chinatown de Queens (voir p.328). Une pause manucure, un plat taïwanais sur le pouce à **THE NEW WORLD MALL** ou une méditation au **GANESH TEMPLE** et vous voilà prêt à rentrer.

Si vous n'avez pas le temps de refaire le tour du monde en sens inverse, montez dans le Long Island Rail Road, vous serez à Penn Station en 20 minutes.

5 DE MAYO FOOD MARKET
PRODUCTOS HISPANOS
MONEYGRAM
INCOME TAX
ABOGADOS
(718) 715-0907

Des quartiers mosaïques qui luttent pour ne pas s'uniformiser.

Manhattan est à 20 minutes de métro, et pourtant on a l'impression d'être quelque part entre la Colombie et le Pakistan. À Jackson Heights, la planète rétrécit. Ici, les deux tiers des habitants sont nés à l'étranger. En descendant les marches de la station aérienne Roosevelt Ave - Jackson Heights, on est happé par le mélange des langues, les trottoirs grouillants de monde et les odeurs toutes plus alléchantes les unes que les autres.

Cette mosaïque de quelque soixante-dix nationalités est en réalité très structurée en micro-quartiers, autour des associations communautaires qui soutiennent les nouveaux arrivants.
Les Hispaniques sont aujourd'hui majoritaires, originaires d'Équateur, de Colombie, du Mexique, de Bolivie, d'Argentine, du Pérou et d'Uruguay (on vous laisse imaginer l'ambiance les soirs de match de foot). Ils tiennent les petits commerces et les rôtisseries familiales le long de Roosevelt Ave et de Northern Blvd. Et bien sûr, les chariots de tacos* et de ceviches qui régalent pour quelques dollars, le soir à la sortie du métro.

C'est à Jackson Heights que se trouve l'une des meilleures street-foods. À l'intersection Broadway-73rd St, les fumets épicés des kebabs, du riz basmati, de l'agneau et du poulet halal marinés chatouillent les narines. Sur Broadway, c'est plutôt l'Asie du Sud-Est. Rassurez-vous, les traces rouges que l'on peut voir sur les trottoirs ne sont pas du sang... Pour digérer et avoir bonne haleine, les hommes passent leur temps à mâchouiller des paans, sorte de friandises à base d'épices, de fruits et de sucre, enveloppées dans une feuille de betel qui donne à la salive cette teinte rouge vif caractéristique... Les gargotes pakistanaises, bangladaises et tibétaines se succèdent... « Ça évolue sans cesse. Avant, le quartier était réputé pour ses restaurants de Little India, sur 74th St. Aujourd'hui, la plupart des Indiens sont partis à Long Island ou dans le New Jersey. En revanche, il y a de plus en plus de très bons tibétains et Elmhurst, le quartier limitrophe, au sud de Jackson Heights, est devenu le repaire d'excellents thaïs », s'enthousiasme Max Folkowitz, rédacteur en chef du magazine *Saveur*.

« Pour moi, ici, c'est un peu le centre de Queens », explique William, un comédien gay âgé de 30 ans d'origine coréenne par sa mère et afro-américaine par son père, qui a grandi là. C'est ici que tout se passe, et pas seulement d'un point de vue culinaire. C'est un quartier hyper-tolérant, où chacun peut vivre comme bon lui semble. »

Autre artère commerçante emblématique du quartier, 37th Ave se situe au cœur de la « vieille ville ». Une enclave où le grondement du métro aérien et de la circulation s'éloigne pour laisser place à une atmosphère nettement plus résidentielle. Dans les rues adjacentes, les magnifiques co-ops* de style Second Empire ou Tudor, avec cheminées, moulures et parquets, ont été construits au début du 20e siècle pour accueillir les classes moyennes-supérieures blanches autour de jolis petits parcs fleuris réservés aux résidents. Des résidents qui doivent être cooptés. « Quand j'étais petit, je ne me promenais pas dans ces rues trop monochromes. Aujourd'hui, elles sont plus diversifiées », se réjouit William.

Avant, les familles urbaines n'auraient jamais imaginé mettre un orteil à Queens.

Le multiculturalisme et les loyers encore raisonnables de ce quartier populaire attirent de plus en plus de jeunes familles urbaines et actives qui, il y a encore peu, n'auraient jamais imaginé mettre un orteil à Queens. La gentrification reste pour l'instant contenue car beaucoup d'immigrés et d'associations communautaires sont propriétaires, et de nombreux loyers sont contrôlés.

À voir : *In Jackson Heights*, magnifique documentaire de Frederick Wiseman.

FAITES COMME CHEZ EUX

On-the-Go

ACCÉDER
MÉTRO
Roosevelt Ave, 74th St - Broadway, 82nd St - Jackson Heights, ou Elmhurst Ave (lignes 7, E, F, M, R).

CIRCULER
À VÉLO
Faisable, mais les pistes cyclables ne sont pas légion.

À PIED
Agréable.

LOUER
CITI BIKE
Non disponible.

LES COURSES

01. *Despaña Brand Food*
86-17 Northern Blvd • entre 86th & 87th Sts • Jackson Heights • 718-721-0341 • despanabrandfoods.com
Une minuscule épicerie espagnole que les gens du coin chérissent pour ses sublimes chorizos, fromages, jambons et huiles d'olive.

02. *Jackson Heights Greenmarket*
à l'angle de 34th Ave & 78th St • Jackson Heights • grownyc.org • dimanche de 8 h à 15 h en été ou 14 h en hiver
Les bons produits locaux des marchés new-yorkais en plein air, la diversité du quartier en plus.

03. *New York Mart*
75-01 Broadway • à l'angle de 75th St • Elmhurst • 718-507-8181
Vous y trouverez tous les produits chinois de base, des plus usuels aux plus étranges. Notamment toutes sortes de biscuits et friandises marrantes, des tisanes pour tous les maux de la vie, à rapporter dans vos valises.

04. *Patel Brothers*
37-27 74th St • entre 37th Rd & 37th Ave • Jackson Heights • 718-898-3445 • patelbros.com
Dans ce supermarché indien, les rayons regorgent de riz, de lentilles, d'épices, de farines, de condiments, ainsi que de fruits et de légumes exotiques, qui donnent envie de cuisiner.

05. *Phil-Am Foods*
40-03 70th St • à l'angle de Roosevelt Ave • Woodside • 718-899-1797
Épicerie philippine bien achalandée, où vous pourrez découvrir toutes sortes de snacks comme les cacahuètes frites à l'ail, les puto (petits gâteaux à la farine de riz), ou encore le pain philippin.

06. *P'Noi Thai Thai Grocery*
76-13 Woodside Ave • entre 76th & 77th Sts • Elmhurst • 917-769-6168
Cette épicerie thaïlandaise d'apparence modeste regorge de pâtes de curry, de laits de coco, d'herbes rares, de snacks, et même de plats cuisinés par les habitants du quartier (surtout le week-end) qui aiment se retrouver là.

07. *Table Wine*
79-14 37th Ave • entre 79th & 80th Sts • Jackson Heights • 718-478-9463
Ce caviste propose une bonne sélection de vins abordables. Notamment des breuvages locaux.

PETIT DÉJEUNER

08. *Cannelle Patisserie*
(Hors carte) • Jackson Heights Shopping Center • 75-59 31st Ave • entre 75th & 77th Sts • Elmhurst • 718-565-6200 • cannellepatisserie.com
On n'a pas l'habitude de vous envoyer dans des centres commerciaux, mais celui-ci cache une pâtisserie-boulangerie française où vous pourrez déguster de bonnes viennoiseries en compagnie de locaux. Eh oui, la France aussi fait partie de la diversité ethnique !

09. *First Taste Bakery*
cash only • 75-08 Broadway • à l'angle de 75th St • Elmhurst • 718-803-1844
Cette boulangerie hispano-sino-américaine est pratique pour attraper un café à emporter avant de sauter dans le métro. Vous y croiserez de nombreux internes qui font une pause entre deux gardes au Elmhurst Hospital Center, à deux pas.

10. *Juju's Bagel Cafe*
cash only • 35-62 76th St • à l'angle de 37th Ave • Jackson Heights • 718-205-9511
Pour démarrer la journée avec un bon bagel* ou un sandwich à l'œuf.

B PLAN 1

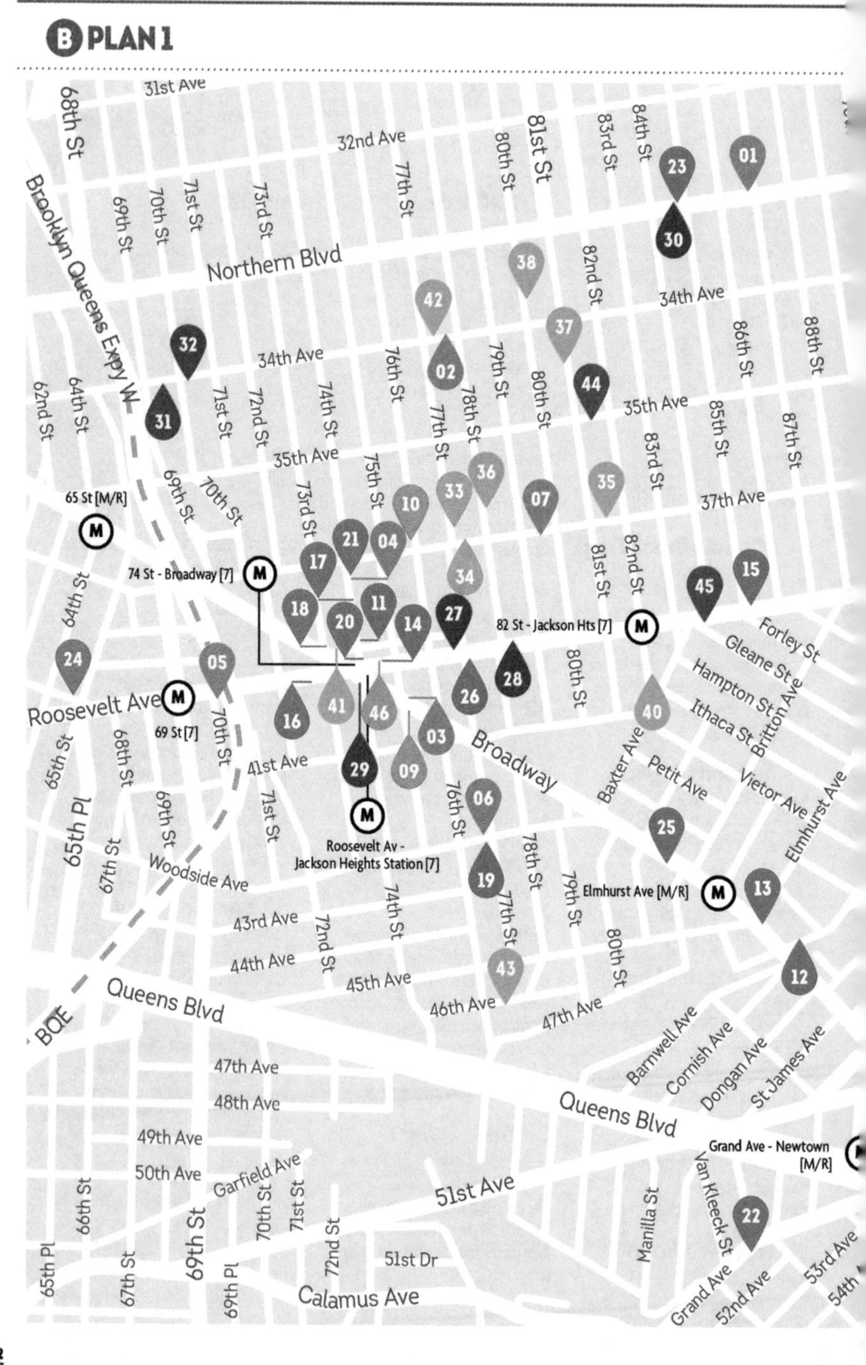

31st Ave
32nd Ave
Northern Blvd
34th Ave
35th Ave
37th Ave
41st Ave
43rd Ave
44th Ave
45th Ave
46th Ave
47th Ave
48th Ave
49th Ave
50th Ave
51st Ave
51st Dr
Calamus Ave
Queens Blvd
Roosevelt Ave
Broadway
Woodside Ave
Brooklyn Queens Expy W
BQE
65 St [M/R]
74 St - Broadway [7]
69 St [7]
82 St - Jackson Hts [7]
Roosevelt Av - Jackson Heights Station [7]
Elmhurst Ave [M/R]
Grand Ave - Newtown [M/R]
Forley St
Gleane St
Hampton St
Ithaca St
Britton Ave
Baxter Ave
Petit Ave
Vietor Ave
Elmhurst Ave
Barnwell Ave
Cornish Ave
Dongan Ave
St James Ave
Van Kleeck St
Manilla St
Grand Ave
52nd Ave
53rd Ave
Garfield Ave
68th St
69th St
70th St
71st St
73rd St
77th St
80th St
81st St
83rd St
84th St
82nd St
86th St
88th St
85th St
87th St
62nd St
64th St
65th St
65th Pl
66th St
67th St
68th St
69th Pl
72nd St
74th St
75th St
76th St
78th St
79th St
Queens Blvd

93rd St
96th St
99th St
98th St
92nd St
35th Ave
97th St
95th St
94th St
91nd St
Junction Blvd
Roosevelt Ave
90 St -
Elmhurst Ave [7]
Aske St
Benham St
Case St
Denman St
41st Ave
Elbertson St
94th St
42nd Ave
43rd Ave
45th Ave
46th Ave
43rd Ave
Corona Ave
Corona Ave
48th Ave
49th Ave
50th Ave
94th St
51st Ave
52nd Ave
54th Ave
53rd Ave
92nd St
Justice Ave
55th Ave
56th Ave
90th St
57th Ave
250 m
DITMARS
EAST ELMHURST
ASTORIA
JACKSON HEIGHTS
WOODSIDE
NORTH CORONA
LONF ISLAND CITY
ELMHURST
SUNNYSIDE
MASPETH
LES COURSES
01. Despaña Brand Foods
02. Jackson Heights Greenmarket
03. New York Mart
04. Patel Brothers
05. Phil-Am Foods
06. P'Noi Thai Thai Grocery
07. Table Wine
PETIT DÉJEUNER
08. Cannelle Patisserie - Hors carte
09. First Taste Bakery
10. Juju's Bagel Cafe
MANGER
11. Amdo Kitchen
12. Chao Thai
13. Coco South East Asian Cuisine
14. Friends Corner Cafe
15. Guadalajara de Noche
16. Himalayan Yak Restaurant
17. Indian Taj
18. Kabab King Diner
19. Khao Kang
20. Merit Kabab & Dumpling Palace
21. Mustang Thakali Kitchen
22. Patacon Pisao
23. Pio Pio
24. SriPraPhai
25. Sugar Club
26. The Arepa Lady
SORTIR
27. Club Evolution
28. Friend's Tavern
29. The Music Box/Caja Musical
30. Amaru Pisco Bar
31. AMF Bowling
32. BQE Billiards & Bar
SE CONNECTER
33. Espresso 77
34. Lety's Bakery & Cafe
PAUSES URBAINES
35. 37th Ave
36. Hampton Court
37. The Château
38. The Towers
39. Fair Theatre - Hors carte
40. Jackson Heights Cinema
41. The Eagle Theater
42. Travers Park
43. Wat Buddha Thai Thavornvanaram
S'AÉRER LES NEURONES
44. Community Methodist Church
45. Terraza
TAKE CARE
46. Gulzar Beauty Salon

MANGER

11. *Amdo Kitchen*

cash only • moins de $10 • 37-59 74th St • à l'angle de 37th Rd • Jackson Heights

Ce food-truck fait les meilleurs momos* au bœuf de Jackson Heights !

12. *Chao Thai*

cash only • $10-20 • 85-03 Whitney Ave • à l'angle de Broadway • Elmhurst

Une cuisine thaïlandaise simple et ultra-savoureuse.

13. *Coco South East Asian Cuisine*

cash only • $10-20 • 82-69 Broadway • à l'angle de Elmhurst Ave • Elmhurst • 718-565-2030

Un restaurant malaisien – à tendance thaï – raffiné, dont la carte semble sans fin !

14. *Friends Corner Cafe*

moins de $10 • 74-17 Roosevelt Ave • entre 74th & 75th Sts • Jackson Heights • 718-779-6777

Une petite cantine tibétaine où manger de bons raviolis sur le pouce.

15. *Guadalajara de Noche*

moins de $10 • 85-09 Roosevelt Ave • entre 85th & 86th Sts • Jackson Heights • 718-651-1155

Ce chariot sud-américain est situé un peu plus loin que les autres sur Roosevelt Ave, mais ses tacos* méritent bien les quelques pas supplémentaires.

16. *Himalayan Yak Restaurant*

moins de $10 • 72-20 Roosevelt Ave • entre 73rd & 72nd Sts • Jackson Heights • 718-779-1119 • himalayanyak.net

Au milieu des habitués tibétains ou népalais, vous trouverez dans ce restaurant de cuisine traditionnelle himalayenne de très bonnes soupes, entre autres. N'oubliez pas de goûter la viande de yak, séchée comme sur les hauteurs des plateaux du Tibet.

17. *Indian Taj*

$10-20 • 37-25 74th St • entre Roosevelt & 37th Aves • Jackson Heights • 718-651-4187 • indiantajny.com

Si l'envie vous prend d'un tikka masala ou d'un curry, snobez Jackson Diner dont la réputation est surfaite et poussez la porte de cette cantine indienne, située juste à côté. À midi, le buffet est une affaire ! Pour un repas plus gastronomique, on vous conseille d'aller en voiture jusqu'à New Hyde Park, plus à l'est sur Long Island, où la communauté indienne s'est installée il y a quelques années. Par exemple, chez Southern Spice Indian Cuisine (1635 Hillside Ave • entre New Hyde Park & Kent Rds • New Hyde Park • 516-216-5448).

18. *Kabab King Diner*

moins de $10 • 73-01 37th Rd • proche angle de 73rd St • Jackson Heights • 718-457-5857

Le repaire des chauffeurs de taxi qui prennent leur kebab avant ou après leurs courses.

19. *Khao Kang*

cash only • moins de $10 • 76-20 Woodside Ave • à l'angle de 77th St • Elmhurst • 718-662-8721

La cuisine de ce restaurant thaï est aussi simple que délicieuse (et épicée). Pour commander, laissez-vous guider par votre instinct et pointez du doigt les plats qui vous font envie (ou copiez sur vos voisins).

20. *Merit Kabab & Dumpling Palace*

moins de $10 • 37-67 74th St • entre 37th Rd & Roosevelt Ave • Jackson Heights • 718-396-5827

À l'avant, c'est un restaurant indien bon marché, à l'arrière, un comptoir caché de très bons raviolis tibétains à emporter.

21. *Mustang Thakali Kitchen*

moins de $10 • 74-14 37th Ave • entre 74th & 75th Sts • Jackson Heights • 718-898-5088

Pour apprécier toute la subtilité de la cuisine népalaise et tibétaine.

22. *Patacon Pisao*

moins de $10 • 85-22 Grand Ave • entre Van Horn St & 52nd Ave • Elmhurst • 718-899-8922 • pataconpisaonyc.com

Comme son nom l'indique, la spécialité de cette gargote vénézuélienne, c'est le patacon, deux galettes de plantain vert frit garnies de légumes ou de viande. À savourer dans la rue.

23. *Pio Pio*

$10-20 • 84-21 Northern Blvd • entre 84th & 85th Sts • Jackson Heights • 718-426-1010 • piopionyc.com

Une immense rôtisserie péruvienne aux allures de cantine bruyante. Ça fait partie de son charme... Si vous êtes plusieurs, commandez un matador combo, un poulet entier mariné rôti pendant des heures, accompagné de légumes.

24. *SriPraPhai*

cash only • $10-20 • 64-13 39th Ave • entre 64th & 65th Sts • Woodside • 718-899-9599 • sripraphairestaurant.com

Cet immense restaurant thaï est l'un des meilleurs de la ville.

25. *Sugar Club*

moins de $10 • 81-18 Broadway • entre 81st & 82nd Sts • Elmhurst • 718-565-9018 • sugarclub.nyc

Dans cette épicerie-pâtisserie, vous dévorerez littéralement des yeux les rotis (crêpes thaïes) et les autres desserts thaïs joliment présentés. À commander avec un thé vert ou un lait sucré glacé.

26. *The Arepa Lady*

cash only • moins de $10 • 77-02 Roosevelt Ave • à l'angle de 77th St • Jackson Heights • 347-730-6124 • facebook.com/Areperia Arepa Lady

Il y a plus de vingt ans, pour nourrir sa famille, Maria Cano, Colombienne émigrée à New York et avocate dans une autre vie, a commencé à vendre ce qu'elle savait le mieux faire : des arepas. Ses galettes de maïs garnies de fromage, de haricots ou de viande sont vite devenues légendaires. Tous les vendredis et samedis soirs, ses fans guettaient l'apparition de son chariot au coin de 79th St & de Roosevelt Ave. Aujourd'hui, avec l'aide de ses fils, Maria tient un petit restaurant dans Elmhurst. L'occasion de rencontrer une icône de la street-food.

BARS & CLUBS GAYS

Jackson Heights abrite une communauté LGBT très active. La première Pride Parade y a été organisée au début des années 1990, après le meurtre d'un jeune homosexuel. À la nuit tombée, les clubs de Roosevelt Ave où se retrouve la communauté gay latina feraient presque passer Hell's Kitchen, Chelsea et Greenwich pour des antiquités. Hétéros bienvenus of course.

27. *Club Evolution*

$4-10 • 76-19 Roosevelt Ave • entre 76th & 77th Sts • Jackson Heights • 718-457-3939 • eclubnyc.com

Gogo boys, drag-queens et strip-teasers mettent le feu au dance-floor sur fond de pop latino et de techno.

28. *Friend's Tavern*

$4-7 • 78-11 Roosevelt Ave • entre 79th & 78th Sts • Jackson Heights • 718-397-7256 • facebook.com/friendstavern

Ouvert en 1989, le plus ancien bar gay-friendly* de Queens est aussi l'un des meilleurs.

29. *The Music Box/ Caja Musical*

40-08 74th St • à l'angle de Broadway • Jackson Heights

Ce club gay perpétue la tradition de la démesure festive.

30. *Amaru Pisco Bar*

$6-10 • 84-13 Northern Blvd • entre 84th & 85th Sts • Jackson Heights • 718-205-5577 • amarubar.com

Le pisco est une sorte de brandy sud-américain qui se marie très bien avec toutes les infusions concoctées dans ce bar à cocktails chaleureux. Quand il s'agit de boire un très bon breuvage dans le coin, c'est ici que nous échouons.

31. *AMF Bowling*

KIDS • $5.55-10 • 69-10 34th Ave • entre 69 & 70th Sts • Woodside • 718-651-0440 • amf.com

Pour un bowling avec les locaux.

32. *BQE Billiards & Bar*

$4-5 • 70-02 34th Ave • à l'angle de 70th St • Jackson Heights • 718-779-4348 • bqebilliardsandbar.net

Pour un billard avec les gens du coin. Une bonne option pour échapper à la faune branchée new-yorkaise.

33. *Espresso 77*

35-57 77th St • à l'angle de 37th Ave • Jackson Heights • 718-424-1077 • espresso77.com

Selon l'heure, vous opterez pour un expresso fumant, une bière ou encore un verre de limonata maison aromatisée à la menthe et au miel.

34. *Lety's Bakery & Cafe*

77-07 37th Ave • entre 77th & 78th Sts • Jackson Heights • 718-507-6539

Une dizaine de tables, de bons gâteaux, une clientèle d'habitués.

FAITES COMME CHEZ EUX

PAUSES URBAINES

HISTORIC DISTRICT
Baladez-vous entre 76th & 88th Sts, entre Roosevelt Ave & Northern Blvd et admirez l'architecture.

35. *37th Ave*
Avec ses immeubles de cinq à six étages classés monuments historiques qui abritent une multitude de magasins, 37th Ave a des allures de Main Street à l'américaine.

36. *Hampton Court*
78th & 79th Sts • entre 37th & 35th Aves • Jackson Heights
L'une des plus belles résidences, du début du 20e siècle, qui occupe tout un bloc.

37. *The Chateau*
80th & 81st Sts • entre 34th & 35th Aves • Jackson Heights
Construit en 1922, c'est l'une des plus anciennes cités-jardins du quartier (pensez Renaissance française et Henri IV).

38. *The Towers*
80th St • entre Northern Blvd & 34th Ave • Jackson Heights
Cette somptueuse résidence d'avant-guerre construite autour d'un jardin privé est emblématique de l'architecture expérimentale de ce quartier, conçu comme une cité-jardin à l'anglaise. Impossible d'y pénétrer sans être invité par un résident.

Si vous êtes là en juin, participez aux visites annuelles des jardins intérieurs du quartier, habituellement fermés aux visiteurs, organisées par le Jackson Heights Beautification Group (718-565-5344 • jhbg.org).

39. *Fair Theatre*
(Hors carte) • 90-18 Astoria Blvd • entre 90th et 91st Sts • East Elmhurst • 718-429-0040 • fairtheater.com
C'est aujourd'hui un cinéma porno, mais au moins il n'a pas été détruit !

40. *Jackson Heights Cinema*
40-31 82nd St • à l'angle d'Ithaca St • Jackson Heights
Vous pourrez admirer la façade de ce cinéma des années 1920 qui a malheureusement fermé en 2014.

41. *The Eagle Theater*
73-07 37th Rd • entre 73rd & 74th Sts • Jackson Heights
Magnifique cinéma Art déco aujourd'hui fermé.

42. *Travers Park*
KIDS • 34th Ave • entre 77th & 78th Sts • Jackson Heights • nycgovparks.org
Le parc où les riverains se retrouvent pour une partie de basket, de hand, de tennis et bien sûr de foot. Chouette terrain de jeux pour les enfants.

43. *Wat Bouddha Thai Thavornvanaram*
76-16 46th Ave • à l'angle de 76th St • Elmhurst • 718-803-9881 • watthainyc.com
Un temple bouddhiste thaï étonnant dans une rue tranquille de Elmhurst, au cœur de la communauté thaïe.

44. *Community Methodist Church*
81-10 35th Ave • entre 81th & 82th Sts • Jackson Heights • 718-446-0690 • onechurchnyc.com
C'est dans cette église qu'a été inventé le Scrabble au début des années 1930 par Alfred Mosher Butts, un paroissien au chômage désœuvré. À l'intersection de 35th Ave & 81st St, les lettres du panneau portent d'ailleurs de petits nombres en son hommage. Et l'église accueille toujours un club de Scrabble.

45. *Terraza*
40-19 Gleane St • à l'angle de Roosevelt Ave • Jackson Heights • 718-803-9602 • terraza7.com
Avant tout un lieu d'expression et d'échange dont le but est de mélanger les gens et les genres – jazz, slam, poésie ou encore cinéma – pour mettre en valeur la richesse ethnique du quartier. On peut aussi y prendre des cours de musique.

46. *Gulzar Beauty Salon*
74-01 Roosevelt Ave • à l'angle de 74th St • Jackson Heights • 718-779-2800
Un salon de beauté indien spécialisé dans le mehndi traditionnel (henné en hindi).

Puisque l'on a forcément envie de rapporter des épices et autres spécialités exotiques, on vous recommande les supermarchés sélectionnés dans la rubrique courses, sans oublier de fouiner dans les boutiques de tissus, de saris, et de DVD pour les amateurs de Bollywood, sur 74th St ou sur Roosevelt Ave pour la musique latina.

VELMEX
AGENCIA
DE
EMPLEO
(718) 205-2633
PLAYA REALTY INC.
TOOLS
639-7670
BUILDING SUPPLIES
CAN FOOD
MORTGAGE
FREE APPRAISAL
651-4436
TRADUCCIONES
NOTARIO PUBLICO
651-4436
AUTO INSURANCE
F-S-I
TODAY
Insurance
FIRE
PERSONAL
346
Alterations & Repairs

山水旅行社
718.353.7017 917.216.9332
136-25 ROOSEVELT AVE FL 1G, FLUSHING NY 11354
韻邦香醇
芳茗軒 Fang Gourmet Tea
888-888-0216
茶具專賣店
台灣傳統茶/花茶/茶具專賣店
沈小姐改衣干洗店
Judy's Taylor Dry Clear
718-313-6093
無敵字典
ID PHOTO
證件快照
917-981-4811
TOP POINT SPA
3rd FL
ICC 新港通訊
華豐燕窩海味藥業公司
MAGIC JEWELRY
水晶展
CRYSTAL EXPO
Comfort Drugs

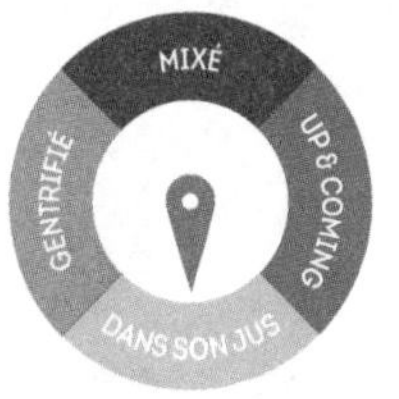

Le Chinatown de Queens.

La ligne 7 de métro n'est pas surnommée « The International Express » pour rien[1]. Et son terminus est l'un des coins les plus dépaysants de New York. En sortant à Main St-Flushing, aucun doute : vous êtes en terre chinoise. Sur Roosevelt Ave, on vous met au défi de trouver un mot d'anglais dans l'enchevêtrement d'enseignes et de panneaux publicitaires. Le centre économique et commercial de Flushing est une sorte de Times Square en mandarin. À ce carrefour très animé, on se bouscule entre les étals de poissons exotiques et les vitrines où pendent les fameux canards laqués. Les habitants sortent des grands malls* les bras chargés de victuailles colorées. N'hésitez pas à y pénétrer car pour quelques dollars, vous pourrez y savourer toute la gastronomie de rue chinoise. Le quartier ne manque pas de tableaux vivants mais essayez d'être discret si vous ne voulez pas vous faire rabrouer quand vous prenez des photos. En quittant Downtown Flushing, c'est une balade dans un quartier résidentiel nettement plus calme qui vous attend.

Le Chinatown de Flushing a beau être plus récent que celui de Manhattan, il l'a déjà dépassé en nombre d'habitants. Dans les années 1970, l'importante communauté taïwanaise qui arrive aux États-Unis parle mandarin et ne peut pas communiquer avec les Chinois déjà installés à Manhattan, originaires de régions où l'on parle cantonais. Cette deuxième vague investit alors le quartier résidentiel de Flushing, jusque là habité par des Italiens, des Grecs, des Russes et des Irlandais. Little Taïwan est né et devient rapidement Little Mandarin, avec l'arrivée d'autres Chinois parlant également mandarin. À la même époque, un nombre croissant de Coréens s'installent un peu plus à l'est, autour de la station de train de Murray Hill, pour créer Little Seoul.

Les amateurs de cuisine asiatique un peu aventureux ont de quoi s'éclater à Flushing. Vous y trouverez des plats traditionnels préparés par des locaux pour des locaux. Si les pattes de poulet grillées et les soupes de nouilles chinoises ne sont pas votre truc, poussez la porte d'un BBQ coréen pour de la bonne viande grillée ou des fruits de mers, parfois encore vivants quand ils arrivent à votre table.

Chinois et Coréens ne sont pas les seuls à vivre à Flushing qui, depuis l'époque hollandaise, se veut être le berceau moderne de la liberté religieuse. Aujourd'hui, on compte plus de 200 lieux de culte réunis sur une surface d'à peine 6 km². Ne vous étonnez pas de voir, sur le même bloc, une mosquée, une synagogue et une église catholique coréenne. Avec la forte présence indienne et sri-lankaise au sud de Chinatown, ce sont aussi de très beaux temples hindous qui s'élèvent désormais dans le panorama new-yorkais.

1. Voir balade p.316.

B PLAN 2

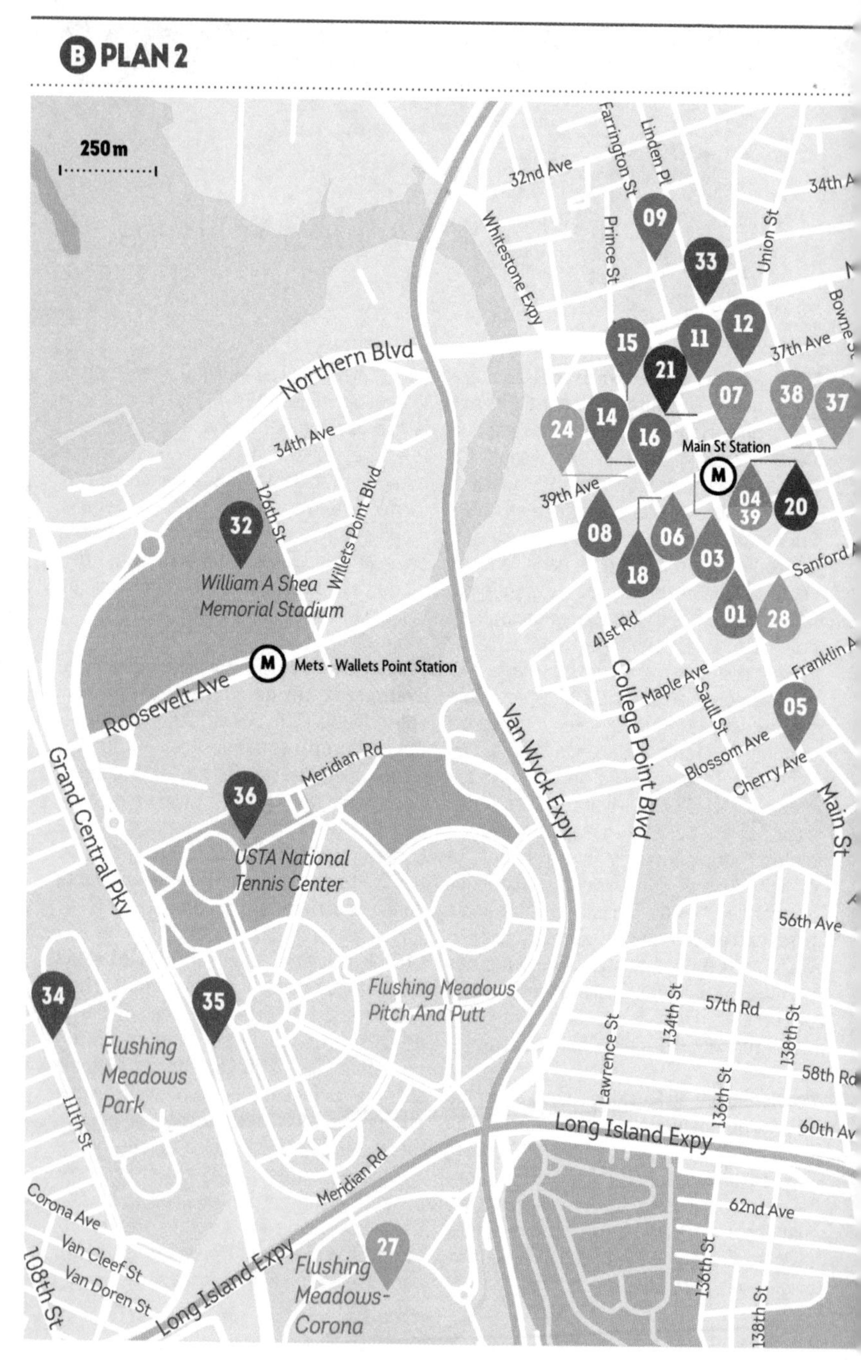

250 m
32nd Ave
Farrington St
Linden Pl
34th A
Prince St
Union St
Whitestone Expy
Bowne St
Northern Blvd
37th Ave
34th Ave
Main St Station
39th Ave
126th St
Willets Point Blvd
Sanford A
William A Shea Memorial Stadium
41st Rd
Mets - Wallets Point Station
Roosevelt Ave
College Point Blvd
Maple Ave
Saull St
Franklin A
Van Wyck Expy
Meridian Rd
Blossom Ave
Cherry Ave
Grand Central Pky
Main St
USTA National Tennis Center
56th Ave
Flushing Meadows Pitch And Putt
57th Rd
134th St
Lawrence St
138th St
Flushing Meadows Park
58th Rd
136th St
111th St
Long Island Expy
60th Av
Meridian Rd
62nd Ave
Corona Ave
Van Cleef St
Van Doren St
108th St
Long Island Expy
Flushing Meadows-Corona
136th St
138th St

FLUSHING

LES COURSES

01. Golden Shopping Mall
02. Han Yang Mart
03. New Flushing Bakery
04. New World Mall
05. Patel Brothers
06. Ten Ren Tea Ginseng & Co

PETIT DÉJEUNER

07. Jade Asian Restaurant

MANGER

08. Asian Jewels Seafood
09. Debasaki
10. Hahm Ji Bach
11. Joe's Shanghai
12. Little Sheep Mongolian Hot Pot
13. Mapo Korean BBQ
14. Nan Xiang Dumpling House
15. Prince Tea House
16. Spicy & Tasty
17. Temple Canteen
18. White Bear

SORTIR

19. Happy Karaoke - Hors carte
20. The Real KTV
21. Zebra Lounge

SE CONNECTER

22. Cafe De Cupping
23. Caffeine Fix Cafe
24. Presso Coffee

PAUSES URBAINES

25. Chen's Buddha Associates
26. Flushing Freedom Mile - Hors carte
27. Flushing Meadows Corona Park
28. Free Synagogue of Flushing
29. Lunar New Year - Hors carte
30. Shri Shirdi Saibaba Temple
31. The Hindu Temple Society of North America

S'AÉRER LES NEURONES

32. Citi Field Stadium
33. Flushing Town Hall
34. New York Hall of Science
35. Queens Museum
36. USTA Billie Jean King National Tennis Center

TAKE CARE

37. Club Clio
38. Skin Food
39. Tony Moly

FAITES COMME CHEZ EUX

On-the-Go

ACCÉDER
MÉTRO
Flushing - Main St & METS-Willets Point (ligne 7) ou Murray Hill (LIRR train).

CIRCULER
À VÉLO
Difficile à atteindre, pas de pistes cyclables et circulation dense.

À PIED
Privilégiez la marche.

LOUER
WHEEL FUN RENTALS
Flushing Bay Promenade • 718-424-8001 • wheelfunrentals.com

CITI BIKE
Non disponible.

LES COURSES

01. *Golden Shopping Mall*
41-36 Main St • entre 41st Rd & Sanford Ave
Au sous-sol de ce centre commercial, vous vous délecterez de l'une des nourritures chinoises les plus authentiques de New York. Une vingtaine de vendeurs se partagent cet espace réduit et le menu est rarement disponible en anglais. Nous vous conseillons bien sûr les nouilles de Xi'an Famous Foods, dont le restaurant original se trouve là, tout comme Lan Zhou Noodle. Pour de délicieux raviolis chinois, cherchez Tian Jin Dumpling House.

02. *Han Yang Mart*
150-51 Northern Blvd • angle Murray St • 718-461-1911 • hanyangmart.com
Vous trouverez du kimchi (chou fermenté aux épices) et toutes sortes de produits coréens dans ce supermarché au cœur du Koreatown de Murray Hill.

03. *New Flushing Bakery*
135-45 Roosevelt Ave • angle de Main St • 718-539-6363
À deux pas du métro, les locaux achètent un sponge cake ou un bun sucré avant de prendre la direction de Manhattan. La spécialité est la version chinoise du pastel de nata, une tartelette aux œufs appelée portuguese egg custard tart.

04. *New World Mall*
136-20 Roosevelt Ave • entre Main & Union Sts • 718-353-0551 • newworldmallny.com
À l'étage de ce supermarché, un impressionnant rayon de fruits et légumes à un prix dérisoire ainsi qu'un grand choix de poissons et de fruits de mer. Au rayon épicerie, faites le plein de sauces et de nouilles. Et si ça vous a ouvert l'appétit, passez au sous-sol, où une trentaine de vendeurs servent des spécialités asiatiques.

05. *Patel Brothers*
42-92 Main St • entre Blossom & Cherry Aves • 718-661-1112 • patelbrothersusa.com
Près des temples hindous, cette vaste épicerie propose tout ce qu'il faut pour cuisiner de bons currys.

06. *Ten Ren Tea Ginseng & Co*
135-18 Roosevelt Ave • entre 40th Rd & Main St • 718-461-9305 • tenrenusa.com
Grande sélection de thés chinois en vrac. Vous pouvez aussi commander du thé au jasmin ou un bubble tea (avec des billes de tapioca) à emporter.

PETIT DÉJEUNER

07. *Jade Asian Restaurant*
136-28 39th Ave • entre Main & Union Sts • 718-762-8821 • jadeasianrestaurant.com
Le week-end, les familles chinoises ont leur façon bien à elles de bruncher. Elles se retrouvent dans de grands restaurants pour déguster des dim-sum*, comme à Hong Kong. Les serveurs poussent les chariots entre les tables et il vous suffit de pointer ce que vous voulez : raviolis, rouleaux de printemps, légumes grillés, tartelettes aux œufs. Comme tout fait envie, vous aurez certainement les yeux plus gros que le ventre !

MANGER

08. *Asian Jewels Seafood*
$20-30 • 133-30 39th Ave • entre 40th Rd & College Point Blvd • 718-359-8600 • asianjewelsseafood.com
Ce restaurant de fruits de mer propose également d'excellents dim-sum* pour un brunch aux accents marins.

09. Debasaki
$10-20 • 33-67 Farrington Ave • angle 35th St • 718-886-6878 • dbsknyc.com
On se presse dans ce bar/restaurant pour manger des ailes de poulet cuisinées à la coréenne. Un régal dont on se lèche encore les doigts.

10. Hahm Ji Bach
$20-30 • 40-11 149th Pl • entre Roosevelt Ave & 41 St • 718-460-9289 • hahmjibach.nyc
À deux pas de la station de train de Murray Hill, un restaurant familial de BBQ coréen. Sur la plaque chauffante placée au centre de chaque table, on fait griller toutes sortes de morceaux de viande accompagnés de légumes et de condiments.

11. Joe's Shanghai
$10-20 • 136-21 37th Ave • entre Main & Union Sts • 718-539-3838 • joeshanghairestaurants.com
Aussi populaire que son frère de Manhattan, ce restaurant de Flushing ne désemplit pas. Goûtez aux soup dumplings*, la spécialité de la maison. Attention de ne pas vous brûler, ces raviolis vapeur sont remplis d'un bouillon qui accompagne la farce de porc ou de crabe. Observez bien la technique de dégustation des locaux avant de vous lancer.

12. Little Sheep Mongolian Hot Pot
$20-30 • 136-59 37th Ave • entre Main & Union Sts • 718-762-8881 • littlesheephotpot.com
Dans ce restaurant mongol, vous choisissez votre type de bouillon, un assortiment de viandes ou de poissons et des légumes. Ensuite, un peu comme pour une fondue, vous plongez les différents ingrédients dans le bouillon.

13. Mapo Korean BBQ
$30-40 • 149-24 41st Ave • à l'angle de 149th Pl • 718-886-8292
Les locaux viennent quasi exclusivement pour le kalbi, petites côtes de bœuf marinées et tendres à souhait.

14. Nan Xiang Dumpling House
cash only • moins de $10 • 38-12 Prince St • entre 37th & 39th Aves • 718-321-3838
Ça se bouscule le week-end dans ce restaurant de raviolis. Venez plutôt en semaine pour commander leurs fameux soup dumplings* et rice cake frits.

15. Prince Tea House
moins de $10 • 36-39 Prince St • entre 37th Ave & Northern Blvd • 917-285-2523 • facebook.com/prince tea house
La version chinoise du salon de thé. Goûtez le gâteau de crêpes au thé matcha.

16. Spicy & Tasty
cash only • $10-20 • 39-07 Prince St • entre 39th & Roosevelt Aves • 718-359-1601 • spicyandtasty.com
Ceux qui n'ont pas peur du feu des épices tenteront les spécialités relevées de la région du Sichuan. Si vous êtes aventurier, pointez du doigt les plats que vous souhaitez au buffet et attablez-vous. Sinon, lisez les explications sur la carte.

17. Temple Canteen
moins de $10 • 45-57 Bowne St • angle de Holly Ave • 718-460-8484 • nyganeshtemplecanteen.com
Au sous-sol du temple hindou de Ganesh se trouve l'un des meilleurs restaurants du Sud de l'Inde à New York (et l'un des moins chers). Si vous vous sentez perdus dans le menu regroupant plus de cent plats végétariens, essayez les dosas* aux légumes avec un lassi à la mangue.

18. White Bear
cash only • moins de $10 • 135-02 Roosevelt Ave • angle de Prince St • 718-961-2322
Dans cette échoppe de raviolis chinois, pas besoin de consulter le menu. Faites comme tout le monde et commandez le numéro 6, à savoir des wontons (raviolis au porc) servis avec une huile piquante (mais pas trop) et des légumes marinés.

FAITES COMME CHEZ EUX

SORTIR

Au cœur de ce quartier coréen, difficile d'échapper au karaoké. Louez une des salles avec des amis, buvez un verre de soju, l'alcool de riz traditionnel, et lancez-vous !

19. *Happy Karaoke*
(Hors carte) • 160-30 Northern Blvd • 718-886-6886 • happykaraokenycl.com

20. *The Real KTV*
136-20 Roosevelt Ave • entre Union & Main Sts • 718-358-6886

21. *Zebra Lounge*
136-11 38th Ave • entre Main & 138th Sts • 718-886-7366 • z2nyc.com

SE CONNECTER

22. *Cafe De Cupping*
150-17 Northern Blvd • entre 150th St & 150th Pl • 718-909-0777 • cafedecupping.com
On sert ici l'excellent café du torréfacteur star Intelligentsia Coffee.

23. *Caffeine Fix Cafe*
149-40 41st Ave • entre 149th Pl & 150th St • 718-353-3437
Parfait pour travailler en sirotant un café. Même les tables sont équipées de prises électriques.

24. *Presso Coffee*
133-42 39th Ave • angle de Prince St • 718-358-0257 • pressocoffeenyc.com
À deux pas du métro, un café spacieux et lumineux à la déco moderne.

PAUSES URBAINES

25. *Chen's Buddha Associates*
46-38 Kissena Blvd • angle de Kalmia Ave • 718-886-5589
Ne manquez pas ce superbe temple bouddhiste chinois et son architecture traditionnelle en pagode.

26. *Flushing Freedom Mile*
(Hors carte) • nyc.gov/html/qnscb7/html/profile/history.shtml
Suivez les panneaux explicatifs de ce trajet qui vous fera découvrir les monuments et bâtiments historiques de Flushing.

27. *Flushing Meadows Corona Park*
Grand Central Pkwy • Van Wyck Expy • entre 111 St & College Point Blvd • nycgovparks.org/parks/flushing-meadows-corona-park
Ce parc a été conçu pour l'Exposition universelle de 1939-1940. De cette époque ne subsistent que le pavillon de l'État de New York et la grande Unisphère emblématique de Queens. L'atmosphère un peu décatie a son charme. On y trouve aussi de nombreux musées et des installations sportives (voir S'aérer les neurones).

28. *Free Synagogue of Flushing*
136-23 Sanford Ave • entre Main St & Kissena Blvd • 718-961-0030 • freesynagogueflushing.org
Admirez cette grande synagogue qui se dresse entre les églises catholiques coréennes et les temples hindous. L'incarnation du patchwork new-yorkais.

29. *Lunar New Year*
(Hors carte) • flushingtownhall.org/lunar-new-year
Rejoignez les dragons, les danseurs, les pétards et les confettis de la parade du Nouvel An chinois, le premier jour du premier mois du calendrier lunaire, en février.

30. *Shri Shirdi Saibaba Temple*
46-16 Robinson St • entre Laburnum & Holly Aves • 718-321-9243 • dwarakamaishirdi.org
L'accueil est chaleureux dans ce temple intimiste dédié au guru indien Shri Shirdi Sai Bada.

31. *The Hindu Temple Society of North America*
45-57 Bowne St • angle de Holly Ave • 718-460-8484 • nyganeshtemple.org
Voir coup de cœur p.336.

S'AÉRER LES NEURONES

32. *Citi Field Stadium*
KIDS • 123-01 Roosevelt Ave • Willets Point • 718-507-8499 • newyork.mets.mlb.com
Yankees ou Mets, à vous de choisir. De toute façon, c'est toujours marrant d'assister à un match de base-ball. Ça peut durer des heures et on ne comprend pas toujours ce qui se passe sur le terrain, mais au moins, à Citi Field, on mange très bien.

33. *Flushing Town Hall*
137-35 Northern Bld • angle Linden Pl • 718-463-7700 • flushingtownhall.org
Ce centre culturel propose un programme varié, allant de la musique (jazz, classique, world music) à la danse en passant par le théâtre.

34. New York Hall of Science

KIDS • 47-01 111th St • Flushing Meadows Corona Park • 718-699-0005 • nysci.org

Construit à l'occasion de l'Exposition universelle de 1964, ce musée organise programmes éducatifs et expositions destinées aux enfants. Ne manquez pas The Great Hall, une salle fascinante aux milliers de petits vitraux bleus qui a été créée pour donner la sensation de flotter dans l'espace.

35. Queens Museum

KIDS • New York City Building • Flushing Meadows Corona Park • 718-592-9700 • queensmuseum.org

Le principal intérêt de ce musée est son immense maquette de New York. Également conçue pour l'Exposition universelle de 1964, elle en fut l'une des principales attractions. Sa dernière mise à jour date de 1994 et une levée de fonds est en cours pour la prochaine. Grâce au programme Adopt-a-building, vous pouvez « acheter » une maison ou un immeuble new-yorkais pour 50$. Imbattable !

36. USTA Billie Jean King National Tennis Center

Flushing Meadows Corona Park • 718-760-6200 • usta.com

Plus connu sous le nom de Flushing Meadows, c'est là que se joue chaque année l'US Open de tennis.

TAKE CARE

Les Coréennes ne plaisantent pas avec les produits de beauté. Voici trois de nos adresses préférées pour faire le plein de baumes pour les lèvres, de crèmes ou encore de vernis colorés, avec des packagings raffinés ou rigolos, en forme d'animaux ou de fruits par exemple.

37. Club Clio

136-86 Roosevelt Ave • entre Union & Main Sts • 516-714-3953 • clubcliousa.com

38. Skin Food

136-89 Roosevelt Ave • entre Union & Main Sts • 718-353-0031 • theskinfoodus.com

39. Tony Moly

136-20 Roosevelt Ave • entre Union & Main Sts • 917-622-6663 • tonymolyus.com

PAUSES URBAINES

31. *The Hindu Temple Society of North America*

45-57 Bowne St • angle de Holly Ave • 718-460-8484 • nyganeshtemple.org

En quittant Little Mandarin et en vous dirigeant vers le sud, le long de Kissena Blvd, préparez-vous pour une immersion en Inde. Vous croiserez un grand nombre d'hindous vêtus de magnifiques saris colorés. Beaucoup habitent le coin mais certains viennent de loin pour prier dans les nombreux temples du quartier. Celui à la gloire de Ganesh est le plus vaste et ses deux tours richement sculptées se repèrent de loin. L'entrée est libre (à condition de se déchausser). Au cœur du sanctuaire, une trentaine de divinités sont célébrées dans de petites chapelles et représentées par des sculptures aux couleurs vives. Mêlez-vous aux hindouistes pour observer les rites d'offrandes et de prières. Attention, les photos ne sont pas permises. Venez l'estomac vide : au sous-sol, la cuisine où l'on préparait les offrandes fournit aujourd'hui le restaurant Temple Canteen (voir adresse p.333).

La première fois que nous rencontrons **Yuma**, c'est dans un nail salon de Park Slope, à Brooklyn. Alors que la majorité des esthéticiennes s'expriment peu et dans un anglais rudimentaire, elle engage la conversation, enjouée et curieuse. Voilà sept ans qu'elle vit à New York avec son mari. En novembre 2009, ils ont fui l'instabilité politique et la misère du Népal, confiant leur fils de trois ans à sa mère et à sa sœur. « On a tout de suite trouvé une chambre à Elmhurst, à Queens, pour être avec notre communauté. Mon mari est devenu chauffeur de taxi. Après avoir gardé des enfants, j'ai commencé comme esthéticienne. » Par petites touches, tandis qu'elle pose un vernis rouge vif avec minutie, Yuma laisse entrevoir un décor pas du tout glamour. « J'ai commencé dans un salon de Manhattan, sur 14th St, où j'étais payée 35$ par jour pour dix heures de travail, sans pause ! Beaucoup de patrons ne paient pas le minimum légal[1]. Parfois, quand on débute, ils ne nous paient pas pendant plusieurs mois, sous prétexte qu'on est en apprentissage. J'ai changé plusieurs fois d'employeur. Ici, ça va, j'arrive à gagner 100$ par jour. On a droit à une pause déjeuner, nos heures supplémentaires sont rémunérées et on aura peut-être bientôt cinq jours de congé maladie par an. »

C'est un système qui a ses castes.

Il y a près de 2 000 ongleries à New York (trois fois plus qu'il y a dix ans), pour la plupart tenues par des Coréens. En juillet 2015, une enquête du *New York Times* a fait l'effet d'un électrochoc en décrivant l'esclavage moderne qui leur permettent de prospérer et que les autorités locales tentent de combattre. Un système qui a ses castes – les Coréennes étant mieux payées que les Chinoises, elles-mêmes mieux payées que les Hispaniques.
Nous retrouvons Yuma par un après-midi glacial dans les locaux d'Adhikaar, une association népalaise qui l'a épaulée. « Au début, j'avais peur. Mais ici, on peut prendre des cours d'anglais et s'informer sur nos droits. » Et de montrer fièrement la Déclaration des droits des esthéticiennes qui, depuis mai 2015, est censée être affichée dans tous les salons. « Nous essayons aussi de nous unir avec les autres communautés. »
Grâce à ces relais, Yuma a pu prendre sa vie en main. Son mari et elle ont obtenu le droit d'asile. Ils ont enfin fait venir leur fils.

1. 6,60$ de l'heure avant tip, ou 8,75$ si les esthéticiennes n'ont pas de tips.

01. West Side Tennis Club

02. Eddie's Sweet Shop
105-29 Metropolitan Ave • angle 72nd Rd • Forest Hills • Queens • 718-520-8514

03. Salute
63-42 108th St • entre 63rd Dr & 64th Ave • 718-275-6860

04. Cheburechnaya
92-09 63rd Dr • entre Wetherole & Austin Sts • 718-897-9080

05. Ben's Best Kosher Deli
96-40 Queens Blvd • entre 63rd Dr & 64th Rd • bensbest.com

06. Knish Nosh
98-104 Queens Blvd • 66th & 67th Aves • 718-897-5554

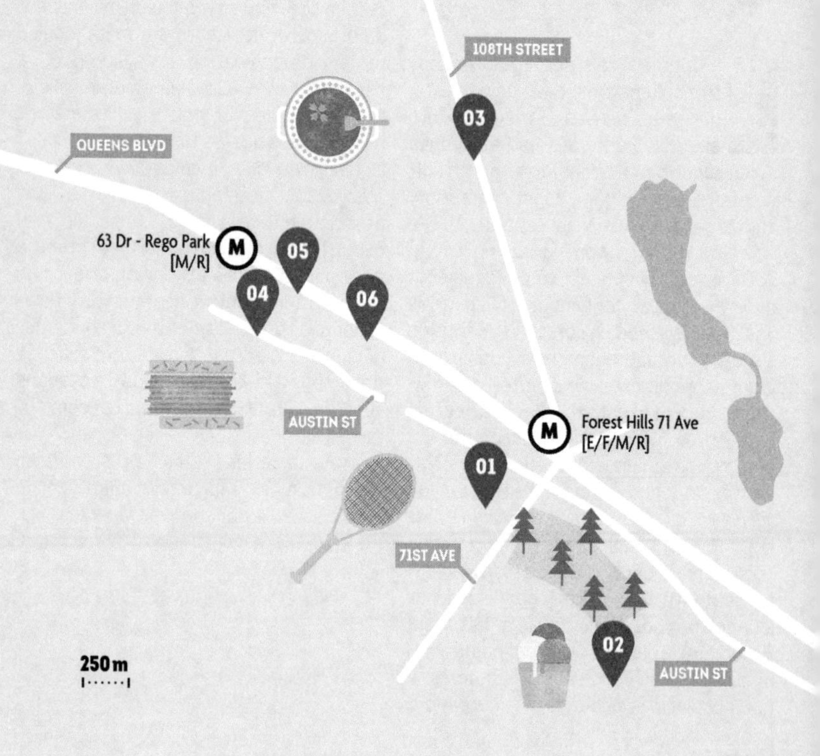

Remonter le temps au bout de la ligne M

En sortant de la station Forest Hills-71 Ave, ignorez la circulation de Queens Blvd. Empruntez 71st Ave vers le sud. Une fois passé sous les voies ferrées, vous avez changé de monde.

Sur votre droite, les terrains du très chic **WEST SIDE TENNIS CLUB.** C'est sur son gazon que McEnroe et Connors ont disputé tant de points acharnés avant que l'US Open ne soit déplacé à Flushing en 1978. Vous pouvez vous offrir le luxe d'une leçon particulière, à condition de venir en blanc des pieds à la tête !

Prenez Station Square, la deuxième rue sur votre gauche. Après avoir franchi son porche, vous voilà à **FOREST HILLS GARDENS,** le premier lotissement privé aménagé aux États-Unis au début du 20e siècle. Depuis la placette aux allures médiévales, enfoncez-vous sur Greenway Terrace. Dans les rues adjacentes, au milieu des pelouses et des arbres, près de neuf-cent manoirs de style Tudor. Ici, ce sont les propriétaires qui gèrent et entretiennent les rues, les trottoirs et les parcs. Et qui fixent les règles de sécurité et de stationnement. Les vieilles familles traditionnelles sont toujours là, mais la population est plus diversifiée.
En sortant, prolongez votre voyage dans le passé chez **EDDIE'S SWEET SHOP** (voir p.30), un glacier centenaire mythique, à environ quinze minutes de marche. Ou reprenez le métro pour changer de quartier et descendre à 63 Dr-Rego Park.

REGO PARK, juste à côté de Forest Hills, abrite une immense communauté juive boukhariote. Des juifs d'Asie Centrale, originaires de Boukhara, petite ville d'Ouzbékistan vieille de 2000 ans, sur l'ancienne Route de la soie. Ni ashkénazes, ni séfarades, ils sont plus de 50000 à être venus vivre à New York après l'éclatement de l'URSS et l'ouverture des frontières. Sur 108th St, surnommée **« BUKHARIAN BROADWAY »,** ils perpétuent leurs traditions. Leur cuisine est réputée pour ses kebabs, ses bortschs, ses tcheboureki (chaussons frits fourrés de viande hachée, de chou et d'oignons) et toutes sortes d'abats comme le cœur de veau ou les testicules d'agneau. Pour y goûter, nous vous recommandons **SALUTE** ou **CHEBURECHNAYA.**

Si un pastrami vous tente plus, alors **BEN'S BEST KOSHER DELI** vous tend les bras. C'est le Katz's de Forest Hills, les touristes en moins. À moins que vous ne préfériez les chaussons farcis de purée de pommes de terre de **KNISH NOSH,** autre tranche d'histoire savoureuse.

Contrasté et attachant, ce borough en pleine métamorphose n'est pas prêt à perdre son âme.

THE BRONX

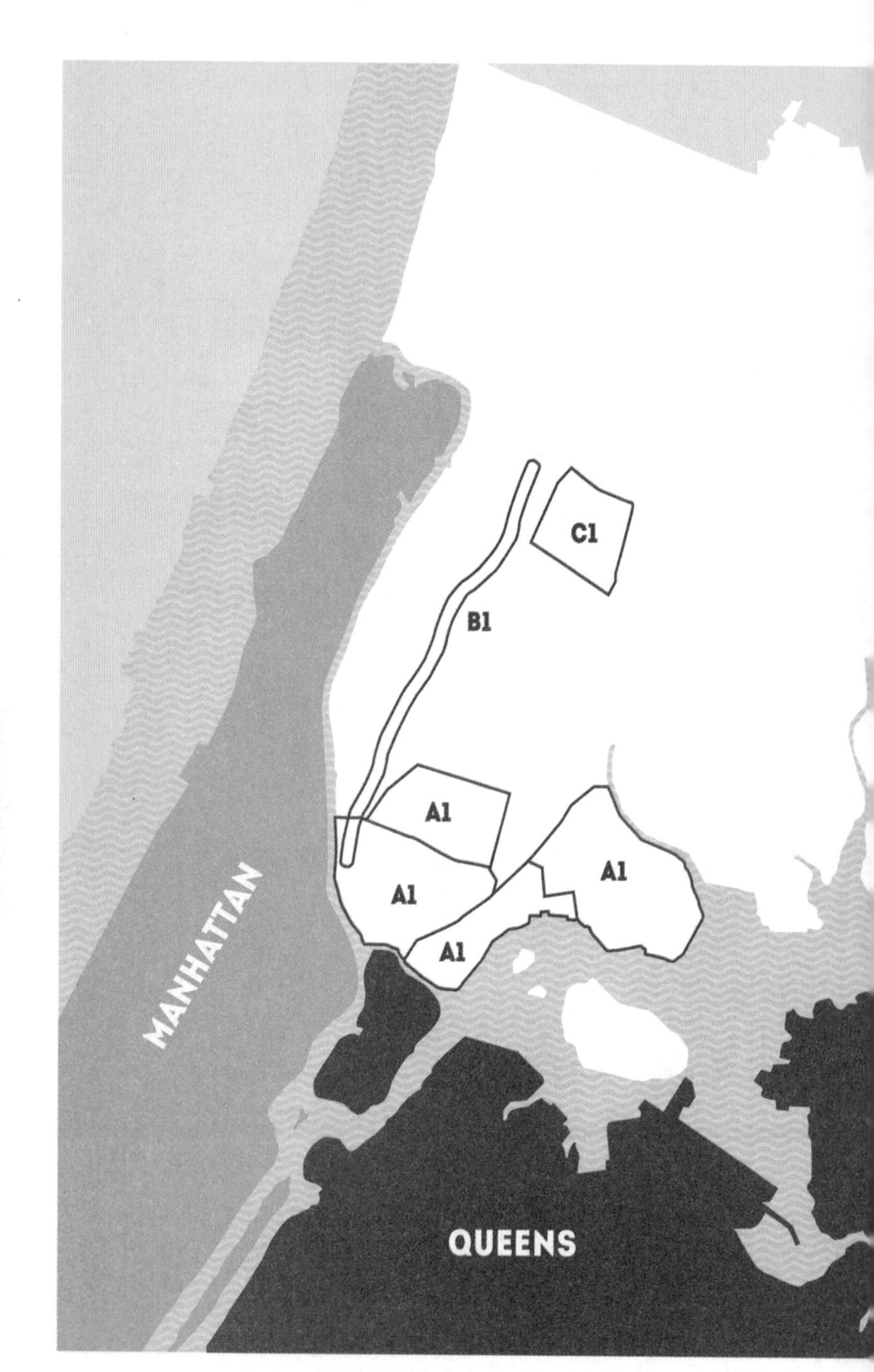
C1
B1
A1
A1
A1
A1
MANHATTAN
QUEENS

D1

Burns

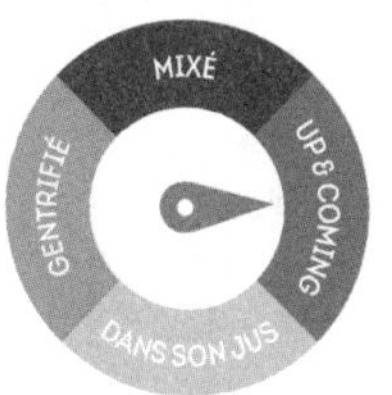

Le Sud du Bronx industriel cache des trésors.

À dix minutes à pied de Manhattan, coincé entre le Bruckner Expressway au nord et l'East River au sud, Port Morris est un joyau caché. Un dédale de centaines de manufactures et d'entrepôts en briques aux allures de cathédrales industrielles, qui vous transporte au début du 20e siècle. Pour mieux saisir l'esprit de ce quartier comme il n'en existe plus à New York, il faut venir en semaine. Promenez-vous sur Willow, Walnut et Locust Aves, entre 132nd et 140th Sts[1]. Tôt le matin, on y croise les ouvriers affairés à charger et décharger des poutres d'acier, des planches de bois ou encore des matelas faits sur mesure. De petites entreprises centenaires y côtoient d'autres activités dans l'air du temps, fraîchement installées : une fabrique de cookies bio, un micro-brasseur, un torréfacteur, d'où s'échappent d'alléchants effluves, ou encore une distillerie de whisky. Au bord de l'eau, une raffinerie, une cimenterie, plusieurs déchetteries et une centrale électrique ajoutent une touche cinématographique à ce décor urbain. De l'autre côté de l'East River, on aperçoit les avions de La Guardia à Queens et la prison de Ryker's Island (oui, oui, celle de DSK).

En fin de journée, les rues se vident. Avec ses quelques ateliers d'artistes et une poignée de maisons louées par des Équatoriens, Port Morris est une enclave peu peuplée. La criminalité a beau avoir considérablement diminué, on vous recommande de ne pas vous y balader à pied le soir. Prenez le bus ou un taxi. Les cités sont juste de l'autre côté de l'autoroute et il vaut mieux connaître le coin pour éviter une situation délicate dans une rue déserte.

À quelques stations de métro, Hunts Point offre un paysage industriel d'un autre type. Sortez du métro à Longwood Ave ou Hunts Point Ave. Il faut aimer le trek urbain pour apprécier les arches métalliques de ses ponts ferroviaires, sa succession d'ateliers de mécanique, carrossiers et autres verriers automobiles et ses modestes rues couvertes de graffitis. Mais Hunts Point est aussi une vibrante communauté artistique qui, depuis les années 1990, puise sa créativité dans la rue. En empruntant Hunts Point Ave, vous ne pourrez pas rater la fresque murale de The Point[2], une association culturelle très investie dans la vie de ce quartier défavorisé. C'est ici qu'est née BAAD, la bouillonnante Bronx Academy of Arts and Dance. Et que les breakers et graffeurs mondialement connus continuent de s'épanouir.

À l'image du reste du South Bronx, Hunts Point évolue. Par petites touches. Les clubs de strip-tease et les bars à hôtesses, qui s'y sont installés après avoir été chassés de Times Square par l'ancien maire Rudolph Giuliani, se sont vus privés de leur licence

1. Dans le sud du Bronx, les numéros des rues continuent ceux du nord de Manhattan. | **2.** Voir coup de cœur p.354

d'alcool et ont dû mettre la clé sous la porte les uns après les autres. C'est ici que sont installés des centaines d'entrepôts et de grossistes, notamment le Hunts Point Produce Market, le plus grand marché de gros du monde, et le New Fulton Fish Market, le plus ancien marché au poisson américain. Pour les amateurs de plongée urbaine, il est désormais possible de traverser cette gigantesque zone commerciale, le long de Food Drive Center, sans risquer de se faire écraser par un camion. Depuis 2015, une piste cyclable permet de rejoindre le bord de l'East River, où l'on peut faire du kayak, pêcher et se baigner l'été.

Les rives du Bronx sont en train de vivre une révolution identique à celle des autres boroughs. Ainsi, un pont piétonnier permet aujourd'hui de franchir en quelques minutes la centaine de mètres qui sépare Port Morris de Randall's Island. Une île dont les nombreux terrains de sport profitaient jusqu'ici aux gamins des high schools huppées de Manhattan alors que les Bronxites, pour la plupart non motorisés, ne pouvaient y accéder qu'à pied, en affrontant les pots d'échappement du Triboro Bridge. Bientôt, une grande partie du waterfront devrait être aménagée. Une bouffée d'oxygène pour les habitants, dont la moitié vit sous le seuil de pauvreté et qui, en plus de diabète et d'obésité, souffre d'asthme (il suffit de regarder sur une carte le nœud autoroutier qui éventre le borough pour comprendre).
Longtemps abandonnée par les pouvoirs publics, la population qui a survécu aux gangs, et aux propriétaires capables d'incendier leurs immeubles pour toucher les primes d'assurance, est majoritairement hispanique et afro-américaine. Aujourd'hui, les charter schools[3] permettent à leurs enfants, qui pour plus de la moitié parlent espagnol à la maison, d'entrevoir un avenir. Par endroits, la gentrification fait ses premiers pas.

À Mott Haven, autre quartier limitrophe de Port Morris, plus résidentiel, les DJs ne mixent plus dans des immeubles abandonnés mais chez Charlie Bar & Kitchen. Ce restaurant est l'un des premiers à avoir ouvert, au rez-de-chaussée de la Clocktower, une ancienne fabrique de pianos réhabilitée en lofts loués 2500$ le mois. Sur quelques blocs alentours, de jolies maisons de ville en briques du 19e siècle se mêlent aux immeubles de standing qui poussent sur Bruckner Blvd, Alexander et Lincoln Aves. Parfois juste à côté de cités HLM. Et le Bronx Opera House, un ancien théâtre qui a vu se produire les Marx Brothers ou Fats Waller, a été transformé en boutique-hôtel.

Le South Bronx ne brûle plus mais ses habitants s'échauffent encore. Ils sont bien sûr ravis de voir leur qualité de vie et la réputation de leur arrondissement s'améliorer. Mais ils ne sont pas prêts à laisser la ville brader leur territoire à des promoteurs peu scrupuleux, comme à Brooklyn et à Queens[4].

3. Les charter schools, qui se sont beaucoup développées ces 15 dernières années dans les quartiers pauvres de New York, sont des écoles publiques, laïques et gratuites qui fonctionnent de façon autonome et libre, et reçoivent des fonds publics en fonction de leurs résultats. | **4.** Voir portrait p.307

A PLAN 1

John Mullaly Park
Yankee Stadium
Joyce Kilmer Park
Macombs Dam Park
St Marys Park
Bronx Kill
Grand Concourse
Jerome Ave
E 161st St
E 169th St
E 163rd St
E 149th St
Westchester Ave
Bruckner Blvd
Bruckner Expy
Major Deegan Blvd
Willis Ave
Willis Ave Brg
Triborough Brg
Triborough Bridge Appr
369th Harlem Hellfighters Dr
3rd Ave
Melrose Ave
Webster Ave
St Ann's Ave
Boston Rd
Intervale Av [2/5]
Prospect Av [2/5]
Jackson Av [2/5]
3 Av - 149 St [2/5]
138 St - Grand Concourse [4/5]
3 Av - 138 St [6]
E 149 St [6]
E 143 St - St Mary's St [6]
Brook Av [6]
Cypress Av [6]
Longwood
10
12
20
27
30
29
13
39
23
25
36
14
01
26
07
19
04
05
09
15
16
06
32
38
18
24
17
08

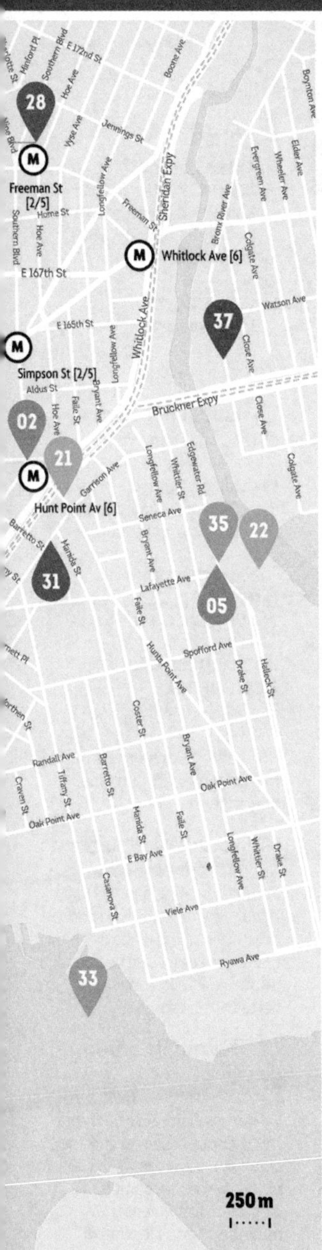

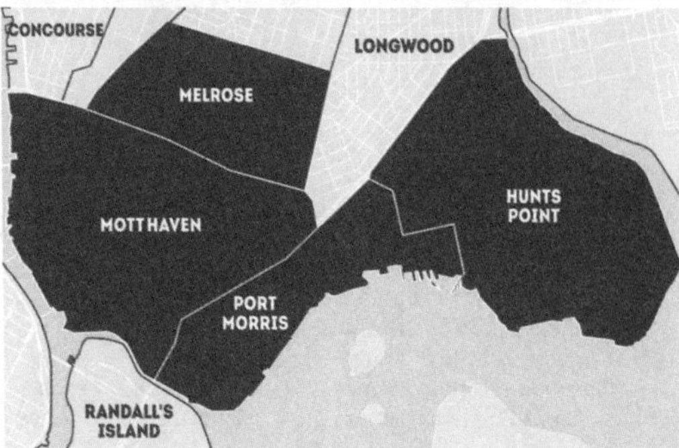

LES COURSES

01. East 138th Street
02. Hunts Point Farmers Market
03. New Fulton Fish Market - Hors carte
04. South Bronx Farmers Market
05. Valencia Bakery

PETIT DÉJEUNER

06. Express Brook Restaurant
07. Tamales Ebenezer
08. Walnut Bus Stop

MANGER

09. Ceetay
10. Cinco De Mayo
11. Ghetto Gastro - Hors carte
12. Landin Mac & Cheese
13. Lechonera La Piraña
14. Mexicocina
15. Mott Haven Bar & Grill

SORTIR

16. Charlies Bar & Kitchen
17. Port Morris Distillerie
18. The Bronx Brewery

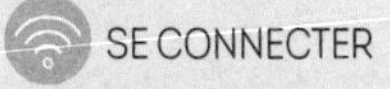
SE CONNECTER

19. Filtered Coffee

PAUSES URBAINES

20. Ghetto 4 Life
21. Hunts Point Railroad Station
22. Hunts Point Riverside Park
23. La Finca del Sur
24. Randall's Island
25. Willis Avenue Community Garden

S'AÉRER LES NEURONES

26. Bronx Arts Space
27. Bronx Documentary Center
28. Bronx Music Heritage Center
29. Longwood Art Gallery
30. The Bronx Trolley
31. The Point CDC
32. Wall Works Gallery

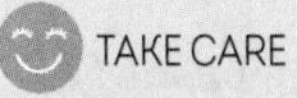
TAKE CARE

33. Floating Pool
34. Hunts Point Landing - Hors carte
35. Rocking The Boat
36. St. Mary's Pool

BUY LOCAL

37. ABC Carpet & Home Outlet
38. Alexander Antique Shop
39. The Hub

On-the-Go

ACCÉDER

MÉTRO

E 143rd St - St Mary's St, E 149th St, Cypress Av, Brook Av, 3 Av - 138 St, 3 Av - 149 St, 138 St - Grand Concourse, 149 St - Grand Concourse, Longwood Ave ou Hunts Point Ave (lignes 2, 4, 5, 6).

CIRCULER

À VÉLO

Pratique pour passer d'un quartier à l'autre et pour explorer les berges.

À PIED

Agréable, mais ne pas hésiter à prendre le métro.

LOUER

TALENT CYCLES

502 W 139th St • proche angle d'Amsterdam Ave • Harlem • 212-368-5609 • talentcycles.com

CITI BIKE

Non disponible.

LES COURSES

01. *East 138th Street*

Au croisement de 138th St et de 3rd Ave, à la sortie du métro, se succèdent une multitude de bodegas* et de petits commerces où acheter fruits exotiques, fleurs et produits d'épicerie.

02. *Hunts Point Farmers Market*

Monsignor Del Valle Pk • entre Hunts Point Ave & E 163rd St • à la station de métro Hunts Point Ave • Hunts Point • mercredi et samedi de fin juin à mi-novembre

Ce petit marché en plein air propose des fruits et légumes de saison.

03. *New Fulton Fish Market*

(Hors carte) • 800 Food Center Dr unit 65B • à l'angle de Faragut St • Hunts Point • 718-378-2356 • newfultonfishmarket.com

Certains vous diront que le vrai stock exchange de New York est ici. Chaque nuit, jusqu'au petit matin, grossistes et acheteurs se livrent une bataille acharnée. Dans le plus important marché au poisson du pays (le deuxième au monde après Tokyo), on vend pour plus d'un milliard de dollars de marchandises par an.En 2005, Fulton Fish Market a quitté son site historique du sud de Manhattan pour venir s'installer dans cette énorme halle. Le marché étant ouvert au public, n'hésitez pas à profiter du spectacle. Même s'il ferme à 7 h, c'est avant 5 h que tout se passe et il est plus pratique d'y aller en voiture (7$ de parking). Mettez des bottes en caoutchouc et travaillez votre accent italo-américain !

04. *South Bronx Farmers Market*

350 E 138th St • entre Willis & Alexander Aves • Mott Haven/South Bronx • 516-418-6355 • southbronxfarmersmarket.com • de mi-juin à mi-novembre le samedi de 10h à 16h

Un marché en plein air où on achète des fruits et légumes produits par les fermes urbaines du Bronx et de la région, du pain, du miel, des œufs de la coopérative Brook Park Chickens située à quelques blocs au nord (brookparkchickens.blogspot.fr). On y croise des bobos récemment arrivés, mais surtout une population plus défavorisée, munie de coupons alimentaires, qui s'initie à la diététique grâce aux cours de cuisine animés par les associations locales et les producteurs.

05. *Valencia Bakery*

499 East 138th St & 801 Edgewater Rd • Port Morris • 718-991-6400 • valenciabakery.net

Le roi du gros gâteau d'anniversaire décoré de pâte de sucre. Une institution locale.

PETIT DÉJEUNER

06. *Express Brook Restaurant*

502 E 138th St • à l'angle de Brook Ave • Mott Haven • 718-585-5880

Une cantine dans son jus pour manger des œufs any time, any style.

07. *Tamales Ebenezer*

devant La Merced Mexicana • 353 E 138th St • entre Alexander & Willis Aves • Mott Haven

Il faut venir avant 9 h le matin pour avoir une chance de goûter un tamal*, un petit pain de maïs cuit à la vapeur par cette mère et son fils.

08. *Walnut Bus Stop*

cash only • 881 E 134th St • à l'angle de Walnut Ave • Port Morris • 718-402-7048

Un diner* où prendre un free refill* de café avec un énorme sandwich ou des œufs, ou un plat roboratif, en compagnie d'ouvriers forcément très matinaux. Fermé le samedi après-midi et le dimanche.

MANGER

09. *Ceetay*

$10-20 • 129 Alexander Ave • à l'angle de Bruckner Blvd • Mott Haven • 718-618-7020 • ceetay.com

Un bon restaurant japonais. Peu de tables, venez si possible avant 19 h.

10. *Cinco De Mayo*

moins de $10 • 837 Washington Ave • entre E 159th & E 160th Sts • Melrose • 718-676-9444 • cincodemayoamc.com

Ne vous fiez pas à la déco, assez impersonnelle. Les tacos*, quesadillas* et autres tortas sont excellents, c'est pour ça qu'on y va !

11. *Ghetto Gastro*

(Hors carte) • facebook.com/Ghetto Gastro

C'est l'histoire d'un groupe de potes qui a grandi dans le Bronx et partage l'amour de la bonne chère. Certains sont devenus chefs. En 2012, ils ont créé le collectif Ghetto Gastro, pour faire découvrir la cuisine de leur borough au reste du monde. Ils organisent des dîners privés (voire secrets) un peu partout et s'impliquent dans des événements locaux, pour éduquer les papilles des enfants du quartier. Suivez-les sur Twitter ou Facebook pour connaître leur actualité.

12. *Landin Mac & Cheese*

moins de $10 • 701 Melrose Ave • à l'angle de 155th St • Melrose • 347-726-4217 • landinmaccheese.com

Le macaroni & cheese, c'est le plat américain régressif par excellence. Cette échoppe propose toutes sortes de variations, mais nous, on l'aime classique.

13. *Lechonera La Piraña*

cash only • **$10-20** • 152nd St • à l'angle de 766 E 152 Wales Ave • Mott Haven • 347-609-9714

En semaine, Angel Jimenez est plombier et homme à tout faire dans un immeuble du quartier. Le week-end, il retrouve son camion-rôtisserie. On vient de loin pour son lechon, cochon de lait portoricain servi avec du riz et des pois d'Angole, qui embaume toute la rue et qu'il découpe avec une machette tout aussi impressionnante que ses tatouages. On vous recommande aussi la salade de poulpe et les empanadas au crabe. (voir p.74).

14. *Mexicocina*

moins de $10 • 503 Jackson Ave • à l'angle E 147th St • Mott Haven • 347-205-8794 • mexicosinacocina.com

Une agréable cantine colorée où les habitués se régalent d'une nourriture mexicaine traditionnelle simple et savoureuse.

15. *Mott Haven Bar & Grill*

$10-20 • 1 Bruckner Blvd • à l'angle de 3rd Ave • Mott Haven • 718-665-2001 • motthavenbar.com

Dans une zone industrielle, au pied du 3rd Ave Bridge qui mène à Manhattan, c'est le premier restaurant à avoir donné le ton de la gentrification. À la carte, les classiques du bar américain avec une touche latina locale. Bien aussi pour le brunch du week-end ou pour un café.

SORTIR

16. *Charlies Bar & Kitchen*

$4-13 • 112 Lincoln Ave • à l'angle de Bruckner Blvd • Mott Haven • 718-684-2338 • charliesbarkitchen.com

Installé au rez-de-chaussée d'une ancienne fabrique de pianos, ce bar/restaurant est vite devenu le QG d'artistes et de jeunes actifs qui aiment la nouvelle cuisine américaine. Les cocktails sont à prix abordables, et la musique live. On y célèbre régulièrement l'esprit du Bronx et bien sûr les Charlies : Parker, Chaplin et même de Gaulle ont droit à leur photo sur le mur de briques rouges à l'entrée.

17. *Port Morris Distillerie*

$8-13 • 780 E 133rd St • à l'angle de Willow Ave • Port Morris • 718-585-3192 • portmorrisdistillery.com

Dans cette belle distillerie, deux copains d'enfance concoctent du pittoro, un rhum emblématique de Porto Rico, dans la pure tradition familiale. La tasting-room colorée donne l'impression d'être en terrasse de la vieille ville de San Juan. Visite et dégustation gratuites le vendredi et le samedi. Ils organisent parfois des concerts de salsa (programmation et horaires à vérifier sur leur site).

18. *The Bronx Brewery*

$5-6 • 856 E 136th St • à l'angle de Walnut Ave • Port Morris • 718-402-1000 • thebronxbrewery.com •

À son tour, le Bronx renoue avec la tradition des micro-brasseries, si nombreuses à New York avant la Prohibition. Non seulement la Bronx Brewery produit d'excellentes bières artisanales mais le lieu est super accueillant avec son bar, ses canapés, son babyfoot et son arrière-cour. Idéal pour un apéro ou le week-end en soirée quand ils organisent des événements (programmation et horaires à vérifier sur leur site).

19. *Filtered Coffee*

2430 Third Ave • à l'angle de 134th St • Mott Haven • 917-475-1120 • facebook.com/Filtered NewYork

Premier coffee-shop du genre à ouvrir dans le coin, un signe supplémentaire de la gentrification du quartier.

20. *Ghetto 4 Life*

651 Elton Ave • entre 153rd & 152nd Sts • Melrose

C'est ici, au rez-de-chaussée de la façade d'un immeuble longtemps laissé à l'abandon, que l'artiste Banksy a choisi de taguer l'inscription « Ghetto 4 Life » pour graver l'histoire du Bronx dans la mémoire collective.

21. *Hunts Point Railroad Station*

Hunts Point Ave • entre Garrison Ave & Bruckner Blvd • Hunts Point

L'une des nombreuses gares fantômes du Bronx, vestige de l'âge d'or du rail. Dessinée par le même architecte que le Woolworth Building à Manhattan, ses airs de faux château Renaissance détonnent.

22. *Hunts Point Riverside Park*

Lafayette Ave • entre Edgewater Rd & the Bronx River • Hunts Point • 718-860-5544

Aménagé sur un ancien terrain vague, c'est le premier parc à bénéficier du programme de réhabilitation des berges de la rivière. Dans quelques années, le Greenway du South Bronx permettra de pédaler le long de l'eau sur plus de 2 km, et dans les rues de la péninsule sur 12 km de pistes cyclables traversant plusieurs nouveaux parcs de Hunts Point et de Port Morris. Une vraie bouffée d'oxygène pour les riverains.

23. *La Finca del Sur*

à l'angle de 138th St & Grand Concourse • Mott Haven • 646-725-2162

Cette ferme urbaine, fondée par des femmes afro-américaines et hispaniques, a poussé entre les rails du train aérien et la rampe d'accès de l'autoroute. Au fil des ans, elle est devenue un lieu de transmission du goût et des bonnes choses. La visite est ouverte à tous et permet de déguster leurs récoltes de saison.

24. *Randall's Island*

KIDS • 20 Randall's Island Park • entre East River & Harlem River • Port Morris • randallsisland.org

Les Bronxites peuvent enfin profiter de Randall's Island, et de toutes les installations sportives, pelouses, aires de pique-nique et pistes cyclables de l'île. Depuis 2015, le connecteur leur permet de franchir la Bronx River en quelques minutes par la voie aménagée sous un impressionnant viaduc romain. Pour un bon café, poussez la porte de COFFEED (coffeednyc.com/randalls-island). De l'autre côté de l'île, le 103rd St Footbridge permet de rejoindre directement Manhattan à pied.

25. *Willis Avenue Community Garden*

378 Willis Ave • à l'angle de 143rd St • Mott Haven

Ce jardin partagé est né grâce à New York Restoration Project, l'association fondée en 1995 par la chanteuse et actrice Bette Midler, une grande amoureuse de la nature. Les latinos du quartier s'y réunissent pour partager des repas, écouter de la musique ou jouer aux dominos.

26. *Bronx Arts Space*

305 E 140th St • entre 3rd et Alexander Aves • Mott Haven • 718-401-8144 • bronxartspace.com

Une galerie collaborative qui expose de jeunes artistes en devenir. On peut y prendre des cours de danse et de capoeira, assister à des lectures et des projections de films.

27. *Bronx Documentary Center*

614 Courtlandt Ave • à l'angle de 151st St • Melrose • 718-993-3512 • bronxdoc.org

Créé par un ancien photoreporter de guerre du *New York Times*, ce centre très engagé veut « ouvrir le Bronx au monde et le monde au Bronx » grâce à la photographie et au film documentaire. Il accueille un collectif de photographes qui témoignent de leur quotidien. Il donne aussi des cours gratuits aux jeunes dans la chambre noire installée au sous-sol. Et il abrite l'une des rares bibliothèques dédiées à la photographie à New York.

28. *Bronx Music Heritage Center*

1303 Louis Nine Blvd • entre Southern Blvd & Intervale Ave • 917-565-2727 • whedco.org/Arts/Bronx-Music-Heritage-Center

Jazz, mambo, salsa, hip-hop, R&B : le Bronx a toujours été un terreau fertile pour la musique. Ce centre dynamique rend hommage au Boogie Down Bronx à travers des concerts, des expos et plein d'événements culturels. D'ici quelque temps, il emménagera dans un nouveau bâtiment avec panneaux solaires, toit végétal et

logements à loyer modéré pour musiciens retraités.

29. Longwood Art Gallery

Campus de Hostos Community College • 450 Grand Concourse (Room C-190) • entre 144th & 149th Sts • Mott Haven • 718-518-6728 • bronxarts.org/lag.asp

Cette galerie d'art contemporain, logée depuis 1981 dans une ancienne école publique, est un espace alternatif qui soutient notamment les artistes issus des minorités.

30. The Bronx Trolley

départ de la Longwood Art Gallery • 450 Grand Concourse • à l'angle de 149th St • Mott Haven • bronxarts.org MonthlyVenuePage.asp • sauf en janvier et septembre

Le premier mercredi du mois, embarquez à bord de la réplique exacte d'un trolley 1900 pour une virée culturelle de quatre heures dans le sud du Bronx. Une bonne façon d'explorer la scène artistique en compagnie des locaux. Et en plus c'est gratuit.

31. The Point CDC

940 Garrison Ave (accès par Manida St, sur le côté) • entre Manida & Barretto Sts • Hunts Point • 718-542-4139 • thepoint.org

Voir coup de cœur p. 354

32. Wall Works Gallery

John Matos, alias Crash (voir p.375), graffeur légendaire, a ouvert une galerie dédiée au street-art dans le borough qui l'a vu grandir. Avec sa fille Anna et son ami Robert Cantor (qui customise des guitares pour les stars), il y expose des œuvres urbaines d'artistes du Bronx et du monde entier.

TAKE CARE

33. Floating Pool

KIDS Barretto Point Park • à l'angle de Viele Ave & Tiffany St • Hunts Point • 718-430-4601 • nycgovparks.org/parks/barretto-point-park

La meilleure raison de venir dans cet étonnant petit parc au bord de l'eau, c'est sa piscine flottante, qui utilise l'eau filtrée de la rivière. Ouverte de mai à septembre, elle offre une très belle vue sur les Brother Islands, sanctuaires d'oiseaux.

34. Hunts Point Landing

(Hors carte) • 2 Farragut St • au bord de la rivière • Hunts Point

Un parc agréable où pique-niquer à l'ombre d'un arbre, pêcher à la confluence de Bronx et de l'East Rivers, ou observer la marée.

35. Rocking The Boat

812 Edgewater Rd • Hunts Point Riverside Park sur le Bronx River • Hunts Point • 718-466-5799 • rockingtheboat.org

Tous les samedis après-midis, de mai à septembre, des adolescents du quartier proposent des balades gratuites sur de superbes petits bateaux en bois qu'ils ont construits eux-mêmes tout au long de l'année, avec le soutien de l'association Rocking The Boat.

36. St. Mary's Pool

St. Mary's Recreation Center • 450 St. Ann's Ave • à l'angle de 145th St • Mott Haven • 718-402-5155 • nycgovparks.org/parks/st-marys-park

Cette piscine couverte est située à l'intérieur du complexe sportif municipal du St. Mary's Park (abonnement à l'année, gratuit pour les moins de 18 ans).

BUY LOCAL

37. ABC Carpet & Home Outlet

1055 Bronx River Ave • entre Watson Ave & Bruckner Expressway • Hunts Point • 718-842-8772 • abchome.com

On vous conseille d'aller faire un tour dans le magasin d'usine de cette boutique de déco réputée de Manhattan. Meubles, tapis et objets pour la maison sont 20 à 50% moins chers. Ça n'est pas franchement bon marché, mais ça vaut toujours le coup de jeter un oeil. Il y a même un café à l'intérieur de l'entrepôt.

38. Alexander Antique Shop

130 Alexander Ave • entre E 134th St & Bruckner Blvd • Mott Haven • 718-401-8629

Ce brocanteur, spécialiste des meubles des années 1900 à 1960, est l'un des derniers survivants de ce que l'on appelait « The Row Antiques ». Au tournant des années 1980 les antiquaires et brocanteurs avaient élu domicile dans ce quartier industriel, attirés par des loyers abordables.

39. The Hub

à l'intersection de E 149th St, Willis, Melrose & 3rd Aves • Mott Haven

Énorme carrefour commerçant, deuxième lieu le plus fréquenté de New York après Times Square ! Bienvenue au royaume du discount et du petit commerce.

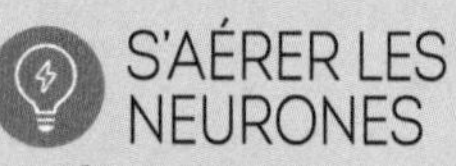

S'AÉRER LES NEURONES

31. *The Point CDC*

940 Garrison Ave (accès par Manida St, sur le côté) • entre Lafayette & Garrison Aves • Hunts Point • 718-542-4139 • thepoint.org

Installée dans une ancienne fabrique de bagels*, cette association de quartier dynamique organise des expos, des conférences citoyennes et de nombreux événements artistiques. Son programme d'ateliers culturels et écologiques reçoit le soutien d'artistes locaux. On peut y croiser les membres de Tats Cru, célèbre équipe de graffeurs qui a travaillé avec DJ Kool Herc, l'un des pères du hip-hop, Missy Elliott, ou encore les rappeurs Nas et Fat Joe. Richard Colon, illustre b-boy portoricain surnommé Crazy Legs (la doublure de Jennifer Beals dans *Flashdance* pendant le breakdance de l'audition finale, c'est lui !), y a créé la première équipe de breakdancers du Bronx en 1977. Même quand il n'y a aucun événement particulier, on peut faire une pause dans le café à l'intérieur, le matin ou le midi pour manger sur le pouce.

Peut-être la croiserez-vous dans les rues de Port Morris, marchant d'un pas vif, son appareil photo à la main. **Martine Fougeron** a posé ses meubles dans une modeste maison du quartier en 2009. « J'habitais dans le West Village. Les loyers étaient exorbitants et j'avais besoin d'espace pour mon studio photo. Ici, c'était un peu le Wild West, mais je m'y suis tout de suite sentie bien. »
Martine a longtemps travaillé dans l'industrie du parfum, pour laquelle elle s'est installée à New York en 1996. Mais en 2001, elle a décidé de revenir à ses premières amours et de reprendre des études de photographie. Les journaux new-yorkais, comme le *New York Times Magazine*, n'ont pas tardé à lui donner sa chance.

Elle vit avec ses deux fils au milieu d'une poignée de familles équatoriennes et d'artistes. Tout autour, des entreprises et des entrepôts. Elle est sensible à la beauté brute du quartier. « J'ai été étonnée de voir toutes ces petites industries, parfois centenaires, à quelques kilomètres seulement de Wall Street. » Depuis 2011, elle photographie les métiers qui l'entourent, spécialisés dans le travail de l'acier, le recyclage de la ferraille et des déchets, les pièces automobiles, mais aussi la boulangerie, l'imprimerie ou la literie. Port Morris et Hunts Point, qui comptent de nombreux grossistes alimentaires, emploient plus de 80 000 personnes.

> *« Nous sommes un peu le dernier bastion. »*

Son projet artistique, the South Bronx Trades[1], fait écho à la gentrification en cours. Car cette économie prospère est menacée par le rezoning et l'appétit des promoteurs, en bord de rivière. Comme de nombreux Bronxites, Martine n'est pas du genre à se laisser faire. « Ici, on n'a pas l'habitude de manifester, mais on signe des pétitions et on fait pression pendant les réunions du Community Board, l'instance municipale consultative en matière d'urbanisme. Les habitants ne sont pas opposés aux projets immobiliers, à condition qu'ils tiennent compte de la réalité sociologique du quartier et qu'il y ait des logements sociaux. »

En 2016, quand les promoteurs ont rebaptisé le quartier « Piano District » en référence aux pianos que l'on y fabriquait au 19e siècle et organisé une fête à un million de dollars sous le 3rd Ave Bridge, Martine et les riverains se sont mobilisés sur les réseaux sociaux, bien décidés à ne pas devenir le nouveau Brooklyn. « Nous sommes un peu le dernier bastion. »

1. martinefougeron.com

ONE WAY
ONLY
25

GRAND CONCOURSE

Les Champs-Élysées du Bronx,une artère populaire et vivante.

Parcourir Grand Concourse, c'est un peu comme sonder l'histoire du Bronx. Cette artère de 6 km de long a été percée à la fin du 19e siècle sur le modèle des Champs-Élysées pour relier 138th St à Mosholu Parkway. Elle a tour à tour incarné l'opulence, la décrépitude et la renaissance du borough.

Avec ses quatre voies et ses contre-allées, Grand Concourse pourrait décourager les promeneurs. Ne vous laissez pas impressionner et attaquez par la station Fordham Road où, dès la sortie du métro, vous plongez dans un Bronx populaire et mélangé, avec ses magasins de téléphonie, ses barbiers et salons de manucure, ses centres d'apprentissage de l'anglais et ses pawn shops (prêteurs sur gage). Partout, les airs de merengue et de rap, les effluves de cochon rôti à l'ail et d'accras frits rappellent qu'ici, la majorité de la population est hispanique. Mais au cœur de ce Bronx street-wear et chaînes en or, entre deux magasins de discount, surgissent des traces du passé. Comme cette superbe façade ornée du Loew's Paradise Theater, sur laquelle les séances des films ont laissé place aux horaires des messes d'une église évangéliste.

Entre 167th et 153rd Sts, les buildings Art déco et Art moderne se succèdent, loin des clichés qui collent à la peau du Bronx. Construits dans les années 1920, ces immeubles de 6 étages équipés du chauffage central et de sanitaires modernes ont symbolisé l'espoir d'une vie meilleure pour les juifs d'Europe centrale, les Irlandais et les Italiens qui fuyaient les bas-fonds du Lower East Side. Grand Concourse se voulait « le Park Avenue de la classe moyenne ». Un american dream parti en fumée dans les années 1960, quand les quartiers éventrés par la voie rapide du Cross Bronx se sont enfoncés dans la misère. Il faut voir *80 Blocks from Tiffany's*[1], documentaire consacré aux gangs latinos, lire *Le Bûcher des vanités* de Tom Wolfe ou les romans d'un enfant du quartier, Jérôme Charyn, pour comprendre la violence de l'époque des ghettos noirs et portoricains désertés par les « blanquitos », qui ont fui vers les banlieues résidentielles du New Jersey.

Aujourd'hui, si près d'un tiers des habitants vit encore sous le seuil de pauvreté, de nouvelles initiatives favorisent la renaissance de Grand Concourse. Les matchs de base-ball du Yankee Stadium ne sont plus la seule raison d'y venir. Les habitants ont pris en main leur cadre de vie, cultivant des jardins partagés, ouvrant des lieux culturels et développant un art urbain dynamique qui puise dans la richesse de leur histoire.

Pour eux, Grand Concourse est le vrai visage de New York. Coloré, divers et fier de ses racines.

1. 1979, réalisé par Gary Weis.

B PLAN 1 NORD

W 239th St
W 237th St
W 236th St
W 235th St
W 232nd St
W 231st St
Palisade Ave
Henry Hudson Pkwy
Greystone Ave
Dash Pl
W 238th St
W 236th St
Seton Park
Van Cortlandt Park S
238 St [4]
Waldo Ave
Irwin Ave
Oxford Ave
Johnson Ave
Fairfield Ave
Netherland Ave
Riverdale Ave
Tibbett Ave
Corlear Ave
Major Deegan Expy
Orloff Ave
Gouverneur Ave
Hillman Ave
Sedgwick
Kappock St
Independence Ave
Palisade Ave
Arlington Ave
Ewen Park
W 232nd St
W 231st St
W 234th St
W 233rd St
Bailey Ave
Cannon Pl
Giles Pl
Fort Independence Park
Jerome Park Reservoir
Henry Hudson Brg
Irwin Ave
W 230th St
Kingsbridge Ave
Godwin Ter
231 Street Station
Sedgwick Ave
Heath Ave
Johnson Ave
Terrace View Ave
Adrian Ave
W 228th St
Broadway
Albany Cres
Goulden Ave
W 225th St
Harlem River
Exterior St
Bedford Park Blvd W
Columbia University-Baker Field
Allen Pavilion
W 225th St
W 229th St
Reservoir Ave
Claflin Ave
Bedford Park Blvd - Lehman College [4]
Inwood Hill Park
W 218th St
W 215th St
Park Ter W
Park Ter E
Broadway
9th Ave
W 216th St
W 215th St
Major Deegan Expy
Heath Ave
Kingsbridge Ter
Sedgwick Ave
W 197th St
University Ave
W 195th St
Jerome Ave
E 198th St
Grand Concourse
E 197th St
Isham Park
Cooper St
W 213th St
W 212th St
W 211th St
Isham St
10th Ave
W 207th St
Vermilyea Ave
W 204th St
Eames Pl
W Kingsbridge Rd
Kingsbridge Rd [4]
E 196th St
Sedgwick Ave
Webb Ave
Dr Martin L King Jr Blvd
Aqueduct Ave W
Grand Ave
W 192nd St
E 193rd St
Kingsbridge Rd [B/D]
Briggs Ave
St James Park
Poe Park
E 192nd St
Creston Ave
Valentine Ave
E 194th St
E 193rd St
Poe Pl
Devoe Ter
W 190th St
Devoe Park
W Fordham Rd
E Fordham Rd
Fordham Rd [4]
Fordham Rd [B/D]
Davidson Ave
Jerome Ave
Elm Pl
E 188th St
E 189th St
W 206th St
W 205th St
Nagle Ave
10th Ave
9th Ave
W 202nd St
Loring Pl N
Andrews Ave N
University Ave
North St
Evelyn Pl
E 187th St
Marion Ave
Major Deegan Expy
Cedar Ave
Hall Of Fame Ter
Bronx Community College
W 183rd St
Buchanan Pl
W 182nd St
Aqueduct Ave E
183 St [4]
Walton Ave
Morris Ave
Grand Concourse
E 184th St
Webster Ave
Washington
Clinton Pl
E 182nd St
Creston Ave
E 183rd St
Tiebout Ave
E 186th St
E 185th St
E 184th St
E 183rd St
Bassford Ave
Park Ave
E 182nd St
3rd Ave
Sedgwick Ave
W 181st St
W 180th St
W 179th St
182 - 183 Sts [B/D]
Harrison Ave
Grand Ave
Davidson Ave
Jerome Ave
E 181st St
Valentine Ave
Folin St
Roberto Clemente State Park
Cedar Ave
W Burnside Ave
01
02
06
09
11
19
22
37
39
40
41
42

GRAND CONCOURSE

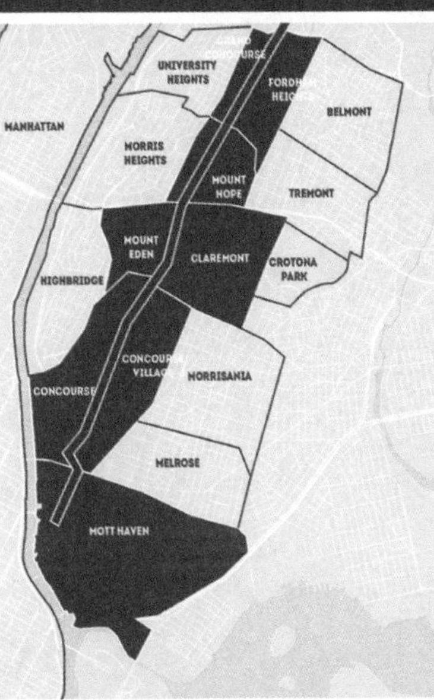

LES COURSES

01. Foodtown
02. Garden Gourmet Market
03. Morris Perk Coffee
06. Poe Park Greenmarket
07. The New York Botanical Garden Greenmarket

MANGER

09. Com Tam Ninh Kieu
11. Cuchifrito's

PAUSES URBAINES

18. Bronx Green-Up
19. Cedar Playground
20. G.I.V.E.
22. Paradise Theater
25. Woodlawn Cemetery

TAKE CARE

37. Webster Playground

BUY LOCAL

39. Fordham Comics
40. Dr. Jay's
41. Sammy's Fashion & Co
42. The Sneaker Authority

B PLAN 1 SUD

W 178th St
W 179th St
Cross Bronx Expy
Washington Brg
Sedgwick Ave
University Ave
Featherbed Ln
Grand Ave
Davidson Ave
Townsend Ave
Grand Concourse
W 177th St
W 176th St
W 175th St
W 174th St
Harlem River Drwy
16
Cross Bronx Expy
Macombs Rd
E 174th St
M Mt Eden Ave [4]
E 173rd St
W 172nd St
Goble Pl
21
High Bridge Park
Exterior St
Major Deegan Expy
Jesup Ave
Townsend Ave
Walton Ave
Selwyn Ave
Audubon Ave
Amsterdam Ave
Depot Pl
University Ave
Ogden Ave
Plimpton Ave
Merriam Ave
E 170th St
Nelson Ave
Claremont Park
W 170th St
E 171st St
Sheridan Ave
W 169th St
Shakespeare Ave
M 170 St [4]
E 170th St
Cromwell Ave
Inwood Ave
M 170 St [B/D]
Morris Ave
Jumel Pl
Dr Martin Luther King Jr Blvd
W 168th St
Edward L Grant Hwy
Elliot Pl
Marcy Pl
E Clarke Pl
Edgecombe Ave
Harlem River Dr
E 170th St
Grand Concourse
Sedgwick Ave
W 167th St
E 168th St
E 169th St
Ogden Ave
Nelson Ave
Woodycrest Ave
Jerome Ave
M 167 St [4]
E 167th St
13
College Ave
10
W 166th St
McClellan St
23
36
26
M 167 St [B/D]
E 168th St
Mullaly Park
River Ave
24
W 164th St
Summit Ave
29
E 165th St
Teller Ave
Clay Ave
Webster Ave
W 162nd St
Anderson Ave
Major-Deegan Expy
FDR Dr
E 164th St
Walton Ave
Carroll Pl
Grant Ave
Park Ave
Harlem Dr W
E 162nd St
15
Sheridan Ave
Sherman Ave
E 166th St
E 167th St
8th Ave
E 161st St
38
Yankee Stadium
Gerard Ave
E 165th St
Brook Ave
34
08
Joyce Kilmer Park
17
E 164th St
E 166th St
Heritage Field
M
E 163rd St
Teller Ave
Macombs Pl
Ruppert Pl
161 St - Yankee Stadium [4/B/D]
12
Park Ave
E 157th St
04
E 162nd St
E 164th St
Adam Clayton Powell Jr Blvd
14
E 158th St
E 161st St
30
E 153rd St
Melrose Ave
E 163rd St
Walton Ave
Harlem River Dr
Concourse Vlg E
E 160th St
35
Exterior St
Park Ave
E 156th St
E 159th St
W 147th St
Concourse Vlg W
E 158th St
Washington Ave
River Ave
E 151st St
Grand Concourse
E 156th St
E 157th St
33
E 155th St
Elton Ave
Cauldwell Ave
E 150th St
Morris Ave
E 153rd St
E 154th St
Lenox Ave
3rd Ave
05
E 156th St
M 149 St - Grand Concourse [4]
W 143rd St
E 151st St
E 152nd St
St Ann's Ave
Eagle Ave
W 142nd St
Exterior St
E 150th St
Bergen Ave
Cauldwell Ave
Gerard Ave
Park Ave
E 149th St
Brook Ave
31
Courtlandt Ave
W 139th St
Harlem Dr W
Walton Ave
E 144th St
E 148th St
M 3 Ave - 149 St [2/5]
Westchester Ave
Exterior St
Trinity Ave

GRAND CONCOURSE

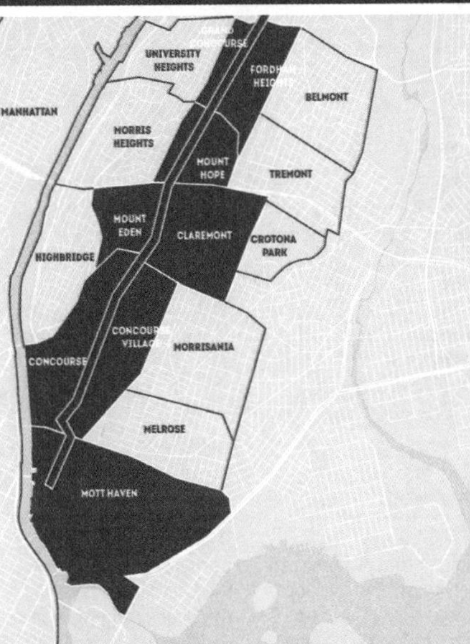

LES COURSES

04. Bronx Borough Hall Greenmarket
05. Lincoln Hospital Greenmarket

PETIT DÉJEUNER

08. Crown Donut Restaurant

MANGER

10. Concourse Jamaican Bakery
12. Fauzia's Heavenly Delights
13. Pupusas

SORTIR

14. Stan's Sports Bar

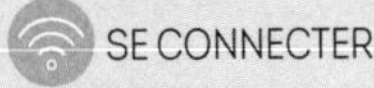

SE CONNECTER

15. XM Café

PAUSES URBAINES

16. 1520 Sedgwick Avenue
17. Boogie on the Boulevard
21. High Bridge
23. Taqwa Community Farm
24. The Fish Building

S'AÉRER LES NEURONES

26. Andrew Freedman Home
27. Baron Ambrosia
28. BomBarbecue
29. Bronx Museum of the Arts
30. Bronx Terminal Market
31. Hostos Center for the Arts & Culture
32. Hush Hip Hop Tours
33. Pregones Theater

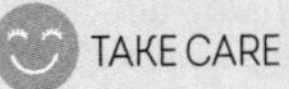

TAKE CARE

34. Macombs Dam Park & Heritage Field
35. Mill Pond Park
36. Mullaly Park
38. Yankee Stadium

On-the-Go

ACCÉDER

MÉTRO

Bedford Park Boulevard, Kingsbridge Rd, Fordham Rd, 167 St, 161 St - Yankee Stadium, 149 St - Grand Concourse, 138 - Grand Concourse, 231 St, 3 Ave - 149 St (lignes 1, 2, 4, 5, B, & D).

CIRCULER

À VÉLO

Privilégier la piste cyclable.

À PIED

Très étendu, faire des sauts de puce en métro.

LOUER UN VÉLO

Le quartier ne dispose toujours pas de Citi Bike ni de loueur de vélo. La seule solution : venir avec le vôtre.

LES COURSES

Pour trouver toute l'année des bons produits d'épicerie, vous devrez sans doute faire vos courses à Harlem ou pousser un peu plus au nord de Grand Concourse, dans l'un de ces deux supermarchés :

01. *Foodtown*

5555 Broadway • entre W 231st St & Kimberly Pl • Riverdale • 718-543-8700 • myfoodtown.com

02. *Garden Gourmet Market*

5665 Broadway • entre W 233rd & 234th Sts • Riverdale • 718-796-4209 • gardengourmetmarket.com

03. *Morris Perk Coffee*

(Hors carte) • 646-621-7631 • morrisperk.com • facebook.com/morrisperk

En attendant d'ouvrir le coffee-shop de ses rêves, Louie Pignata torréfie un mélange inédit de grains de Colombie et d'Amérique Centrale que vous pouvez commander en ligne ou déguster à l'occasion d'un des nombreux événements culturels du Bronx (infos sur la page Facebook).

MARCHÉS DE PRODUCTEURS

Il existe de plus en plus de marchés fermiers (harvesthomefm.org et grownyc.org/greenmarket) qui vendent des produits locaux dans le Bronx. Choisissez le vôtre !

04. *Bronx Borough Hall Greenmarket*

161st St & Grand Concourse • Concourse Village • de juillet à novembre

05. *Lincoln Hospital Greenmarket*

149th St • entre Park & Morris Aves • Mott Haven • de fin juin à mi-novembre

06. *Poe Park Greenmarket*

E 192nd St • entre Grand Concourse & Valentine Ave • Fordham Manor • fin juillet à fin novembre

07. *The New York Botanical Garden Greenmarket*

Mosholu Gate sur Southern Blvd • entre Mosholu Parkway & Bedford Park Blvd (dans le jardin) • Norwood • de fin juin à octobre

PETIT DÉJEUNER

08. *Crown Donut Restaurant*

cash only • 79 E 161st St • angle de Gerard Ave • Concourse Village • 718-538-0309

Ce diner* vous permettra d'assouvir une envie de French toasts ou de bacon & eggs. Ce qui n'est pas incompatible avec la dégustation de l'un de leurs fameux donuts !

MANGER

09. *Com Tam Ninh Kieu*

cash only • moins de $10 • 2641 Jerome Ave • entre W Kingsbridge Rd & W 192nd St • Bedford Park • 718-365-2680

Délicieuse cantine vietnamienne, réputée pour son com tâm (riz brisé accompagné de porc grillé et de légumes), qui prépare aussi de très bons phos et bánh mì.

10. *Concourse Jamaican Bakery*

cash only • moins de $10 • 252 E 167th St • angle de Grant Ave • Concourse Village • 718-681-4015

Les locaux s'y précipitent pour les patties (beignets) végétariens et le carrot-cake que certains considèrent comme les meilleurs du coin.

11. *Cuchifrito's*

moins de $10 • 158 E 188th St • entre Grand Concourse & Creston Ave • Fordham • 718-367-4500

Dans ce bouiboui portoricain, le menu affiché au mur semble sans fin. Restez concentrés sur les chicharones (morceaux de poitrine de porc confits), à déguster en flânant dans le quartier (peu de places assises).

12. *Fauzia's Heavenly Delights*

cash only • moins de $10 • angle de 161st St & Concourse Village W • Concourse Village • 718-930-5711 • facebook.com/Fauzias Heavenly Delights

Ce food-truck sert une excellente cuisine jamaïcaine. Le jerk chicken (mariné et grillé façon jamaïcaine) est à tomber. À arroser d'une eau de noix de coco fraîche.

13. *Pupusas*

moins de $10 • stand au coin nord-ouest de la sortie de métro 167th • Concourse

Pour 1$, vous vous régalerez de pupusas, des crêpes salvadoriennes de farine de maïs fourrées de fromage et porc (queso y chicharrón). Pas d'horaires précis, visez les jours de semaine autour du déjeuner.

SORTIR

14. *Stan's Sports Bar*

$8 • 836 River Ave • angle de E 158th St • Concourse Village • 718-993-5548 • stanssportsbar.com

C'est dans ce bar, sous le métro aérien, que vous trouverez les vrais fans des Yankees, avant et après les matchs. Vous verrez, vous aussi vous chanterez « Go Yankees go ! »

SE CONNECTER

15. *XM Café*

1040 Grand Concourse • angle de 165th St • Concourse Village • 718-681-6000 • bronxmuseum.org

Au rez-de-chaussée du Bronx Museum of the Arts, ce café joue la carte du local. Même son nom a fait l'objet d'un concours ouvert aux Bronxites ! Et les serveurs appartiennent à une association de quartier qui aide les personnes vulnérables.

PAUSES URBAINES

16. *1520 Sedgwick Avenue*

proche angle de Washington Bridge • Morris Heights

Cet immeuble est considéré comme le berceau du hip-hop. C'est ici, en août 1973, que Clive Campbell, 18 ans, alias DJ Kool Herc, a mixé lors d'une soirée restée légendaire. En 2008, quand une société d'investissement a cherché à en faire une résidence de luxe, sa mobilisation a permis de maintenir des loyers accessibles aux classes moyennes en alertant les autorités locales.

17. *Boogie on the Boulevard*

Grand Concourse • entre 162nd & 165th Sts • Concourse Village • boogieontheboulevard.org

Le dernier dimanche de mai, juin, juillet et août, Grand Concourse est fermé à la circulation, entre 162nd et 167th Sts, pour laisser place à de multiples concerts et activités culturelles... Boogie Bronx !

18. *Bronx Green-Up*

2900 Southern Blvd • The New York Botanical Garden • 718-817-8026 • nybg.org/green_up

Depuis plus de 25 ans, cette association aide les habitants du Bronx à créer des jardins partagés et des fermes urbaines.

19. *Cedar Playground*

W 179 St • entre Cedar & Sedgwick Aves • Morris Heights • nycgovparks.org/parks/cedar-playground

Le parc qui a accueilli les premières soirées hip-hop dans les années 1970. Mythique.

20. *G.I.V.E.*

(Hors carte) • 347-992-2860 • facebook.com/GIVE.Inc

Après avoir perdu son boulot, Nilka Martell, une habitante du Bronx, a profité de son temps libre pour rendre sa rue plus agréable en y plantant des fleurs. Ses voisins ont suivi, puis d'autres Bronxites. Aujourd'hui, son association œuvre à l'entretien des espaces publics du quartier.

21. *High Bridge*

à l'angle de University Ave & W 170th St • Highbridge

Cet ancien aqueduc qui relie Manhattan au Bronx est le plus vieux pont de New York. Fermé pendant plus de 40 ans, il est à présent entièrement rénové et ouvert aux piétons comme aux cyclistes. Grandiose.

22. *Paradise Theater*

2417 Grand Concourse • entre E184th & E188th Sts • Grand Concourse

Cette magnifique salle et son auditorium inspiré d'un jardin italien baroque du 16e siècle témoignent d'une époque où le cinéma était un spectacle à part entière. C'est aujourd'hui une église et il faut assister à l'office – animé par un télévangéliste – pour admirer son architecture intérieure. Un autre genre de spectacle !

23. *Taqwa Community Farm*

KIDS • 90 W 164 St • entre Woodycrest & Ogden Aves • Highbridge • 917-805-2866 • facebook.com/Taqwa Community Farm

Il y a 25 ans, quand Abu Talib et son fils Bobby Watson ont décidé de transformer le terrain vague/dépotoir devant lequel ils passaient chaque jour en jardin potager, on les a traités de fous. Aujourd'hui, leur ferme urbaine, où les riverains apprennent entre autres à manger sainement, est montrée en exemple.

24. *The Fish Building*

Le long de Grand Concourse, admirez les immeubles Art déco classés monuments historiques, notamment les numéros 730-1000, 1100-1520, 1560, et 851-1675. Le 1150, surnommé the Fish Building pour ses mosaïques bleues en façade, est l'un des préférés des Bronxites.

25. *Woodlawn Cemetery*

517 E 233rd St • Woodlawn • thewoodlawncemetery.org

Ce cimetière, l'un des plus grands des États-Unis, est un peu le Père Lachaise du Bronx. Y sont enterrés des légendes du jazz comme Duke Ellington et Miles Davis, le réalisateur Otto Preminger, le magnat de la presse Joseph Pulitzer ou encore Robert Moses, l'urbaniste à l'origine de nombreux maux du Bronx.

S'AÉRER LES NEURONES

26. *Andrew Freedman Home*

1125 Grand Concourse • entre 166th & McClellan Sts • Concourse Village • 718-410-6735 • andrewfreedmanhome.org

Cet immense manoir aux airs de palais Renaissance a d'abord été une pension pour personnes âgées de la bonne société avant d'être laissé à l'abandon. Récemment transformé en lieu culturel atypique, il accueille des artistes en résidence et des expositions, ainsi qu'un bed & breakfast d'une dizaine de chambres déco années 1920 tenu par des personnes en réinsertion professionnelle. On peut jouer au cricket et au badminton sur la pelouse et boire un verre dans le lounge speakeasy*. Only in the Bronx !

27. *Baron Ambrosia*

(Hors carte) • baronambrosia.com

Dans la vie, Justin Fornal est un trentenaire excentrique qui aime les gens et... manger. À l'écran, il incarne le Baron Ambrosia, un dandy qui écume ses restaurants préférés en cabriolet de collection rose et pourpre... Chaque année, il convie ses amis et quelques personnalités triées sur le volet à un dîner rétrochic tenu secret. Au menu : bêtes sauvages, insectes et autres mets étranges cuisinés par de grands chefs. Jetez un œil sur ses vidéos *Bronx Flavors*, une série de balades à la rencontre des cuisines ethniques du borough.

28. *BomBarBecue*

(Hors carte) • 347-310-0583 • bombayo.org

C'est dans une rue du Bronx que Jose Ortiz, alias Dr Drum,

a découvert gamin la beauté de la bomba, un genre musical et une danse hérités des esclaves de l'Afrique de l'Ouest exploités dans les plantations de Porto Rico. Dr Drum transmet sa passion aux enfants du quartier en donnant des cours de percussion. Ne ratez pas BomBarBecue, le festival annuel de bomba qui a lieu chaque année en mai.

29. *Bronx Museum of the Arts*

1040 Grand Concourse • entre E165th & E166th Sts • Concourse Village • 718-681-6000 • bronxmuseum.org

Ce musée, dédié à l'art contemporain, met en valeur des artistes d'origines africaine, asiatique et sud-américaine. Très dynamique, il organise de nombreux événements pour les habitants et en plus, il est gratuit !

30. *Bronx Terminal Market*

610 Exterior St • entre 151st & 153rd Sts • Concourse • 718-513-7725 • bronxterminalmarket.com

Chaque été, un cinéma en plein air ouvert à tous s'improvise sur le toit de ce centre commercial.

31. *Hostos Center for the Arts and Culture*

450 Grand Concourse • entre 144th & 149th Sts • Mott Haven • 718-518-6700 • hostos.cuny.edu/culturearts

Un centre culturel, qui abrite notamment la Longwood Art Gallery et fait la part belle aux artistes afro-caribéens et hispaniques.

32. *Hush Hip Hop Tours*

(Hors carte) • 212-714-3527 • hushtours.com

Suivez le MC, le Master of Ceremony ! Fondée en 2000 par une Bronxite, cette agence a eu l'idée ingénieuse de faire découvrir la culture urbaine du Bronx (et aussi de Harlem et de Brooklyn) lors de visites animées par des figures locales du street-art et du rap. Pour vivre l'histoire de l'intérieur.

33. *Pregones Theater*

571-575 Walton Ave • proche angle E150th St • Concourse • 718-585-1202 • pregonesprtt.org

Ce théâtre avant-gardiste présente des créations sud-américaines et propose de nombreux ateliers aux jeunes du quartier.

TAKE CARE

34. *Macombs Dam Park & Heritage Field*

KIDS • De River Ave à Harlem River • entre E 157th, W 161st et and E 164th Sts • Concourse • 212-639-9675 • nycgovparks.org/parks/macombs-dam-park

Construit sur l'ancien Yankee Stadium, ce complexe sportif jouxte le nouveau stade où s'entraînent toutes les stars des Yankees. On peut frapper la balle en foulant les pas de Babe Ruth ou de Joe DiMaggio...

35. *Mill Pond Park*

Major Deegan Expy • Entre E 149th St & E 153rd St • Concourse •nycgovparks.org/parks/mill-pond-park

16 terrains de tennis municipaux, découverts d'avril à octobre et couverts le reste de l'année.

36. *Mullaly Park*

KIDS • 999 Jerome Ave • entre McClellan & 164th Sts • Concourse Village • mullalyskatepark.com

À côté du Yankee Stadium, cet immense parc est équipé de terrains de basket, de volley et de foot, ainsi que de deux aires de jeux. Son vaste skatepark (entrer 164th & River Ave) est le plus ancien de la ville. Il accueille régulièrement des compétitions.

37. *Webster Playground*

KIDS • E 188 St • entre Webster & Park Aves • Fordham • nycgovparks.org/parks/webster playground

Ce parc est LE rendez-vous des basketteurs « amateurs » (façon de parler).

38. *Yankee Stadium*

KIDS • 1 E 161st St • angle de River Ave • Concourse • newyork.yankees.mlb.com

Même si vous n'y connaissez rien au base-ball, c'est toujours une expérience d'assister à un match. Le spectacle est évidemment autant dans les gradins que sur le terrain. Manger (beaucoup) fait partie du jeu mais comme les hot-dogs valent une fortune à l'intérieur du stade et ne sont vraiment pas terribles, soyez prévoyant !

BUY LOCAL

39. *Fordham Comics*

390 E Fordham Rd • angle de Webster Ave • Fordham • 718-563-8505 • facebook.com/Fordham comics

Cela fait plus de 30 ans que les amateurs de comics fréquentent cette librairie nichée au 3e étage d'un immeuble anonyme. Une mine d'or pour les passionnés du genre.

STREETWEAR

Les Bronxites font leur shopping sur Fordham Road, la 5e Avenue du Bronx. Voici trois de leurs adresses fétiches pour le streetwear et les sneakers.

40. *Dr. Jay's*

215 E Fordham Rd • angle Valentine Ave • Fordham • 718-220-3354 • drjays.com

41. *Sammy's Fashion & Co*

2 W Fordham Rd • angle Jerome Ave • Fordham • 718-562-1386 • sammysfashionbxnyc.com

42. *The Sneaker Authority*

214 E Fordham Rd • entre Valentine Ave & Grand Concourse • Fordham Heights • 718-484-3501 • thesneakerauthority.com

WHOLES
RETAIL · GROCERIES

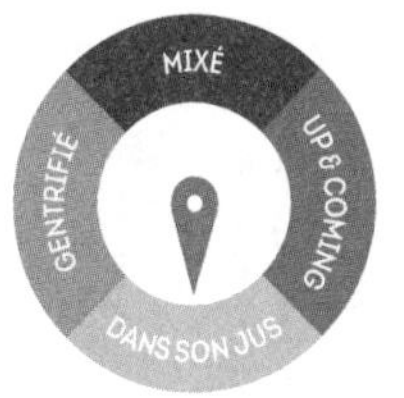

Le " vrai " Little Italy est dans le Bronx.

Il y a encore quelques années, on parlait beaucoup avec les mains sur les trottoirs de Belmont. Dans ce quartier populaire bordé à l'est par Bronx Park et au nord par le campus de Fordham University, plus de la moitié des habitants étaient d'origine italienne. Des descendants d'ouvriers, arrivés du sud de la Botte à la fin du 19e siècle, qui ont participé à la construction du métro et du chemin de fer. C'est ici, dans les rues aux accents italo-américains, bordées de trattorias, de petits immeubles et de maisons modestes, que Chazz Palminteri a grandi et écrit *Il était une fois le Bronx*, adapté à l'écran avec son copain Bob De Niro.

Au carrefour de 187th St et de Arthur Ave, son artère commerçante, l'ambiance est presque villageoise (évitez de venir le dimanche, tout le monde est à la messe, beaucoup des commerces sont fermés, une gageure à New York !). On y croise des tronches à la Joe Pesci qui prennent cul sec leurs ristrettos, brûlants comme il se doit, et des nonnas égrenant les potins autour de cannoli. Chez les traiteurs, au pied de montagnes de boîtes de tomates et de bidons d'huile d'olive, on salive à la vue des salamis et des prosciuttos, et l'on passe commande de lapins, cailles et faisans dans les boucheries traditionnelles, prises d'assaut pour les fêtes. On s'attarde dans le petit marché couvert à l'européenne, sur Arthur Ave, une rareté à New York.

Belmont continue d'agiter fièrement ses racines transalpines ; le drapeau vert-blanc-rouge est là pour le rappeler à chaque coin de rue. Il a gagné ses galons de « vrai Little Italy » (son cousin de Manhattan se réduisant désormais à deux rues dont les restaurants harponnent le client à coup de rabatteurs) rivalisant avec Morris Park, un quartier résidentiel italien de l'autre côté de Bronx Park.

Car en réalité, si les Italiens tiennent toujours la majorité des commerces (qu'ils se transmettent de père en fils), la sociologie du quartier a changé. Ce sont désormais des Albanais et des Portoricains qui y vivent. Il suffit d'aller au square du coin pour entendre chanter l'accent tonique hispanique.

Belmont a longtemps été un secret bien gardé. Aujourd'hui, on y croise plus de touristes, mais ça reste un quartier populaire et habité où l'on guette les fantômes de Jo DiMaggio, l'icône des Yankees, Jake LaMotta, le taureau des rings, ou de James Gandolfino. Une plongée dans le New York du 20e siècle.

PLAN 1

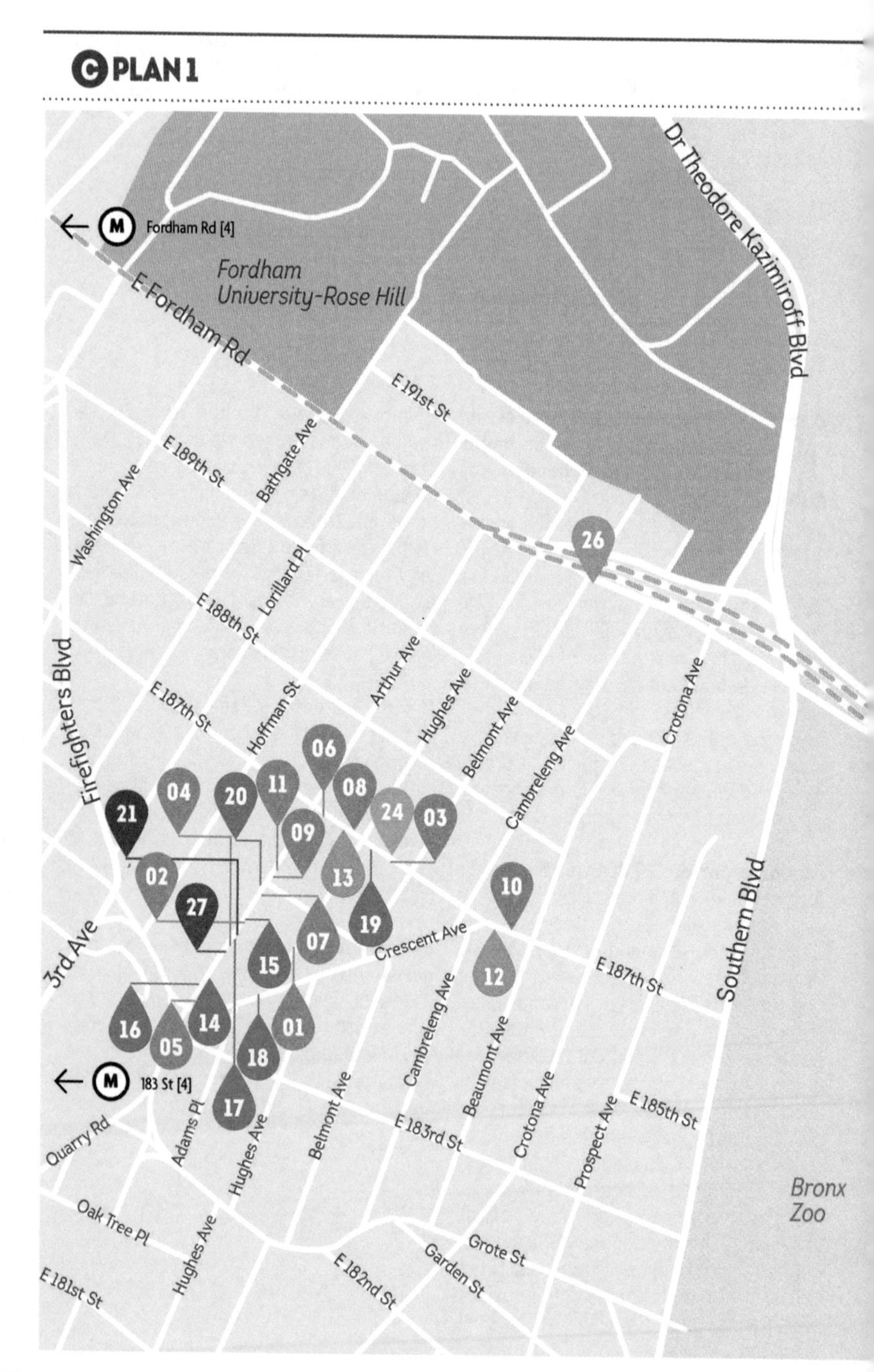
Fordham Rd [4]
Fordham University-Rose Hill
E Fordham Rd
Dr Theodore Kazimiroff Blvd
E 191st St
E 189th St
Bathgate Ave
Washington Ave
Lorillard Pl
E 188th St
Firefighters Blvd
E 187th St
Hoffman St
Arthur Ave
Hughes Ave
Belmont Ave
Cambreleng Ave
Crotona Ave
Southern Blvd
3rd Ave
Crescent Ave
E 187th St
Cambreleng Ave
Beaumont Ave
Belmont Ave
183 St [4]
Quarry Rd
Adams Pl
Hughes Ave
E 183rd St
Crotona Ave
Prospect Ave
E 185th St
Bronx Zoo
Oak Tree Pl
Hughes Ave
Grote St
Garden St
E 182nd St
E 181st St
01
02
03
04
05
06
07
08
09
10
11
12
13
14
15
16
17
18
19
20
21
24
26
27

BELMONT

25
Bronx Park
22
Pelham Pkwy [2/5]
M
23
250 m
FORDHAM MANOR
FORDHAM HEIGHTS
BELMONT
BRONX ZOO + BOTANICAL GARDEN
TREMONT
LES COURSES
01. Arthur Avenue Retail Market
02. Biancardi's
03. Borgatti's
04. Calabria Pork Store
05. Calandra Cheese
06. Casa Della Mozzarella
07. Cosenza's Fish Market
08. Mount Carmel Wines & Spirits
09. Teitel Brothers
10. Terranova Bakery
11. Vincent's Meat Market
PETIT DÉJEUNER
12. Artuso Pastry Shop
13. De Lillo Pastry Shop
MANGER
14. Estrellita Poblana III
15. Mike's Deli
16. Gurra Cafe
17. Mario's Restaurant
18. Roberto's Restaurant
19. Tra Di Noi
20. Zero Otto Nove
SORTIR
21. The Bronx Beer Hall
PAUSES URBAINES
22. Bronx Park
23. Bronx Zoo
24. Our Lady of Mount Carmel Church
25. The New York Botanical Garden
TAKE CARE
26. Tuff City
BUY LOCAL
27. Cerini

FAITES COMME CHEZ EUX

On-the-Go

ACCÉDER

MÉTRO/BUS

Fordham Road (lignes B, D ou 4), puis le bus Bx12 (ou marcher une quinzaine de minutes).

OU

Station Metro-North Railroad à Grand Central, jusqu' à Fordham (plus rapide).

CIRCULER

À VÉLO

Pratique de circuler dans les rues résidentielles puis d'aller dans le Bronx Park.

À PIED

Agréable car c'est comme un village.

LOUER

Le quartier ne dispose toujours pas de Citi Bike ni de loueur de vélo. La seule solution : venir avec le vôtre.

LES COURSES

01. *Arthur Avenue Retail Market*

2344 Arthur Ave • entre 186th St & Crescent Ave • 718-295-5033 • bronxlittleitaly.com

Voir coup de cœur p. 374

02. *Biancardi's*

2350 Arthur Ave • proche angle 186th St • 718-733-4058

Les saucisses sont à tomber, et à des prix raisonnables, comme tout le reste dans cette boucherie fréquentée par des clients fidèles.

03. *Borgatti's*

cash only • 632 E 187th St • entre Belmont & Hughes Aves • 718-367-3799 • borgattis.com

Vous ferez la queue comme tout le monde pour mériter de repartir avec les raviolis et autres pâtes fraîches de Chris Borgatti, dont le vénéré grand-père a fondé la boutique en 1935.

04. *Calabria Pork Store*

2338 Arthur Ave • entre E 186th St & Crescent Ave • 718-367-5145

Ce n'est pas le ciel mais les saucissons qui risquent de vous tomber sur la tête ! Dans cette incroyable charcuterie calabraise entièrement dédiée au porc, on trouve un nombre impressionnant de soppressata et autres salamis piquants pendus au plafond.

05. *Calandra Cheese*

2314 Arthur Ave • entre E 186th St & Crescent Ave • 718-365-7572

Pour la ricotta, la burrata, les mozzarelles et aussi le burrino, fromage de Calabre et des Pouilles en forme de petite poire.

06. *Casa della Mozzarella*

604 E 187th St • entre Arthur & Hughes Aves • 718-364-3867 • facebook.com/Casa Della Mozzarella

Ici, la mozzarella n'est pas fraîche du jour mais quasiment de l'heure. L'une des meilleures de New York.

07. *Cosenza's Fish Market*

2354 Arthur Ave • proche angle de E 186th St • 718-364-8510

Une référence si une envie de poisson et de coquillages vous vient. Quand il fait beau, cette poissonnerie très bien achalandée sort les tables et les chaises en plastique et vous ouvre huîtres et clams à déguster dans la rue.

08. *Mount Carmel Wines & Spirits*

609 E 187th St • entre Hughes & Arthur Aves • 718-367-7833 • mountcarmelwines.com

Une belle sélection de vins, italiens bien sûr !

09. *Teitel Brothers*

2372 Arthur Ave • à l'angle de E 186th St • 718-733-9400 • teitelbros.com

Une petite épicerie fine extrêmement bien fournie (particulièrement en huiles d'olive) et qui a l'avantage de pratiquer des prix doux.

10. *Terranova Bakery*

cash only • 691 E 187th St • entre Cambreleng & Beaumont Aves • 718-367-6985 • terranovabakery.com

Toutes sortes de bons pains, notamment à l'huile d'olive. Vous pouvez y acheter de la pâte à pizza.

11. *Vincent's Meat Market*

2374 Arthur Ave • à l'angle de E 186th St • 718-295-9048 • vincentsmeatmarket.com

Une autre excellente boucherie où les New-Yorkais gourmets

13

sont sûrs de trouver du lapin, des cailles, et de la cotechino, de la saucisse de Modène, à cuire avec des lentilles.

PETIT DÉJEUNER

12. *Artuso Pastry Shop*

670 E 187th St • à l'angle de Crescent Ave • 718- 367-2515 • artusopastry.com

Des pains, des beignets, des biscuits secs, et des pâtisseries toutes plus délicieuses les unes que les autres, à commencer par les cannolis qui font la réputation de la famille Artuso. N'hésitez pas à commander des gâteaux d'anniversaire : leurs créations sont impressionnantes et rendent hommage à toutes les stars du quartier, du pape François à Bob l'Éponge.

13. *De Lillo Pastry Shop*

606 E 187th St • entre Arthur & Hughes Aves • 718-367-8198 • delillopastryshop.com

Des cappuccinos* crémeux et des bons expressos, à accompagner d'une douceur.

MANGER

14. *Estrellita Poblana III*

$10-20 • 2328 Arthur Ave • proche angle de Crescent Ave • 718-220-7621 • estrellitapoblanaiii.com

Les Hispaniques étant désormais majoritaires dans le quartier, ils ont quand même réussi à ouvrir quelques commerces ! Ce restaurant mexicain en est un très bon exemple. Délicieux tacos*, mais aussi cemitas, des sandwiches servis dans des rolls aux graines de sésame.

15. *Mike's Deli*

moins de $10 • 2344 Arthur Ave • entre E 186th St & Crescent Ave • 718-295-5033 • arthuravenue.com

Si vous voulez savoir à quoi ressemble un gargantuesque sandwich italo-américain au prosciutto et à l'aubergine, arrêtez-vous chez Mike et David Greco, LE deli* du marché couvert.

16. *Gurra Café*

cash only • moins de $10 • 2325 Arthur Ave • à l'angle de E 184th St • 718-220-4254

Un bon restaurant albanais témoin de la récente évolution du quartier, où manger une salade de feta, des saucisses grillées ou des boulettes de viande. Les portions sont généreuses.

17. *Mario's Restaurant*

$20-30 • 2342 Arthur Ave • entre E 186th St & Crescent Ave • 718-584-1188 • mariosrestarthurave.com

Voilà près de cent ans que la famille Migliucci régale de son veau alla parmiggiana, ses côtes d'agneau, ses linguine aux clams et bien sûr ses fameuses pizzas.

18. *Roberto's Restaurant*

$20-30 • 603 Crescent Ave • entre Arthur & Hughes Aves • 718-733-9503 • roberto089.com

L'institution gastronomique du quartier, où déguster du lapin braisé ou des fettuccine aux truffes. Et aussi de sublimes crabes à carapace molle en saison. Très belle carte des vins. Pas donné. Mais si on vous dit que des grands chefs new-yorkais viennent dîner là...

FAITES COMME CHEZ EUX

19. *Tra di Noi*

$20-30 • 622 E 187th St • à l'angle de Hughes Ave • 718-295-1784 • tradinoi.com

Installez-vous à une table nappée de carreaux rouges et blancs, commandez les pâtes du jour ou un osso bucco, nouez votre serviette autour du cou et préparez vos papilles à voir du pays.

20. *Zero Otto Nove*

$10-20 • 2357 Arthur Ave • entre E 184th & E 187th St • 718-220-1027 • roberto089.com

Une trattoria plutôt chic aux couleurs de Sorrento. Ses pizzas sont dans notre top 10. Notamment la simplissime margherita à la mozzarella di buffala.

21. *The Bronx Beer Hall*

$5.50-14 • 2344 Arthur Ave • entre E 186th St et Crescent Ave • 347-396-0555 • thebronxbeerhall.com

Même Arthur Ave se hipstérise. Deux frères portoricains qui ont grandi dans le Bronx font couler les bières artisanales locales au beau milieu du marché couvert. Au début, on se dit que ça jure avec l'esprit vieille école du marché. Après avoir trinqué avec les étudiants de Fordham University (à 10 minutes de marche et qui a compté sur ses bancs Lana Del Rey), on se dit que le mélange des genres a du bon.

22. *Bronx Park*

KIDS • E Fordham Rd • à l'angle de Bronx River Pkwy • 212-360-1311 • nycgovparks.org/parks/bronx-park

Si on vous dit que vous pouvez voir des hérons, des tortues et des rats musqués en plein Bronx, vous nous croyez ? Cet immense parc est très apprécié des Bronxites à toutes les saisons. Notamment des enfants, avec ses 7 playgrounds ! Profitez-en pour vous promener le long de la rivière Bronx, nettoyée des nombreux déchets qui la polluaient par des associations de défense de la nature comme la Bronx River Alliance.

23. *Bronx Zoo*

KIDS • 2300 Southern Blvd • 718-220-5100 • bronxzoo.com

C'est en général la raison pour laquelle la plupart des touristes mettent les pieds dans le Bronx. C'est vrai que c'est un beau zoo, même si l'entrée n'est pas donnée.

24. *Our Lady of Mount Carmel Church*

627 E 187th St • à l'angle de Belmont Ave • 718-295-3770 • ourladymtcarmelbx.org

Au cas où vous vous demanderiez ce que font les Italiens et les Portoricains le dimanche matin, cette église catholique est un lieu de rassemblement incontournable du quartier. Et ses vitraux valent bien une messe.

25. *The New York Botanical Garden*

KIDS • 2900 Southern Blvd • à l'angle de Dr Theodore Kazimiroff Blvd • 718-817-8700 • nybg.org

Une journée n'est pas de trop pour découvrir toutes les fleurs et les espèces de ce magnifique jardin, qui abrite une forêt vierge et une rivière. Et de sublimes serres victoriennes.

26. *Tuff City*

650 E Fordham Rd • 718-563-4157

Ce salon de tatouage est autant reputé pour les œuvres gravées sur la peau de ses clients que pour sa façade, couverte de très beaux graffitis.

À moins que vous n'ayez envie d'offrir un t-shirt « Save a stallion, ride an Italian » (« Sauvez un étalon, chevauchez un Italien. ») on vous conseille surtout de rapporter des bonnes choses à manger. Reportez-vous aux adresses recommandées dans *Les Courses*. Pour info, à la sortie de la station Metro-North Railroad, il y a toutes les chaînes de magasins qu'il faut pour énerver les adeptes de la décroissance. Pas exactement local mais ça dépanne.

27. *Cerini*

2334 Arthur Ave • entre Crescent Ave & E 186th St • 718-584-3449 • cerinicoffee.com

Dans cette boutique familiale, on trouve toutes les sortes de machines à café. Et donc du bon café et des douceurs italiennes.

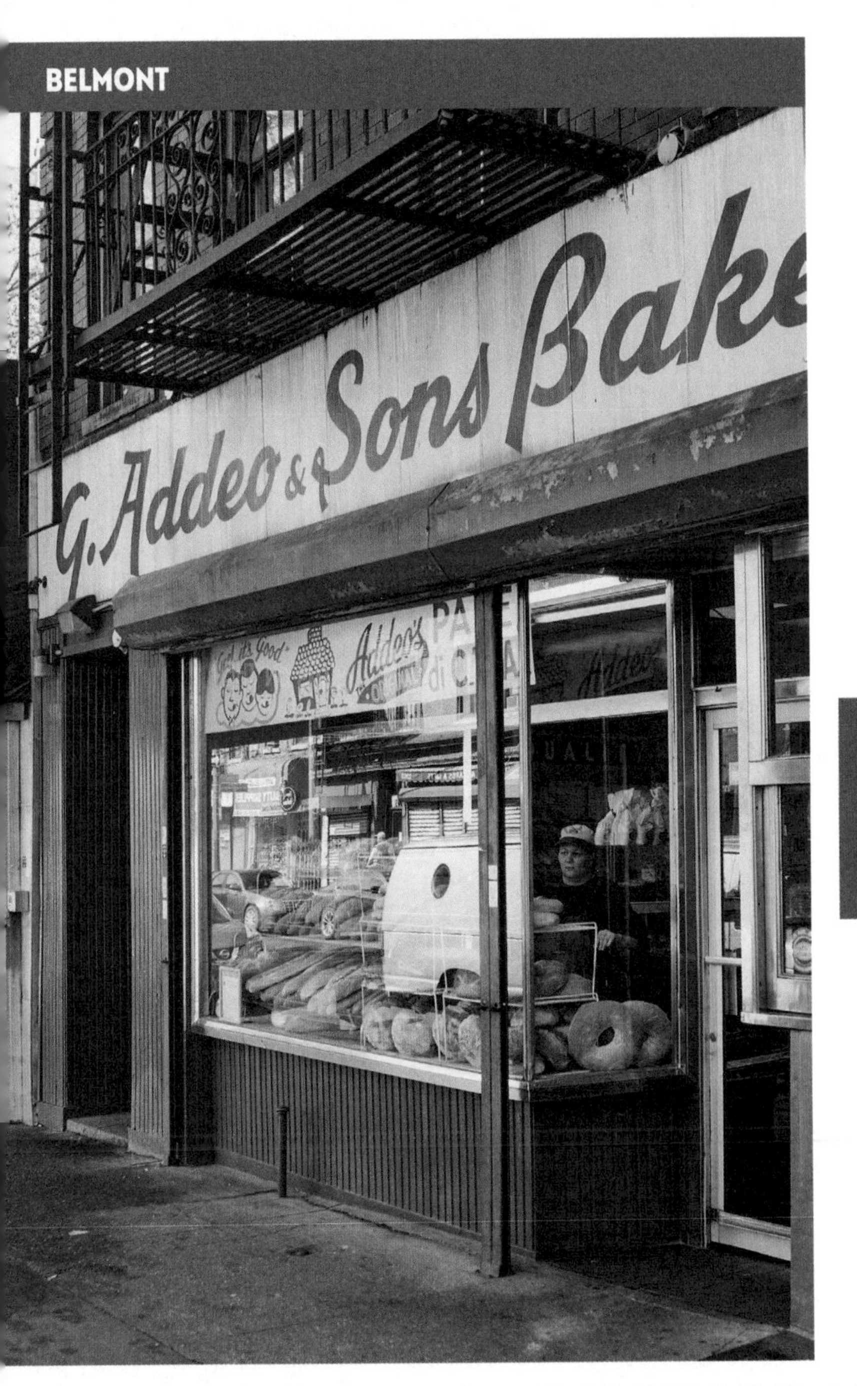
G. Addeo & Sons Bake
Addeo's

LES COURSES

01. *Arthur Avenue Retail Market*

2344 Arthur Ave • entre 186th St & Crescent Ave • 718-295-5033 • bronxlittleitaly.com

Ouvert dans les années 1940, c'est l'un des quatre marchés couverts qui restent de l'époque où le maire Fiorello LaGuardia avait décidé de débarrasser New York de ses vendeurs à la sauvette. On y achète des fruits et légumes pas chers et surtout de la très bonne viande (chez Peter's). On y mange de délicieux antipasti, des pâtes fraîches ou une part de pizza chez Café El Mercato. Ou encore un énorme sandwich italo-américain chez Mike's (ne vous laissez pas impressionner par le ton faussement bourru de David Greco, le patron, et de ses employés). Allez-y plutôt en semaine, pour faire vos emplettes avec les locaux. Juste à l'entrée, une échoppe de cigares dominicains roulés à la main sous vos yeux. Depuis 2013, on peut aussi y boire des bières brassées dans le Bronx, dans un bar situé au milieu du marché.

Le jour où on a rencontré **Crash**, de son vrai nom John Matos, dans sa galerie du South Bronx, il était en pleine conversation avec Goldie, un graffeur/DJ, dont les dents en or brillent autant que les chaînes, et Jane Dickson, une artiste américaine dont on peut entre autres admirer les mosaïques sur les murs de la station de métro de Times Square.

Tous les trois se connaissent depuis les débuts de la scène hip-hop, dans les années 1970. « John n'avait que 13 ans quand il a commencé à graffer. Aujourd'hui, c'est une star ! », se réjouit Jane Dickson. L'enfant du quartier a le sourire modeste. Et se souvient de ses expéditions nocturnes pour aller bomber les cinq lettres de son nom sur les trains et les lignes de métro. Le borough brûlait et sa créativité explosait. C'était l'époque de Fashion Moda, galerie culte du sud du Bronx, un espace culture où l'on pouvait croiser Jean-Michel Basquiat, Keith Haring ou encore Sophie Calle. C'est ici que le jeune Crash a organisé, en 1980, la première exposition de graffiti du monde. Les musées et les galeries les plus prestigieux n'ont pas tardé à emboîter le pas. De culture alternative, le graf est devenu légitime.

Aujourd'hui, les œuvres de Crash sont exposées au MoMA et dans le monde entier. Comme beaucoup de graffeurs qui ont la cote, Crash n'a pas hésité à passer des murs de la ville à la toile et à mettre son art au service de campagnes publicitaires de grandes marques industrielles. Il a aussi customisé des guitares électriques pour Eric Clapton, dont l'une d'elle s'est vendue plus de 300 000$ aux enchères.

> *« John n'avait que 13 ans quand il a commencé à graffer. Aujourd'hui, c'est une star ! »*

Mais John Matos n'a pas oublié d'où il vient. Il a beau être invité à bomber ses œuvres, inspirées des comics et du pop art, sur les murs du monde entier, il vit toujours dans le Bronx. La galerie de street-art qu'il a ouverte à Mott Haven (voir p.353), dans le coin qui commence à bouger, avec ses restaurants branchés et ses usines réhabilitées en lofts, est une façon de rendre hommage à sa community*. « C'est bien que le coin évolue. Il faut que ça change, mais pas trop quand même. »

END
KEEP OUT

Un village de pêcheurs dans le Bronx.

Si l'on vous dit que le Bronx héberge un parc, Pelham Bay Park (trois fois plus grand que Central Park), et qu'au bout de celui-ci, vous trouverez un charmant village de pêcheurs aux accents de Nouvelle-Angleterre, nous croirez-vous ?

Il faut une bonne heure pour y arriver depuis Manhattan mais ça vaut le coup. Le dépaysement est instantané, le cri des mouettes remplace celui des camions de pompiers et les buildings laissent place à des rues bordées aussi bien de modestes maisons en bois blanches que d'imposantes demeures victoriennes qui donnent toutes sur la baie.

Cette île de 2,4 km de long sur à peine 1 km de large accueillait autrefois une large communauté de pêcheurs d'huîtres et de fabricants de bateaux. Pour le cours d'histoire locale, vous devez absolument vous rendre au City Island Nautical Museum.

Les bénévoles passionnés qui s'en occupent ne tariront pas d'anecdotes sur leur île. Vous apprendrez d'ailleurs que l'on surnomme « clamdiggers » les natifs de l'île tandis que les nouveaux arrivants sont les « mussel-suckers »... Et que City Island a longtemps abrité des chantiers navals, dont sont notamment sortis les barges du Débarquement de la Seconde Guerre mondiale. Même si les chantiers navals ont été remplacés par des petits clubs nautiques, 4 500 personnes vivent ici à l'année.

L'animation, assez limitée l'hiver ou pendant la semaine, se concentre le long de la seule rue principale, City Island Ave, où vous trouverez bon nombre de magasins d'antiquités, de galeries d'art et de cafés.

Les week-ends d'été, l'île s'éveille, notamment le midi, quand les habitants du Bronx débarquent pour manger des clams frits dans l'un des nombreux restaurants de fruits de mer de l'île. Faites comme eux, commandez-vous une portion et allez admirer les bateaux au bout d'un ponton.

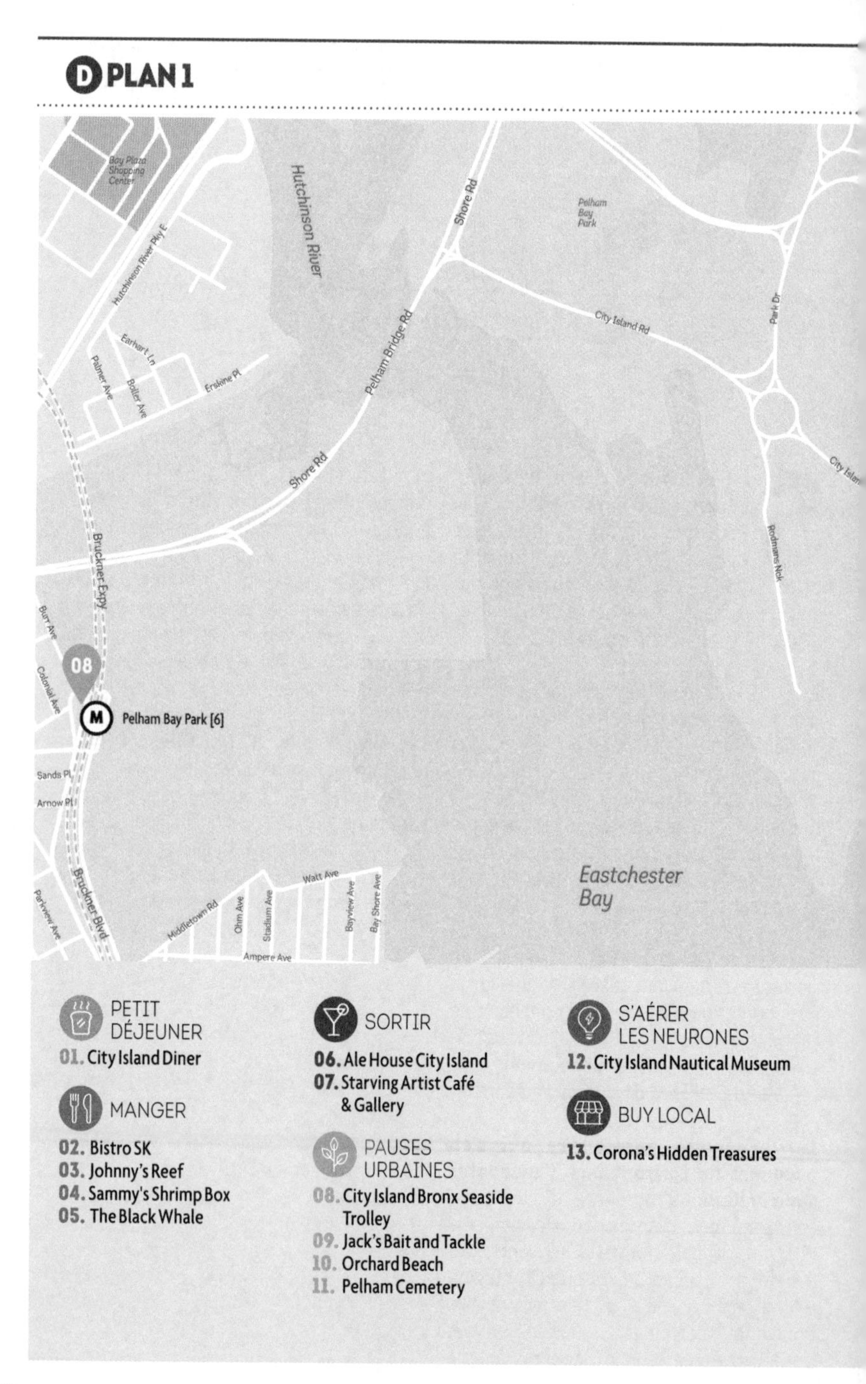

D PLAN 1
Bay Plaza Shopping Center
Hutchinson River
Shore Rd
Pelham Bay Park
Hutchinson River Pky E
Earhart Ln
Palmer Ave
Baller Ave
Erskine Pl
Pelham Bridge Rd
City Island Rd
Park Dr
Shore Rd
Rodmans Nck
Bruckner Expy
Burr Ave
Colonial Ave
08
M
Pelham Bay Park [6]
Sands Pl
Arnow Pl
Eastchester Bay
Watt Ave
Middletown Rd
Ohm Ave
Stadium Ave
Bayview Ave
Bay Shore Ave
Bruckner Blvd
Parkview Ave
Ampere Ave
PETIT DÉJEUNER
01. City Island Diner
MANGER
02. Bistro SK
03. Johnny's Reef
04. Sammy's Shrimp Box
05. The Black Whale
SORTIR
06. Ale House City Island
07. Starving Artist Café & Gallery
PAUSES URBAINES
08. City Island Bronx Seaside Trolley
09. Jack's Bait and Tackle
10. Orchard Beach
11. Pelham Cemetery
S'AÉRER LES NEURONES
12. City Island Nautical Museum
BUY LOCAL
13. Corona's Hidden Treasures

CITY ISLAND

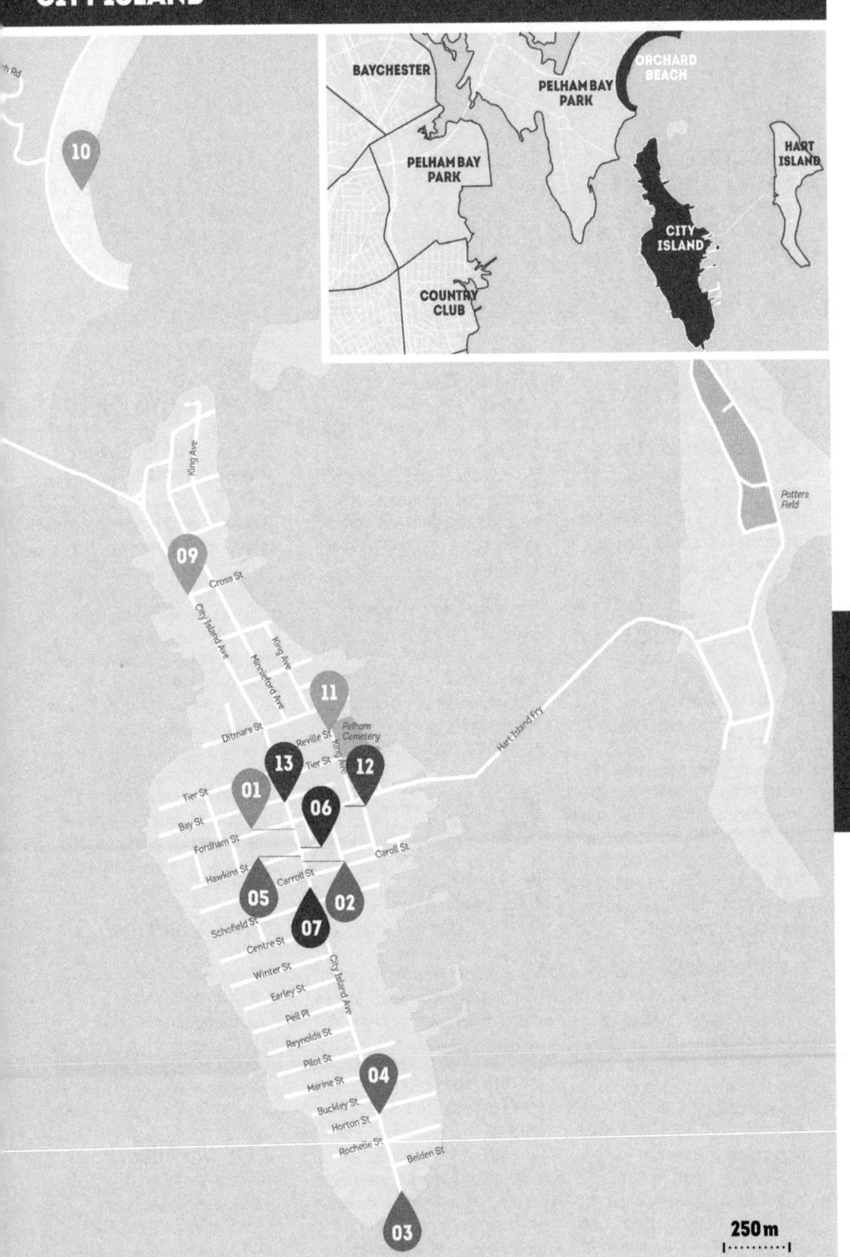

BAYCHESTER
PELHAM BAY PARK
ORCHARD BEACH
PELHAM BAY PARK
HART ISLAND
CITY ISLAND
COUNTRY CLUB
10
King Ave
Potters Field
09
Cross St
City Island Ave
King Ave
Minnieford Ave
11
Pelham Cemetery
Ditmars St
Reville St
King Ave
Tier St
13
12
Hart Island Fry
Tier St
01
06
Bay St
Fordham St
Caroll St
Hawkins St
Carroll St
05
02
07
Schofield St
Centre St
Winter St
City Island Ave
Earley St
Pell Pl
Reynolds St
Pilot St
04
Marine St
Buckley St
Horton St
Rochelle St
Belden St
03
250 m

FAITES COMME CHEZ EUX

On-the-Go

ACCÉDER
MÉTRO/BUS/TROLLEY
Pelham Bay Park, le terminal de la ligne 6, puis prendre le bus Bx29 ou le trolley (voir pauses urbaines).

CIRCULER
À VÉLO
Assez facile. Attention à la circulation sur les avenues.

À PIED
Bucoliques.

LOUER
Pas de Citi Bike ni de loueur de vélo. La seule solution : venir avec le vôtre !

PETIT DÉJEUNER

01. *City Island Diner*
cash only • 304 City Island Ave • à l'angle de Fordham St • 718-885-0362
Diner* classique pour un petit-déjeuner roboratif avant une partie de pêche.

MANGER

02. *Bistro SK*
$20-30 • 273 City Island Ave • entre Hawkins & Caroll Sts • 718-885-1670 • bistrosk.com
Stéphane Kane peut se vanter d'être le seul restaurateur 100 % français du Bronx. On se régale chez lui d'escargots au beurre, de moules à la crème ou encore de bar pêché dans l'estuaire. Une crème brûlée digne de ce nom couronne le tout.

03. *Johnny's Reef*
$10-20 • 2 City Island Ave • près de Belden St • 718-885-2086 • johnnysreefrestaurant.com
À l'extrémité sud de l'île, cet immense restaurant qui relève plus du fast-food sert de copieux plateaux de fruits de mer frits à accompagner d'une pina colada. Vous pourrez profiter des embruns sur les tables de pique-nique à l'extérieur, mais attention à ne pas vous faire piquer vos frites par les mouettes.

04. *Sammy's Shrimp Box*
$20-30 • 64 City Island Ave • à l'angle de Horton St • 718-885-3200 • shrimpboxrestaurant.com
Si vous avez envie d'un service à table et d'une cuisine un peu plus raffinée que chez Johnny's Reef, essayez cette adresse familiale.

05. *The Black Whale*
$10-20 • 279 City Island Ave • à l'angle de Hawkins St • 718-885-3657 • theblackwhalefb.wix.com/theblackwhaleci
Bon restaurant de fruits de mer. Les desserts font la réputation de cet établissement.

SORTIR

06. *Ale House City Island*
$6-8 • 288 City Island Ave • entre Fordham & Hawkins Sts • 718-885-1813
Vous devriez trouver de quoi vous rafraîchir en fin de journée parmi la centaine de bières en bouteille disponibles.

07. *Starving Artist Café & Gallery*
249 City Island Ave • entre Carroll & Schofield Sts • 718-885-3779 • starvingartistonline.com
Lieu éclectique pour prendre un café, écouter de la musique, voir des expos ou s'offrir quelques bijoux artisanaux.

PAUSES URBAINES

08. *City Island Bronx Seaside Trolley*
cityislandchamber.org/content/seaside-trolley
Ça peut faire attrape-touristes mais monter dans ce trolley, réplique d'un bus du début du 20e siècle, est une façon originale de découvrir City Island. Il vous y emmène gratuitement chaque premier vendredi du mois, d'avril à décembre, au départ de Pelham Bay Park Station, le terminus de la ligne 6, à partir de 17 h 30. Sur le chemin, un premier arrêt est prévu à la Bartow-Pell Mansion, une magnifique demeure du 19e siècle de style greek revival, nichée au cœur du Pelham Bay Park.

09. *Jack's Bait and Tackle*
551 City Island Ave • à l'angle de Cross St • 718-885-2042 • jacksbaitandtackle.com
C'est chez Jack que vous pouvez louer un petit bateau de pêche (et aussi tout le matériel pour pêcher) pour la journée ou vous inscrire pour une croisière.

10. *Orchard Beach*
Pelham Bay Park • nycgovparks.org/parks/pelham-bay-park/facilities/beaches
Accessible avec le bus Bx29. Cette plage, l'unique du Bronx, a été surnommée la riviera de

New York à sa construction en 1930. Nous n'irons pas jusque là mais il est vrai que cette plage de sable blanc et fin, nichée dans le Pelham Bay Park, est belle, et que la promenade qui la longe est agréable. Ne venez pas y chercher la tranquillité les week-ends d'été. L'ambiance est plutôt au barbecue, glacière et grosse sono, et le moins que l'on puisse dire, c'est que c'est typique ! (voir Out of the City p. 423)

11. *Pelham Cemetery*

King Ave • entre Ditmars & Fordham Sts • 718-885-3036 • pelhamcemetery.org

Après votre visite du musée, longez ce joli cimetière au bord de l'eau.

12. *City Island Nautical Museum*

190 Fordham St • entre Fordham Pl & Minnieford Ave • 718-885-0008 • cityislandmuseum.org

C'est une bonne idée de commencer votre visite de City Island par ce musée (gratuit) pour découvrir son passé maritime. N'oubliez pas d'y prendre la carte avec les points d'intérêt de l'île pour vous guider le reste de la journée.

13. *Corona's Hidden Treasures*

329 City Island Ave • à l'angle de Bay St • 718-885-1330

Si l'on trouve de nombreux magasins d'antiquités le long de City Island Ave, c'est certainement celui qui a l'atmosphère la plus authentique.

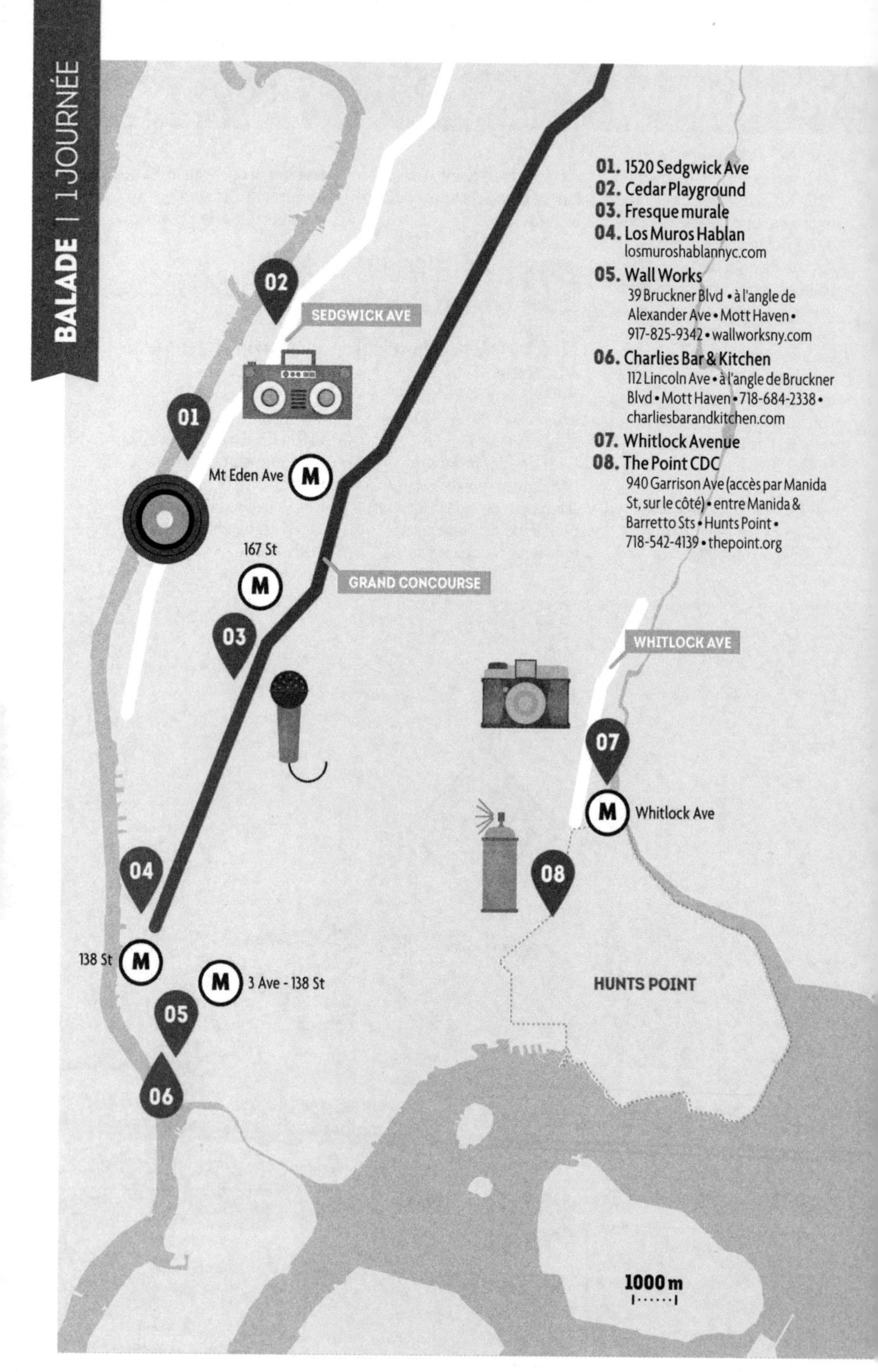
01. 1520 Sedgwick Ave
02. Cedar Playground
03. Fresque murale
04. Los Muros Hablan
losmuroshablannyc.com
05. Wall Works
39 Bruckner Blvd • à l'angle de Alexander Ave • Mott Haven • 917-825-9342 • wallworksny.com
06. Charlies Bar & Kitchen
112 Lincoln Ave • à l'angle de Bruckner Blvd • Mott Haven • 718-684-2338 • charliesbarandkitchen.com
07. Whitlock Avenue
08. The Point CDC
940 Garrison Ave (accès par Manida St, sur le côté) • entre Manida & Barretto Sts • Hunts Point • 718-542-4139 • thepoint.org
SEDGWICK AVE
Mt Eden Ave
167 St
GRAND CONCOURSE
WHITLOCK AVE
Whitlock Ave
138 St
3 Ave - 138 St
HUNTS POINT
1000 m

Street-culture

Ne dites surtout pas aux Bronxites que le hip-hop est né à Los Angeles ou, pire, à Brooklyn. Le Bronx est le berceau du DJ-ing, du MC-ing, du breakdancing et du graffiti, les quatre piliers de la street-culture. La preuve en sons et en images.

Soyez prêts à marcher. À 30 minutes du métro Mt Eden Ave, commencez par **1520 SEDGWICK AVE.** La légende dit que c'est dans cet immeuble qu'est né le hip-hop. Le 11 août 1973, Clive Campbell, alias DJ Kool Herc, un Jamaïcain de 18 ans, a une idée : lors d'une house party, il « casse » les morceaux en passant en boucle des extraits instrumentaux rythmiques. Il est depuis considéré comme l'un des pères du hip-hop, avec Afrika Bambaataa, fondateur du collectif Zulu Nation, et Grandmaster Flash. Cette portion de Sedgwick Ave a d'ailleurs été rebaptisée Hip Hop Boulevard par la mairie de New York.

Remontez Sedgwick Ave vers le nord. Vous arrivez à **CEDAR PLAYGROUND**, autre lieu de pèlerinage. Dans ce square, les DJs branchaient leurs platines et leurs enceintes sur les feux de circulation.

En redescendant, à une bonne demi-heure de marche (ou de métro, par la ligne 4), ne ratez pas, au coin de 166th St et de **GRAND CONCOURSE**, la **FRESQUE MURALE** en hommage à DJ Kool Herc. Peut-être croiserez-vous en chemin Grandmaster Caz, un « Master of Ceremony » historique, qui anime des visites guidées pour Hush Hip Hop Tours (voir p. 365), durant lesquelles il raconte les coulisses de la street culture, notamment celles du premier tube de rap, *Rapper's Delight*. Il affirme d'ailleurs être l'auteur des paroles sans jamais avoir été crédité.

Reprenez la ligne 4 à 167 St. En sortant à 138 St, admirez, à l'angle de Grand Concourse et 138th St, les fresques du Festival International **LOS MUROS HABLAN**. Passez à la galerie **WALL WORKS** (voir p. 353) où des artistes de rue qui montent sont exposés avec des noms cotés sur le marché de l'art contemporain. Mangez un morceau chez **CHARLIES** tout près (voir p 351).

Reprenez la ligne 6, à 3 Av - 138 St, et descendez à Whitlock Ave: c'est ici que les photographes aimaient immortaliser, dans les années 1980, les wagons entièrement tagués qui roulaient sur les rails aériens. Marchez vers le sud, sur **WHITLOCK AVENUE**, riche en fresques sur les façades des entrepôts et des garages.

Passez sous l'autoroute. Vous voilà à **HUNTS POINT** (voir p. 344), autre fief des graffeurs, notamment de Tats Cru, installé à **THE POINT** (voir p. 354), et qui invite régulièrement des artistes du monde entier à graffer la façade d'un entrepôt de Drake St (au sud de Spofford Ave).

Parce que vous visiterez aussi ces lieux emblématiques de New York, nous vous donnons nos bonnes adresses pour ne pas avoir l'air d'un touriste.

IN THE BOX
IN THE BOX

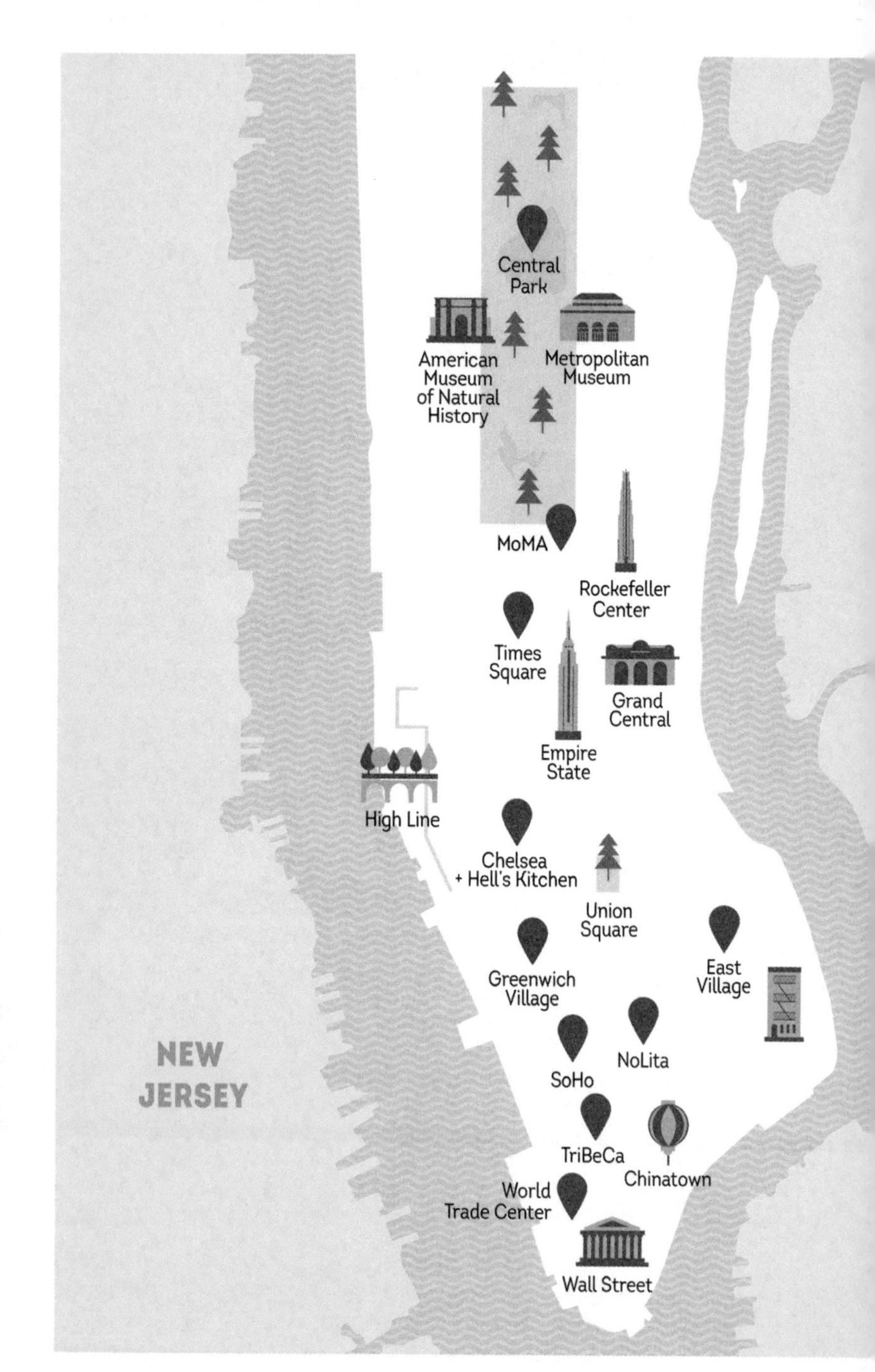
Central Park
American Museum of Natural History
Metropolitan Museum
MoMA
Rockefeller Center
Times Square
Grand Central
Empire State
High Line
Chelsea + Hell's Kitchen
Union Square
East Village
Greenwich Village
NoLita
SoHo
NEW JERSEY
TriBeCa
Chinatown
World Trade Center
Wall Street

QUEENS

BROOKLYN

... de l'American Museum of Natural History

Des dinosaures aux mammifères, les collections de ce musée sont incroyables. Pour les enfants, c'est la sortie rêvée. Après la visite, baladez-vous dans l'Upper West Side aux rues bordées de brownstones* et d'arbres. Au bord du parc se dressent le **Dakota Building**, où John Lennon a été assassiné, et les **San Remo Apartments.** Amsterdam et Columbus Aves sont propices au lazy shopping. Notamment chez **Steven Alan**, styliste de vêtements élégants et décontractés. Le dimanche, faites votre marché au **Greenmarket** et flânez aux **puces**. Pour une douceur ou du bon pain, filez chez **Levain Bakery** et **Silver Moon Bakery**. Un déjeuner indien rapide chez **Hampton Chutney Co.**, ou un bagel* au saumon fumé et à l'esturgeon chez **Barney Greengrass**, morceau d'anthologie new-yorkaise. Pour le brunch, choisissez entre **Good Enough to Eat** et **Jacob's Pickles**. Pour dîner, gastro chez **Dovetail** ou bio chez **Spring Natural Kitchen**. Et pour un verre, le **Manhattan Cricket Club**, un clubhouse australien chic.

American Museum of Natural History Central Park West & 79th St • amnh.org **Dakota Building** 1 W 72nd St • à l'angle de Central Park West **San Remo Apartments** 145 & 146 Central Park West • entre 74th & 75th Sts **Steven Alan Outpost** 465 Amsterdam Ave • entre 82nd & 83rd Sts • stevenalan.com **Greenmarket** Columbus Ave • entre 77th & 81st Sts • grownyc.org/greenmarket/manhattan/79th-street **GreenFlea Market** (les puces) 100 W 77th St • entre Amsterdam & Columbus Aves • greenfleamarkets.com **Levain Bakery** 167 W74th St • entre Columbus & Amsterdam Aves • levainbakery.com **Silver Moon Bakery** 2740 Broadway • à l'angle de W 105th St • silvermoonbakery.com **Hampton Chutney Co.** 464 Amsterdam Ave • entre 82nd & 83rd Sts • hamptonchutney.com **Barney Greengrass** 541 Amsterdam Ave • entre 86th & 87th Sts • barneygreengrass.com **Good Enough to Eat** 520 Columbus Ave • à l'angle de 85th St • 212-496-0163 • goodenoughtoeat.com **Jacob's Pickles** 509 Amsterdam Ave • entre 84th & 85th Sts • 212-470-5566 • jacobpickles.com **Dovetail** 103 W 77th St • entre Amsterdam & Columbus Aves • 212-362-3800 • dovetailnyc.com **Spring Natural Kitchen** 474 Columbus Ave • à l'angle de 83rd St • 646-596-7434 • springnaturalkitchen.com **Manhattan Cricket Club** 226 W79th St • 2e étage • entre Amsterdam Ave & Broadway • mccnewyork.com

... de Central Park

C'est ici que les New-Yorkais aiment décompresser en pratiquant toutes sortes de sports : course à pied (notamment autour du Reservoir), équitation, **vélo, rame sur le lac** artificiel, yoga, tai-chi et kendo, et même croquet. En hiver, la **Patinoire Wollman** est on ne peut plus romantique (mais moins d'attente à **Lasker Rink**, convertie en piscine l'été). Vous pouvez aussi rejoindre les mordus de rollers de **la Central Park Dance Skaters Association**. Ou participer à un entraînement de style militaire à 5 h 30 (oui, du matin !) avec Stacy, la gourou du **bootcamp** (gratuit le mercredi pour les filles). Pour faire une pause – ce qui arrive aussi aux New-Yorkais, on vous rassure –, choisissez les pelouses en hauteur de **Children's Glade** : dans la clairière, grimpez jusqu'au grand rocher et profitez de la vue sur le parc. Visitez **Conservatory Garden** avec ses trois jardins, à l'anglaise, à la française et à l'italienne, et **Turtle Pond**, la grande mare aux tortues devant le Belvedere Castle. Le plus sympa est de prévoir un pique-nique (**Fairway Market** ou **Trader Joe's** dans l'Upper West Side), mais si vous avez une irrésistible envie de hot-dog, prenez-le chez **Gray's Papaya**.

En vous baladant, vous croiserez peut-être des habitants manifestant pour que leur légendaire poumon vert garde un peu de lumière : les méga-tours l'asphyxient de plus en plus...

À la nuit tombée, laissez-vous tenter par du jazz, un opéra ou un spectacle de danse au **Lincoln Center**, qui héberge le Metropolitan Opera, Jazz at Lincoln Center et le NY City Ballet. Pensez à réserver !

Toutes les infos pratiques : centralparknyc.org **Location de vélos • Bike and Roll at Tavern on the Green** West Side • entre W 67th St & Central Park West • 212-260-0400 • bikenewyorkcity.com **Location de barques • The Loeb Boathouse** 74th St & East Dr • 212-517-2233 • thecentralparkboathouse.com **Patinoire Wollman** wollmanskatingrink.com **Patinoire Lasker Rink** laskerrink.com **Central Park Dance Skaters Association** cpdsa.org **NYC Adventure Bootcamp** 212-426-4871 ou 917-822-3440 • nycadventurebootcamp. com **Fairway Market** 2131 Broadway • entre W 74th & 75th Sts • 212-595-1888 • fairwaymarket.com **Trader Joe's** 2073 Broadway • angle de 72nd St • 212-799-0028 • traderjoes.com **Gray's Papaya** 2090 Broadway • angle de W 72nd St • 212-799-0243 • grayspapayanyc. com **Lincoln Center for the Performing Arts** 10 Lincoln Center Plaza • entre 62nd & 65th Sts • 212-875-5456 • lincolncenter.org

SI VOUS ÊTES DANS LE COIN

... du Metropolitan Museum

On peut facilement passer toute la journée au Met (n'oubliez pas d'aller sur le toit !). Mais plusieurs autres options s'offrent à vous aux alentours. D'un saut de puce, vous êtes au **Guggenheim**, musée d'art moderne et contemporain qui vaut le coup d'œil rien que pour son architecture, ou à la **Neue Galerie**, dédiée aux œuvres d'art autrichiennes et allemandes (avec pause café viennois au **Café Sabarsky**). Vous pouvez aussi observer de plus près la bonne société de l'Upper East Side, ses immeubles pre-war, ses hôtels particuliers sur Park et 5th Ave, ses expats (le lycée français n'est pas loin) et ses vieilles familles old money. Sur Madison Ave, les rides du visage sont une espèce en voie d'extinction. Prenez le thé à la **Gallery** ou un scotch au **Bemelmans Bar**, à **l'hôtel Carlyle**, haut lieu de l'histoire mondaine new-yorkaise depuis les années 1930.

Avec ou sans enfants, on vous conseille les hot-dogs de **Papaya King**, les burgers de **JG Melon**, les cupcakes de **Two Little Red Hens** ou les milkshakes de **Lexington Candy Shop**, un diner* rétro qui n'a pas bougé depuis les années 1920. Sinon, un pastrami chez **Pastrami Queen**, une salade (à emporter dans Central Park) chez **Yura on Madison**. On trouve parmi les meilleurs restaurants nippons de la ville dans l'Upper East Side (**Sushi of Gari**, **Sushi Seki** et **Sasabune**), à condition d'y mettre le prix.

Guggenheim Museum 1071 5th Ave • entre 88th & 89th Sts • guggenheim.org **Neue Galerie & Café Sabarsky** 1048 5th Ave • angle de 86th St • neuegalerie.org **The Carlyle Hotel** 35 E 76th St • angle de Madison Ave • 212-744-1600 • rosewoodhotels.com/en/the-carlyle-new-york **Papaya King** 179 E 86th St • entre 3rd & Lexington Aves • 212-369-0648 • papayaking.com **JG Melon** 1291 3rd Ave • angle de E 74th St • 212-744-0585 **Two Little Red Hens** 1652 2nd Ave • proche angle 86th St • twolittleredhens.com **Lexington Candy Shop** 1226 Lexington Ave • angle 83rd St • 212-288-0057 **Pastrami Queen** 1125 Lexington Ave • proche angle 78th St • 212-734-1500 **Yura on Madison** 1292 Madison Ave • à l'angle de 92nd St • 212-860-1707 • yura.nyc **Sushi of Gari** 402 E 78th St • entre 1st & York Aves • 212-517-5340 • sushiofgari.com **Sushi Seki** 1143 1st Ave • entre 62nd & 63rd Sts • 212-371-0238 • sushiseki.com **Sasabune** 401 E 73rd St • entre 1st & York Aves • 212-249-8583 • sasabunenyc.com

… de Grand Central

Cette gare est un lieu fascinant. Baladez-vous dans le hall mythique de **Main Concourse** au milieu des banlieusards pressés, perdez-vous dans les couloirs du sous-sol, mangez un morceau dans le Food Hall ou des huîtres au magnifique Oyster Bar, installé à l'une des immenses tables en U.

En sortant, ne ratez pas le lobby et les ascenseurs du **Chrysler Building**, incroyable gratte-ciel Art déco, ni la **Morgan Library and Museum**, bibliothèque consacrée au Moyen Âge et à la Renaissance. Pour vous restaurer : bonne street-food dans le marché couvert **Urbanspace Vanderbilt**, mets raffinés japonais chez **Sakagura**, un bar à saké caché dans le sous-sol d'un immeuble, ou chez **Aburiya Kinnosuke.** Pour réviser votre géopolitique (et profiter de la vue sur l'East River), manger parmi les diplomates à la **cantine de l'ONU** (ouverte à tous le midi en semaine à condition de réserver à l'avance, d'apporter son passeport et d'être correctement habillé). Profitez du silence de la **New York Public Library** ou du calme de **Bryant Park**, juste derrière. Aux beaux jours, un cocktail sur le rooftop de **Rare View Murray Hill** s'impose. Et deux fois dans l'année (fin mai et mi-juillet), faufilez-vous sur le petit pont de **Tudor City Place**, qui enjambe 42nd St entre Grand Central et l'ONU, pour admirer le Manhattanhenge, moment spectaculaire où le soleil couchant s'aligne parfaitement avec les rues de New York orientées est-ouest.

Grand Central Station 89 E 42nd St • entre Lexington & Vanderbilt Aves **Chrysler Building** 405 Lexington Ave • entre 42nd & 43rd Sts **Morgan Library and Museum** 225 Madison Ave • angle de E 36th St • themorgan.org **Urbanspace Vanderbilt** 230 Park Ave • entre 45th St & Vanderbilt Ave • urbanspacenyc.com/urbanspace-vanderbilt **Sakagura** 211 E 43rd St • entre 2nd & 3rd Ave • 212-953-7253 • sakagura.com **Aburiya Kinnosuke** 213 E 45th St • entre 2nd & 3rd Aves • 212-867-5454 • aburiyakinnosuke.com **Delegate's Dining Room at the UN Visitors Center** 1st Ave & 46th St • 917-367-3314 • visit.un.org/content/delegates-dining-room **New York Public Library** Stephen A. Schwarzman Building • 5th Ave & 42nd St • nypl.org **Bryant Park** entre 40th & 42dn Sts et 5th & 6th Aves • bryantpark.org **Rare View Murray Hill** Hôtel Shelburne NYC • 303 Lexington Ave • angle de E 37th St • 212-481-1999 • rarebarandgrill.com/location/rare-murray-hill

... de Times Square

C'est le quartier que les New-Yorkais fuient : trop de bruit, et surtout trop de touristes ! Les prostituées et les sex-shops ont fait place à Disneyland depuis les années 1990 mais sous les néons publicitaires, prenez le temps d'admirer la beauté des théâtres de Broadway.

Beaucoup ont été détruits et il en reste une trentaine, parfois défraîchis ou reconvertis en commerces, entre 53rd et 40th Sts. Les deux plus anciens, **Lyceum Theatre** et **New Amsterdam Theatre**, sont toujours en activité. Tentez votre chance au **kiosque TKTS** qui vend des billets soldés pour le soir même. Prolongez cette ambiance à la *Birdman* en brunchant devant la pièce d'un jeune auteur soutenu par **Ensemble Studio Theatre** ou mangez chez **Sardi's**, entre les caricatures de 1200 célébrités qui tapissent les murs.

Sinon, déjeunez sur le pouce à **City Kitchen**, savourez un pastrami chez **Ben's Kosher Deli** ou de bons plats japonais chez **Sake Bar Hagi**. Improvisez un pique-nique à **Clinton Community Garden** en passant vous ravitailler chez **Poseidon Bakery**, une vieille boulangerie grecque. La pause café-douceur est forcément chez **Amy's Bread**. Pour un verre, plusieurs options : le pub irlandais **Jack Demsey's**, le bar Art déco **The Rum House**, ou **R Lounge** pour la vue « wow » (qui se négocie jusqu'à 8 500$ la table le 31 décembre).

Lyceum Theatre 149 W 45th St • entre 6th & 7th Aves **New Amsterdam Theatre** 214 W 42nd St • entre 7th & 8th Aves **TKTS** sous les marches rouges, au carrefour de Broadway & 47th St **Ensemble Studio Theatre** 549 W 52nd St • ensemblestudiotheatre.org **Sardi's** 234 W 44th St • entre 7th & 8th Aves • sardis.com **City Kitchen** 700 8th Ave • angle de 44th St • citykitchen.rownyc.com **Ben's Kosher Deli** 209 W 38th St • entre 7th & 8th Aves • 212-398-2367 • bensdeli.net **Sake Bar Hagi** 152 W 49th St • entre 6th & 7th Aves • 212-764-8549 • irohagroup.com **Clinton Community Garden** 434 W 48th St • entre 10th & 9th Aves • clintongarden.org **Poseidon Bakery** 629 9th Ave • entre 44th & 45th Sts • 212-757-6173 • poseidonbakery.com **Amy's Bread** 672 9th Ave • entre 46th & 47th Sts • 212-977-2670 • amysbread.com **Jack Demsey's** 36 W 33rd St • entre Broadway & 5th Ave • 212-629-9899 • jackdemseys.com **The Rum House** 228 W 47th St • entre Broadway & 8th Ave • 646-490-6924 **R Lounge** at Two Times Square • Renaissance Hotel • 714 7th Ave • angle de W 48th St • 212-261-5200 • rloungetimesquare.com

... du MoMA et du Rockefeller Center

On ne vous l'apprend pas, le MoMA est un musée d'art contemporain d'une richesse infinie. Mais savez-vous qu'il abrite également, en sous-sol, deux salles de projection où l'on peut voir des chefs-d'œuvre du cinéma et du film documentaire ? Pour une fois, on vous recommande la boutique où il y a toujours de bonnes idées de cadeaux. En sortant, vous êtes au cœur du chaudron, Midtown, le quartier des bureaux. Pour approcher le monde des affaires de plus près, prenez votre (petit) déjeuner au **21 Club** ou chez **Michael's**, haut lieu du power breakfast et du power lunch médiatique. Sinon, faites comme le commun des mortels, prenez à emporter sur l'un des chariots postés dans la rue : un petit-déj d'**Eggs Travaganza**, un plat de poulet-gyro de bœuf de **The Halal Guys** (20 minutes d'attente mais meilleur que les autres) ou de **King of Falafel & Shawarma**. À quelques blocs, se trouve le **Rockefeller Center**, où travaillent près de 60 000 personnes. Les immeubles de cet immense complexe Art déco sont tous ouverts au public. N'hésitez pas à entrer dans les lobbys pour ne rien perdre des magnifiques détails architecturaux. Les boutiques en sous-sol n'ont rien d'original mais c'est magique de se perdre dans le dédale de galeries qui relient les immeubles entre eux. Pour terminer la journée en beauté, snobez Top of the Rock, au sommet du GE building, immeuble emblématique de Rockefeller, et offrez-vous un cocktail sur le toit du très chic **hôtel Peninsula**. Cher mais la vue le vaut bien. Et pourquoi pas, autre folie new-yorkaise, un soin au **spa** ?

MoMA 11 W 53rd St • entre 5th & 6th Aves • 212-708-9400 • moma.org **21 Club** 21 W 52nd St • entre 5th & 6th Aves • 212-582-7200 • 21club.com **Michael's** 24 W 55th St • entre 5th & 6th Aves • 212-767-0555 • michaelsnewyork.com **Eggs Travaganza** au coin nord-est de 52nd St & Park Ave • 917-657-0987 • eggstravaganzany.com **The Halal Guys** angle sud-est de 53rd St & 6th Ave le jour, et angle sud-ouest le soir • 347-527-1505 • thehalalguys.com **King of Falafel and Shawarma** 53rd St & Park Ave • 718-838-4413 • kofnyc.com **Rockefeller Center** rockefellercenter.com/attractions/concourse **Rooftop et spa du Peninsula Hotel** 700 5th Ave • angle de 55th St • 212-903-3910 • newyork.peninsula.com

... de l'Empire State Building

Même si vous n'êtes ni Cary Grant ni Deborah Kerr, vous aurez certainement envie de grimper en haut de ce gratte-ciel mythique pour la vue. Un conseil: réservez en ligne, allez-y à l'ouverture ou juste avant la fermeture. En sortant, profitez d'être à K-Town, le quartier coréen. En réalité, il se résume à une rue, 32nd St, qui dort très peu. Vous y découvrirez les ho-dduks, ces donuts coréens à la cannelle, à accompagner d'un latte* au thé vert, chez **Grace Street.** Ou les fameux barbecues, chez **Jongro BBQ**, une immense cantine aux prix très raisonnables, planquée au 2e étage d'un immeuble de bureaux. Plus tard dans la soirée, lâchez-vous au micro de **Gagopa Karaoke.** À deux blocs de là, poussez la porte de **JJ Hat Center**, l'un des derniers chapeliers new-yorkais. Et tant qu'à être dans une ambiance old-school, offrez-vous un repas chez **Keens**, l'un des plus vieux steakhouses de la ville. Cher mais ça en vaut la peine.

Explorez Murray Hill, un quartier pas branché mais typique de la vie new-yorkaise, avec ses petits restaurants et ses commerces. Faites le plein de bons fromages chez **Lamazou**, un Américain d'origine tunisienne qui sera toujours heureux de parler français avec vous. Découvrez les épices de **Kalustyan's**. Allez manger un pastrami chez **2nd Ave Deli**, un delicatessen* yiddish incontournable. Vous pouvez aussi vous (re)poser sur un banc ou sur la pelouse de **Madison Square Park**. Qui sait, vous tomberez peut-être sur un cours de yoga gratuit !

The Empire State Building 350 5th Ave • esbnyc.com/fr **Grace Street** 17 W 32nd St • entre Broadway & 5th Ave • bygracestreet.com **Jongro BBQ** 22 W 32nd St • 2e étage • entre Broadway & 5th Ave • 212-473-2233 **Gagopa Karaoke** 38 W 32nd St • entre 5th Ave & Broadway • 212-967-5353 • gagopakaraoke.com **JJ Hat Center** 310 5th Ave • entre 31st & 32nd Sts • 212-239-4368 • jjhatcenter.com **Keens** 72 W 36th St • angle 6th Ave • 212-947-3636 • keens.com **Lamazou** 370 3rd Ave • entre 26th & 27th Sts • 212-532-2009 • lamazoucheese.com **Kalustyan's** 123 Lexington Ave • entre 28th & 29th Sts • 212-685-3451 • kalustyans.com **2nd Ave Deli** 162 East 33rd St • entre Lexington & 3rd Aves • 212-689-9000 • 2ndavedeli.com **Madison Square Park** angle de Madison Ave & 23rd St

… d'Union Square

Cette place, sorte de cour des miracles du 21e siècle, a toujours été le lieu de rassemblement des contestataires et des activistes. Et aussi des chorégraphies de hip-hop des gamins du Bronx ou de Brooklyn, ou des producteurs locaux de fruits et légumes du plus grand marché en plein air de New York. Après avoir admiré le **Flatiron Building** (le fameux immeuble en forme de fer à repasser), faites la queue (plus rapide qu'il n'y paraît) pour un burger chez **Shake Shack**, le premier à avoir ouvert à New York, au coin sud-est de Madison Park. À moins que vous ne préféreriez aller chez **Eataly**, le gigantesque temple de la bonne bouffe italienne, moitié restaurant, moitié épicerie. Autre valeur sûre, le réconfortant macaroni & cheese et les savoureux légumes rôtis de **City Bakery**. Et on vous adjure (rien que ça) de goûter le chocolat chaud. Si vous préférez une adresse plus gastronomique, direction **Gramercy Tavern**. Pour une bière pression, poussez la porte de **The Old Town Bar**, un vieux bar lambrissé, et pour un cocktail sophistiqué, celle de **Flatiron Lounge**. Dans le coin, quatre boutiques à ne pas rater : **Books of Wonders** pour son immense choix de livres jeunesse; **Fishs Eddy** pour sa vaisselle vintage et humoristique, et le magasin de sports iconique **Paragon Sports**; enfin, **ABC Carpet & Home**, l'institution de downtown quand il s'agit de déco, chère mais qui vaut le coup d'œil.

Flatiron Building à l'angle de 5th Ave & Broadway **Shake Shack** shakeshack.com **Eataly** 200 5th Ave • entre 23rd & 24th Sts • 212-229-2560 • eataly.com **City Bakery** 3 W 18th St • entre 5th & 6th Aves • thecitybakery.com **Gramercy Tavern** 42 E 20th St • entre Broadway & Park Ave • 212-477-0777 • gramercytavern.com **The Old Town Bar** 45 E 18th St • entre Park Ave & Broadway **Flatiron Lounge** 37 W 19th St • entre 5th & 6th Aves • flatironlounge.com **Books of Wonders** 18 W 18th St • entre 5th & 6th Aves **Fishs Eddy** 889 Broadway • à l'angle de 19th St • 212-420-9020 • fishseddy.com **Paragon Sports** 867 Broadway • à l'angle de 18th St • 212-255-8036 **ABC Carpet & Home** 888 Broadway • entre 19th & 18th Sts • 212-473-3000 • abchome.com

SI VOUS ÊTES DANS LE COIN

... de la High Line

La voie ferrée aérienne désaffectée, transformée en jardin public suspendu, est devenue un lieu de vie incontournable des New-Yorkais (évitez le week-end, trop de monde). Onze escaliers permettent d'y accéder, entre Gansevort et W 34th St. Admirez notamment la perspective depuis les tribunes en bois installées au-dessus de 10th Ave.

Vous pouvez aussi vous porter volontaire pour aider à entretenir le parc et participer à plein d'autres événements. En été, des stands y vendent de la bonne street-food. Sinon, prenez un petit-déjeuner à **La Bonbonnière**, un vieux diner* très 20e siècle. Goûtez à la cuisine du marché inventive de **Tenth Avenue Cook Shop**, aux plats du gastropub **The Spotted Pig** ou aux excellents burgers de **Corner Bistro**. Buvez un café ou un verre au **High Line Hotel**. N'oubliez pas de visiter le magnifique **Whitney Museum of American Art**, qui expose les artistes américains du 20e et du 21e siècle (notamment Alexander Calder et Edward Hopper).

Ne manquez pas le **Starrett-Lehigh**, majestueux paquebot de béton, de briques et de verre, typique du Style International, qui occupe tout un bloc. Et surtout, pensez à réserver pour *Sleep No More*, une expérience de théâtre troublante à vivre masqué de blanc dans les décors du **Mc Kittrick Hotel**, un établissement des années 1930 reconstitué dans un immeuble désaffecté.

The High Line thehighline.org **La Bonbonnière** 28 8th Ave • entre Jane & W 12th Sts • 212-741-9266 **Tenth Avenue Cook Shop** 156 10th Ave • à l'angle de 20th St • 212-924-4440 • cookshopny.com **The Spotted Pig** 314 W 11th St **Corner Bistro** 331 W 4th St • à l'angle de Jane St • 212-242-9502 • cornerbistrony.com **High Line Hotel** 180 10th Ave • entre 20th & 21st Sts • 212-929-3888 • thehighlinehotel.com **Whitney Museum of American Art** 99 Gansevoort St • entre 10th Ave & Washington St • whitney.org **Starrett-Lehigh** 601 W 26th St • entre 11th & 12th Aves • starrett-lehigh.com **Mc Kittrick Hotel** 530 W 27th St • sleepnomore.com

... de Chelsea et Hell's Kitchen

Concurrencé par le Lower East Side (les loyers y sont moins chers), Chelsea reste le quartier des galeries d'art. Elles sont près de 200, nichées dans d'anciens entrepôts de 14th à 30th Sts, entre l'Hudson River et 6th Ave, dont des poids lourds comme **Cheim & Read, David Zwirner, Gagosian Gallery, Galerie Lelong** ou **Gladstone Gallery**. Chelsea et son voisin branché, Hell's Kitchen, sont aussi des quartiers où l'on fait la fête, dans les clubs gays (**9th Avenue Saloon, Hardware Bar**...) ou, dans un autre genre, **The Frying Pan**, ancien bateau-phare transformé en bar/night club. Pour vous remettre de vos frasques, vous pouvez chiner aux **Flea Markets** le week-end, vous balader le long de l'Hudson River (voir p.62) ou sur la High Line (voir p.396), faire la sieste sur la pelouse du **General Theological Seminary** (on se croirait à Oxford !), ou faire du sport à **Chelsea Piers**, le complexe sportif aménagé sur les anciens docks. Allez chez **B&H**, magasin de matériel électronique tenu par des juifs orthodoxes et dont l'organisation est un spectacle en soi. Goûtez la street-food du **Chelsea Market** ou de **Gotham West Market** et le mille-crêpes du salon de thé **Harbs**.

Terminez par une pensée pour ce Manhattan underground qui disparaît en passant devant le **Chelsea Hotel**, où tant de légendes et d'artistes fauchés ont séjourné.

Cheim & Read 547 W 25th • entre 10th & 11th Aves • cheimread.com **David Zwirner** 525 W 19th St • entre 10th & 11th Aves • davidzwirner.com **Gagosian Gallery** 555 W 24th St • entre 10th Ave & 11th Aves • gagosian.com **Galerie Lelong** 528 W 26th St • entre 10th & 11th Aves • galerielelong.com **Gladstone Gallery** 515 W 24th St • entre 10th & 11th Aves • gladstonegallery.com **9th Avenue Saloon** 656 9th Ave • à l'angle de W 46th St • 212-307-1503 **Hardware Bar** 697 10th Ave • entre 47th & 48th Sts • hardware-bar.com **The Frying Pan** Pier 66 Hudson River Park • au niveau de W 26th St • fryingpan.com **Flea Markets** W 39th St • entre 9th & 10th Aves / W 25th St • entre 6th St & Broadway • annexmarkets.com **General Theological Seminary** 440 W 21st St • entre 9th & 10th Aves • gts.edu **Chelsea Piers Sports & Entertainment Complex** 59-62 Chelsea Piers • 23rd St • angle Hudson River • 212-336-6666 • chelseapiers.com **B&H** 420 9th Ave • entre 33rd & 34th Sts • bhphotovideo.com **Chelsea Market** 75 9th Ave • entre 15th & 16th Sts • chelseamarket.com **Gotham West Market** 600 11th Ave • entre 44th & 45th Sts • gothamwestmarket.com **Harbs** 198 9th Ave • à l'angle de 22nd St • harbsnyc.com **Chelsea Hotel** 222 W 23rd St • entre 7th & 8th Aves

SI VOUS ÊTES DANS LE COIN

... de Greenwich Village

Le Village n'est plus le cœur de la contre-culture américaine et de la bohème, mais il reste heureusement quelques pépites dans ces rues coquettes, bordées d'arbres et de brownstones*, que l'on a plaisir à arpenter, un peu comme un pèlerinage.

À Washington Square, les joueurs d'échecs côtoient les skateurs et les étudiants de New York University, dont les bâtiments bordent le parc. À quelques blocs de là, admirez le jeu des basketteurs « amateurs » à **The Cage**, un minuscule terrain de basket. Si vous avez faim, achetez une slice de pizza chez **Joe's Pizza** ou posez-vous chez **John's**. À moins que vous ne préfériez un juteux burger de l'indémodable **Corner Bistro**. Si c'est l'heure du brunch, on vous recommande **Elephant & Castle**. Pour un thé, filez à l'anglaise chez **Tea & Sympathy**, et pour un café brésilien bien serré, chez **O Café**. La culture n'a pas disparu, avec **l'Angelika Film Center** et le **Cinema Village**, deux cinémas indépendants emblématiques d'un certain New York, et bien sûr le **Village Vanguard** et le **Smalls**, deux clubs de jazz qui n'ont pas pris une ride.

En soirée, trinquez à la mémoire des écrivains qui ont cherché l'inspiration dans les plus vieux bars de la ville, comme le **Ear Inn**. Ou au **Stonewall Inn**, lieu de naissance des mouvements de revendication homosexuels contemporains.

The Cage West 4th St Courts • angle 6th Ave & W 3rd St **Joe's Pizza** 7 Carmine St • entre Bleecker St & 6th Ave • 212-366-1182 • joespizzanyc.com **John's** 278 Bleecker St • entre 6th & 7th Aves • 212-243-1680 • johnsbrickovenpizza.com **Corner Bistro** 331 West 4th St • à l'angle de Jane St • 212-242-9502 • cornerbistrony.com **Elephant & Castle** 68 Greenwich Ave • près de 11th St • 212-243-1400 **Tea & Sympathy** 108 Greenwich Ave • entre 12 & 13th Sts • 212-989-9735 **O Café** 482 6th Ave • angle W 12th St • 212-229-2233 **Angelika Film Center** 18 W Houston St • 212-995-2570 • angelikafilmcenter.com/nyc **Cinema Village** 22 E 12th St • 212-924-3363 • cinemavillage.com **Village Vanguard** 178 7th Ave • entre Perry & W 11th Sts • 212-255-4037 • villagevanguard.com **Smalls** 183 W 10th St • entre 7th Ave & W 4th St • 646-476-4346 • smallsjazzclub.com **Ear Inn** 326 Spring St • entre Washington & Greenwich Sts • 212-226-9060 **Stonewall Inn** 53 Christopher St • entre 7th Ave & Waverly Pl • 212-488-2705

... d'East Village

Ex-repaire de contestataires, l'East Village n'est plus synonyme de contre-culture (sauf à Alphabet City, voir p.86). Mais sa vie nocturne continue d'attirer les foules estudiantines et le quartier reste sympa pour ses boutiques vintage (**Metropolis Vintage** et **Tokio 7**) ou **Strand Book Store**, l'une des plus grandes librairies indépendantes du monde. Admirez, à travers ses grilles, le petit cimetière **Marble Cemetery** et jetez un œil à Stuyvesant Town-Peter Cooper Village, à partir de 14th St entre 1st Ave et Ave C, un immense ensemble pour classes moyennes datant de l'après-guerre.

Pour un café, on vous recommande le coffee-shop communautaire **Fair Folks & a Goat**. Un cocktail : **Booker and Dax** ou **Amor y Amargo**. Un concert : **The Bowery Ballroom** et **Joe's Pub**, ou la jolie terrasse de l'**Hotel Standard**. Pour observer la scène drag and gay, **le Pyramid Club**. Les restaurants de l'empire **Momofuku** sont des valeurs sûres, tout comme les japonais de 9th St (**Otafuku**). Goûtez à la cuisine ukrainienne chez **Veselka**, au brunch américain de **Prune** ou oriental du **Café Mogador**. Faites le plein de pâtisseries juives chez **Zucker Bakery** et **Moishe's Bake Shop**.

Metropolis Vintage 43 3rd Ave • à l'angle de 10th St • metropolisvintageonline.com **Tokio 7** 83 E 7th St • entre 1st & 2nd Aves • tokio7.net **Strand Book Store** 828 Broadway • à l'angle de E 12th St • 212-473-1452 • strandbooks.com **Marble Cemetery** 41 1/2 2nd Ave • entre 2nd & 3rd Sts **Fair Folks and a Goat** 330 E 11th St • entre 1st et 2nd Aves • fairfolksandagoat.com **Booker and Dax** 207 2nd Ave • entre 12th & 13th Sts • entrée sur la 13th St • bookeranddax.com **Amor y Amargo** 443 E 6th St • entre Ave A & 1st Ave • amoryamargony.com **The Bowery Ballroom** 6 Delancey St • entre Chrystie St & Bowery • boweryballroom.com **Joe's Pub** 425 Lafayette St • entre 4th St & Astor Pl • joespub.com **The Standard Hotel** 25 Cooper Sq • entre 5th & 6th Sts • standardhotels.com **The Pyramid Club** 101 Ave A • entre 6th & 7th Sts • thepyramidclub.com **Momofuku** momofuku.com **Otafuku** 220 E 9th St • entre Stuyvesant St & 3rd Ave • 646-998-3438 • otafukuny.com **Veselka** 144 2nd Ave • à l'angle de 9th St • 212-228-9682 • veselka.com **Prune** 54 East 1st St • entre 2nd & 1st Aves • 212-677-6221 • prunerestaurant.com **Café Mogador** 101 St. Marks Pl • entre Ave A & 1st Ave • 212-677-2226 • cafemogador.com **Zucker Bakery** 433 E 9th St • entre Ave A & 1st Ave • zuckerbakery.com **Moishe's Bake Shop** 115 2nd Ave • à l'angle de 7th St • moishesbakeshop.com

SI VOUS ÊTES DANS LE COIN

... de SoHo

Quartier des lofts et des artistes, SoHo est surtout devenu un shopping mall* à ciel ouvert où se succèdent les boutiques de mode. Au sud de Houston St, la principale activité, donc, c'est le lèche-vitrine (pour varier les plaisirs, allez voir le cabinet de curiosités **Evolution**), mais gardez le nez en l'air pour admirer les détails architecturaux des façades en fonte et les escaliers extérieurs. Visitez l'atelier de l'artiste **Donald Judd**, l'un des premiers à s'établir, en 1968, au milieu des entrepôts et usines abandonnées. Un peu plus loin, jetez un œil à **The Earth Room**, un loft de 335 m² dont le sol est couvert de terre sur 56 cm de profondeur. Une installation arrosée et ratissée chaque semaine depuis 1977 ! Après une journée de shopping, rien de tel qu'un massage relaxant chez **Soho Sanctuary** ou une pause lecture chez **Housing Works Bookstore Café**. Côté cuisine, misez sur les institutions : un burger au comptoir ou un steak au poivre chez **Raoul's**, le bistrot français des artistes, ou le brunch de **Balthazar**. Sinon, moins cher et plus rapide, **Chobani**, le roi du yaourt grec (dont le patron a cédé 10 % de son entreprise à ses employés), ou **Despaña** pour un sandwich au jambon espagnol. Et pour une pâtisserie, faites la queue chez **Dominique Ansel Bakery**, vous ne serez pas déçus.

The Evolution Store 687 Broadway • entre W 3rd & W 4th Sts • 212-343-1114 • theevolutionstore.com **Judd Foundation** 101 Spring St • à l'angle de Mercer St • 212-219-2747 • juddfoundation.org **The Earth Room** 141 Wooster St • entre Houston & Prince Sts • 212-989-5566 • earthroom.org **Soho Sanctuary** 119 Mercer St • entre Spring & Prince Sts • 212-334-5550 • sohosanctuary.com **Housing Works Bookstore Café** 126 Crosby St • entre Prince & E Houston Sts • 212-334-3324 • housingworks.org **Raoul's** 180 Prince St • entre Thompson & Sullivan Sts • raouls.com **Balthazar** 80 Spring St • entre Crosby St & Broadway • 212-965-1414 • balthazarny.com **Chobani** 152 Prince St • à l'angle de W Broadway • 646-998-3800 • chobani.com **Despaña** 408 Broome St • entre Cleveland Pl & Lafayette St • 212-219-5050 • despanabrandfoods.com **Dominique Ansel Bakery** 189 Spring St • entre Thompson & Sullivan Sts • 212-219-2773 • dominiqueansel.com

… de NoLita

De la forte présence italienne jusqu'au milieu du 20e siècle, ces deux quartiers ne gardent quasiment aucune empreinte. En dehors du folklore vert-blanc-rouge de quelques blocs sur Mulberry Street, entre Broome et Canal Sts, et de rares mais très bons commerces de bouche comme **Di Palo's**.

NoLita, acronyme de North of Little Italy, est devenu un petit quartier branché, propice à la flânerie, avec ses rues truffées de cafés décontractés et de boutiques de créateurs. Il fait bon y traîner pour découvrir les tendances locales, souvent un peu coûteuses, car le coin est en train de devenir aussi cher que Soho. La **librairie McNally Jackson** est sympa pour prendre un café. **Eileen**, arrivée dans les années 1970 quand le quartier n'avait pas encore été rebaptisé par les promoteurs, n'a pas son pareil pour confectionner de délicieux cheesecakes. On prend avec plaisir un brunch chez **Café Gitane**, on mange sur le pouce chez **Black Seed Bagels**, **Banh Mi Saigon** et **Hoomoos Asli**. On savoure la cuisine inventive de **Estela**. Et le soir, pour échapper à la branchitude, on se réfugie chez **Milano's**, un dive bar* sur Houston Street.

Di Palo's 200 Grand St • à l'angle de Mott St • 212-226-1033 • dipalos.com **McNally Jackson Books** 52 Prince St • entre Mulberry & Lafayette Sts • 212-274-1160 • mcnallyjackson.com **Eileen's Special Cheesecake** 17 Cleveland Pl • à l'angle de Kenmare St • 212-966-5585 • eileenscheesecake.com **Café Gitane** 242 Mott St • entre Houston & Prince Sts • 212-334-9552 • cafegitanenyc.com **Black Seed Bagels** 170 Elizabeth St • entre Spring & Kenmare Sts • 212-730-1950 • blackseedbagels.com **Banh Mi Saigon** 198 Grand St • entre Mulberry & Mott Sts • 212-941-1541 • banhmisaigonnyc.com **Hoomoos Asli** 100 Kenmare St • entre Mulberry St & Cleveland Pl • 212-966-0022 **Estela** 47 E Houston St • entre Mott & Mulberry Sts • 212-219-7693 • estelanyc.com **Milano's Bar** 51 E Houston St • entre Mott & Mulberry Sts • 212-226-8844 • facebook.com/milanos bar

IN THE BOX

SI VOUS ÊTES DANS LE COIN

... de Chinatown

Chinatown est une ruche, un quartier en perpétuelle expansion. Un conseil: évitez le samedi et préférez la fin d'après-midi début de soirée, quand les trottoirs se vident des touristes. Perdez-vous dans les petites rues transversales, plus calmes que la bruyante Canal Street, au milieu des vendeurs ambulants de fruits (souvent très bons), de paniers de crabes vivants, des vitrines de canards laqués, des aquariums de homards, des herboristeries, des salons de massage tui-na et autres marchands de souvenirs et de gadgets électroniques. Attardez-vous dans les parcs où les vieilles dames pratiquent leur qi gong. Pour manger, le choix ne manque pas. Canard laqué chez **Peking Duck House**, vietnamien chez **Nha Trang One**, **Pasteur Grill and Noodles** et **Xe Lua**, raviolis chez **Dim Sum Go Go** et **Fried Dumpling**, glace au sésame noir ou au thé vert chez **Chinatown Ice Cream Factory**. Offrez-vous un super massage des pieds chez **Foot Heaven**, achetez du thé et des tisanes qui soignent tous les maux chez **Sun's Organic Garden**, et des confiseries au gingembre chez **Aji Ichiban**. (À l'heure où nous écrivons, Pearl River Market, victime de la hausse des loyers, cherche toujours un nouveau local pour installer son immense et génial bazar, mais vérifiez sur son site web pearlriver.com). Finissez la soirée par un cocktail à tomber chez **Apothéke** ou **Mr Fongs**.

Peking Duck House 28 Mott St • entre Chatham Sq & Pell St • 212-227-1810 **Nha Trang One** 87 Baxter St • entre Walker & Bayard Sts • 212-233-5948 • nhatrangnyc.com **Pasteur Grill and Noodles** 85 Baxter St • entre Walker & White Sts • 212-608-3656 • pasteurgrill.com **Xe Lua** 86 Mulberry St • entre Bayard & Canal Sts • 212-577-8887 • xeluanewyork.com **Dim Sum Go Go** 5 E Broadway • entre Oliver & Catherine Sts • 212-732-0797 • dimsumgogo.com **Fried Dumpling** 106 Mosco St • entre Mulberry & Mott Sts • 212-693-1060 **Chinatown Ice Cream Factory** 65 Bayard St • entre Mott & Elizabeth Sts • 212-608-4170 • chinatownicecreamfactory.com **Foot Heaven** 16 Pell St • entre Mott St & Bowery • 212-962-6588 • footheavennyc.com **Sun's Organic Garden** 79 Bayard St • entre Melbury & Mott Sts • 212-566-3260 **Aji Ichiban** 37 Mott St • entre Mosco & Pell Sts • 212-233-7650 • ajiichiban.com **Apothéke** 9 Doyers St • entre Pell St & Bowery • 212-406-0400 • apothekenyc.com **Mr Fongs** 40 Market St • à l'angle de Madison St

... de TriBeCa

Cet ancien quartier industriel a longtemps été le plus cher de New York (récemment détrôné par NoMad, North of Madison, quelques blocs de 25th à 30th Sts, entre 6th et Lexington Aves où le prix du m² dépasse les 30 000$). Ex-communauté d'artistes bohèmes, il est aujourd'hui investi par les banquiers de Wall Street qui peuvent se payer le luxe d'aller à pied au boulot en vivant dans des lofts à plus de 3 millions de dollars (en moyenne). Baladez-vous dans ses fraîches rues pavées (la rivière n'est pas loin), bordées de gigantesques entrepôts et d'immeubles de briques aux magnifiques façades en fonte. Vous y croiserez peut-être l'une des nombreuses stars qui y ont élu domicile. À commencer par Robert De Niro, qui a contribué à redynamiser TriBeCa après les attentats du 11-Septembre en créant son festival du cinéma indépendant, chaque année en avril (programmation sur tribecafilm.com/festival). Quelques idées pour goûter à ce quartier qui, malgré sa gentrification, reste familial et agréable. Ne manquez pas Staple St et son « pont des soupirs » qui, depuis 1907, relie une maison de ville à un immeuble. Vous pouvez bruncher chez **Bubby's**, manger chez **Landmarc** ou **The Odeon** au milieu des familles bobos, avant de repartir avec un bouquet de ballons de chez **Balloon Saloon**, le fournisseur de toutes les fêtes du quartier. Chez **Philip Williams Posters**, dénichez une vieille affiche de cinéma puis relaxez-vous dans les bains chauds et le hammam de **Aire Ancient Baths**. Vous pouvez trouver du bon pain chez **Grandaisy** et écouter de l'excellent jazz live au **Django**, un bar situé dans la cave du Roxy Hotel.

Bubby's 120 Hudson St • à l'angle de N Moore St • 212-219-0666 • bubbys.com **Landmarc** 179 W Broadway • entre Leonard & Worth Sts • 212-343-3883 • landmarc-restaurant.com **The Odeon** 145 W Broadway • à l'angle de Thomas St • 212-233-0507 • theodeonrestaurant.com **Balloon Saloon** 133 W Broadway • à l'angle de Duane St • 212-227-3838 • balloonsaloon.com **Philip Williams Posters** 122 Chambers St • entre Church St & Broadway • 212-513-0313 • postermuseum.com **Aire Ancient Baths** 88 Franklin St • entre Franklin Pl & Church St • 646-878-6174 • ancientbathsny.com **Grandaisy Bakery** 250 W Broadway • à l'angle de Beach St • 212-334-9435 • grandaisybakery.com **The Django** at The Roxy Hotel 26th Ave • 212-519-6649 • thedjangonyc.com

SI VOUS ÊTES DANS LE COIN

... du World Trade Center

C'est désormais One World Trade Center, une tour de 541 mètres, qui se dresse à la place des tours jumelles. 104 étages principalement occupés par des bureaux. Du 100e au 102e étages, son observatoire offre une vue forcément à couper le souffle. Au pied de la tour, le mémorial: deux fontaines créées sur les anciennes fondations des Twin Towers et un musée qui retrace les attaques terroristes du 11-Septembre. Vous ne pourrez pas rater **The Oculus**, l'incroyable colombe d'acier et de métal qui abrite le **Hub**, la nouvelle gare du World Trade Center reliant les trains du New Jersey et onze lignes de métro. Faites un crochet par le **Woolworth Building**, l'un des plus beaux gratte-ciel, de style néogothique (ça vaut le coup de faire une visite guidée), et par la **Saint Paul's Chapel**, aux grilles longtemps recouvertes de photos des disparus de 9/11, juste à côté de **City Hall**, la mairie, et du Brooklyn Bridge (à traverser !). Achetez de quoi pique-niquer chez **Whole Foods** de l'autre côté de West St et dirigez-vous vers l'Hudson River. Au bout de Vesey St, se trouve un autre lieu de mémoire à l'architecture étonnante : **The Irish Hunger Memorial**, hommage aux migrants irlandais qui ont fui la grande famine au milieu du 19e siècle. À deux blocs, le **Teardrop Park** permet d'échapper aux touristes, en compagnie des familles de Battery Park City et des élèves de Stuyvesant High School, l'un des meilleurs lycées publics de New York. De là, marchez vers le sud, le long de la rivière, en passant par la marina où les yachts sont amarrés, poursuivez jusqu'à la pelouse de **Wagner Park** et profitez de la vue sur la statue de la Liberté.

One World Trade Center wtc.com **The Oculus** et **The World Trade Center Transportation Hub** entre West, Fulton, Vesey & Greenwich Sts **Woolworth Building** 233 Broadway • entre Park Pl & Barclay St • woolworthtours.com **St. Paul's Chapel** 209 Broadway • entre Vesey & Fulton Sts • trinitywallstreet.org **NY City Hall** City Hall Park • entre Broadway, Park Row & Chambers St • 212-788-2656 • nyc.gov **Whole Foods** 270 Greenwich St • entre Warren & Murray Sts • 212-349-6555 • wholfoodsmarket.com **The Irish Hunger Memorial** North End Ave & Vesey St **Teardrop Park** Warren St & North End Ave **Wagner Park** 20 Battery Pl • bpcparks.org/whats-here/parks/wagner-park/

... de Wall Street

Glissez-vous dans les rues très étroites de Financial District, sortes de canyons où s'engouffre le vent glacial en hiver. Vous êtes dans le cœur battant du capitalisme qui, à l'ère du collaboratif et du participatif, se porte encore bien. Allez-y en semaine, quand le quartier d'affaires vibre au rythme de la Bourse, de 9h30 à 16h. Passez devant le **New York Stock Exchange**, qui ne se visite plus depuis le 11-Septembre mais dont on peut admirer l'imposante façade de style néo-grec. Mêlez-vous aux traders qui mangent sur le pouce (la couleur de leur veste, bleue, rouge ou jaune, indique la société de courtage à laquelle ils appartiennent) et ne décrochent jamais (le décompte des cotations est affiché en permanence dans les restaurants alentours). Si vous vous sentez plus proches des 99% que du 1%, rendez-vous à **Zuccotti Park**, la place occupée en 2011 par les manifestants du mouvement Occupy Wall Street pour dénoncer l'injustice du système bancaire et financier. Si vous cherchez le soleil, trouvez l'ascenseur coincé entre deux immeubles de bureaux qui monte à **Elevated Acre**, un jardin caché surplombant l'East River. Ou baladez-vous sur l'Esplanade aménagée le long de l'East River. Zappez South Street Seaport, trop disneylandisé à notre goût (sauf pour passer une tête chez **Bowne & Co. Stationers**, la plus vieille papeterie de New York ou pour voir un film en plein air l'été). Dînez dans l'un des restaurants de la petite rue pavée Stone Street, buvez un cocktail vintage chez **Dead Rabbit** ou vérifiez si **Bridge Cafe**, le plus vieux bar de New York, fermé depuis 2012, a rouvert comme prévu. Et si vous avez le temps, pourquoi ne pas sauter dans un **ferry** pour Staten Island et admirer la skyline depuis l'eau ? (voir balade p.106)

New York Stock Exchange 18 Broad St • entre Wall St & Exchange Pl **Zuccotti Park** entre Liberty & Thames Cedar Sts et Trinity Pl & Broadway **Elevated Acre** 55 Water St • angle de Old Slip • 212-747-9120 **Bowne & Co. Stationers** 211 Water St • entre Beekman & Fulton Sts • 646-315-4478 • southstreetseaport.com **The Dead Rabbit Grocery & Grog** 30 Water St • entre Broad St & Coenties Slip • 646-422-7906 • slipdeadrabbitnyc.com **Bridge Cafe** 279 Water St • à l'angle de Dover St • 212-227-3344 • bridgecafenyc.com **Whitehall Ferry Terminal** 4 Whitehall St • sortie du métro South Ferry • 212-639-9675 • siferry.com

Les plages et les virées au vert ne sont jamais loin. Faites comme les New-Yorkais, échappez-vous de la ville.

OUT OF THE CITY

Pour quelques heures ou quelques jours, les bords de l'Hudson River, au nord de New York, offrent un choix infini d'activités aux amoureux de la nature qui veulent s'éloigner du bitume new-yorkais.

Avec ses forêts, ses vergers, ses vignobles, ses lacs et ses villages un peu moins coquets que ceux de la Nouvelle-Angleterre, la vallée attire aussi bien les amateurs de randonnée et de pêche que d'antiquités, d'art... et de yoga. Les hippies ont depuis longtemps investi la région, notamment le petit massif montagneux des Catskills. Ils ont été rejoints par des artistes, des

LE LONG DE L'HUDSON RIVER

écrivains et des intellectuels qui se sont installés au calme, dans les belles maisons victoriennes de la région. Ici, l'été, pas de night clubs branchés, c'est plutôt feux de camp et brochettes de marshmallows grillés. Il y a tellement de choses à faire dans le nord de l'État de New York – « upstate » comme disent les New-Yorkais – que nous n'allons pas vous en faire la liste exhaustive, mais vous livrer nos coups de cœur. Votre programme sera certainement dicté par le moyen de locomotion et le temps dont vous disposerez. C'est chouette à toutes les saisons, mais nous avons un faible pour l'automne, notamment pour le foliage, cet instant précis (à suivre par exemple sur iloveny.com/seasons/fall/foliage-report) où les feuilles des arbres virent aux jaunes, rouges et oranges flamboyants.

LA VILLE D'HUDSON

Cette commune de 7000 habitants fut un jour un port prospère, ce qui explique le nombre de belles maisons victoriennes. Aujourd'hui, ce sont les boutiques d'antiquités et les restaurants farm-to-table* qui se succèdent le long de Warren St, la rue principale. Cette charmante bourgade attire de plus en plus de New-Yorkais qui saturent du rythme frénétique de la ville. Quelques célébrités y ont un pied à terre, et il n'est pas rare de croiser Claire Danes à la librairie du coin. Etsy, le site Internet pionnier du DIY (Do It Yourself), y a même installé des bureaux (le siège restant à Brooklyn), c'est dire si le coin est branché. La musique occupe également une place importante. Une église, transformée il y a quelques années en studio d'enregistrement, attire des artistes renommés tandis que les bars du village proposent régulièrement de bons concerts. Musique, bons restos, shopping : Hudson est le camp de base parfait pour explorer la région.

On-the-Go

ACCÈS

AMTRAK
2 h depuis Penn Station.

VOITURE
À 200 km de NYC.

LOCATION

Voiture › ENTERPRISE RENT-A-CAR
350 Fairview Ave • Hudson • 518-828-5492 • enterprise.com

Vélo › STEINERS
301 Warren Street • Hudson • 518-828-5063 • steinersskibike.com

MANGER

Café Le Perche

230 Warren St • 518-822-1850 • cafeleperche.com

Cette boulangerie fait aussi bistro. On y trouve les meilleurs pains et viennoiseries de la région. Il faut dire que le four à pain vient de France. Excellents brunchs et petits déjeuners servis dans la salle ou le jardin.

Helsinki Hudson

405 Columbia St • 518-828-4800 • helsinkihudson.com

Une cuisine classique de qualité, servie dans une salle très agréable, toute en bois, cuir et briques. On vous recommande de manger dans la partie club, sorte de cabaret qui accueille souvent des artistes de renom et des shows de Broadway.

Fish & Game

13 S 3rd St • 518-822-1500 • fishandgamehudson.com

Si vous êtes prêts à casser votre tirelire, attablez-vous dans ce restaurant qui utilise les meilleurs produits de la région pour créer des plats subtils.

S'AÉRER LES NEURONES

Hudson Opera House

327 Warren St • 518-822-1438 • hudsonoperahouse.org

La réhabilitation de ce théâtre, l'un des plus vieux de l'État de New York, n'est pas terminée mais on peut déjà y voir de nombreux spectacles, expositions et lectures.

The Spotty Dog Books & Ale

440 Warren St • 518-671-6006 • thespottydog.com

On peut passer des heures dans cet espace communautaire qui fait à la fois librairie et bar. Vous vous retrouverez vite à discuter avec les locaux.

BUY LOCAL

Hudson Supermarket

310 Warren St • 518-822-0028 • hudsonsupermarket.com

Les boutiques d'antiquités, ce n'est pas ce qui manque le long de Warren St, mais celle-ci, installée dans un ancien supermarché, est certainement la plus vaste. Grand choix d'antiquités des 19e et 20e siècles.

HUDSO
FESTIVA
DAYS
Peachtree
186
the

D'HUDSON À POUGHKEEPSIE

Si Hudson est idéal pour passer une soirée divertissante, vous en aurez vite fait le tour. Qu'importe, les alentours ont beaucoup à offrir, à condition d'avoir une voiture car les différents points d'intérêt sont assez isolés et difficilement accessibles par les transports en commun. En fonction des saisons, on peut aller cueillir des fruits, se baigner dans un lac ou se balader dans un parc de sculptures. En allant vers le sud en direction de New York, vous croiserez d'autres villages, bâtis sur le même modèle que Hudson, avec de jolies maisons et une Main Street où l'on trouve toujours au moins un antiquaire et un café.

MANGER

The Culinary Institute of America

1946 Campus Dr • Hyde Park • 845-452-9600 • ciachef.edu

Pas étonnant, dans cette région où les gens sont attachés aux bons produits du terroir, de trouver l'une des meilleures écoles de cuisine du pays. Vous pouvez visiter le campus ou vous attabler à l'un des restaurants gérés par les étudiants.

PAUSES URBAINES

Fix Bros Farm

215 White Birch Rd • Hudson • 518-828-7560 • ixbrosfruitfarm.com

Entre juin et octobre, allez cueillir des cerises, des pêches, des pommes, ou ramasser des citrouilles.

Lake Taghkanik State Park

Columbia County • nysparks.com/parks/38/details.aspx

Pour une pause rafraîchissante au bord d'un lac. Attention, comme dans tout State Park, vous devrez payer 8$ pour le parking.

Poets' Walk Park

River Rd • Red Hook • scenichudson.org

Cette balade champêtre doit son nom aux nombreux poètes de la région, comme Washington Irving, qui aimaient se promener là. Posez-vous sur l'un des bancs sculptés de bois et admirez la vue sur la forêt. Très romantique.

Walkway Over the Hudson

61 Parker Ave • Poughkeepsie • 845-454-9649 • walkway.org

Ce pont, qui enjambe l'Hudson River au niveau de la ville de Pougheekpsie, permettait autrefois de faire passer les trains d'une rive à l'autre. Il a récemment été transformé en un pont piéton. Belle vue sur la vallée.

S'AÉRER LES NEURONES

Bard College

30 Campus Rd • Annandale-On-Hudson • 845-758-6822 • bard.edu

Cette université est réputée pour son cursus artistique. Le campus, en bord de rivière, est paisible. Son bel auditorium, construit par l'architecte Frank Gehry, héberge le Fisher Center for the Performing Arts où vous pourrez assister à des spectacles de jazz ou de danse notamment.

Omi International Arts Center

1405 Co Rte 22 • Ghent • 518-392-4747 • omiartscenter.org

Au nord de Hudson, au milieu des champs, vous aurez la surprise de tomber sur ce parc de sculptures contemporaines, exposées en plein air.

Vanderbilt Mansion National Historic Site

81 Vanderbilt Park Rd • Hyde Park • 845-229-7770 • nps.gov/vama/index.htm

Venez prendre un cours d'histoire en visitant le domaine de l'une des familles les plus riches des États-Unis, aujourd'hui transformé en musée.

EN DIRECTION DES CATSKILLS

Pour passer de la rive est à la rive ouest en voiture, empruntez le Kingston/Rinhebeck Bridge. Ensuite, vous avez le choix. Au nord, vous trouverez **Saugerties.** Cette bourgade est connue pour son adorable phare mais aussi pour les restaurants et boutiques qui s'alignent sur **Partition Street** (notamment **Miss Lucy's Kitchen** • 90 Partition St).

La baignade est également agréable dans **l'Esopus Creek**, petit affluent de l'Hudson.

Au sud, à **Kingston**, ne manquez pas la brasserie artisanale **Keegan Ales** (20 St. James St). On y boit de bonnes bières sur fond de musique live rock ou country en plongeant la main dans des seaux de cacahuètes, et en faisant craquer sous ses pieds les coques vides que tout le monde jette par terre. À l'heure de l'apéro, choisissez le vintage **Outdated Café** où même la vaisselle dans laquelle le café est servi est à vendre (314 Wall St).

DANS LE MASSIF DES CATSKILLS

En continuant vers l'ouest, vous arriverez dans le massif montagneux des Catskills, des collines verdoyantes culminant à 1 266 m. Il y a bien une station de ski, **Hunter Mountain** (huntermtn.com), mais on est loin du ski dans les Alpes et la région se prête plus aux randonnées à ski de fond ou en raquettes. En été, on pratique le tubing, la descente de rivière dans des chambres à air de camion. Très marrant ! Le village de **Phoenicia** en est le point de départ (Town Tinker Tube Rental • 10 Bridge St). Ces dernières années, Phoenicia est d'ailleurs devenu tendance. On peut dormir dans un motel design champêtre (**The Graham & Co** • 80 NY-214 • Phoenicia) ou manger des produits locaux dans un diner* rétro-chic des années 1960 (**Phoenicia Diner** • 5681 NY-28 • Phoenicia).

Le village de **Woodstock** se trouve également au cœur des Catskills. Techniquement, le champ où a eu lieu le fameux festival se trouve à 80 km, mais on ne va pas chipoter. L'esprit hippie flotte toujours sur le village. Vous aurez l'embarras du choix pour manger végétarien (**Garden Café** • 6 Old Forge Rd • Woodstock), méditer et faire du yoga (**Sivananda Ashram Yoga Ranch** • 500 Budd Rd • Woodbourne). Les amateurs de randonnée les moins courageux se lanceront dans la balade de 30 minutes qui mène à la cascade **Kaaterskill** (catskillmountaineer.com/NSL-KF.html), tandis que les plus vaillants pourront emprunter le Giant Ledge Trail pour atteindre le sommet de **Panther Mountain** et embrasser une vue impressionnante sur toute la vallée (catskillmountaineer.com/SMW-giant.html).

LA VALLÉE DE L'HUDSON

On-the-Go

ACCÈS

MÉTRO NORTH
mta.info/mnr

GETAWAYS PACKAGES
Pass incluant souvent train & activité à tarif réduit.
web.mta.info/mnr/html/outbound.htm

Avantage non négligeable de la vallée de l'Hudson, de nombreux villages sont accessibles en moins de 1h30 par le train Metro North que l'on prend à Grand Central. Cela rend les escapades d'une journée très simples, et vous pouvez faire des sauts de puce d'un village à l'autre avec ce même train. N'oubliez surtout pas de demander au contrôleur le sens de la marche et de vous installer dans la rangée gauche pour profiter du spectacle : les rails longent littéralement la rivière et les falaises de Palissades Park, dans le New Jersey voisin. L'automne est sans aucun doute notre saison préferée pour une virée upstate. Suivez le guide !

Beacon et ses alentours

Les amateurs d'art contemporain s'arrêteront à **Beacon.** Le village est mignon et vous pourrez y faire un peu de shopping et manger (**Homespun Foods** • 232 Main St), mais la raison de votre présence, c'est le **Dia Beacon**, un impressionnant centre d'art contemporain qui occupe les 22 000 m² d'une ancienne imprimerie sur les bords de l'Hudson (3 Beeckman St • diaart.org). Beacon est également le point de départ pour **Pollepel Island** et les ruines du **Bannerman Castle** (bannermancastle.org, hudsonriverexpeditions.com).

Cold Spring

Plus au sud, Cold Spring ravira les amateurs de brocantes poussiéreuses mais aussi les randonneurs de tous niveaux. De nombreux chemins balisés permettent d'atteindre, après une montée assez courte mais intense, le sommet qui domine le village et le fleuve. Les randonneurs plus aguerris tenteront même le plus ardu **Breakneck Ridge** (choisir la station de train suivante, Breakneck Ridge).

Sur l'autre rive

Sur l'autre rive, à la même hauteur, allez pique-niquer à **Storm King**, magnifique parc où sont exposées des sculptures monumentales d'Alexander Calder, Louise Bourgeois, Daniel Buren, et tant d'autres (stormking.org). Il n'y a pas de train, mais c'est à une heure de bus et vous pouvez faire un crochet par les magasins d'usine de **Woodbury Common**... mais on ne vous a rien dit (premiumoutlets.com/outlet/woodbury-common) !

Croton-on-Hudson

À Croton-on-Hudson, prévoyez une sortie en kayak sur l'Hudson ou son affluent, la Croton River (kayakhudson.com/rentals.asp). En octobre, le village organise également le plus grand show de citrouilles sculptées pour le **Great Jack O'Lantern Blaze**. Pas moins de 7 000 cucurbitacées sont disposées dans le jardin du manoir de **Van Cortland** (hudsonvalley.org/events/blaze). En juin, rejoignez activistes écolos et hippies de tout poil pour le **Clearwater Music Festival** qui s'installe le long de la rivière (clearwaterfestival.org/).

Tarrytown

À 40 minutes de New York se trouve le village de Tarrytown. Après un copieux repas chez **Mint Premium Foods** (19 Main St), une marche à travers bois vous conduira au cimetière de **Sleepy Hollow.** Ça vous dit quelque chose ? La légende de l'homme sans tête portée à l'écran par Tim Burton avec Johnny Depp dans le rôle éponyme, c'est là ! Les animations sont nombreuses pour **Halloween** (hudsonvalley.org/events/horsemans-hollow) mais ce beau cimetière se visite toute l'année. Fin octobre-début novembre reste la période idéale, quand les érables qui entourent les vieilles sépultures de guingois se parent de leurs couleurs rouges, orange ou violettes.

L'été, New York peut vite se transformer en chaudron. Ses habitants (qui n'ont que deux semaines de vacances par an) cherchent à s'en échapper le plus possible. Heureusement, la ville est entourée d'eau et de kilomètres de plages.

Le long week-end de Memorial Day (le troisième lundi de mai) lance officiellement l'ouverture des plages surveillées. C'est le début de la transhumance des citadins vers les stations balnéaires, au bout d'une ligne de métro ou à une heure ou deux de train. Ils se rendent au sud de Brooklyn et de Queens (qui ne sont pas « out of the city » mais donnent l'impression de

ESCAPADES AU BORD DE L'OCÉAN

l'être !), à Staten Island, sur les côtes de Long Island et celles du New Jersey. Les plages de l'Atlantique sont immenses et souvent très propres, lavées par la marée et les rouleaux. Attention au courant : baignez-vous à l'intérieur des zones surveillées par les life guards, l'équivalent de nos maîtres-nageurs sauveteurs. En général, ils sont là jusque Labor Day, au plus tard à la mi-septembre.

Voici nos suggestions de getaways, d'escapades au bord de l'océan, plus ou moins loin, familiales, branchées, ou sauvages.

ROCKAWAY BEACH

Si vous croisez quelqu'un avec sa planche de surf sous le bras dans une rue de New York, il (ou elle) est sûrement en route pour Rockaway. Jusqu'à récemment, cette péninsule de 20 km de long située au sud de Queens était le rendez-vous d'une poignée de mordus du surf, prêts à en découdre autant avec les rouleaux qu'avec la police[1]. Comme le bassiste des Ramones, qui chantaient en 1977 « It's not hard, not far to reach. We can hitch a ride to Rockaway Beach ». Depuis que New York a redécouvert qu'elle était une beach city, Rockaway est pris d'assaut par les New-Yorkais tous les week-ends d'été. Mais la péninsule n'est pas qu'une station balnéaire, c'est aussi un quartier résidentiel populaire, pas vraiment charmant d'ailleurs. Il reste quelques bungalows, la plupart ayant été rasés pour construire des logements sociaux dans les années 1960, afin d'y reléguer une population longtemps laissée à l'abandon par les pouvoirs publics.
Pour l'instant, la hype ne concerne que quelques blocs sur les 150 de la péninsule, essentiellement autour des stations 98th et 90th Sts, et plus récemment vers 67th, où se retrouvent les surfeurs. Un lieu où vous vous retrouverez aussi bien à discuter avec Patti Smith (elle y a une résidence secondaire) qu'avec une mère célibataire fauchée.

1. Le surf n'a vraiment été légalisé sur les côtes new-yorkaises qu'à partir de 2005.

On-the-Go

ACCÈS

EN NAVETTE DIRECTE

nycbeachbus.com, ourride.com ou alexisvanlines.com

EN MÉTRO

À 1h30 de Manhattan. Prendre la ligne A jusque Beach 67th ou changer pour la ligne S à Broad Channel pour les plages situées à l'ouest (à partir de Beach 98th).
En sortant du métro, prendre le bus Q22 ou Q35 pour aller à Jacob Riis ou Fort Tilden.

EN BATEAU

Depuis Pier 11 à Manhattan (South St/Wall St sur l'East River). newyorkbeachferry.com

MANGER

La Fruteria

sur le bord de mer • au niveau de Beach 97th St

Pour attaquer la journée par un smoothie et un granola.

Chicks To Go

97-02 Rockaway Beach Blvd • à l'angle de Beach 97th St • chicks-togo.com

Une rôtisserie démentielle, tenue par deux sœurs péruviennes qui sont aussi très fortes pour les ceviches de poisson au menu de leur autre restaurant, **La Cevicheria** (bord de mer • au niveau de Beach 97th St • 917-485-4539).

Uma's

92-07 Rockaway Beach Blvd • 718-318-9100 • umasrestaurant.tumblr.com

Un super petit restaurant ouzbek.

Rippers

Beach 86th St

Pour les amateurs de burgers.

Whit's End

97-14 Rockaway Beach Blvd

Pizzas mémorables, cuites au feu de bois par un original qui n'hésite pas à afficher des messages du genre « Nous disons souvent fuck – vraiment souvent ! ». Il y aurait beaucoup à dire sur le bonhomme mais on vous laisse la surprise...

Tacoway Beach

302 Beach 87th St • angle Rockaway Fwy

Après la fermeture de Rockaway Taco, LA cantine qui a relancé les Rockaways, son chef Andrew a ouvert le même genre de restaurant dix blocs plus bas. Les tacos* sont toujours aussi excellents.

SORTIR

The Wharf

416 Beach 116th St • 718-474-8807

Pour boire un verre en profitant de la vue sur Jamaica Bay.

AVEC VOTRE SERVIETTE

Beach 67th St
localssurfschool.com
La plage, gratuite et pas bondée, est juste à la sortie du métro. Prévoyez un pique-nique car il n'y a rien autour à part une école de surf.

Beach 87th St
www.rockawaybeachsurfclub.com
Pour boire une pina colada et manger un taco* au Rockaway Beach Surf Club.

Beach 98th St
playlandmotel.com
Avec la musique live du Playland Motel en fond sonore. Vous pouvez aussi y prendre une chambre (on n'a pas dit y dormir, vu le bruit !), à condition d'avoir au minimum 21 ans.

Jacob Riis Park
16702 Rockaway Beach Blvd • riisparkbeachbazaar.com
The People's Beach, « la plage du peuple », a été aménagée pour accueillir les classes populaires. Depuis que ses bains publics Art déco ont été restaurés en 2015, on y voit de plus en plus de hipsters assister à des concerts gratuits et manger tout ce que la scène new-yorkaise de la street-food compte de branché, au Riis Park Beach Bazaar.

Fort Tilden
Une plage non surveillée, sur une ancienne base militaire, avec bunker tagué dans les dunes, hipsters tatoués, et topless. Pas un enfant ni une personne âgée à plusieurs centaines de mètres à la ronde.

Breezy Point
newyorkbeachferry.com
Accessible en ferry l'été et en voiture. Garez-vous sur le parking de 227th St, traversez les dunes de sable, vous voilà loin de la faune branchée, avec pour seuls compagnons les pêcheurs russes et les oiseaux.

CONEY ISLAND & BRIGHTON BEACH

Depuis BROOKLYN • Descendre à Coney Island - Stillwell Avenue, au bout des lignes D, F, N et Q ou à Brighton Beach, au bout des lignes B et Q.
Pour l'ambiance populaire. Ce n'est pas ici qu'on aime se baigner (l'eau n'est pas super propre). Mais c'est un tel décor de film qu'il est marrant de venir y manger une glace en prenant un bain de foule[1].

ORCHARD BEACH

Depuis le BRONX • Ligne 6 jusqu'à Pelham Bay Park puis bus Bx12, arrêt Orchard Beach.
Cette grande plage n'est pas exactement ce qu'on a en tête quand on imagine le Bronx. Aménagée dans le Pelham Bay Park en 1930 et pompeusement surnommée la Riviera de New York, elle est très fréquentée l'été par les familles, et en toute saison par les pêcheurs. De là, vous pouvez accéder à City Island à pied[2].

1. Voir p.282 | **2.** Voir p.376

On-the-Go

EN TRAIN

Depuis Penn Station (Manhattan) & Atlantic Terminal (Brooklyn), la Long Island Rail Road (LIRR) dessert toute la péninsule (mta.info/lirr).

LONG ISLAND

Cette île, autrefois peuplée d'agriculteurs et de pêcheurs, est devenue le lieu de villégiature des rappeurs et des beautiful people, mais pas que...

Chez Gatsby le Magnifique, au nord

35 mn de train jusqu'à Great Neck ou Port Washington.

Sur la côte nord de la péninsule, très rocheuse et à l'abri des vagues, on se croirait dans *Gatsby le Magnifique* (écrit en partie ici par Francis Scott Fitzgerald). Visitez **Great Neck** et **Port Washington**, les deux péninsules qui forment la baie de Manhasset. Les manoirs des Vanderbilt, des Astor et autres vieilles familles qui accueillaient, dans les Années folles, les somptueuses fêtes de la bonne société new-yorkaise, ont souvent été détruits, mais la balade reste belle. À Manhasset, achetez un sandwich au **Manhasset Delicatessen** (435 Plandome Rd) ou une part de pizza chez **Gino's** (480 Plandome Rd) et allez admirer les voiliers dans la baie.

North Fork, plages et terroir

3 h de train jusqu'à Greenport.

La fourche nord de Long Island reste rustique, avec des fermes, des vergers et des vignobles (et même des champs de lavande !) tout autour de **Greenport**, charmant port de pêche. Revigorant à toutes les saisons. Mangez des huîtres ou un homard chez **Billy's by the Bay** (2530 Manhasset Ave • 631-477-830 • billysbythebayrestaurant.com) et dormez dans l'auberge romantique de Barbara et David, au milieu de leurs vignes (**Shinn Estate Vineyards and Farmhouse** • 2000 Oregon Rd • Mattituck • shinnestatevineyards.com).
De là, il est très facile de prendre un ferry (northferry.com) pour aller pédaler dans la réserve naturelle de **Shelter Island** (location de vélo **Piccozzi's Bike Shop** • 177 N. Ferry Road • 631-749-0045 • Shelter Island) et manger des fruits de mer chez **Bob's Fish Market** (87 N Ferry Road • 631-749-0830).

Les plages de sable fin du sud

Le dimanche matin, à Penn Station, l'agitation du commute[1] de la semaine laisse place à une ambiance plus primesautière. On voit des familles et des grappes de jeunes gens courir, chaise de plage et parasol sous le bras, les ongles des pieds fraîchement manucurés qui dépassent des flip-flops[2] pour sauter dans un train.
Si vous pensez qu'un maillot, une serviette et un tube de crème solaire sont un maximum à emporter à la plage, vous allez prendre un cours magistral d'american way of life !

1. Trajet entre le domicile et le lieu de travail. | 2. Tongs.

CÔTÉ MER

C'est fou ce que les New-Yorkais sont capables d'empiler dans un caddie pour faire rouler leurs indispensables jusqu'au bord de l'eau. La tente pour protéger du soleil, les bouées, les parasols, une glacière remplie de glaçons pour les sodas et les bières, une autre pour le pique-nique, les chaises de camping (avec porte-verres intégrés), la radio pour suivre le base-ball, le frisbee et le dernier boomerang à la mode, des gadgets dont vous ignoriez l'existence et qui vont vite vous sembler incontournables (comme un ventilateur de poche-brumisateur).

AVEC VOTRE SERVIETTE

Jones Beach, avec la classe moyenne

45 mn de train, arrêt Freeport Station, puis bus N88 • jonesbeach.com

Immense plage, gratuite, familiale et populaire. Emportez un pique-nique car la nourriture des guinguettes n'est pas terrible. Profitez-en pour écouter des concerts en plein air au **Jones Beach Theater**.

Cedar Beach

Parking $20/jour (semaine), $30/jour (week-end)

Il faut une voiture car il n'y a pas de bus pour arriver jusqu'à cette grande plage, plus éloignée et donc moins bondée, qu'on aime beaucoup.

Fire Island

1 h 30 de train jusqu'à Bay Shore, Patchogue ou Sayville, puis ferry • fireislandferries.com • Pass Beach Getaway vendu à la gare (comprend le train, le taxi et le bateau)

Maisons sur pilotis, voitures interdites... Vous adorerez les anciens villages de pêcheurs de ce banc de sable. Notamment Fair Harbor, communauté bobo avec sa superette dans son jus et sa pizzeria, Pines et Cherry Grove, repaires de la communauté LGBT, accueillants et animés, ou encore Ocean Beach, plus populaire. L'aller-retour dans la journée est faisaible, mais on vous conseille d'y passer une nuit. Derrière les dunes, vous croiserez des familles tirant leur matériel de plage dans un chariot rouge rétro Radio Flyer, et certainement des daims et des lapins (attention aux tiques !). On peut faire du vélo, du surf, du kayak et bien sûr du bateau. Achetez votre pique-nique avant car tout est assez cher sur l'île.

Robert Moses State Park

1 h de train jusqu'à Babylon Station, puis bus jusqu'à la plage

C'est la pointe la plus occidentale de Fire Island et sa seule partie accessible aux voitures. Les grandes plages de sable, le golf de 18 trous et les playgrounds attirent beaucoup de monde en été. Ne ratez pas le phare.

Avec les people des Hamptons

2 h à 3 h de train selon la station • Bus Jitney www.hamptonjitney.com

À partir du Memorial Day Week-End (dernier week-end du mois de mai), quand les rich and famous gagnent leurs villas en hélicoptère pour lancer la saison des parties, fuyez Southampton, East Hampton et Westhampton. Préférez Sag Harbor (plus vintage) et Montauk (plus rustique), surtout en mai et en septembre. Allez chercher des tacos* à La Fondita (74 Montauk Hwy • Amagansett) ou dégustez des fruits de mers à Inlet (541 East Lake Drive • Montauk • inletseafood.com). Sur la route du retour, faites une halte à Townline Barbecue (3593 Montauk Hwy • Sagaponack • townlinebbq.com), pour leurs travers de porc et leur chou braisé. Si possible, passez la nuit à l'American Hotel (45 Main St • Sag Harbor), ancien saloon transformé en hôtel au charme désuet.

GOVERNORS ISLAND

Depuis MANHATTAN, départ de Battery Maritime Building (10 South St) • Depuis BROOKLYN, départ du East River Pier 6, dans le Brooklyn Bridge Park • 2$ l'aller-retour en ferry (pas de supplément pour les vélos)

Cette petite île au sud de Manhattan est encore peu connue des touristes, mais l'est des New-Yorkais : ils savent bien qu'ils peuvent échapper au bruit du trafic en à peine 10 minutes de ferry. D'abord réservée aux gouverneurs de la province de New York quand elle était encore une colonie anglaise, elle a ensuite été la propriété de l'armée américaine. Depuis 2003, elle est ouverte au public de fin mai à fin septembre. Le **Fort Colombus** et les belles maisons victoriennes du nord de l'île ont été conservés, les immeubles résidentiels du sud ont été rasés pour laisser place à un parc étonnant, **The Hills**. Allez-y pour des balades, à pied ou en vélo, avec vue sur le Financial District de Manhattan ou sur la statue de la Liberté, ou pour un festival. Apportez votre pique-nique ou régalez-vous dans les food-trucks installés sur l'île.

STATEN ISLAND

En famille • Prenez le ferry (gratuit) à la station South Ferry, au sud de Manhattan. À Staten Island, prenez les bus S51, S76 ou S86 • nycgovparks.org/facilities/beaches

C'est ici, sur les plages de la côte sud de Staten Island, que les habitants du 5e borough passent leurs vacances. Pourquoi iraient-ils chercher ailleurs ?

À **South Beach**, immense plage populaire, vous pourrez bronzer et piquer une tête à deux pas du Verrazzano-Narrows Bridge, encore plus impressionnant de près.

À **Cedar Grove Beach**, une jolie petite plage plus tranquille, vous aurez une belle vue sur le Manhattan Bridge. N'oubliez pas votre pique-nique car la nourriture vendue sur place n'est pas terrible (voir balade p.106).

LES PLAGES SAUVAGES DE SANDY HOOK

New Jersey • En voiture, ou en ferry (sud de Wall Street ou E 35th St & East River) • seastreak.com

Le coût du trajet en ferry est conséquent (45$ A/R pour un adulte), mais c'est un voyage en soi puisqu'on passe sous les ponts de Brooklyn, de Manhattan et du Verrazzano. Posez votre serviette sur les belles plages sauvages de la presqu'île de **Sandy Hook** (l'une d'elles, Gunnison, est naturiste). Pour 5$ de plus, emportez votre bicyclette et visitez l'île, notamment son phare. Même s'il y a de quoi grignoter sur place, on vous conseille d'apporter un pique-nique.

Glossaire, pages pratiques,*
index : tout pour profiter au mieux
de New York.

INFOS
PRA
TIQUES

NEW YORK → MODE D'EMPLOI

AVANT DE PARTIR

FORMALITÉS

Si vous êtes français, il vous faudra un passeport biométrique ou électronique en cours de validité ; le visa n'est pas obligatoire pour un séjour de moins de 90 jours : french.france.usembassy.gov/fr/visas.html

Pensez à remplir en ligne une demande d'autorisation ESTA (esta.cbp.dhs.gov) 72 h au plus tard avant d'arriver. Méfiez-vous des nombreux sites qui proposent des tarifs frauduleux : l'ESTA ne devrait pas coûter plus de 14$.

À L'ARRIVÉE / AU DÉPART DE NEW YORK

AVION

Vous arriverez sans doute dans l'un des deux aéroports internationaux J.-F. Kennedy (Queens) ou Newark (État du New Jersey). La Guardia (Queens) ne dessert que les destinations nationales. Toutes les infos pratiques pour rejoindre New York en transports en commun et en taxi sont sur : airport-jfk.com, airport-ewr.com et panynj.gov/airports/laguardia.html

À SAVOIR ▷ Les taxis ont des tarifs fixes pour aller à Manhattan (environ 50$). Les VTC comme Uber et Lyft restent plus avantageux pour rejoindre Brooklyn (Uber 35-45$, Lyft 35$) et Queens (Uber 30-40$, Lyft 30$), surtout en version partagée, « pool ». Vous pouvez aussi réserver des vans partagés sur supershuttle.com.

BUS

Pour vous rendre dans les grandes villes voisines comme Washington, Boston ou Philadelphie, le bus est un moyen de transport bien moins coûteux que le train, souvent cher, lent et peu utilisé aux États-Unis. Port Authority Bus Terminal, la gare routière, se situe 625 8th Ave entre 8th & 9th Aves (panynj.gov). Vous pouvez aussi tenter les bus chinois, comme luckystarbus.com, aux tarifs très compétitifs et à la conduite sportive, qui vous déposent dans Chinatown ou Downtown Manhattan (au petit bonheur la chance).

TRAIN

Si vous avez prévu d'arriver ou de partir de New York en train, voici les deux principales gares ferroviaires :

- **Penn Station**, sur 32nd St entre 7th & 8th Aves dessert la banlieue, Long Island (mta.info/lirr), le New Jersey (njtransit.com) et l'essentiel des États-Unis (amtrak.com).

- **Grand Central Terminal**, sur 42nd St entre Lexington & Madison Aves (grandcentralterminal.com), dessert notamment le nord (Metro-North Railroad mta.info).

Quant au PATH, il relie le World Trade Center et quatre autres stations de Downtown au New Jersey (panynj.gov/path).

SUR PLACE

DÉCALAGE HORAIRE

Il est toujours 6 heures de moins qu'en France, sauf entre le 13 et le 27 mars (5 heures).

TÉLÉPHONE

Pour appeler la France, composez le préfixe 011 ou + 33.

ÉLECTRICITÉ

N'oubliez pas que de ce côté de l'Atlantique, le courant est de 110 volts et que les prises ne sont pas les mêmes qu'en France. Pensez à acheter un adaptateur.

PAPIERS D'IDENTITÉ

Il vaut mieux toujours avoir votre pièce d'identité sur vous. On pourra par exemple vous la demander quand vous réglez par carte de crédit dans les magasins. L'âge légal pour consommer de l'alcool étant de 21 ans (une réglementation votée en 1984 pour diminuer le nombre d'accidents de la route), on exigera souvent votre « I. D. » (prononcez aïe-di) à l'entrée des clubs, bars ou à la caisse d'un supermarché, même si vous avez 50 ans. La règle c'est la règle, n'espérez pas amadouer votre interlocuteur.

PERMIS DE CONDUIRE

Pour louer une voiture, le permis de conduire français suffit si vous ne restez pas plus de trois mois. Au-delà, il faut passer votre permis de conduire américain, sauf si vous êtes étudiant (dmv.ny.gov).

JOURS FÉRIÉS

Les Américains ont dix jours fériés (banking holidays) pendant lesquels banques, administrations, et écoles sont fermées. À New York, les écoliers ont en plus deux fêtes juives (Yom Kippur et Rosh Hashanah entre septembre et octobre), deux fêtes musulmanes (l'aïd al-Adha entre août et septembre et l'aïd al-Fitr en juin) et le nouvel an chinois (entre janvier et février). Pendant ces jours fériés supplémentaires, seules les écoles ferment, et certains petits commerces selon l'appartenance religieuse de leurs propriétaires.

MÉTÉO

À New York, le climat est continental humide. Préparez-vous aux écarts de température ! Le fameux « ressenti » du bulletin météo prend tout son sens. Il peut faire - 15 °C mais « feels like » - 25 °C à cause du vent. L'été, 35 °C « feels like » 40 °C, à cause de l'humidité. Comme toutes les températures sont en Fahrenheit, petite astuce pour savoir comment vous habiller : prenez la température en °F, soustrayez 30, puis divisez par 2 pour obtenir la température approchée en °C.

- **En hiver**, la lumière est souvent incroyable et les journées très ensoleillées. Mais il fait aussi très froid, l'air est sec et les appartements sont surchauffés. N'hésitez pas à empiler les couches, vous offrir un bonnet, et - détail utile - acheter de la crème pour les mains. Les blizzards ne sont pas rares (y compris en avril !).

NEW YORK → MODE D'EMPLOI

BON À SAVOIR
Il fait nuit tôt (17 h 30 en hiver, 20 h 30 au plus tard en été).

Les enfants n'attendent alors qu'une chose, que le maire annonce un snow day (une journée où il a tellement neigé que les écoles et les transports en commun sont fermés) pour aller faire de la luge dans les parcs et même du ski dans les rues !

➨ **En été**, les vagues de chaleur sont fréquentes. Sans climatisation, c'est difficilement supportable, mais ayez toujours un pull dans votre sac car elle est poussée à fond dans les magasins et les lieux publics.

➨ **Toutes les saisons sont chouettes à New York, mais notre préférée, c'est l'automne :** pendant l'été indien, quand la température est estivale mais pas tropicale ou début novembre, au moment du foliage, quand les feuilles des arbres prennent des couleurs qu'on voit rarement en Europe.

DORMIR

CHEZ L'HABITANT

Vous trouverez des dizaines de milliers de chambres ou d'appartements à louer sur des sites de partage (airbnb, bedycasa.com etc.). Attention, la réglementation new-yorkaise évolue sans cesse. Renseignez-vous avant de partir et ne vous y prenez pas à la dernière minute car la demande est forte à New York. Il existe d'autres façons de partager le quotidien des habitants : échanger un savoir-faire contre un hébergement (hostelp.fr), faire du troc de nuits (nightswapping.com), squatter les canapés (couchsurfing.com). Ou faire des échanges d'appartements dont les Américains sont très friands (homeexchange.com).

À L'HÔTEL

C'est connu, il n'est pas donné de se loger à New York, qui compte près de 110 000 chambres d'hôtel. On vous conseille de passer par Internet pour essayer de trouver des offres intéressantes.

Voici nos adresses préférées. Si vous n'y séjournez pas, sachez que la plupart d'entre eux valent le détour, notamment pour leurs bars ou leurs rooftops.

➨ **The Box House** à Greenpoint, au pied du Pulaski Bridge, pour la déco et le quartier (loft à partir de 240$).
theboxhousehotel.com

➨ **McCarren Hotel & Pool** à Williamsburg, pour son ambiance chic et cool et la vue (à partir de 320$). mccarrenhotel.com

➨ **The Franklin Guesthouse**, à Greenpoint, à deux pas de l'East River Ferry, pour la déco, le sauna, la location de vélos (loft à partir de 240$). franklinguesthouse.com

➨ **The Henry Norman Hotel**, au nord de Brooklyn, entre le Greenpoint résidentiel et industriel (loft à partir de 200$).
henrynormanhotel.com

➨ **Aloft Harlem**, des tarifs hyper compétitifs pour Manhattan. aloftharlem.com

➨ **Hotel Americano**, à Chelsea Manhattan, pour la déco design, la mini-piscine, le rooftop et le prêt de vélo (à partir de 260$).
hotel-americano.com

Carlton Arms Hotel, à Gramercy, Manhattan, ce n'est pas l'hôtel le plus confortable mais la déco des chambres est géniale et c'est un morceau d'histoire (à partir de 90$ l'hiver et 160$ l'été). carltonarms.com

The High Line Hotel, à Chelsea, installé dans le plus vieux séminaire épiscopal de Manhattan, pour son jardin et son super coffee-shop (à partir de 400$). thehighlinehotel.com

Ace Hotel à Nomad Manhattan, pour son ambiance bobo-vintage, sa clientèle de créatifs, son personnel en jeans et en Converse (à partir de 240$). acehotel.com/newyork

Inn at Irving, à deux pas de Gramercy Park, Manhattan, pour son cachet hyper-romantique (à partir de 245$). innatirving.com

Country Inn, à LIC Queens, pas exactement pour son charme, mais c'est un excellent rapport qualité/prix et la vue est superbe (à partir de 125$). countryinns.com

Paper Factory Hotel, dans une ancienne imprimerie à LIC Queens (à partir de 190$). paperfactoryhotel.com

Z Hotel, à LIC Queens, pour la vue, les prix corrects et les cours de yoga sur le rooftop (à partir de 180$). zhotelny.com

Opera House Hotel, le premier hôtel du genre dans le Bronx, aménagé dans un ancien théâtre (à partir de 160$). operahousehotel.com

BED & BREAKFAST

- Harlem Flophouse, à Harlem harlemflophouse.com
- Boerum Hill Guest House, à Boerum Hill, 211 Dean St Boerum Hill.
- Airlington Place, à Bed-Stuy. arlingtonplacebnb.com
- Rugby Gardens, à Ditmas Park. rugbygardens.com
- Akwaaba Mansion, à Bed-Stuy. akwaaba.com

AUBERGE DE JEUNESSE

Des chambres capsules aux dortoirs propres et agréables, des espaces communs conviviaux, et du wifi gratuit bien sûr :

- New York Loft Hostel, à East Williamsburg, nylofthostel.com
- Chelsea Interfaith Retreats 29th & 8th Ave, 917 362 6130.
- The Local, à LIC Queens. thelocalny.com

SUR L'EAU

New York est entourée d'eau, pourquoi ne pas dormir sur une péniche ou un bateau, à Sheepshead Bay ou à Rockaway par exemple ? (voir « Le top des bateaux et des yachts à louer à New York », sur airbnb.fr)

NEW YORK → MODE D'EMPLOI

SE REPÉRER À NEW YORK

S'ORIENTER

New York comprend cinq boroughs (arrondissements): Manhattan, Brooklyn, Queens, le Bronx, et Staten Island.

MANHATTAN

Cette île est reliée aux autres boroughs (et au New Jersey, l'État qui se trouve de l'autre côté de Hudson River) par des ponts et des tunnels. Uptown est la partie au nord de 59th St. Midtown est comprise entre 59th et 14th Sts. Downtown est au sud de 14th St.

Au nord de Houston St (prononcez « How-ston » et non pas « you-stone »... on n'est pas au Texas !), le fameux plan quadrillé en damier permet de s'orienter facilement. Les rues sont orientées est-ouest et ne portent pas de noms mais des numéros. Au sud de Houston St, le plan est complètement anarchique et les rues portent des noms. Il vous faudra une carte pour vous y retrouver ! Les avenues vont du nord au sud, sauf Broadway, la plus longue, qui traverse l'île en diagonale. La célèbre 5th Avenue sépare la partie ouest de la partie est de l'île. Précisez toujours West ou East quand vous donnez une adresse. Par exemple 300 W 23rd St et 300 E 23rd St ne sont pas du tout au même endroit !

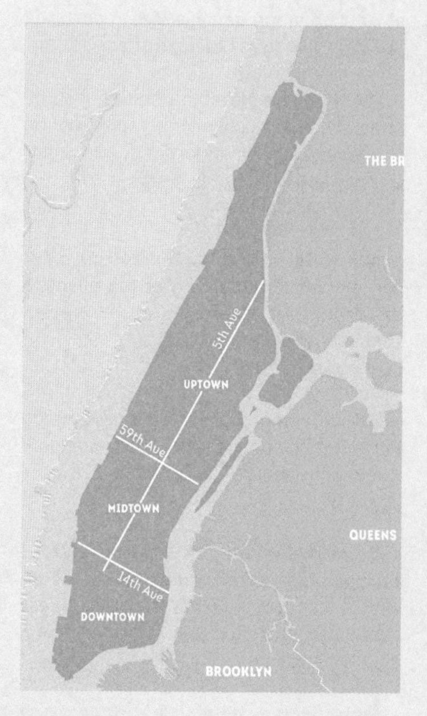

ASTUCES ▷

On compte environ cent numéros entre deux avenues. Si on vous dit « C'est à trois ou quatre blocks d'ici ! », sachez qu'un block, est l'équivalent d'un pâté de maisons rectangulaire situé entre deux rues ou deux avenues. Comptez en moyenne 1 mn pour parcourir d'un bon pas un bloc de rue et 5 mn pour un bloc d'avenue. À Harlem, les grandes artères sont la mémoire de l'histoire noire américaine : 6th Ave devient Lenox Ave-Malcom X Blvd, 7th Ave devient Adam Clayton Powell Jr. Blvd, 8th Ave devient Frederick Douglass Blvd et 125th St devient Martin Luther King Jr. Blvd.

BROOKLYN ET QUEENS

À Brooklyn, les numéros de rue augmentent à mesure que l'on se déplace vers le sud. À Queens, les rues sont dessinées selon une grille perpendiculaire. Les numéros de rue augmentent à mesure que l'on se déplace vers l'est, et les avenues vont d'est en ouest. Bref, n'oubliez pas votre plan!

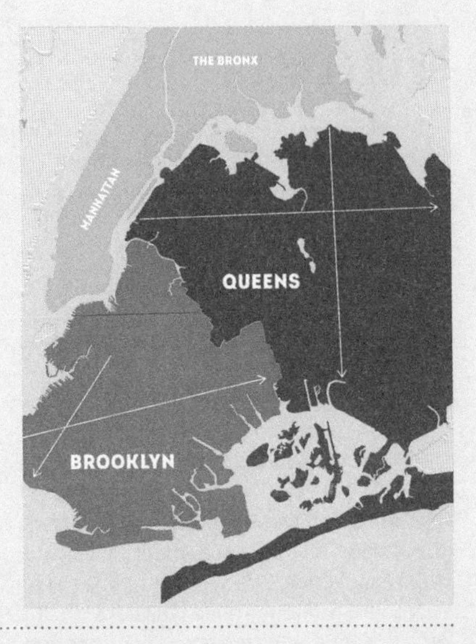

LE BRONX

C'est le seul borough situé sur le continent (et le seul à être précédé d'un article défini! « The » Bronx). Le système de numérotation des rues et des avenues prolonge celui de Manhattan et commence au sud par 132nd St.

STATEN ISLAND

Aucune des rues de cette île ne porte de numéro. Trois ponts le relient à l'État du New Jersey (côté ouest) et un pont à Brooklyn (côté est). Ce borough n'est pas très densément peuplé et les distances sont grandes. En dehors de la balade que nous vous conseillons p.107 qui se fait en transports en commun et à vélo, il peut être pratique de louer une voiture si vous voulez explorer ce borough plus en profondeur.

ASTUCES ▷

Plutôt que de donner une adresse exacte, les New-Yorkais ont l'habitude de donner ce qu'on appelle les cross-streets, c'est-à-dire les intersections les plus proches. Par exemple, si vous allez 3 W 18th St, dites au chauffeur de taxi que vous allez « 18th St, between 5th and 6th », c'est-à-dire « 18th Street entre les 5e et 6e Avenues ».

LES ACRONYMES NY

Parmi les plus célèbres, TriBeCa (pour TRIangle BElow CAnal street) ou SoHo (pour SOuth of HOuston). Mais connaissez-vous FiDi (FInancial DIstrict), ou SpaHa (SPAnish HArlem)? Ou encore SoBro (SOuth BROnx), NoMad (NOrth of MADison Park)? BoCoCa (BOerum Hill, CObble Hill et CArroll Gardens), ProCro (l'intersection de PROspect Heights et de CROwn Heights) à Brooklyn? Ce sont souvent les promoteurs immobiliers qui leur donnent ces noms afin de les rendre plus branchés et d'attirer les acheteurs vers des quartiers en devenir. Des surnoms qui font rire (parfois jaune) les New-Yorkais, qui n'utilisent que les originaux.

BON À SAVOIR NEW YORK → MODE D'EMPLOI

SE DÉPLACER

Préparez-vous à marcher ! À New York, on prend aussi beaucoup les transports en commun, et on y pédale de plus en plus. Ici, seulement un habitant sur deux possède une voiture, contre neuf Américains sur dix.

SUBWAY

Le métro circule 24/24, 7/7 et on peut le prendre la nuit sans problème. Vous pouvez calculer votre itinéraire sur mta.info, le site de l'entreprise publique qui exploite les lignes de métro et de bus. Vous pouvez payer au trajet (single ride, 2,75$), acheter une carte Metrocard prépayée avec plusieurs trajets dessus et que vous rechargez en fonction de vos besoins, (pay as you ride) ou prendre une unlimited 7-Day or 30-Day.
La Metrocard permet une correspondance gratuite dans les deux heures et elle est valable dans les bus.

ASTUCES ▷

• Dans la rue, les entrées du métro sont différentes si vous allez Uptown ou Downtown.

• Regardez de quel côté de la rue vous sortez : « NW Corner » ou « SE corner » par exemple signifie que vous sortez au coin nord-ouest ou au coin sud-est.

• Un train inbound se dirige vers Manhattan. Un train outbound sort de Manhattan.

• Un métro peut être express ou local. L'express, plus rapide, ne s'arrête qu'aux principales stations (indiquées par un rond blanc sur le plan de métro) tandis que le local s'arrête partout (ronds noirs).

• Téléchargez l'application New York Subway MTA pour avoir les plans des métros et des bus.

• Le week-end, surtout si vous êtes à Brooklyn, vérifiez l'état du trafic (les travaux de maintenance et les déviations sont fréquents) sur web.mta.info/weekender.html ou avec l'application MTA Weekender.

• À Staten Island, le métro s'appelle SIR (Staten Island Railway mta.info/sir) et ne dessert qu'une petite partie du borough, mais le titre de transport est le même.

FERRY

L'East River Ferry permet de relier Manhattan (Midtown et Wall Street) aux quartiers gentrifiés de Brooklyn et de Queens : Long Island City, Greenpoint, Williamsburg et Dumbo. On prend son billet aux machines avant d'embarquer. Le tarif est le même quelle que soit la destination et il y a un supplément de 1$ pour un vélo et une surcharge le week-end. C'est une bonne façon de passer sous les trois principaux ponts de l'East River (Williamsburg, Manhattan et Brooklyn Bridge). Toutes les infos sur eastriverferry.com.

Maintenant que les rives sont aménagées, ce mode de transport va se développer. En 2017, trois nouvelles lignes assureront la liaison entre Manhattan et les plages de Rockaway : Manhattan et le sud de Brooklyn (jusque Bay Ridge) ; Manhattan et les quartiers de Long Island City, et Astoria (Queens). Et le tarif devrait enfin être le même que celui du métro (4$ à 6$ actuellement).

Staten Island est desservi par le Staten Island Ferry, qui est gratuit et fonctionne

24/24. Vous pouvez embarquer avec votre vélo. Toutes les infos sur siferry.com

À terme, le ferry desservira également le Bronx.

À VÉLO

New York est chaque jour un peu plus bike friendly* grâce à l'aménagement de nouvelles pistes cyclables (carte disponible sur le site nycbikemaps.com). On recommande évidemment le port du casque. Méfiez-vous des taxis qui s'arrêtent fréquemment sur les pistes cyclables et des automobilistes qui ne regardent pas toujours dans leur rétroviseur avant de tourner.

- **Citi Bike,** le système de vélo partagé, est disponible dans de nombreux quartiers et en perpétuelle expansion. À ce jour, 8000 vélos sont disponibles dans plus de 500 stations. Une application est disponible pour localiser les stations et le nombre de vélos ou d'emplacements disponibles. Vous pouvez acheter un abonnement à l'une des bornes : à la journée (12$) ou pour trois jours (24$), et bénéficier de trajets illimités de 30 minutes. L'abonnement annuel (155$) permet des trajets d'une durée de 45 minutes. Attention, au-delà, la note monte très vite. Si vous envisagez des trajets plus longs, nous vous recommandons la location d'un vélo dans l'un des nombreux bike stores de la ville (casque et antivol fournis).

TAXI

Les fameux taxis jaunes sont en général faciles à trouver (un peu moins quand il pleut ou entre 16h et 17h, l'heure du shift, le changement de poste). Vous verrez aussi des taxis verts, les Boro Taxis, qui sont autorisés à prendre des clients au nord de 100th St à Manhattan et partout dans les autres boroughs. Le prix de la course est au compteur (2,50$ de prise en charge).

ASTUCES ▷

Si la partie centrale de l'enseigne lumineuse sur le toit est allumée et que vous pouvez lire le numéro du taxi, c'est qu'il est libre. Si elle est éteinte, il est occupé. Il n'y a pas de bornes, vous pouvez héler un taxi n'importe où. Estimez le prix d'une course sur : taxifarefinder.com

CAR SERVICE

Si un New-Yorkais vous suggère d'appeler une limo ou une limousine, n'imaginez pas qu'il vous prend pour une star. À New York, c'est comme ça qu'on appelle les VTC, les véhicules de tourisme avec chauffeur. Et les habitants en utilisent beaucoup. Ce sont en général des berlines (et parfois des vraies stretch limousines, comme dans les films, mais plus chères).

Renseignez-vous dans le quartier où vous séjournez pour savoir quelle est la compagnie locale de référence. On vous recommande Carmel 866-666-6666 et Arecibo 855-428-0222, y compris pour aller à l'aéroport (demandez le prix, au forfait, quand vous réservez).
Sinon, vous pouvez bien sûr utiliser Uber (uber.com) ou son concurrent direct (moins cher), Lyft (lyft.com).

VOITURESÈ PARTAGÉES EN LIBRE-SERVICE

zipcar.com/new-york-city
newyork.car2go.com

VIVRE COMME LES NEW YORKAIS

SÉCURITÉ

La criminalité a chuté ces 20 dernières années et l'on se sent généralement en sécurité, y compris le soir (à moins d'aller dans des coins vraiment excentrés ou déserts). Cela dit, New York reste une grande ville. Sans tomber dans la paranoïa, soyez vigilants, aussi bien dans les quartiers très touristiques que up & coming.

SANTÉ

numéro d'urgence : 911

La première chose qu'un médecin new-yorkais vous demandera, c'est votre carte de crédit. Une consultation médicale est souvent hors de prix (au minimum 100$). Gardez bien vos factures pour essayer de vous faire rembourser par la sécurité sociale une fois rentrés en France, et surtout par votre carte de crédit ou une assurance complémentaire.

• Pour toute urgence médicale qui n'est pas vitale, vous pouvez vous rendre dans un urgent care center ou une walk in clinic, des dispensaires et des cliniques sans rendez-vous, ouverts 7/7. L'attente y est beaucoup moins longue qu'aux urgences hospitalières. On peut y faire des bilans sanguins et passer des radios.

• Vous pouvez aussi prendre rendez-vous chez un médecin sur le site doczoc.com, qui regroupe les agendas de nombreux praticiens de la ville.

• Pratique : on trouve beaucoup de médicaments over the counter, en vente libre, dans les drugstores comme CVS, Duane Reade, Rite Aids, ouverts 7/7 et pour certains 24/24. En revanche, ne comptez pas amadouer un pharmacien pour obtenir un médicament délivré sur ordonnance si vous n'avez pas de prescription.

ARGENT

Vous trouverez des distributeurs (ATM) partout, y compris dans les delis et certains restaurants. C'est pratique, mais pour éviter les frais bancaires, mieux vaut retirer une grosse somme d'un coup.

ASTUCES ▷

• Dans les delis et les bars/restaurants, les ATM surtaxent de 1$ à 3$. En revanche, vous pouvez demander du cash back au moment de payer une course dans un supermarché, sans frais : par exemple, si votre facture se monte à 38$, vous payez 78$ par carte et vous récupérez la différence, 40$, en cash.

• La taxe locale de 8,875 % doit être ajoutée à tous les prix affichés dans les magasins et dans les restaurants.

• N'oubliez pas le tip ! Ce n'est pas un pourboire mais un salaire. À New York, il est très mal vu d'être un bad tipper. Il est d'usage, pour ne pas dire « obligatoire », de donner 15 à 20 % du montant de la note aux serveurs, aux chauffeurs de taxi, ou encore aux esthéticiennes, sous peine de passer pour un... Français !

• Dans les restaurants, pour calculer le tip, le plus simple est de multiplier par deux le montant de la taxe locale affichée sur la check (l'addition) et de l'ajouter au total. Pensez à vérifier que le restaurant ne l'a pas ajouté d'office.

• Dans les bars, il est d'usage de laisser 1$ ou 2$ par verre.

• Attention, vous verrez parfois un message du genre « No need to tip; hospitality is included »: de plus en plus de restaurants essaient de remplacer les tips par un salaire fixe plus conséquent pour leur personnel.

• N'oubliez pas de glisser 1$ ou 2$ au portier, au porteur de bagages, au voiturier, à la dame pipi, ou au livreur de courses.

COURSES ET SHOPPING

À New York, le choix est vaste, notamment en matière d'alimentation. On ne compte plus les épiceries fines et les commerces spécialisés dans le bio ou le local. Sans parler évidemment des magasins d'alimentation ethniques et traditionnels. Pour s'y retrouver dans les chaînes de supermarchés.

Trader Joe's: Née en Californie, cette chaîne de supermarchés mise sur le local, le bio (accessible) et paie ses employés au-dessus du minimum syndical. Bref, c'est le meilleur rapport qualité-prix.
traderjoes.com

Whole Foods: Le nom de cette chaîne d'hypermarchés bio-écolo-locavore signifie littéralement ingrédients complets, non raffinés, non transformés...Elle soutient l'agriculture et les élevages durables. On trouve souvent un salad bar appétissant, une boulangerie-pâtisserie avec un grand choix sans gluten, sans lait (et même sans œufs). Tout fait envie. Seul bémol, la note grimpe vite, au point que certains la surnomment « Whole Checks » (« paie intégrale » car tout votre salaire peut y passer).
wholefoodsmarket.com

Key Food et C-town sont des supermarchés plus bas de gamme. Quand ils sont dans des quartiers en cours de gentrification, ils s'adaptent et offrent une sélection de produits d'épicerie de qualité, à ne pas négliger.

freshdirect.com: Ce cybermarché a révolutionné la vie des New-Yorkais grâce à son service de livraison à domicile très flexible. Vous pouvez opter pour un horaire eco-friendly* qui regroupe des livraisons dans le même quartier. S'il n'y a rien près de chez vous pour faire des courses, n'hésitez pas à ouvrir un compte.

blueapron.com: le service à la new-yorkaise poussé à son comble. Sur ce site, vous choisissez une recette et on vous livre tous les ingrédients pour la cuisiner chez vous. Avec le vin idoine!

Si vous voulez retrouver l'ambiance d'un marché à l'européenne (la gouaille en moins), achetez des fruits et légumes de saison, de la viande, du poisson, du pain sur les **greenmarkets, farmers markets et autres marchés de producteurs locaux** en plein air. Il y en a maintenant un peu partout dans la ville (celui de Union Square, grand et agréable, est le plus ancien). On peut y apporter son compost. Vérifiez les localisations et les horaires sur : grownyc.org/greenmarket.

Autre option, devenir membre d'une CSA, l'équivalent de nos AMAP. C'est ici qu'est né ce mouvement de soutien à l'agriculture paysanne et bio. justfood.org/csaloc

FREE DELIVERY

Dans les cuisines new-yorkaises, les menus take-away des restaurants remplacent les livres de recettes. Sur seamless.com, delivery.com et trycaviar.com, trouvez les bons restaurants qui livrent près de chez vous, commandez et payez en ligne (même le tip !). Si vous n'avez ni envie de cuisiner, ni de manger au restaurant, invitez-vous à dîner chez des New-Yorkais sur : eatwith.com.
New York est une ville de services. Les horaires des magasins sont extensibles, vous trouverez forcément une épicerie, un supermarché ou un drugstore ouvert à minuit en bas de chez vous.

➼ **Sur postmates.com,** la livraison est participative : vous commandez un repas, des vêtements, des fleurs ou même un latte et un muffin dans un commerce de proximité, et des particuliers s'engagent à vous livrer en moins d'une heure. Une façon d'arrondir leurs fins de mois.

➼ **Sur renttherunway.com**, louez un smoking ou une robe de couturier pour 10 % de son prix de vente (si vous aviez une soirée habillée à l'improviste et rien à vous mettre).

ENFANTS

New York est une ville kid-friendly*. Vous trouverez toujours quelqu'un pour vous aider à porter la poussette dans les escaliers du métro ou pour s'extasier sur votre bébé assoupi. Les New-Yorkais ont tendance à emmener leurs enfants partout. De nombreux restaurants ont des high chairs ou des boosters, des rehausseurs, des crayons-feutres et des ballons.
Ici, on ne va pas au square mais au playground, aire de jeux pour enfants, où fusent les « good jobs ! » d'encouragement et les 5-minute warnings pour prévenir qu'on rentre bientôt. On y trouve toutes sortes de structures et de jeux astucieux, les fameuses balançoires à culotte (swings) pour les plus jeunes et aussi des sprinklers, des jets d'eau pour jouer l'été.

Si votre enfant a une playdate, ce n'est pas un rencart amoureux mais un rendez-vous pour jouer (au parc ou chez un copain).
N'élevez pas la voix sur votre enfant dans la rue, vous vous exposeriez à des regards réprobateurs voire à un signalement ! Quant à une fessée, vous aurez droit aux services sociaux.

➼ **Sur le site mommypoppins.com/new-york-city,** vous trouverez un calendrier des activités à faire avec les enfants.

Dans ce guide, si vous voyez le pictogramme KIDS devant une adresse recommandée, cela signifie qu'elle est particulièrement adaptée aux enfants. Encore une fois, ces derniers sont généralement les bienvenus partout.

CHIENS

La ville est également dog-friendly* (un euphémisme)... Vous assisterez sans doute à quelques scènes épiques, les New-Yorkais parlant à leur chien comme à leur enfant. Ils ont droit à des spas, des crèches, des boutiques d'accessoires et de vêtements branchés et des aires de jeux (dog-runs) dans les parcs. Du coup, il est rare de marcher dans une crotte. On aime particulièrement le dog park de Union Square et celui de la Hunters Point South Promenade Park, le long de l'East River à Long Island City.

FITNESS

Les New-Yorkais ne plaisantent pas avec la forme physique et vu le choix, vous n'avez pas d'excuses pour ne pas vous y mettre ! Les clubs de fitness sont nombreux (et bondés dès 5h30 du matin), de NY Sports Club (mysportsclubs.com) à Equinox (equinox.com), en passant par Crunch (crunch.com). Plusieurs YMCA, les auberges de jeunesse chrétiennes, proposent de très bons clubs de sports avec piscines couvertes et abonnements très attractifs (ymcanyc.org). Chelsea Piers, le complexe sportif sur l'Hudson River, offre lui aussi de nombreuses activités (chelseapiers.com). Pour changer de la monotonie du tapis de course, on vous conseille :

- FlyWheel Sports, pour les cours de spinning (vélo en salle) (flywheelsports.com).
- The Works, pour les séances de personal training (theworksfit.nyc).
- Barry's Boot Camp, pour des résultats spectaculaires (barrysbootcamp.com).
- Proline Archery Lanes pour faire du tir à l'arc (archeryny.com).
- Gleason's la salle légendaire de boxe anglaise. (gleasonsgym.net)
- Jamaica Bay Riding Academy pour faire du cheval en regardant la baie de New York (horsebackride.com).
- Bold & Naked et Nude Yoga pour des cours de yoga tout nu (nudeyorkyoga.com boldnaked.com).
- City Row pour des cours collectifs de rameur (cityrow.com).

C'est aussi la ville du running (nyrr.org), du yoga (jivamuktiyoga.com ou nyc.laughinglotus.com) et du pilates (movementsalon.com). Sur nycgovparks.org, vous trouverez toutes les infos pratiques sur les parcs et espaces verts de la ville.

PISCINE

Pas besoin d'aller à la plage pour se rafraîchir. L'été 1936, grâce à l'argent du New Deal, la ville de New York a ouvert onze piscines découvertes géantes. On les doit à la vision du maire de l'époque, Fiorello LaGuardia, et de l'urbaniste Robert Moses (qui n'a heureusement pas fait que des autoroutes !). Rénovées dans les années 2000, elles sont ouvertes de fin juin à septembre, (de 11h à 19h) avec une heure de fermeture de 15h à 16 h. Elles sont gratuites, et on vous les recommande. Certaines peuvent accueillir 3000 personnes ! Les règles d'accès au bassin sont drastiques : en dehors d'un maillot, vous ne pouvez porter qu'un t-shirt et un chapeau blancs. Pas le droit d'apporter de la nourriture, ni d'objets électroniques. Et n'oubliez pas d'avoir un cadenas à code pour le vestiaire (obligatoire). Il y a aussi des piscines couvertes municipales. Vous pouvez les localiser sur nycgovparks.org/pools.

« PICK UP COLOR ! »

C'est par ces mots que les esthéticiennes vous demanderont de choisir votre vernis. Ça ne vous échappera pas, il y a quasiment un nail salon par bloc. Quelle que soit leur classe sociale, les New-Yorkaises ont toujours les ongles faits. Mains et pieds. Pas besoin de rendez-vous. Vous pouvez même venir avec votre bébé ! Pas mal d'hommes s'offrent aussi ce genre de services. Les tarifs vous sembleront moins chers qu'en France. On peut se faire faire une mani-pedi pour 30$ ou 35$ (avec mini-massage des épaules offert). Mais les esthéticiennes sont souvent mal payées, leur employeur se débrouillant pour ne pas respecter le salaire minimum. N'oubliez pas de leur donner un bon tip, au minimum 20 %.

NEW YORK → MODE D'EMPLOI

SI VOUS ÉTIEZ NEW-YORKAIS(E)...

Vous seriez sur un tapis de course à 6 h du matin, heure de pointe dans les fitness clubs. Vous seriez « driven », mû par une sorte de moteur interne, compétitif avec vous-même. Vous achèteriez une bouteille d'eau fraîche à un vendeur ambulant qui serait the coldest on the block. Persuadé que le temps n'a pas la même valeur chez vous que dans le reste du monde (ne dit-on pas « a New York second »?!), vous seriez toujours in a rush. Mais vous ne seriez pas à une contradiction près puisque vous n'auriez aucun problème à attendre une heure sur le trottoir pour avoir une table dans un restaurant à la mode. Et vous fantasmeriez sur le french art de vivre.

Vous trouveriez normal de prendre le métro à 3h du matin et de pouvoir acheter, au passage, un gallon de lait ou un sandwich à la bodega* du coin.

Vous vous feriez livrer n'importe quoi à n'importe quelle heure (d'ailleurs votre placard de cuisine serait rempli de boîtes plastique de take-away).

Vous auriez déjà piégé des souris avec du peanut-butter (dommage que ça ne marche pas avec les cafards).

Contrairement à Donald Trump, vous ne demanderiez pas de couverts pour manger votre pizza : à New York, la slice se mange pliée dans le sens de la longueur, sans faire tomber une goutte de sauce tomate sur votre t-shirt.

Vous fuiriez Rockefeller Center à Noël et Times Square à n'importe quelle saison (sauf pour voir la comédie musicale *The Book of Mormon* et *Hamilton*).

Vous laisseriez votre canette vide à côté d'une poubelle pour qu'un SDF puisse la recycler en échange de 5 cents. Vous habiteriez peut-être dans l'un des quartiers qui collectent les composts de déchets végétaux. Vous seriez en train de vous faire à l'idée que depuis que les sacs en plastique et en papier sont payants dans les magasins, les caissiers ont enfin arrêté de doubler les sacs même pour un pot de confiture. En revanche, vous passeriez l'hiver avec les fenêtres ouvertes car le chauffage (à la vapeur d'eau) est rarement réglable. Parce que l'ouragan Sandy vous aurait vraiment effrayé, vous feriez un effort pour ne pas allumer la clim dès qu'il fait 20°C (mais au-delà de 23°C, vous auriez du mal à résister). Vous profiteriez des fire-hydrants, les bouches à incendie reconverties en jeux d'eau dans la rue quand il fait 40°C.

Vous ne vous étonneriez pas de voir couler de temps en temps de l'eau jaunâtre dans votre douche, ni d'entendre vos radiateurs faire le bruit d'un canon d'artillerie.

Vous feriez chauffer votre carte de crédit les jours fériés qui, c'est bien connu, ne servent pas à se reposer. Vous trouveriez parfaitement normal qu'une boutique de vêtements ou de déco affiche, en vitrine, son soutien au mariage gay ou à la COP21. Vous seriez outré de voir un 7-Eleven s'ouvrir en bas de chez vous : depuis quand les New-Yorkais achètent-ils leur café à emporter dans une chaîne standardisée (à part chez Starbucks, bien sûr)? Vous vous souviendriez du choc que vous avez eu le jour où le premier shopping mall* a ouvert à Manhattan (depuis, il a fallu vous habituer, il y en a presque autant que dans le New Jersey).

Vous traiteriez de « shlemiel » (maladroit) votre voisin qui vient de renverser son café,

Vous vous feriez livrer n'importe quoi à n'importe quelle heure (d'ailleurs votre placard de cuisine serait rempli de boîtes plastique de take-away).

car même si vous n'êtes pas juif, vous maîtrisez l'argot yiddish sans savoir que ça en est. Vous continueriez à dire « The City » pour parler de Manhattan, même si vous pensez que Brooklyn est devenu le centre du monde. Vous resteriez impassible devant un écureuil qui suscite l'émoi des touristes dans un parc, mais vous seriez en pamoison devant un chien.

Vous salueriez un inconnu par un « Hi ! How are you this morning? » ou par un « Have a good one! » qui n'attend pas spécialement de réponse. Vous nous inviteriez à une fête chez vous alors qu'on ne se connaît pas, mais aucune importance, vous avez invité 200 autres amis « proches ».

Vous feriez tout ça et bien d'autres choses, qu'on vous laisse le plaisir de découvrir... À New York, vous vous sentirez chez vous dès la première minute, même si l'adage veut qu'il faut y avoir vécu au moins dix ans pour mériter ses galons de vrai(e) New-Yorkais(e) !

→ TOUS LES MOTS & EXPRESSIONS...

COMMUNITY › Du plombier qui fête ses 50 ans d'existence au restaurant branché qui arrive dans un quartier populaire, chacun veut servir sa « community ». Ce terme fait référence à un quartier, une ethnie, une religion ou une nationalité. C'est sur cette identité communautaire, positive et non-excluante, que se construit New York.

DELICATESSEN OU DELI › À l'origine, c'est une échoppe qui vend de la cuisine juive d'Europe de l'Est, comme les sandwichs au pastrami ou au corned-beef. Par extension, c'est la petite épicerie du coin de la rue qui ne ferme pas ou très tard. La version hispanique s'appelle une bodega.

FRIENDLY › New York est une ville kid-friendly, gay-friendly, dog-friendly, eco-friendly, bref : tolérante et progressiste !

IT'S GROWING › « Ça se développe ! ». Vous entendrez souvent cette expression dans la bouche des habitants d'un quartier qui se transforme. Une autre façon de dire que ça se gentrifie.

LE BROOKLYNESE › Les habitants de Brooklyn ont toujours eu cette façon bien à eux de prononcer les mots en mangeant les « r », et en abusant des diphtongues. Allez-y, entraînez-vous ! « Fawget aboutit ! », « Get outta hea ! », ou encore le fameux « Yoo tawhkin' toa meay » ?

MALL › Un (shopping) mall, c'est un centre commercial, très prisé des Américains en général, mais qui relève de la vision d'horreur pour de nombreux New-Yorkais.

MESSENGERS › Ce sont les coursiers que l'on voit pédaler partout dans la ville. À ne pas confondre avec les livreurs des restaurants, qui ont de plus en plus tendance à se déplacer en scooter ou vélo électriques.

MOM AND POP STORES › Littéralement, les « magasins de papa et maman ». Désigne les petits commerces de proximité, traditionnels et indépendants, par opposition aux chaînes standardisées.

PEOPLE LIKE US › Signifie littéralement « des gens comme nous ». Également utilisé sous la forme de l'acronyme PLU. Désigne les nouveaux habitants dont le capital culturel élevé transforme l'ambiance du quartier. En France, on dirait des bobos, mais bien que ce mot ait été inventé par un journaliste du New York Times, il n'est pas utilisé aux États-Unis.

YUPPIES › Acronyme de Young Urban Professionals, inventé dans les années 1980 pour désigner les jeunes cadres qui travaillent dans la finance. Avec ses variantes : Buppie, pour Black Urban Professional et Guppie, pour Gay Urban Professional.

Logements

BACKYARD › Arrière-cour d'un immeuble ou d'une maison, propice aux barbecues.

BASEMENT › Sous-sol d'un immeuble ou d'une maison, qui abrite aussi bien un appartement qu'un salon de massage chinois ou une laundry.

BROWNSTONES › Nom donné à certaines townhouses en raison de la couleur brune du grès, la pierre qui a servi à leur construction. Icône de la ville au même titre que le gratte-ciel.

CONDO / CO-OP › À New York, il existe deux types d'immeubles. Les co-op sont des coopératives (75 % des logements en vente), et les condos des condominiums (25 %). Dans un co-op, on achète non pas un appartement mais des parts de l'immeuble, et le conseil d'administration a quasiment le droit de décider de la couleur de vos murs. Le condo, lui, relève d'une copropriété classique, nettement plus facile à louer.

FRONTYARD › Partie située à l'avant d'une maison, souvent utilisée comme une petite cour ou transformé en jardinet.

HIGH RISES › Pas aussi hauts que les gratte-ciel, ces immeubles disposent d'au moins 10 étages. Construits dans les années 1940, ils ont souvent un doorman (portier) et une piscine.

LAUNDRY › Désigne les machines à laver le linge mises à la disposition des habitants d'un immeuble, au sous-sol ou à l'étage (les appartements en sont rarement équipés). Désigne aussi le linge sale que les New-Yorkais trimballent dans des gros sacs en tissu jusqu'à la laverie la plus proche.

MEGATOWERS › Dans la course à la tour la plus haute, New York est à nouveau en selle avec les nouvelles tours de plus de 400 mètres, très fines, qui poussent à Midtown mais aussi à Brooklyn.

STOOP › Les perrons, les escaliers qui mènent à la porte d'entrée des maisons de ville, sont des lieux de vie et de socialisation intenses. Les New-Yorkais qui ont souvent des petits appartements s'en servent comme d'une terrasse, pour y lire, boire leur café, ou une bière avec des copains.

TENEMENT HOUSES › Petits immeubles sans ascenseur qui logeaient les immigrés pauvres au 19e et au début 20e siècle dans des appartements sans aucun confort.

TOWNHOUSE › La maison de ville new-yorkaise a des styles architecturaux très variés, et possède souvent un basement et un backyard.

PROJECTS › Tours de logements sociaux, l'équivalent de nos cités. Gérées par le NYCHA (New York City Housing Authority), elles ne représentent que 6 % du logement new-yorkais mais elles font encore beaucoup parler d'elles. 90 % de ses habitants sont latinos et afro-américains. Ses appartements se louent en moyenne 430$ (contre 3 000$ dans le privé locatif).

RENT-CONTROLLED ET RENT-STABILIZED › Dans la capitale du libéralisme, certains loyers sont contrôlés (en voie de disparition, moins de 2 % du parc locatif privé) ou stabilisés (un tiers du parc) par la municipalité, ce qui permet de limiter leur hausse au moment du renouvellement du bail, et d'assurer une certaine mixité sociale, notamment à Manhattan.

À table

BYOB › Acronyme de « Bring Your Own Bottle ». Quand un établissement n'a pas de licence pour vendre de l'alcool, vous pouvez apporter votre bouteille de vin ou de bière. Le concept marche aussi pour le tapis de yoga dans un cours collectif (Bring Your Own Mat).

COMFORT-FOOD › Se dit de la nourriture régressive qui réconforte en flattant nos envies de gras et de sucré, notamment quand il fait froid l'hiver. Fried chicken, mac & cheese (gratin de macaroni), grilled cheese (sandwich au fromage fondu), burgers, chicken soup, clam chowder, mashed potatoes.

CRAFT BEERS › Si vous pensez que la bière américaine se résume à un liquide jaune pâle insipide, il va falloir réviser vos bases et apprendre à faire la distinction entre lager, pilsner, pale ale ou indian pale ale ! Les micro-brasseurs de Brooklyn et de Queens font partie des nouveaux « makers », ces entrepreneurs qui remettent les traditions au goût du jour.

DINER › Tous les New-Yorkais fréquentent ces cantines, au look Art Déco ou années 1950, typiquement américaines. À l'origine, les diners étaient dans un wagon ou dans un préfabriqué, et accueillaient les masses laborieuses à toute heure du jour et de la nuit. Aujourd'hui, ceux qui ont résisté à la hausse des loyers continuent d'être de hauts lieux de brassage démocratique, tenus, 8 fois sur 10, par des Grecs. Armez-vous de patience pour faire votre choix sur la carte, souvent longue d'une dizaine de pages, et bon marché.

DIVE BAR › Quand ils en ont marre des bars conceptuels et préfèrent une ambiance « divey », les New-Yorkais vont boire une bonne vieille Budweiser dans un bar de quartier sans prétention où l'on se sent le bienvenu, même si on n'est pas tatoué et qu'on a plus de 50 ans.

FARM-TO-TABLE › Cette expression, qui signifie de la fourche à la fourchette, désigne les restaurants, de plus en plus nombreux, qui privilégient les circuits courts et les produits de saison.

FREE REFILL › Comme dans les films, les serveuses des diners et des coffee-shops passent, en mâchant leur chewing-gum, pour vous resservir (à volonté) du café américain ou du soda. Un concept qui ne marche malheureusement pas avec les Latte ou les Macchiatos à 4$ des baristas.

KOMBUCHA › Boisson préparée à partir de thé vert ou noir, légèrement fermentée par l'action d'une "mère" riche en bactéries et en levures, elle est censée renforcer le système immunitaire. C'est LA boisson des bobos new-yorkais qui apprennent même à la faire (50 cents le litre, contre au moins 3,5$ pour une petite bouteille en grande surface, ça vaut le coup !).

LATTE, MACHIATTO, CAPPUCINO › Il fut un temps où pour boire un bon café à New York, il fallait viser les établissements italiens. Puis est arrivé Starbucks qui a, d'une certaine façon, ouvert la voie aux nombreux coffee-shops indépendants. Pour vous y retrouver au moment de commander, sachez qu'un Latte, c'est l'équivalent d'un café au lait avec une couche épaisse de lait moussant. Un Cappucino, c'est 1/3 de café serré, 1/3 de lait, et 1/3 de mousse de lait. Un Macchiato, c'est une tache de lait moussant déposé sur un café serré. Après, libre à vous de choisir entre lait d'amande, lait de soja, skimmed milk (lait écrémé), 2 % (lait demi-écrémé), ou half & half (lait enrichi de crème).

NEXT ON LINE! › C'est par ces mots que l'on vous indiquera que c'est à votre tour d'être servi. À New York, les files d'attente sont disciplinées, ne vous avisez pas de resquiller. En arrivant, vérifiez poliment auprès de celui ou celle qui est devant vous « Are you on line? »

ON TAP › Se dit d'une bière pression (beer on tap), ou de l'eau du robinet (tap water). Chez les hipsters, on trouve même du kombutcha on tap !

PICKLES › Longtemps associés aux différentes communautés ethniques, des Indiens aux juifs ashkénazes en passant par les Russes, ces condiments, des conserves de légumes aigres-douces, sont devenus les accessoires culinaires des hipsters qui les font eux-mêmes.

SPEAK EASY › Une nouvelle veine de bars branchés qui s'inspire des établissements clandestins du temps de la Prohibition. La porte d'entrée est en général planquée, au fond d'une laverie automatique ou d'un café. On y sert des cocktails inventés par des mixologistes vedettes.

TO GO OR TO STAY? › À emporter ou sur place ? La question qu'on vous pose très souvent quand vous commandez à boire et à manger au comptoir.

WRAP › Tout est « fois 10 » en Amérique, c'est bien connu. Si vous n'arriuez pas à terminer la gigantesque portion qu'on vous a servie au restaurant, n'hésitez pas à demander à l'emporter chez vous. Au fait, on ne dit pas « doggy bag » mais « can you wrap this up for me please? ».

Commander ethnique

BAGEL › Saviez-vous que ce petit pain au levain naturel en forme d'anneau a été inventé au 17e siècle en Europe centrale et a été importé par les juifs ashkénazes à New York, avant de faire le tour du monde ces dernières années (pas toujours à son avantage, il faut bien le dire) ? Un New-Yorkais a forcément son adresse préférée de bagels.

DIM-SUM › Typique de la cuisine cantonaise, ce mot désigne toutes sortes de mets le plus souvent cuits à la vapeur, notamment des raviolis, longtemps servis sur des chariots ambulants, que l'on déguste souvent à l'heure du thé.

DOSA › Galette base de farine de « lentilles noires » ou de pois chiches, typique du sud de l'Inde.

DUMPLINGS › Raviolis asiatiques, cuits à la vapeur dans des paniers en bambou ou à l'eau, parfois farcis, parfois frits.

KNISH › Chausson importé par les juifs d'Europe de l'Est, farci de purée de pommes de terre et d'oignons frits ou de viande.

MOMOS › Ces raviolis vapeur ou bouillis sont des stars de la street-food tibétaine et népalaise. Farcis de légumes, de fromage, ou d'un hachis de viande de yak ou de bœuf.

PIEROGI › Ravioles polonaises, garnies de viande, de fromage, de choux, de champignons, ou encore de fruits. Les plus populaires sont les pierogi ruskie, au fromage blanc et aux pommes de terre.

SPRING ROLLS › Attention, dans les restaurants asiatiques, les spring rolls peuvent être frits (comme des nems vietnamiens) ou frais (comme des rouleaux de printemps).

Sauriez-vous expliquer la différence entre des **tacos**, des **burritos**, des **tamales**, et des **fajitas** ? Les tacos sont des tortillas de maïs souples, garnies de ce que l'on veut et mangées pliées. Dans les burritos, les tortillas sont roulées pour se fermer complétement, et contiennent de la viande, du riz, et des haricots. Les tamales sont des petites crêpes de maïs mexicaines, sucrées ou salées, souvent cuites à la vapeur dans l'enveloppe d'un épi de maïs. Les fajitas sont des tortillas servies avec des lanières de bœuf, poulet ou porc, accompagnées de poivrons, oignons, fromage, crème et guacamole. Simple non ?

INDEX

Thématique

INDEX

D

E

F

INDEX

G

INDEX

INDEX

INDEX

X

Y

Z

Pascal Canfin (directeur de collection)
Ancien journaliste, écologiste engagé, européen convaincu et attaché à la diversité culturelle, j'ai eu l'idée d'Out of the Box avec Claire, ma compagne, un jour à Berlin, comme une évidence. Les nouveaux quartiers, populaires, créatifs, divers, sont nos territoires. Il leur fallait leurs guides comme boussoles, pour les comprendre et en profiter pleinement.

Laure Watrin (directrice de collection et auteure de New York Out of the Box)
Journaliste, j'ai toujours aimé la ville. En repousser les limites symboliques, déambuler, aller à la rencontre des habitants, réfléchir à la fascinante alchimie urbaine. Après les ethno-guides à succès « les Pintades » et *La République bobo* (Stock), j'ai eu envie, comme une suite logique, de créer des guides qui ressemblent aux villes telles qu'elles sont et non pas à des cartes postales. De mes années à New York, j'ai voulu partager mon amour pour cette mégalopole qui ne cesse de se réinventer, de façon frénétique.

....

Jeanne Chiaravalli (co-auteure de New York Out of the Box)
Quand je ne suis pas dans le laboratoire de recherche biomédicale où je travaille, à Manhattan, j'explore la diversité de la ville avec mon appareil photo et partage mes trouvailles sur le blog « Curiosités et futilités à New York » (curiosites-futilites-new-york.com).

OUT OF THE BOX EST UNE COLLECTION DES ÉDITIONS LES ARÈNES

Chef de projet Pierre Bottura • Suivi d'édition Flore Gurrey
Fact checking Kim Laidlaw • Cartes & balades Bertille Comar
Assistanat Juliette Mekkioui • Révision Clément Cheurier, Chantal Ducoux, Emmanuel Dazin & Bertille Comar • Index Emmanuel Faidy & Bertille Comar
Direction artistique Fanny Allemand & Flora Gressard
Assistante de direction artistique Melissa Piallat
Couverture, cartes & illustrations Flora Gressard • Mise en page Fanny Allemand
Maquette Constance Rossignol & Nathalie Cordier • Cartes Map Resource
Fabrication Maude Sapin • Photogravure Point11

Commercial : Pierre Bottura
Communication : Isabelle Mazzaschi et Jérôme Lambert avec Adèle Hybre
Relations libraires : Jean-Baptiste Noailhat

Diffusion : Élise Lacaze (Rue Jacob diffusion), Katia Berry (grand Sud-Est), François-Marie Bironneau (Nord et Est), Charlotte Knibiehly (Paris et région parisienne), Christelle Guilleminot (grand Sud-Ouest), Laure Sagot (grand Ouest) et Diane Maretheu (coordination), avec Christine Lagarde (Pro Livre), Béatrice Cousin et Laurence Demurger (équipe Enseignes), Fabienne Audinet et Benoît Lemaire (LDS), Bernadette Gildemyn et Richard Van Overbroeck (Belgique), Nathalie Laroche et Alodie Auderset (Suisse), Kamel Yahia et Kimly Ear (Grand Export)

Distribution : Hachette

Droits France et juridique : Geoffroy Fauchier-Magnan
Droits étrangers : Sophie Moreau-Langlais

Envois aux journalistes et libraires : Patrick Darchy
Librairie et accueil du 27 rue Jacob : Laurence Zarra

LES AUTEURES REMERCIENT

Big big up à Anne & Mike Boie, Sally Charnow Layla Demay & Rafaël Molina. Merci à tous ceux qui ont pris le temps de partager leur New York avec nous, en particulier Cécile Boucheron, Hannah Charnow, Floriane Colliou, Sean Alexander Crespo, Magali Denis, Max Falkowitz, Pam & Henri Finkelstein, Martine Fougeron, Gabriella Gershenson, Elise Goujon, Dan Gozzi, Carol Hartsell, Evalena Leedy, Brian O'Keeffe, Caroline Mardok, Morgan Munsey, Eloise Pelaud, Anna Polonsky, Dinah & Eric Rodriguez, Caroline Sausville, William Shaw, Zosia Swidlicka, Aurélien Terrible, Assia Valentin, Mai Zahran.

Merci à Marthe, Joseph, Bernard & Mina pour leur patience, à Thomas pour son écoute et ses célèbres U-turns.
Merci à Danièle Chiaravalli pour ses relectures consciencieuses. Merci à Caroline Calvignac, en espérant qu'elle puisse bientôt découvrir pour de vrai les quartiers qu'elle a relus avec tant d'attention.

Merci à Laurent Beccaria, Pierre Bottura & Flore Gurrey pour avoir partagé notre envie de repousser les murs.
Un énorme merci à Constance Rossignol qui n'a ménagé ni son temps ni son talent pour que ce premier opus voie le jour. Merci à Bertille Comar & Juliette Mekkioui pour avoir suivi le tourbillon.

LES ÉDITIONS DES ARÈNES REMERCIENT

Aymeric Olivier, Adrien Labastire & toute l'équipe de Golden Moustache, Raphaël de Montferrand, Nao Nussbaum (SoixanteSeize, Courier), Eric Karnbauer (So Press), Jérôme Schmidt (Inculte), Paul-Emmanuel Roger & Pierre Coutelle (librairie Mollat), Pascal Thuot (librairie Millepages), Mariano Ramos, Gildas Vincendeau & Thomas Herondart (Fnac), Emmanuel Konstantin (librairie Eyrolles), Benjamin Lacaux, Jean-Baptiste Noailhat, Chloé Laforest ainsi que l'équipe du 27, Rue Jacob diffusion & les équipes Hachette.

Achevé d'imprimer par Lego en Italie en août 2016.
ISBN : 978-2-35204-547-2
Dépôt légal : septembre 2016